JN258760

病態栄養専門医テキスト

認定専門医をめざすために

編集
日本病態栄養学会

改訂第3版

南江堂

■編集

日本病態栄養学会

■編集責任(*編集責任者，**副編集責任者)

松浦　文三*	まつうら　ぶんぞう	愛媛大学大学院医学系研究科地域生活習慣病・内分泌学
黒瀬　　健**	くろせ　たけし	中之島クリニック

■執筆者(執筆順)

清野　　裕	せいの　ゆたか	関西電力病院
稲垣　暢也	いながき　のぶや	京都大学大学院医学研究科糖尿病・内分泌・栄養内科学
松浦　文三	まつうら　ぶんぞう	愛媛大学大学院医学系研究科地域生活習慣病・内分泌学
藤本　新平	ふじもと　しんぺい	高知大学医学部内分泌代謝・腎臓内科，糖尿病センター
表　　孝徳	ひょう　たかのり	関西電力病院糖尿病・内分泌代謝センター
幣　憲一郎	しで　けんいちろう	京都大学医学部附属病院疾患栄養治療部
西　　理宏	にし　まさひろ	和歌山県立医科大学附属病院病態栄養治療部
瀬川　　誠	せがわ　まこと	山口大学医学部附属病院漢方診療部
坂井田　功	さかいだ　いさお	山口大学大学院医学系研究科消化器内科学
黒瀬　　健	くろせ　たけし	中之島クリニック
吉川　雅則	よしかわ　まさのり	奈良県立医科大学附属病院栄養管理部
木村　　弘	きむら　ひろし	結核予防会複十字病院呼吸不全管理センター／呼吸ケアリハビリセンター
中屋　　豊	なかや　ゆたか	徳島大学名誉教授
井上　嘉彦	いのうえ　よしひこ	昭和大学藤が丘病院内科系診療センター内科
遠藤　龍人	えんどう　りゅうじん	岩手医科大学看護学部看護専門基礎講座
後藤　　崇	ごとう　たかし	古賀総合病院外科
鈴木　壱知	すずき　かずとも	秀和総合病院消化器病センター
熊木　天児	くまぎ　てる	愛媛大学医学部附属病院総合臨床研修センター
高増　哲也	たかます　てつや	神奈川県立こども医療センターアレルギー科
白石　光一	しらいし　こういち	東海大学医学部付属東京病院消化器内科
越智紳一郎	おち　しんいちろう	愛媛大学大学院医学系研究科精神神経科学
河邉憲太郎	かわべ　けんたろう	愛媛大学大学院医学系研究科精神神経科学
丹黒　　章	たんごく　あきら	徳島大学大学院医歯薬学研究部胸部・内分泌・腫瘍外科
丸山　道生	まるやま　みちお	田無病院
宇都宮　亮	うつのみや　りょう	愛媛大学大学院医学系研究科皮膚科学
津村　和大	つむら　かずひろ	川崎市立川崎病院病態栄養治療部
杉山　　隆	すぎやま　たかし	愛媛大学大学院医学系研究科産科婦人科学
武田　　純	たけだ　じゅん	康生会武田病院
佐々木雅也	ささき　まさや	滋賀医科大学医学部看護学科基礎看護学講座／医学部附属病院栄養治療部
三宅　映己	みやけ　てるき	愛媛大学大学院医学系研究科消化器・内分泌・代謝内科学
井上　善文	いのうえ　よしふみ	大阪大学国際医工情報センター栄養ディバイス未来医工学共同研究部門
永井　祥子	ながい　よしこ	愛媛大学医学部附属病院栄養部

序文　改訂第3版発刊にあたって

日本病態栄養学会は2008年に，適切な栄養管理の推進と医療の向上を図り，もって国民の健康増進に貢献するために，専門的知識および技術を有する優れた医師を病態栄養専門医として認定する制度を発足させた．病態栄養・栄養治療学では，疾患・病態を臓器にとらわれることなく系統的全身的に理解し，各種疾患は栄養素の摂取・吸収・代謝に変化を及ぼすこと，低栄養あるいは偏・過栄養は各種疾患の発症・進展・予後に大きな影響を及ぼすこと，栄養管理が各種疾患の治療・予防の基本であることを理解する必要がある．そして栄養管理の実践のためには，各診療科，各職種，各医療施設と協働してチーム医療を行う必要がある．病態栄養専門医取得のための参考書として，「病態栄養専門医テキスト」の初版が2009年に，そして改訂第2版が2015年に発刊された．

医学・医療は日進月歩であり，病態栄養・栄養治療学の分野でも第2版発刊後，多くのエビデンスの蓄積が得られ，進歩してきた．高齢者におけるサルコペニア・フレイル対策の重要性とその方法，糖尿病合併症重症化予防の方法，各種疾患に対する分子標的治療薬や抗体製剤，免疫チェックポイント阻害薬の登場とその効果，などである．

改訂第3版では，基本的に改訂第2版の項目を踏襲しながら最新の知見を含めるよう，各執筆者にお願いした．本書は，病態栄養専門医を目指す医師の習得すべき内容や指導医のための指導内容のみでなく，専門医を取得してからも目標とすべき内容を含んでいる．広く臨床の場で利用されることを期待している．

最後に，執筆していただいた先生方，細かな点まで気を配っていただき発刊いただきました南江堂のスタッフの方々に感謝します．

2021年3月

編集代表
日本病態栄養学会 専門医制度委員会 委員長
愛媛大学 地域生活習慣病・内分泌学
松浦文三

COI（利益相反）について

一般社団法人日本病態栄養学会においては，自らの社会的信頼を確保するために，本法人の社員（代議員）および学会が行う活動・事業に係わるCOI（利益相反）を開示し，中立性と透明性を維持することで，社会への説明責任を果たすことを目的としている．

以下に，『病態栄養専門医テキスト（改訂第3版）』編集委員・執筆者のCOI関連事項を示す．

1）企業や営利を目的とした団体の役員，顧問職などへの就任

本学会の定めた開示基準に該当するものはない．

2）エクイティ（株式，出資金，ストックオプション，受益権など）の保有の有無

本学会の定めた開示基準に該当するものはない．

3）企業や営利を目的とした団体からの特許権などの使用料

ニプロ株式会社

4）企業や営利を目的とした団体から，会議の出席（発表）に対し，研究者を拘束した時間・労力に対して支払われた日当（講演料など）

アステラス製薬株式会社，MSD株式会社，大塚製薬株式会社，株式会社大塚製薬工場，小野薬品工業株式会社，株式会社花王，ギリアド・サイエンシズ株式会社，サノフィ株式会社，大正製薬株式会社，大日本住友製薬株式会社，武田薬品工業株式会社，田辺三菱製薬株式会社，テルモ株式会社，日本イーライリリー株式会社，日本ベクトン・ディッキンソン株式会社，日本ベーリンガーインゲルハイム株式会社，ネスレ日本株式会社，ノボノルディスクファーマ株式会社

5）企業や営利を目的とした団体がパンフレットなどの執筆に対して支払った原稿料

本学会の定めた開示基準に該当するものはない．

6）企業や営利を目的とした団体が提供する研究費（治験，臨床試験費，受託研究，共同研究など）

株式会社asken，アストラゼネカ株式会社，アッヴィ合同会社，エーザイ株式会社，大塚製薬株式会社，武田薬品工業株式会社，株式会社ツムラ，テルモ株式会社，Drawbridge, Inc.，味覚糖株式会社

7）企業や営利を目的とした団体が提供する寄付金

アークレイマーケティング株式会社，アステラス製薬株式会社，MSD株式会社，小野薬品工業株式会社，キッセイ薬品工業株式会社，協和キリン株式会社，サノフィ株式会社，株式会社三和化学研究所，ジョンソン・エンド・ジョンソン株式会社，第一三共株式会社，大正ファーマ株式会社，大日本住友製薬株式会社，武田薬品工業株式会社，田辺三菱製薬株式会社，日本たばこ産業株式会社，日本ベーリンガーインゲルハイム株式会社，ノバルティスファーマ株式会社，ノボノルディスクファーマ株式会社，Life Scan Japan株式会社

8）企業や営利を目的とした団体が資金提供者となる寄附講座

アクテリオンファーマシューティカルズジャパン株式会社，愛媛県内子町，ニプロ株式会社

9）その他，上記以外の旅費（学会参加など）や贈答品などの受領

本学会の定めた開示基準に該当するものはない．

■ 改訂第２版 執筆者(執筆順，所属は改訂第２版刊行時のもの)

清野　裕	せいの　ゆたか	関西電力病院
稲垣　暢也	いながき　のぶや	京都大学大学院医学研究科糖尿病・内分泌・栄養内科学
松浦　文三	まつうら　ぶんぞう	愛媛大学大学院医学系研究科地域生活習慣病・内分泌学
田中　清	たなか　きよし	京都女子大学家政学部食物栄養学科
武田　英二	たけだ　えいじ	徳島健祥会福祉専門学校
川上　由香	かわかみ　ゆか	徳島県鳴門病院栄養科
中屋　豊	なかや　ゆたか	四国中央病院臨床研究センター
幣　憲一郎	しで　けんいちろう	京都大学医学部附属病院疾患栄養治療部
西　理宏	にし　まさひろ	和歌山県立医科大学附属病院病態栄養治療部
内田　耕一	うちだ　こういち	山口大学大学院医学系研究科消化器病態内科学
坂井田　功	さかいだ　いさお	山口大学大学院医学系研究科消化器病態内科学
黒瀬　健	くろせ　たけし	関西電力病院糖尿病・代謝・内分泌センター
吉川　雅則	よしかわ　まさのり	奈良県立医科大学内科学第二講座／栄養管理部
木村　弘	きむら　ひろし	奈良県立医科大学内科学第二講座
小向　大輔	こむかい　だいすけ	昭和大学藤が丘病院腎臓内科
井上　嘉彦	いのうえ　よしひこ	昭和大学藤が丘病院腎臓内科
永山　嘉恭	ながやま　よしくに	昭和大学藤が丘病院腎臓内科
田山　宏典	たやま　ひろのり	昭和大学藤が丘病院腎臓内科
河嶋　英里	かわしま　えり	昭和大学藤が丘病院腎臓内科
篠村　恭久	しのむら　やすひさ	市立池田病院
河口　貴昭	かわぐち　たかあき	東京山手メディカルセンター
髙添　正和	たかぞえ　まさかず	東京山手メディカルセンター
鈴木　壱知	すずき　かずとも	獨協医科大学越谷病院消化器内科
熊木　天児	くまぎ　てる	愛媛大学大学院医学系研究科消化器・内分泌・代謝内科学／地域医療学
高増　哲也	たかます　てつや	神奈川県立こども医療センターアレルギー科
稲富雄一郎	いなとみ　ゆういちろう	済生会熊本病院神経内科
河邉憲太郎	かわべ　けんたろう	愛媛大学大学院医学系研究科精神神経科学
上野　修一	うえの　しゅういち	愛媛大学大学院医学系研究科精神神経科学
丹黒　章	たんごく　あきら	徳島大学大学院医歯薬学研究部胸部・内分泌・腫瘍外科
丸山　道生	まるやま　みちお	田無病院
宮脇さおり	みやわき　さおり	愛媛大学大学院医学系研究科感覚皮膚科学
若林　秀隆	わかばやし　ひでたか	横浜市立大学附属市民総合医療センターリハビリテーション科
杉山　隆	すぎやま　たかし	東北大学医学部産科婦人科学
新谷　哲司	にいや　てつじ	松山市民病院内科
佐々木雅也	ささき　まさや	滋賀医科大学附属病院栄養治療部
鷲澤　尚宏	わしざわ　なおひろ	東邦大学医療センター大森病院栄養治療センター
井上　善文	いのうえ　よしふみ	大阪大学国際医工情報センター栄養ディバイス未来医工学共同研究部門
永井　祥子	ながい　よしこ	愛媛大学医学部附属病院栄養部

■ 初版 執筆者(執筆順，所属は初版刊行時のもの)

武田　英二　たけだ　えいじ　徳島大学大学院ヘルスバイオサイエンス研究部臨床栄養学教授
山本　浩範　やまもと　ひろのり　徳島大学大学院ヘルスバイオサイエンス研究部臨床栄養学
南　久則　みなみ　ひさのり　熊本県立大学環境共生学部食健康科学科教授
中屋　豊　なかや　ゆたか　徳島大学大学院ヘルスバイオサイエンス研究部代謝栄養学教授
幣　憲一郎　しで　けんいちろう　京都大学医学部附属病院疾患栄養治療部栄養管理室長
荒木　栄一　あらき　えいいち　熊本大学大学院医学薬学研究部代謝内科学教授
古川　昇　ふるかわ　のぼる　熊本大学大学院医学薬学研究部代謝内科学
寺本　民生　てらもと　たみお　帝京大学医学部内科学教授
川﨑　英二　かわさき　えいじ　長崎大学医学部・歯学部附属病院生活習慣病予防診療部准教授
津田　謹輔　つだ　きんすけ　京都大学大学院人間・環境学研究科教授
杉本　俊郎　すぎもと　としろう　滋賀医科大学内科学内分泌代謝・腎臓・神経内科学講師
柏木　厚典　かしわぎ　あつのり　滋賀医科大学附属病院院長
浦　信行　うら　のぶゆき　手稲渓仁会病院総合内科部長
栗田　信浩　くりた　のぶひろ　徳島大学大学院ヘルスバイオサイエンス研究部消化器・移植外科学講師
島田　光生　しまだ　みつお　徳島大学大学院ヘルスバイオサイエンス研究部消化器・移植外科学教授
山口　浩和　やまぐち　ひろかず　公立昭和病院外科医長／東京大学大学院医学系研究科消化管外科
鈴木　壱知　すずき　かずとも　獨協医科大学越谷病院消化器内科准教授
佐々木雅也　ささき　まさや　滋賀医科大学栄養治療部病院教授
安田　一朗　やすだ　いちろう　岐阜大学医学部附属病院第１内科講師
森脇　久隆　もりわき　ひさたか　岐阜大学大学院医学研究科消化器病態学教授
加藤　章信　かとう　あきのぶ　盛岡市立病院院長／岩手医科大学医学部消化器・肝臓内科客員教授
鈴木　一幸　すずき　かずゆき　岩手医科大学医学部消化器・肝臓内科教授
中尾　俊之　なかお　としゆき　東京医科大学腎臓内科教授
出浦　照國　いでうら　てるくに　昭和大学藤が丘病院内科客員教授
宇都宮一典　うつのみや　かずのり　東京慈恵会医科大学糖尿病・代謝・内分泌内科准教授
石崎　允　いしざき　まこと　永仁会病院腎センター長
吉川　雅則　よしかわ　まさのり　奈良県立医科大学第２内科学准教授
木村　弘　きむら　ひろし　奈良県立医科大学第２内科学教授
米田　一彦　よねだ　かずひこ　鳥取大学医学部分子制御内科学助教
千酌　浩樹　ちくみ　ひろき　鳥取大学医学部分子制御内科学講師
稲富雄一郎　いなとみ　ゆういちろう　済生会熊本病院脳卒中センター神経内科
川畑　佳子　かわばた　よしこ　徳島大学大学院ヘルスバイオサイエンス研究部臨床神経科学
梶　龍兒　かじ　りゅうじ　徳島大学大学院ヘルスバイオサイエンス研究部臨床神経科学教授
津田　とみ　つだ　とみ　徳島文理大学大学院人間生活学研究科教授
田中　清　たなか　きよし　京都女子大学家政学部食物栄養学科教授
谷　憲治　たに　けんじ　徳島大学大学院ヘルスバイオサイエンス研究部地域医療学分野教授
佐藤　恵子　さとう　けいこ　徳島大学大学院ヘルスバイオサイエンス研究部呼吸器・膠原病内科学分野
丹黒　章　たんごく　あきら　徳島大学大学院ヘルスバイオサイエンス研究部胸部・内分泌・腫瘍外科学教授
大村　健二　おおむら　けんじ　金沢大学附属病院内分泌・総合外科講師
鷲澤　尚宏　わしざわ　なおひろ　東邦大学医療センター大森病院栄養サポートチーム講師
鈴木　宏昌　すずき　ひろまさ　茨城西南医療センター病院救命救急センター長
村上　啓雄　むらかみ　のぶお　岐阜大学医学部附属病院生体支援センター教授
丸山　道生　まるやま　みちお　東京都保健医療公社大久保病院外科部長
福本　陽平　ふくもと　ようへい　山口大学大学院医学系研究科総合診療医学教授
保坂　利男　ほさか　としお　徳島大学大学院ヘルスバイオサイエンス研究部代謝栄養学特任准教授

栢下　淳	かやした　じゅん	県立広島大学人間文化学部健康科学科准教授
井原　裕	いはら　ゆう	いはら内科クリニック院長
中村　卓郎	なかむら　たくろう	獨協医科大学医学部救急医学講師
高橋　章	たかはし　あきら	徳島大学大学院ヘルスバイオサイエンス研究部代謝栄養学准教授
宮澤　靖	みやざわ　やすし	医療法人近森会近森病院臨床栄養部長
髙橋　利和	たかはし　としかず	徳島大学大学院ヘルスバイオサイエンス研究部病態情報診断学助教
櫻井　洋一	さくらい　よういち	藤田保健衛生大学医学部上部消化管外科教授

目　次

第 I 章

病態栄養専門医としての研修目標

1 病態栄養学の必要性

病態栄養学とは，種々の疾患の発生機序や病態を栄養学的側面から究明し，その治療ならびに予防を目的とする極めて特色のある分野である．病態栄養学は，栄養代謝，内分泌，消化器，循環器，腎臓，呼吸器など臨床各科にまたがる幅広い領域の疾患を対象としており，近年その予防・治療ならびに研究はますます重要性を増しつつある．

A 日本の臨床栄養学の成り立ち

近年，日本における国民の健康水準は世界のトップレベルとなり，急速に高齢化社会を迎えつつある．このような変化の要因として，ほかの国に例をみないほど短期間に国民の食生活が欧米化したことがあげられる．一方で，これに伴い国民の疾病構造の変化，特に糖尿病，心筋梗塞，脳梗塞あるいはがんなどを中心とした生活習慣病の増加が深刻な問題となっている．これら疾病の発症を防止し，また発病したものに対し適切な治療を行うためには，代謝栄養の側面からの研究が必要である．

代謝学と栄養学は学問の進歩に伴い，その領域を区別することは困難で，現在は一体の学問として捉えられているが，日本においては，主として基礎的な研究のみに主眼が置かれていた．栄養学は主として農学，家政学を中心に研究がなされ，その後，基礎医学の一部を巻き込んで発展した(図 1)．臨床の分野においては栄養欠乏症が重視され，内科学の一部として取り組まれていたが，両者はあまり融合することはなく，臨床栄養学という分野は極めて立ち遅れていた(表 1)．

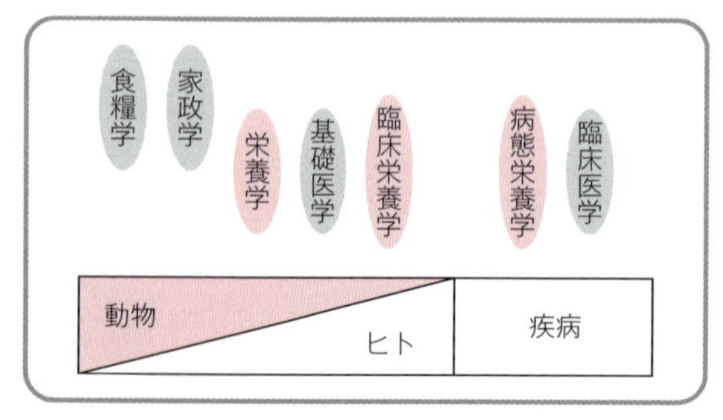

図 1　日本における病態栄養学

このように栄養学は非常に幅広い領域をカバーするだけでなく，研究者も多様な領域に分布している．最近，従来の栄養学は機能性食品などにみられるように食品機能研究に重点を移しつつある．一方，臨床栄養学としてまとめられる健康・疾病関連の分野も必ずしも同一の目的をもったものではなく，健康食品から栄養管理まで様々で，疾病についても臨床各科のニーズによってカバーすべき栄養の分野は大きく異なる．

B 病態栄養学とは

病態栄養学とは，種々の疾患の発生機序や病態を栄養学的側面から究明し，その治療ならびに予防を目的とする極めて特色のある分野である．栄養代謝，内分泌，消化器，循環器，腎臓，呼吸器など臨床各科にまたがる幅広い領域の疾患を対象としており，近年その予防・治療ならびに研究はますます重要性を増しつつある．

この分野は欧米においてすでに半世紀も前から学問の体系化がなされており，臨床医学や臨床予防医学の重要な領域に位置づけられている．日本においては疾病構造が異なっていたため，この分野の研究や治療が，特に分子生物学を中心とした生化学や生理学の進歩によって，代謝栄養学にも新しいアプローチが可能となっている．一方，栄養管理についてもその理論的根拠の確立が急がれ，病態別の治療法の見直しが迫られている(表 2)．

C 疾患と栄養

近年は糖尿病や脂質異常症をはじめとする生活習慣病，さらにがんや慢性腎臓病の進行抑制や治療に病態

表 1　栄養学と臨床医学の融合の欠如

- 医師は栄養学の知識に乏しい
  (医学教育における栄養学の欠如)
- 栄養士は病態の把握が不十分
  (栄養士教育における臨床栄養学の欠如)

⬇

病態栄養学の必要性

栄養学的視点が必要とされている．よりよい栄養管理を行うためには，疾患の成立機序や病態に栄養がどのようにかかわっており，どのような栄養療法が治療に最適であるかを解析する必要がある．すなわち，医師や管理栄養士は協働のうえ患者の食事療養管理や栄養食事指導を通して患者の栄養管理を的確に行うことが要求される（表3，表4）．

さらに，栄養管理はチーム医療（図2）のもと効率よく行い，医師・管理栄養士，その他の医療スタッフとの，知識の共有も必要となる．

D 日本病態栄養学会の設立

日本病態栄養学会（本学会）は設立当初200余名の会員数であったが，本学会に対する管理栄養士・医師などの関心は極めて高く，2020年の会員数は約9,200名である（2009年7月より一般社団法人となる）．第23回の学術集会が2020年1月24〜26日に行われ，5,329名が出席した．また，本学会ではきめの細かい教育体制の整備を進め，病態栄養学の臨床における実践の普及を図ってきた．次第に病棟で活動する病態栄養専門管理栄養士が増加し，栄養サポートチーム（nutrition support team：NST）をはじめとした実践の結果に伴い，幅広い病態栄養学を習得したうえでの専門性の確立が必要とされてきた．そこで本学会は，病態栄養専門管理栄養士の次のステップとして，がん，糖尿病，腎臓病の専門分野に特化した病態栄養専門管理栄養士制度を2013年から順次開始し，より複雑な栄養管理に対応できる専門家の育成を行っている．これらに伴い，2015年から教育セミナーの拠点を3箇所（東京・大阪・福岡）に集中させ，高度な技能を持つ栄養の専門家の育成と実践の普及を図っている．またe-learningを導入し，場所にかかわらず学びやすい環境の構築を進めている．

E 病態栄養専門管理栄養士，病態栄養専門管理栄養士指導師・専門医制度の発足および栄養に造詣の深い看護師の育成

関係各団体で種々の制度が検討されつつあるが，本学会では学会員のなかから，専門的な病態栄養の知識と実践力を持つ病態栄養専門管理栄養士（表5）を育成し，チーム医療のなかで中心的役割を果たす人材の育成を図っている．病態栄養専門管理栄養士の認定は本学会が行う認定事業であるが，受験するために必要な資格（表6）と認定試験とを厳しい基準で行い，それら

表2　病態栄養学の学問の体系化の立ち遅れ

- 指導者の学問領域が多様
  （栄養学，医学，農学，家政学）
- 正しい臨床栄養学の講義が不足
  （医師あるいは同等の能力を有する者）
- 栄養士の職種のあいまいさ
- 栄養士の量産（約2万名/年）

表3　他職種から管理栄養士に望むこと

- 患者の病態について把握できること
- 臨床のトレーニングを十分に受けていること
- 患者に対する医療チームの一員として加われること
  ⬇
  担当管理栄養士制

表4　医療現場に求められる管理栄養士

- 医療スタッフの一員としての資質を有すること
  知識のみならず，実行力を伴うこと
  ➡能力向上
- 患者に一方的な指導を行う管理栄養士であってはならない
  ➡応用力
- 一般管理栄養士と区別した病態栄養認定管理栄養士やより高度の知識を持つ病態栄養専門管理栄養士
  ➡専門職

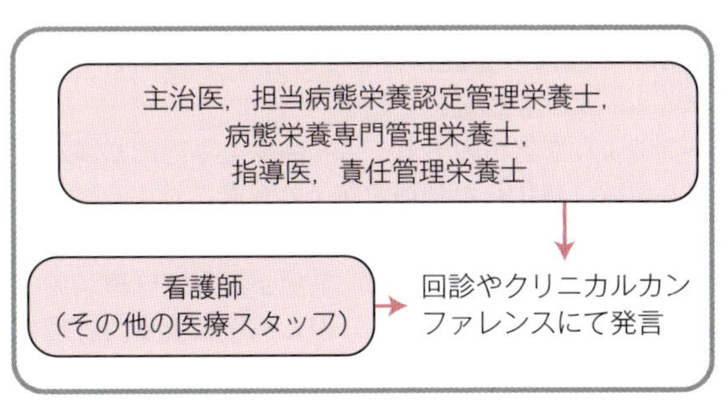

図2　入院患者栄養管理チーム

表5　病態栄養認定管理栄養士・病態栄養専門管理栄養士の重要性

患者のニーズ
- 食事療法の必要性の認識
- きめ細かい指導の要求

医師や他職種からの信頼
- NSTを含む医療チームの一員となれること
- 管理栄養士の多様性　適材適所

臨床の現場で医師と対等の議論ができる能力を持つ専門管理栄養士の育成が必要

表6　病態栄養専門管理栄養士認定試験の受験資格

1. 2年以上本学会員であること
2. 管理栄養士の資格を有する者
3. 医療機関で3年以上の業務(栄養管理)経験を有すること．ただし，大学院前期(修士)課程修了者は1年以上の業務(栄養管理)経験を有すること
4. 以下の条件を満たすこと
   a) 本学会に関連する活動として10点以上を取得していること．本学会出席5点(ただし，発表者5点，連名者2点を，1回の学会出席あたり最高10点まで加点する)，本学会主催教育セミナー出席5点，栄養学に関する論文5点(査読者のいる学術誌の論文筆頭者)
   b) 栄養管理に関する5症例レポートを提出すること：①消化器疾患，②循環器疾患，③糖尿病・代謝疾患，④腎疾患，⑤その他(呼吸器疾患，血液疾患，内分泌疾患，神経疾患，免疫アレルギー疾患など)のうち2分野以上にわたる5症例
   c) 本学会の主催する教育セミナーを受講修了していること

の合格者に対して付与される．

2019年度に第18回の試験を行い，合格者はこれまで総数3,340名を超えた．病院機能評価においても栄養管理部門の独立と病態栄養専門管理栄養士の存在は重要な評価要素として期待されている．病態栄養専門管理栄養士の活躍できる最も重要な分野は生活習慣病の管理・予防のみならず，NSTの構成員として医師などとともにその核を担う重要な地位にある．さらに，NST活動の中心的な役割を果たす病態栄養専門管理栄養士と医師の養成についても力を入れ，NSTコーディネーターも認定している．

このような実情のもと，より高度な専門的知識を有する領域に特化した管理栄養士の育成に対するニーズが高まり，本学会では2014年より日本栄養士会と共同で「がん・糖尿病・腎臓病」病態栄養専門管理栄養士制度を立ち上げた．まずは「がん病態栄養専門管理栄養士」制度から開始し，2019年度まで総数1,004名を認定した．また，がん病態栄養専門管理栄養士の養成に対して教育・指導を行う「指導師」を現在，139名認定している．さらに「糖尿病病態栄養専門管理栄養士」を2019年度まで総数44名,「腎臓病病態栄養専門管理栄養士」は総数56名を認定した．

日本の医療分野において栄養学を専門とする医師は極めて少なく，かつ医師の栄養に対する関心は低い．このような状況に鑑み，本学会は病態栄養専門医制度を2007年度に立ち上げ，2019年度に第13回認定試験を実施し，現在392名の専門医が認定されている．さらに近年，栄養療法に造詣の深い看護師を養成するため，看護師を対象とした栄養セミナーを2018年度より開始した．わが国の高齢化および人口減少，マンパワー減少に伴い，従来のチーム医療のみでは適切な栄養管理への対応に限界が生じており，看護師もともに栄養療法を推進することが重要となる．

F 栄養管理・NST実施施設と栄養管理・指導実施施設の認定

日本における栄養食事指導や栄養管理はあまり重要視されておらず，これらが実践できる施設についても国民には極めてわかりづらい．しかし，国民側の栄養に対する関心は極めて高く，優れた栄養食事指導を受けられる機関の情報開示が求められている．これに対して本学会では，学会員である医師ならびに管理栄養士がそれぞれ1名以上常勤し，病態栄養専門医または病態栄養専門管理栄養士を取得している者が勤務する病院を「栄養管理・NST実施施設」と「栄養管理・指導実施施設」として認定し，一定レベルの栄養管理ができることを開示している．すでにこれらの施設は307施設となっており，日本の栄養療法の正しい発展に寄与している．

G NST診療報酬加算

2010年の診療報酬改定で，NST加算が認められた．加算の要資格として，一定の要件を満たした医師，管理栄養士，看護師，薬剤師でNSTを構成し，稼働した場合に加算が認められる．そこで本学会ではこの要件を満たすべくNSTセミナーとNST実施施設における研修を開始している．NST実施施設など詳細は，本学会ホームページに掲載している．なお要件を満たした者については本学会が厚生労働省の了解のもと，修了証を授与する．2012年の診療報酬改定ではNST加算の見直しが行われ，急性期病棟だけではなく療養病棟においてもその算定が可能となった．

H 糖尿病透析予防指導管理料

2012年度診療報酬改定に向け本学会より申請をしていた「糖尿病腎症の栄養食事指導料」が「糖尿病透析予防指導の評価」として認められ,「糖尿病透析予防指導管理料 350点」が新設された．具体的には，外来に通院する糖尿病患者に対し，糖尿病指導の経験を有する専任の医師と管理栄養士，看護師または保健師などが連携して「透析予防診療チーム」を編成し，重点的な医学管理を行うことが必須とされた．

算定要件として，ヘモグロビンA1c(HbA1c)が6.5%以上，または内服薬やインスリン製剤を使用している

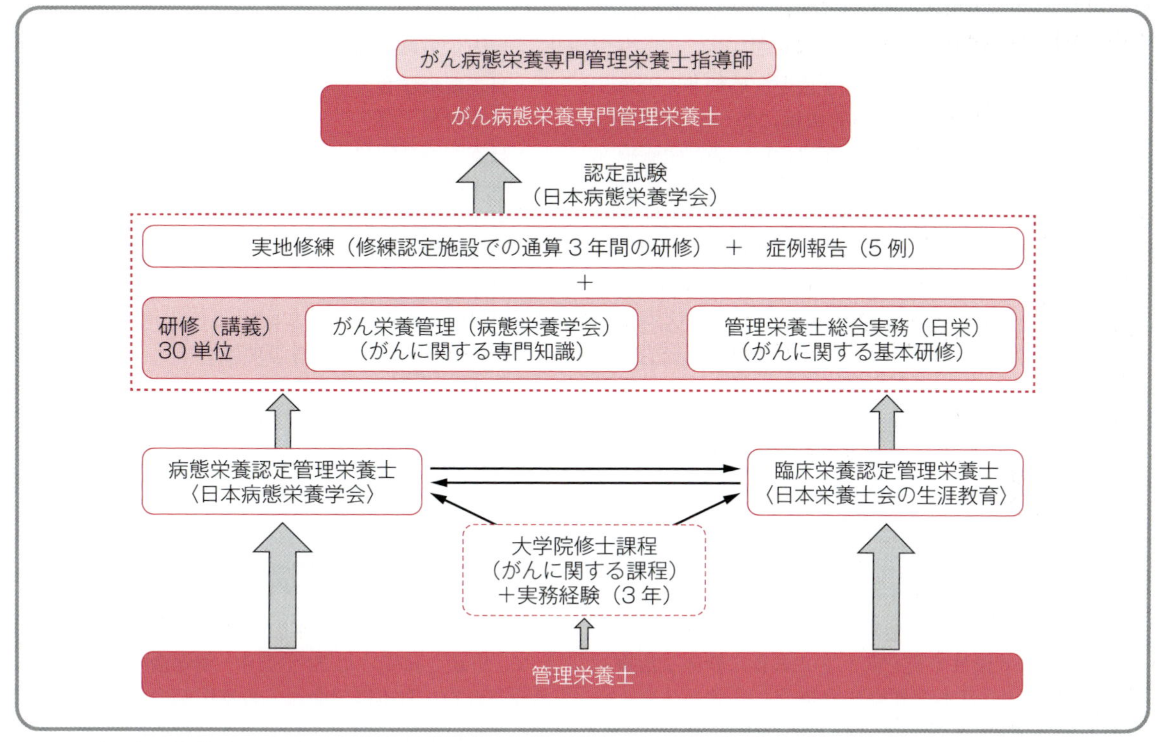

図３ がん病態栄養専門管理栄養士制度の概要

外来糖尿病患者であって，糖尿病性腎症第２期以上の患者(透析療法を行っている者を除く)に対し，透析予防診療チームが透析予防にかかわる指導管理を行った場合に算定できる．施設基準として，糖尿病教室などを実施していることや，１年間に当該指導管理料を算定した患者の人数，状態の変化などについて報告を行う．

糖尿病による透析が減るというエビデンスを出すことが求められており，本学会として腎症の予後に及ぼす因子，特に食事因子の持つ影響を明らかにする研究に取り組んでいる．

I がん病態栄養専門管理栄養士制度の発足

がんは，日本において昭和 56(1981)年より死因の第1位であり，国民の生命および健康において大きな問題になっている．予防策はもちろんのこと，治療，療養において，患者の QOL の向上や医療費の適正化は重要な課題である．

がん患者においては，疾病そのものによる影響や治療に伴うもの，精神的な苦痛など，いくつかの原因が相まって，しばしば栄養管理が困難な状態となる．これらを円滑に行うためには，がんに関する高度な知識と技術は欠かすことはできない．

本学会では，幅広い疾患栄養学に特化したエキスパートとして病態栄養専門管理栄養士を養成してきたが，さらなるがんの栄養管理・栄養療法に関する実践に即した高度な知識と技術を修得し，チーム医療への連携強化を目的とし，2013 年度より「がん病態栄養専門管理栄養士」の認定を開始した．

2014 年には，日本栄養士会との共同認定とした「がん病態栄養専門管理栄養士」制度を構築しスタートさせた(図３)．職能団体と学会は表裏一体で，日本栄養士会が活性化することで，本学会もその支えで学問の進歩につながり，両者が並列して発展していくことが重要となる．

本制度づくりにあたっては，国民にしっかりとした医療が提供できる，国民から信頼が得られる制度になるよう議論を重ねてきた．国家資格の名称を冠した，高度な専門的な知識と技術を有する者を，試験によって認定する制度であり，ゆくゆくは診療報酬につなげていくことが望まれる．

J 日本栄養療法協議会の設立

現在の治療方法は，その検証手法も含め数多くのエビデンスの蓄積が進み「科学的根拠に基づいた医療(EBM)」の考え方が広く浸透してきた．一方，栄養療法に関しては，歴史が浅くその重要性についても十分に認識されていないため，いずれの疾患領域においてもエビデンスに乏しく，その手法すら確立していない分野がある．また薬物療法とは異なり，栄養療法は食文化も考慮に入れる必要があり，日本人における日本発独自のエビデンス構築が必須で，各疾患領域における標準的な栄養療法の確立が求められる．さらに医療の細分化が進み，各疾患領域の診療においては高度な専門知識が必要とされる現在，病態や治療法を理解できる高度な技能をもった管理栄養士が必要とされ，その育成には医師の視点が必要不可欠となる．そこで2014年，本学会の提案により11学会が集結し，各学会から発表されている栄養療法に関するガイドラインの整合性を目指し，また効果的な栄養療法を確立しその標準化により医療の質を向上させ患者に最適な治療を実現すべく，「日本栄養療法協議会」を設立した．2020年3月現在の加盟団体は以下21団体である．

・日本肝臓学会
・日本癌治療学会
・日本呼吸器学会
・日本骨粗鬆症学会
・日本サルコペニア・フレイル学会
・日本循環器学会
・日本消化器病学会
・日本小児科学会
・日本褥瘡学会
・日本腎臓学会
・日本心不全学会
・日本摂食・嚥下リハビリテーション学会
・日本透析医学会
・日本糖尿病学会
・日本動脈硬化学会
・日本肥満学会
・日本リハビリテーション医学会
・日本臨床腫瘍学会
・日本老年医学会
・日本栄養士会
・日本病態栄養学会(幹事)

K 日本医学会に加盟

2015年2月18日の日本医学会定例評議委員会において，申請されていた22学会中，本学会のみの加盟が承認された．日本医学会は，日本医師会と密接な連携のもとに，「医学に関する科学および技術の研究促進を図り，医学および医療の水準の向上に寄与する」ことを目的としている．この活動は，あくまで学問中心で，その会員制度は学会単位の加盟であり，現在132分科会を擁している．本学会は分科会のひとつとして医学の向上に寄与するものである．

2 病態栄養専門医としてのプロフェッショナリズム

A 医療の目的

医療の目的は，患者の治療と，人びとの健康の維持もしくは増進(病気の予防を含む)である．医師は人びとの生命と健康に関与する業を行うことから，他の職種に比べてより重大な責任があるというべきで，医師はこの職業の尊厳と重要さを十分に自覚することが大切である[1]．

B プロフェッションとは

プロフェッション(専門職集団)とは，Cruess ら[2]によれば，「複雑な知識体系への精通，および熟練した技能の上に成り立つ労働を核とする職業であり，複数の科学領域の知識あるいはその修得，ないしその科学を基盤とする実務が，自分以外の他者への奉仕に用いられる天職である．そして，その構成員は，自らの力量，誠実さ，道徳，利他的奉仕，および自らの関与する分野における公益増進に対して全力で貢献する意志(commitment)を公約(profess)する．この意志とその実践は，プロフェッションと社会の間の社会契約(social contract)の基礎となり，その見返りにプロフェッションに対して実務における自律性(autonomy；オートノミー)と自己規制(self-regulation)の特権が与えられる」と定義されている[3]．医師集団は特に公益性，道徳性，専門性が強く求められているプロフェッションである．

C 医師としてのプロフェッショナリズムとは

それでは医師のプロフェッショナリズムとは何を意味するのであろうか？

Arnold と Stern は，臨床能力・コミュニケーションスキル・倫理的・法律的理解の土台の上に立ち，卓越性・人間性・説明責任・利他主義の 4 つの柱で支えているものと定義している[4,5]．一方，米国・欧州の内科 4 学会が共同で作成した「新ミレニアムにおける医のプロフェッショナリズム：医師憲章」では，新時代における医師の原則と責務を宣言した[6,7]．そこで掲げられている 3 つの原則は以下のとおりである．

①患者の福利優先：医師は，患者の利益を守ることを何よりも優先し，市場・社会・管理者からの圧力に屈してはならない．

②患者の自立性：医師は，患者の自己決定権を尊重し，「インフォームド・ディシジョン」が下せるように，患者を empower しなければならない．

③社会正義(公正性)：医師には，医療における不平等や差別を排除するために積極的に活動する社会的責任がある．

そして，責務としては，プロフェッショナルとしての能力に関する責務，患者に対して正直である責務，患者情報を守秘する責務，患者との適切な関係を維持する責務，医療の質を向上させる責務，医療へのアクセスを向上させる責務，有限の医療資源の適正配置に関する責務，科学的な知識に関する責務(科学的根拠に基づいた医療)，利害衝突(利益相反)に適切に対処して信頼を維持する責務，プロフェッショナル(専門職)の責任を果たす責務(仲間や後進の育成など)を掲げ，これの順守を求めている．

D 病態栄養専門医としてのプロフェッショナリズムとは

病態栄養学とは，種々の疾患の発生機序や病態を栄養学的側面から究明し，その治療ならびに予防を目的とする学問であり，糖尿病，内分泌，消化器，循環器，腎臓，呼吸器など臨床各科にまたがる幅広い領域の疾患を対象としている．今日の医療・医学においては生活習慣病や栄養不良の治療・予防，患者の QOL の向上，さらに医療費の適正化が重要である．これらを実施するためには，疾患・病態を系統的全身的に理解し，栄養障害が各種疾患の発症・進展・予後に大きな影響を及ぼすこと，病態栄養学や栄養療法が各種疾患の治療・予防の基本であることを理解した病態栄養専門医が必要である．

病態栄養専門医には上述の医師としてのプロフェッショナリズムに加えて，病態栄養専門医としての栄養管理に関する高度な知識と技術を併せ有していることが求められる．

一方で，一人の医師でできることには限りがあり，チーム医療や患者中心の医療を行う現代では，もはや医師単独で「医師のプロフェッショナリズム」を考えることはできない．病態栄養専門医は管理栄養士や看護師などの多職種とチーム医療を実践するとともに，他のチーム（褥瘡，摂食嚥下，緩和など）と連携を取れることが重要である．

栄養療法に関しては，その重要性を認識しつつも，未だにエビデンスが十分であるとはいえない．その理由として，食の多様性や嗜好性，結果が出るまでに時間を要する，和食をはじめとするわが国独自の文化も考慮する必要がある，などの理由により，栄養に関してエビデンスを出すことが容易ではないことがあげられる．一方で，わが国は超高齢社会に突入し，患者は複数の疾患を併せ持つことも多く，かつ各疾患領域の専門知識が要求される現在，栄養治療のエビデンスの構築と標準的な栄養治療法の確立が求められている．

文献

1) 医の倫理綱領・医の倫理綱領注釈．日本医師会会員の倫理向上に関する検討委員会（答申．日医ニュース第925号，2000 <http://www.med.or.jp/nichinews/n120320u.html>（最終アクセス：2020年11月25日）
2) Cruess SR, Johnston S, Cruess RL. Professionalism for medicine: opportunities and obligations. Med J Aust 2002; **177**: 208-211
3) 大生定義．プロフェッショナリズムとは？臨床神経学 2012; **52**: 1024-1026
4) Arnold L, Stern DT. What is medical professionalism? Measuring Medical Professionalism, Stern DT (ed), Oxford University Press, New York, 2006: p15-37
5) 大生定義．医学教育とプロフェッショナリズム．日本医科大学医学会雑誌 2011; **7**: 124-128
6) ABIM Foundation. American Board of Internal Medicine, ACP-ASIM Foundation. American College of Physicians-American Society of Internal Medicine, European Federation of Internal Medicine: Medical professionalism in the new millennium: a physician charter. Ann Intern Med 2002; **136**: 243-246
7) 李　啓充．新ミレニアムの医師憲章—連載再開にあたって（続 アメリカ医療の光と影　第1回）．週刊医学界新聞，第2480号，2002

3 専門医として心得ておくべきこと

A 医の倫理，患者の人権

病態栄養専門医は，まず医師の役割とそれを支える倫理を理解し，患者の権利を尊重しつつ，病態栄養のプロフェッショナルとしての観点から，適切な医療を提供できる能力をつける必要がある．また，研究にあたってもそれぞれの倫理指針に則って行う必要がある．日本医師会ホームページ[1]に取りあげられているので参照にされたい．

「ヒポクラテスの誓い」[2]は最も古い医の倫理の原点である．この誓いのなかで述べられていることは，医師・患者関係，医師同士の関係が主であり，医術の内容についてはほとんど触れられていない．19 世紀半ばまで一般庶民が受ける医療は，様々な職種，たとえば理髪師，僧職，薬剤師などによって行われていた．この時代の医療は，善意はあっても患者・家族の利益を優先させるという倫理といえる概念はなかったようである．第二次世界大戦後の 1947 年にニュールンベルグで，ドイツの医学実験が暴露され，新たな医の倫理を模索して，世界医師会(WMA)が結成された．WMA は，1948 年のジュネーブ宣言[3]でヒポクラテスの誓いの再確認を行い，医師としての一般的な義務，患者・家族に対する義務，同僚医師に対する義務の基本を宣言した．1964 年にはヘルシンキ宣言[4]でヒポクラテスの誓いでは触れられていなかった臨床研究に携わる医師に対する勧告を行った．1981 年のリスボン宣言[5]で「インフォームド・コンセント」の概念が宣言され，今日に至っている．

日本でも日中戦争から第二次世界大戦までは医療実験が行われていた．満州における 731 石井部隊事件や九州大学での生体解剖事件などである．日本とドイツは 1951 年に自国の医学犯罪を謝罪して WMA に加入を許された．

20 世紀半ばからの医療技術の発展はすさまじく，再生医療や生殖医療，終末期医療などの様々な倫理的問題が生じている．体外受精や iPS 細胞を用いた再生医療はすでに臨床応用の時代に入っている．リビングウィル(事前指示書)の作成も一般に浸透している．医の倫理はもはや私たち医師のみの倫理ではなく，人類全体で考えるべき時代になりつつある．

B 説明と同意(インフォームド・コンセント)

説明と同意(インフォームド・コンセント，informed consent：IC)の概念は，「個人の尊重」と「個人の自己決定権」が基盤になっており，1981 年に WMA がリスボン宣言として公表したものである．IC の informed が受け身型になっているように，「素人である患者にわかりやすく説明してほしい．それを理解して consent するのは患者自身であるから」というのが IC の真意であろう．しかし，多くの場合，医師は法理にかなっていなければ万一の場合に公的に裁かれることを恐れるがあまりに，正確で詳しい専門的説明を inform する．一方，患者・家族は説明の意味を理解できていない．ここに医師と患者関係の間に法理が介在することで，医師と患者間の理解が断たれてしまっている．理解のないところに信頼はない．この信頼の存在こそが医療の基本である．

IC の根拠となる法律は，医療法第 1 条の 4 第 2 項に「医師，……は，医療を提供するに当たり，適切な説明を行い，医療を受ける者の理解を得るように努めなければならない」と示されている．この条文は，適切な説明の基準は患者のレベルに沿ったものでなければ，患者の理解，信頼は得られないことを示唆している．医師–患者間の知識の溝は大きい．しかし医師は，患者が医療内容について理解できるように，かつ医療に潜む危険性をも納得してもらえるように説明することが義務である．専門的な医療技術を有するとともに，専門的な内容を相手が理解できる平易な言葉で説明できることが真のプロフェッショナルであると考える．これは極めて困難な到達目標であるが，医療の基本である患者の信頼を得る医師であるためには，それに向かっての日常の修練が求められている．

C 患者–医師関係

適切な医療行為は，患者・家族と信頼関係を構築し，多職種医療スタッフと患者がパートナーシップの基盤に立つことで，はじめて可能となる．医療行為は，患者と医師との間の信頼関係に基づく準委任契約である．

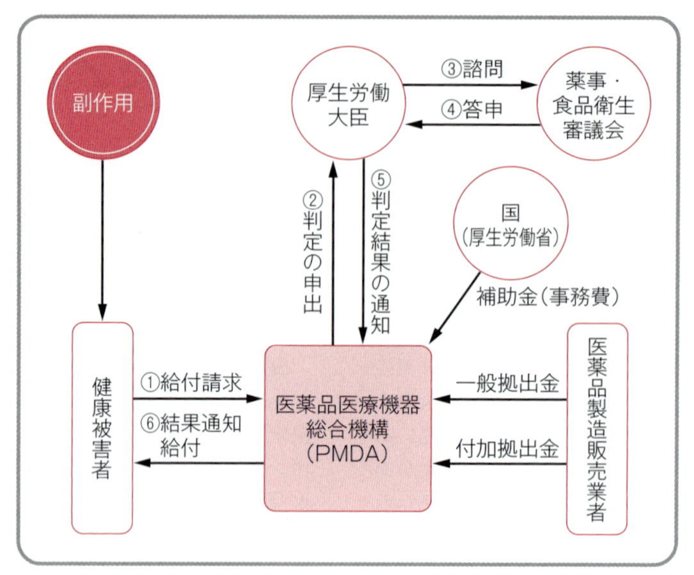

図1　医薬品副作用被害救済制度

医師の守秘義務とは，患者-医師関係において知り得た患者に関する秘密を他に漏洩してはならないという医師の義務のことである[6]．しかしながら，守秘義務の絶対的遵守の要請は，最近になって，①患者が同意した場合，または②患者や他の者に対して現実に差し迫って危害が及ぶおそれがあり，守秘義務に違反しなければその危険を回避することができない場合は，機密情報を開示することは倫理にかなっている，と変更されている．

医師の守秘義務は，倫理上の義務としてのみでなく，法的義務としても問題になる．刑法134条(秘密漏示)第1項では，「医師，薬剤師，医薬品販売業者，助産婦，……の職にあった者が，正当な理由がないのに，その業務上取り扱ったことについて知り得た人の秘密を漏らしたときは，6月以下の懲役又は10万円以下の罰金に処する」と規定されている．

ところで，良好な患者-医師関係の構築のためには，①病歴情報の種類(主訴，現病歴，既往歴，家族歴，社会歴，システムレビュー)を理解し，手順に沿って聴取する，②患者・家族の精神的・身体的苦痛を十分に配慮する，③患者の要望(診療・転院)へ対応する，ことが肝要である．

D 保険制度と患者支援

適切な医療は，医療行政，医療経済を理解し，医療保険制度に則って行う必要がある．また，公的患者支援制度や各々の学会が作成した患者向けガイドラインを活用し，患者・家族を支援することが有用である．

このなかで，医薬品副作用被害救済制度[7]は，医薬品医療機器総合機構(PMDA)法に基づく公的な制度である(図1)．この制度は，医薬品(病院・診療所で処方されたもの以外に薬局・ドラッグストアなどで購入したものも含まれる)を適正に使用したにもかかわらず，副作用によって一定レベル以上の健康被害が生じた場合に，医療費などの諸給付を行うものである．ただし，救済の対象から除外される医薬品には，①がんその他特殊疾病に使用されることが目的とされている医薬品であって，厚生労働大臣の指定するものであり，抗悪性腫瘍薬，免疫抑制薬など，②人体に直接使用されないものや，薬理作用のないものなど副作用被害発現の可能性が考えられない医薬品であり，動物用医薬品，製造専用医薬品，体外診断用医薬品など，が含まれる．また，副作用救済給付の対象にならない場合とは，①法定予防接種を受けたことによるものである場合(任意に予防接種を受けたことによる健康被害は対象になる)，②医薬品の製造販売業者などに損害賠償の責任が明らかな場合，③救命のためやむを得ず通常の使用量を超えて医薬品を使用したことによる健康被害で，その発生があらかじめ認識されていたなどの場合，④対象除外医薬品などによる場合，⑤医薬品の副作用のうち軽度な健康被害や医薬品の不適正な使用によるものなどの場合，である．給付の種類としては，医療費，医療手当，障害年金，障害児養育年金，遺族年金，遺族一時金，および葬祭料がある．

E 安全管理

医療安全においては，医療安全に関する重要な概念と用語を理解し,医療機関における安全管理体制(事故報告書，インシデントレポート，リスク管理者，事故防止委員会,事故調査委員会)を利用して安全な医療を実践し，医療事故につながるヒヤリ・ハット事例を減少させることが重要である．

実際の医療現場においては，多職種医療スタッフ間の報告・連絡・相談と診療の記録が重要であり，またクリニカルパスを用いることにより，医療スタッフ間の医療の質と安全性の向上を図ることができる．

F 医療従事者の健康と安全，院内感染対策

医療においては，医療従事者も事故や危険にさらされており，医療従事者自身の健康管理に留意することが重要である．そのためには，日常的に感染症の標準予防策(スタンダードプリコーション：standard precautions)に努めるとともに，院内感染対策に精通し，予防策を実践することが必要である[8]．患者・家族からの暴言・暴力に対しては，組織的な対応ができるよう，院内マニュアルを整備することが必要である．

G チーム医療

栄養療法においては特にチーム医療が必要不可欠である．医療チームの構成員としての役割を理解し，多職種のメンバーと協働して医療にあたるとともに，地域医療などにおいては，核となる病院と地域内の診療所が連携を行う必要がある．そのため，一症例一診療録を原則とし，各職種の共通理解のために共通用語で表現するとともに，各職種間の業務内容の分担および責任体制を確立する．また，患者の病態に応じて，病診連携・病病連携を用いて，病院や診療所，さらに在宅での適切な医療を行うことが重要である．

H EBM，ICT の活用

質のよい医療のためには，根拠に基づく医療(evidence-based medicine：EBM)，情報通信技術(information and communication technology：ICT)を主体的かつ適切に日常診療に活用する．

EBM に関しては，EBM の 5 ステップ(ステップ 1：疑問の定式化，ステップ 2：情報収集，ステップ 3：情報の批判的吟味，ステップ 4：情報の患者への適応，ステップ 5：1～4 のプロセスの評価)を理解し，適切に実践することが重要であるが，信頼性の高いエビデンスでも，外的妥当性を評価し，個々の患者へは常に慎重に適用するよう努める．

ICT に関しては，診療の向上に向けて利用可能な ICT のリソースがあれば，積極的に，しかし時流に流されず主体的・自律的に利用するよう努める．

I 利益相反(COI)

利益相反(conflict of interest：COI)とは，一般的には，ある行為が一方の利益になると同時に，他方の不利益になるような行為をいう．医療においては，日常診療とともに特に臨床研究における COI が重要である．臨床研究はヒトを対象とするため，被験者の生命，安全，人権，個人情報を守るという観点から実施されなければならないと同時に，医師側は，臨床研究の実施において，資金提供者などとの金銭的なかかわりを持つ場面が多いからである．こうした点を踏まえ，厚生労働省は，適正に医学研究を実施するための指針を策定している[9]．本指針には，研究者などの責務など，倫理審査委員会，IC などが含まれている．

J 臨床研究・臨床試験

臨床研究への参加は，臨床能力(診療技能，臨床推論，着眼点，コミュニケーション，記録の残し方など)を高めるのに役立つ．また，目的に応じた適切な研究方法(デザイン)を理解できる．ヒトを対象とする研究においては，必要な法的・倫理的配慮を理解し，研究計画時には，疫学・統計学など専門家の協力を求め，必要な体制を構築し，研究計画(プロトコール)を倫理審査に提出し，承認を受けて研究を実施する[9]．臨床経験から，一般化できる知見を得るために臨床研究に展開しようとする態度を持つことが重要である．

K 学会発表・論文発表

臨床的に意義のある症例や臨床研究の知見や新しい医学的知見が得られた場合，学会発表・論文発表を行う．発表においては，各種のガイドライン・規定に準拠して内容を作成する．学会発表・論文発表を通じて，研究発表の質と診療能力を向上させることができる．

L 生涯学習，指導・教育

知識の更新と技能の向上に向けて自発的な学習を継続することが重要である．たとえば，日本病態栄養学会やその他の機関が提供する生涯学習プログラムに参

加するように努める．また，後輩医師や医師以外の医療スタッフに対しても必要に応じて適切な指導・教育を行う．さらに，指導・教育する立場としてだけでなく，チーム医療のスタッフとしてともに学び合う環境・関係をつくることも重要である．

文献

1) 日本医師会ホームページ <https://www.med.or.jp/>（最終アクセス：2020年11月18日）
2) ヒポクラテスと医の倫理 <https://www.med.or.jp/doctor/member/kiso/k3.html>（最終アクセス：2020年11月18日）
3) 日本医師会（訳）．WMAジュネーブ宣言 <https://www.med.or.jp/doctor/international/wma/geneva.html>（最終アクセス：2020年11月18日）
4) 日本医師会（訳）．ヘルシンキ宣言 <https://www.med.or.jp/doctor/international/wma/helsinki.html>（最終アクセス：2020年11月18日）
5) 日本医師会（訳）．患者の権利に関するWMAリスボン宣言 <https://www.med.or.jp/doctor/international/wma/lisbon.html>（最終アクセス：2020年11月18日）
6) 医師の守秘義務について <https://www.med.or.jp/doctor/member/kiso/d12.html>（最終アクセス：2020年11月18日）
7) 医薬品副作用被害救済制度 <https://www.pmda.go.jp/kenkouhigai_camp/>（最終アクセス：2020年11月18日）
8) 坂本史衣．基礎から学ぶ医療関連感染対策，改訂第3版，南江堂，東京，2019
9) 医学研究に関する指針一覧 <https://www.mhlw.go.jp/stf/seisakunitsuite/bunya/hokabunya/kenkyujigyou/i-kenkyu/>（最終アクセス：2020年11月18日）

第 II 章

病態栄養を理解するうえでの解剖と生理

A 脈管ネットワーク

1．全身の動脈系（図 1）

血管系は肺循環と体循環に分けられる．動脈は心臓から出る血管，静脈は心臓へ還る血管であり，動脈血・静脈血はそれぞれ，酸素の豊富な血液，酸素に乏しい血液である．体循環においては，動脈を動脈血，静脈を静脈血が流れているが，肺循環においては，肺動脈を静脈血，肺静脈を動脈血が流れている．

左心室から出た大動脈はまず上行し，大動脈弓を経て，下行大動脈となる．上行大動脈からは，冠動脈が最初に分枝する．大動脈弓からは，上半身に分布する動脈が分枝するが，左右非対称である．右は 1 本の腕頭動脈が分枝したのち，右総頸動脈と右鎖骨下動脈に分かれる．左は左総頸動脈と左鎖骨下動脈が，最初から別の血管として分枝する．総頸動脈は，内頸動脈と外頸動脈に分かれ，内頸動脈は脳，外頸動脈は頭部皮膚などに血液を送る．鎖骨下動脈は主に上肢に血液を送るが，椎骨動脈もこれから分かれる．脳底部において，内頸動脈は椎骨動脈由来の後大脳動脈と後交通静脈によって連絡され，内頸動脈由来の左右の前大脳動脈は前交通動脈によって連絡され，Willis 動脈輪を形成している．

腹部大動脈は，消化器系に血液を送り 1 本のみの血管である腹腔動脈・上腸間膜動脈・下腸間膜動脈や，左右の腎動脈を分枝したのち，左右の総腸骨動脈に分かれる．総腸骨動脈は，内腸骨動脈，外腸骨動脈に分かれ，前者は骨盤内臓に分布し，後者は大腿動脈となっ

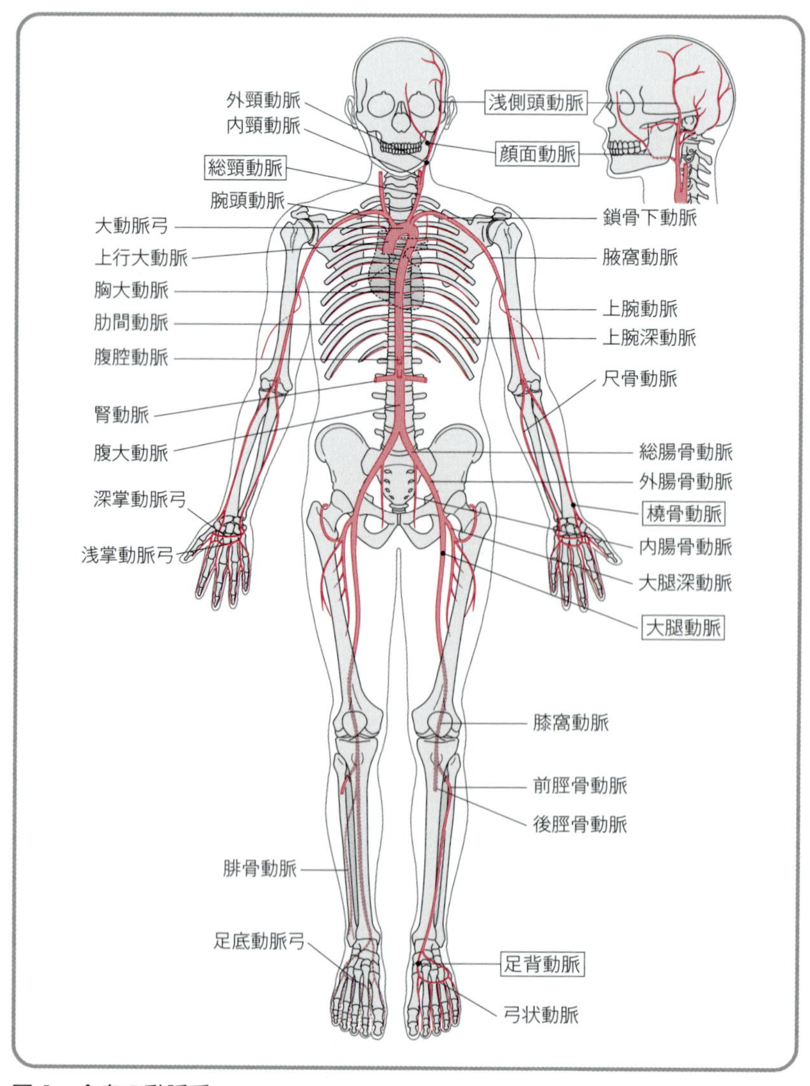

図 1　全身の動脈系

て下肢に分布する．

2．全身の静脈系

心臓には，上大静脈・下大静脈・冠状静脈洞から血液が戻る．内頸静脈・鎖骨下静脈が合流して腕頭静脈となり，左右の腕頭静脈が合流して上大静脈となる．左右の総腸骨静脈が合流して下大静脈となり，腎静脈や肝静脈がこれに流れ込む．

3．腹部門脈系および側副血行

腎静脈は別として，消化器系および脾臓の血液は，いったん門脈に入り肝臓に入る．すなわち肝臓には，肝動脈・門脈の２つの流入血管がある．門脈と上・下大静脈の間には，細い血管を介した吻合が存在する．肝硬変における門脈圧亢進症の際には，これら側副血行路に血液が流入する．臨床的に最も重要なのは，胃静脈・食道静脈叢・奇静脈から上大静脈に至る血行路で，食道静脈瘤をきたす．その他，臍周囲の静脈の拡張（メドゥーサの頭），直腸静脈叢への血液流入により痔核をきたす．

4．全身のリンパ管系

間質液の大部分は毛細血管から吸収されるが，一部は毛細リンパ管に吸収される．毛細リンパ管は集合して２本の太いリンパ本幹となり，最終的に左右の鎖骨下静脈に合流する．右上半身からのリンパ系は右リンパ本幹に入るが，下肢・腹部・左上半身からのリンパ系は胸管に入る．小腸で吸収された脂質はカイロミクロンとなって，乳糜管（小腸の絨毛にあるリンパ管）を経由して，胸管に入る．

5．経静脈栄養の穿刺部位

中心静脈カテーテルのための穿刺部位としては，内頸静脈，鎖骨下静脈，大腿静脈，肘などの静脈が用いられる．通常は鎖骨下静脈が選択されるが，緊急時などは内頸静脈も用いられる．また末梢静脈からカテーテルを挿入する末梢挿入型中心静脈カテーテルも用いられる．

B 神経ネットワーク

1．中枢神経系の位置・構造

中枢神経系は脳と脊髄に分けられ，脳はさらに大脳・間脳・脳幹・小脳に分けられる．脳の断面は，神経細胞体の集まった灰白質と神経線維からなる白質に分けられる．灰白質は大脳皮質では外側（皮質），脊髄では中心に位置する．

大脳は前頭葉・頭頂葉・後頭葉・側頭葉に分けられる．灰白質は大脳の表面（新皮質）のほか，新皮質と連続しているが内部に存在する大脳辺縁系（帯状回・島・海馬），白質内に存在する大脳基底核（尾状核・被殻・淡蒼球）がある．間脳は左右の大脳半球に挟まれて存在し，視床・視床下部からなる．脳幹は延髄・橋・中脳からなる．小脳は，皮質（表面）が灰白質，髄質（内部）が白質からなるが，深部に基底核がある．

脊髄からは，頸神経（8 対），胸神経（12 対），腰神経（5 対），仙骨神経（5 対），尾骨神経（1 対）の，31 対の脊髄神経が出る．脊髄では，灰白質は中心に存在し，前角（腹側）には運動神経細胞，後角には感覚神経の情報が入る．

2．中枢神経系の機能

大脳の新皮質は，部分ごとに異なった働きをしている（機能局在）．前頭葉中心溝の前には運動野，中心溝の後には体性感覚野，側頭葉には聴覚野，後頭葉には視覚野がある．また側頭葉には感覚性言語中枢（Wernicke 野），前頭葉には運動性言語中枢（Broca 野）が存在する．しかし新皮質の大部分は，このような感覚野・連続野に属さず，感覚野に入った情報を整理・統合して，意思決定をする部分であり，連合野と呼ばれる．個体発生的にも系統発生的にも新しく，高次脳機能を担っている．大脳基底核は大脳皮質からの入力を受け，姿勢制御や円滑な運動ができるように，それを実際の運動に移す機能にかかわる．この部分の障害によって起こる代表的疾患が Parkinson 病である．

視床は感覚伝導路の重要な中継点である．視床下部は，体温調節・食欲・飲水などの重要な中枢があり，また下垂体ホルモン分泌を調節している．延髄には，呼吸・循環・嚥下など，生命維持に直結する重要な中枢が存在する．小脳は，運動調節・運動の記憶にかかわっている．脊髄については，「感覚神経系と運動神経系の機能」の項で述べる．

3．中枢神経系のネットワーク（図 2）

運動系の下行路は，錐体路と錐体外路に分けられる．錐体路（皮質脊髄路）は大脳皮質の運動野からシナプスを介さずに，脊髄前角の運動神経ニューロンに至り，随意運動を調節する．延髄の錐体において，大部分の神経線維が左右交差するため，これより上部の障害では，反対側の運動障害を起こす．錐体外路は，錐体路以外の神経路を総称したものであり，大脳皮質から基底核や脳幹を経由して，脊髄に至る．姿勢の制御や円滑な随意運動にかかわる．

感覚系の上行路は，体性感覚と特殊感覚（視覚・聴覚など）に分けられる．体性感覚のうち痛覚・温度感覚は，脊髄神経節からの線維が脊髄後根でシナプスを形

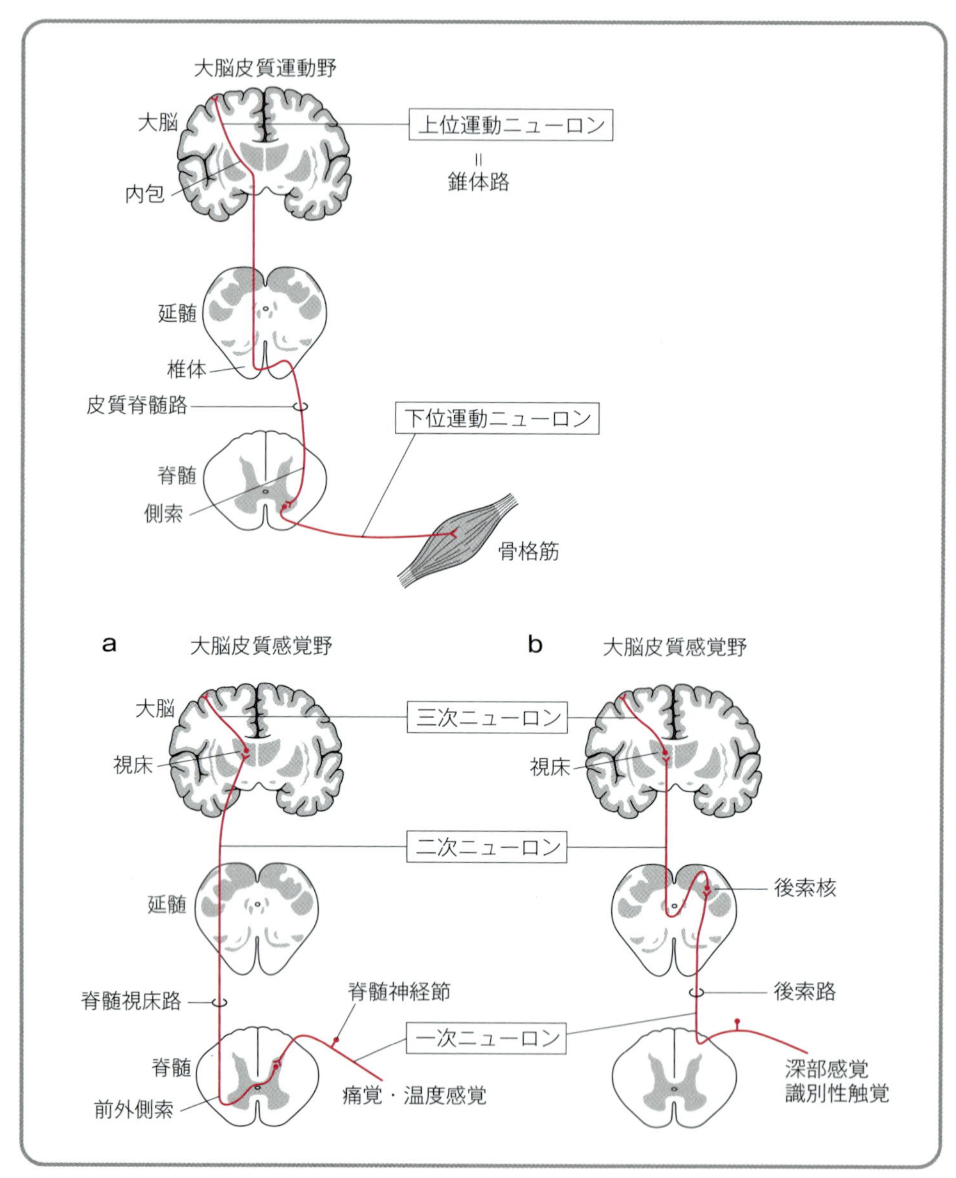

図２　錐体路と体性感覚の伝導路

a：痛覚・温度感覚を伝える脊髄視床路
b：深部感覚と識別性触覚を伝える後索路

成し，脊髄視床路を介して視床に至り，シナプスを形成して大脳皮質感覚野に至る．深部感覚は，脊髄神経節からの神経線維が後索路を介して延髄後索核に至り，シナプスを形成して，視床に至り，大脳皮質感覚野に至る．

4．末梢神経系のネットワーク

末梢神経系は，体性神経系（運動・感覚），自律神経系に分けられ，また脳から出るものを脳神経，脊髄から出るものを脊髄神経と呼ぶ．

脳神経は，Ⅰ：嗅神経，Ⅱ：視神経，Ⅲ：動眼神経，Ⅳ：滑車神経，Ⅴ：三叉神経，Ⅵ：外転神経，Ⅶ：顔面神経，Ⅷ：内耳神経，Ⅸ：舌咽神経，Ⅹ：迷走神経，Ⅺ：副神経，Ⅻ：舌下神経の12対からなる．

脊髄神経は31対あり，四肢に分布するものは，脊髄を出たあと互いに吻合して，複雑な神経叢を形成する．頸神経叢（C1～C4）からは横隔神経が出る．腕神経叢（C5～T1）からは，筋皮神経・正中神経・尺骨神経・橈骨神経・腋下神経など，上肢に分布する神経が出ている．T1〜T12 からの神経は神経叢を形成せず肋間神経となる．腰神経叢(T12〜L4)からは，大腿神経や閉鎖神経が出る．仙骨神経叢(L4〜S5)からの枝は坐骨神経となる．

5．感覚神経系と運動神経系の機能

末梢神経は，知覚情報などを受け取ったり(感覚神経系)，運動指示を出したりする(運動神経系)体性神経系，内臓諸機能の働きを調節する自律神経系に分けられる．

感覚情報としては，皮膚感覚(触覚・圧覚・温覚・冷覚・痛覚)や深部感覚を合わせて体性感覚といい，その他内臓感覚，視覚・聴覚・味覚・嗅覚・前庭感覚の特殊感覚がある．

運動神経系は，骨格筋を支配する体性運動神経と，内臓運動神経に分けられ，前者は随意運動であるが，後者は自律神経による調節を受ける．

6．自律神経系(図 3)

自律神経系は内臓諸機能の働きを調節し，交感神経系・副交感神経系からなる．おおまかにいうと，交感神経系は生体を緊急時対応，副交感神経は生体を普段の状態に保つ神経である．交感神経系が活性化されると，心拍数増加・心拍出力増加・気管支拡張・血管収縮・血圧上昇が起こる．また，緊急時には異化が亢進し，グリコーゲンやトリグリセリドの分解が促進される．一方，副交感神経が活性化されると消化管の運動亢進，消化液の分泌促進，膀胱括約筋弛緩による排尿などが起こり，グリコーゲン合成は促進される．

中枢神経系から出たのち，自律神経節においてシナプスを形成する(節前神経)．自律神経節から効果器に至るものを節後神経という．節前神経末端および副交感神経節後神経末端の神経伝達物質はアセチルコリン，交感神経節後神経末端の神経伝達物質はアドレナリンである．交感神経の節前神経は，胸髄・腰髄から出て自律神経節に達するが，上下に連絡しており，交感神経幹という．副交感神経の節前神経は，脳幹および第 2〜4 仙髄から出る．このうち最も広く内臓機能調節を行うのは，迷走神経である．

7．食欲に関する末梢性および中枢性のネットワーク(図 4)

食欲の中枢は視床下部にあり，外側野(LHA)が摂食

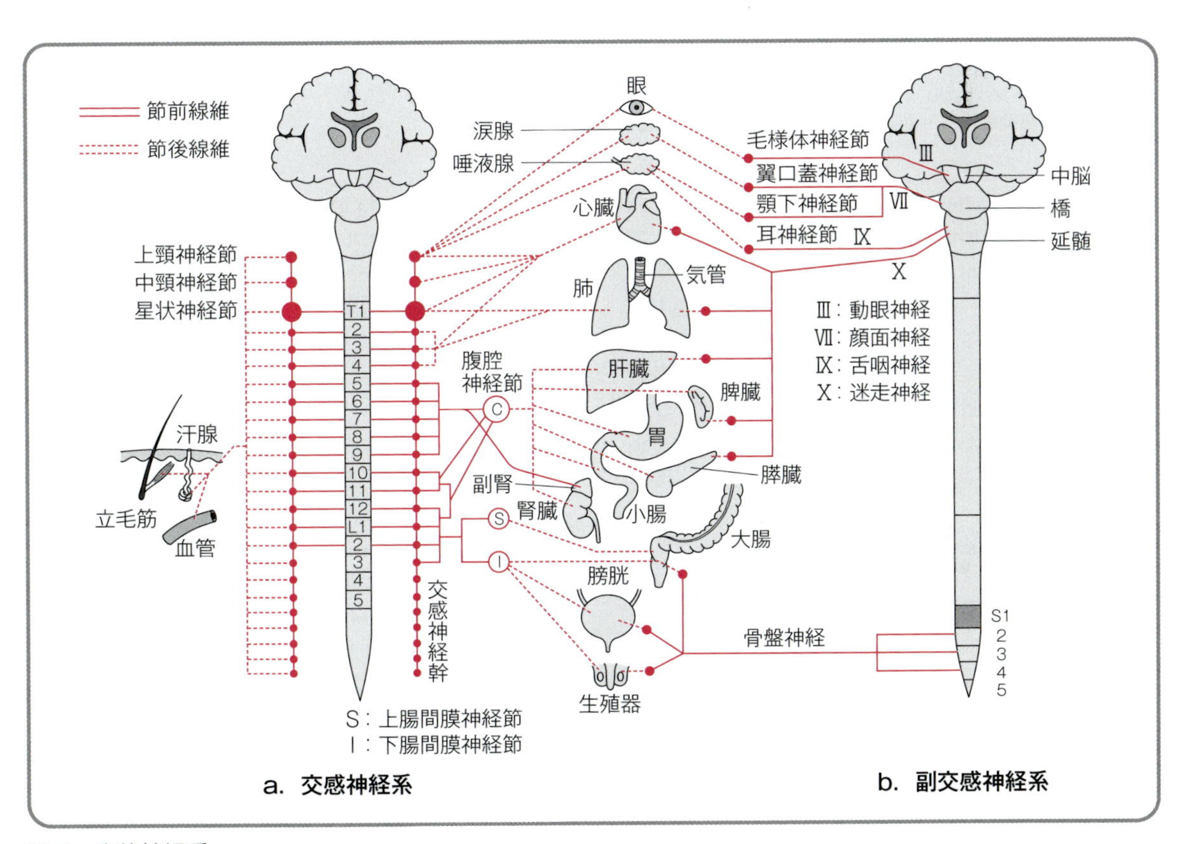

図 3　自律神経系

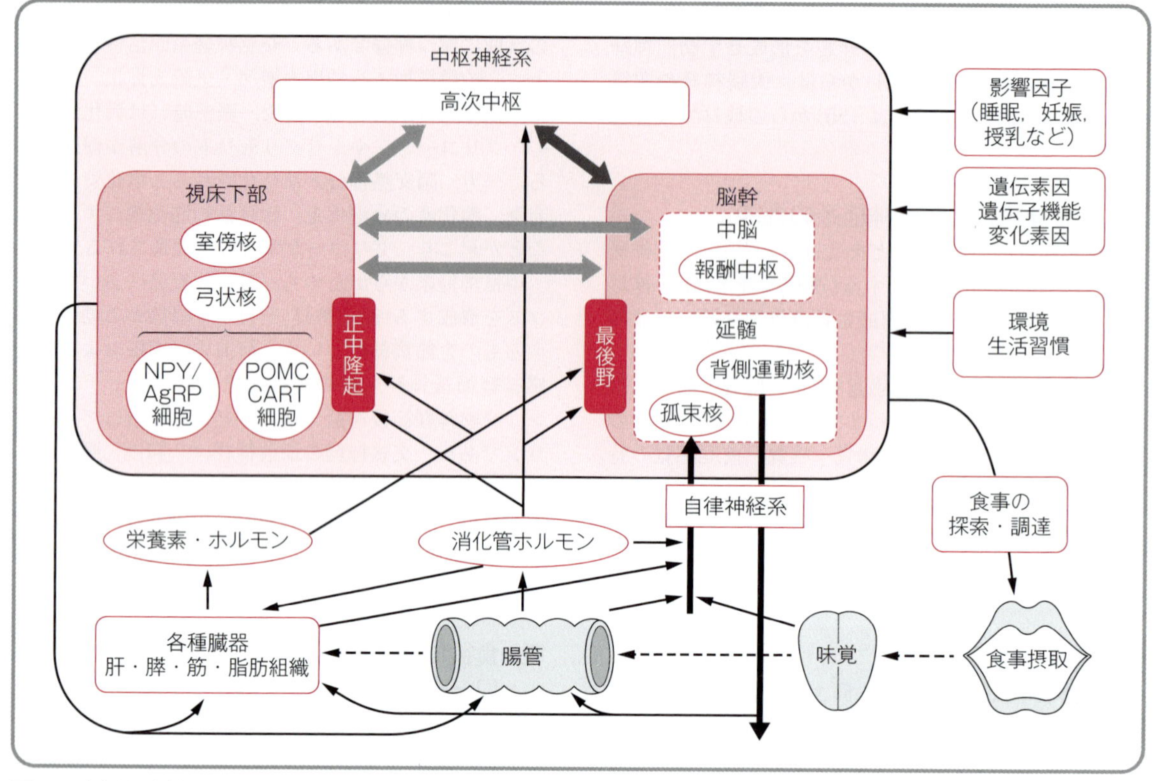

図４　中枢と末梢における食欲制御
消化管ホルモン：グレリン，GLP-1，PYY，CCK など
栄養素・ホルモン：血糖，インスリン，レプチン，コルチゾールなど
（日本消化器病学会（編）．肥満と消化器疾患，金原出版，東京，2010 より作成）

中枢，腹内側核（VMH）が満腹中枢である．これら中枢の働きは，種々の要因によって制御されており，栄養素に関しては，グルコースは摂食中枢を抑制し，満腹中枢を促進するが，遊離脂肪酸は摂食中枢を促進し，満腹中枢を抑制する．これは絶食時，遊離脂肪酸が増加するためである．また，ホルモンによる調節も受けており，たとえば脂肪細胞から分泌されるレプチンは食欲を抑制し，胃から分泌されるグレリンは食欲を促進する．

C 内分泌・代謝ネットワーク

1．内分泌臓器の位置・構造

内分泌腺はホルモンを血液中に分泌し，ホルモンは血流を介して，標的器官に達して，作用を発揮する．内分泌腺としては，下垂体・甲状腺・副甲状腺・膵臓 Langerhans 島・副腎・性腺などがあげられるが，これら狭義の内分泌腺以外にも，消化管（消化管ホルモン）や腎臓（エリスロポエチン）からもホルモンが分泌される．また，心臓（ナトリウム利尿ホルモン）や脂肪細胞（レプチンなど），従来内分泌腺とは考えられていなかった臓器からのホルモン分泌も近年知られている．

2．内分泌臓器相関

内分泌臓器は相互に関連し合う．これを例示して説明する．

a）ネガティブフィードバック調節機構

視床下部・下垂体前葉・甲状腺系を例に説明する．視床下部から TRH が分泌され，その刺激を受けて下垂体前葉から甲状腺刺激ホルモン（TSH）が分泌される．TSH の刺激を受けて，甲状腺ホルモン分泌が亢進するが，増加した血液中甲状腺ホルモンレベルは，視床下部・下垂体からの TRH・TSH 分泌を抑制する．副腎皮質からのコルチゾール分泌も同様であり，視床下部からの CRH，下垂体前葉からの副腎皮質刺激ホルモン（ACTH）・コルチゾールの間に，ネガティブフィードバック機構が存在する．

b）ポジティブフィードバック調節機構

女性ホルモン分泌調節機構が代表例であり，「各ホルモンの作用」の項で述べる．

表１　カルシウム，リン制御に関係するホルモンの標的臓器と効果

	作用する臓器・組織	効果
PTH	骨	骨吸収による細胞外液への Ca^{2+} の溶出
	尿細管	Ca^{2+} 再吸収の促進，P 再吸収の抑制 1 α-水酸化酵素の発現増加によるカルシトリオールの増加
カルシトリオール	腸管	Ca^{2+} 吸収の促進，P 吸収の促進
	尿細管	Ca^{2+} 再吸収の促進
	副甲状腺	PTH 遺伝子の転写を抑制し PTH 産生を抑制
	骨	FGF23 の合成促進
FGF23	尿細管	P の再吸収抑制 1 α-水酸化酵素の発現抑制によるカルシトリオールの低下

c）血液成分による調節

例をあげると，血糖値上昇によりインスリン分泌が促進され，血清カルシウム濃度低下により，副甲状腺ホルモン（PTH）分泌が促進される．

3．各ホルモンの作用および作用機序

a）ホルモンの作用機序

ホルモンは受容体を介して作用を発揮し，受容体には細胞膜受容体と核内受容体がある．ペプチドホルモンやカテコラミンのような水溶性ホルモンは，細胞膜受容体に結合し，細胞内情報伝達は，cyclic AMP などのセカンドメッセンジャーによって行われる．ステロイドホルモン，甲状腺ホルモン，ビタミン A，ビタミン D のような脂溶性ホルモンは核内受容体に結合する．

b）各ホルモンの作用

主なホルモンにつき，簡単に説明する．

①下垂体ホルモン：下垂体前葉からは，他の内分泌腺に対する 4 種類の刺激ホルモン（TSH，ACTH，LH，FSH）と，成長ホルモン（GH），プロラクチンが分泌される．GH は骨・軟骨の成長を促進し，プロラクチンは乳腺の発育・乳汁分泌を促す．

②甲状腺ホルモン：甲状腺ホルモンは基本的に代謝促進・異化亢進ホルモンである．なお新生児期には，代謝作用とは別に，脳の発育に甲状腺ホルモンが不可欠であり，このため先天性甲状腺機能低下症（クレチン症）により知能障害が起こる．

③副甲状腺ホルモン（PTH），ビタミン D，線維芽細胞増殖因子 23（FGF23）：血中カルシウム（Ca^{2+}）濃度の低下は副甲状腺細胞のカルシウム感知受容体に感知され PTH 分泌が増加する．PTH は活性型ビタミン D（カルシトリオール）増加を介して，さらに骨，尿細管への直接作用により血中 Ca^{2+} 濃度を上昇させる．血中 Ca^{2+} 濃度の上昇は PTH 分泌を抑制する．血中リン（P）濃度が上昇すると骨より FGF23 の分泌が増加する．FGF23 は尿細管への直接作用やカルシトリオール低下を介して，血中 P 濃度低下をきたす．各ホルモンの標的臓器・効果について表 1 に示す．

④インスリン・グルカゴン：「糖代謝・脂質代謝・蛋白質代謝機構」の項で述べる．

⑤糖質コルチコイド：糖質コルチコイドは，緊急時に分泌されるストレスホルモンの代表例であり，肝臓での糖新生促進により血糖値上昇，蛋白質・脂質の分解促進など，異化を亢進させる．強い抗炎症・抗免疫抑制作用を持つ．

⑥電解質コルチコイド：「血圧の仕組み」の項で述べる．

⑦女性ホルモン：調節機構と併せて述べる．下垂体前葉から分泌された卵胞刺激ホルモン（FSH）の作用により，未熟な卵胞（原始卵胞）が成熟し，卵胞ホルモン（エストロゲン）が分泌される．血液中エストロゲン濃度の上昇により，下垂体前葉から短時間に黄体化ホルモン（LH）の大量分泌が起こり（LH サージ），これにより排卵が誘発される．排卵後の卵胞は黄体に変わり，黄体ホルモン（プロゲステロン）を分泌する．妊娠が成立しなかった場合，黄体は約 2 週間で退縮して白体となり，月経が起こる．

⑧男性ホルモン：男性では LH は間質細胞に作用して，テストステロン合成を促進し，FSH はセルトリ細胞に作用して精子形成を促進する．

4．糖代謝・脂質代謝・蛋白質代謝機構

各栄養素の代謝については「消化器」の項で述べられるので，ここでは調節機構につき，同化・異化をキーワードとして述べる．

膵臓 Langerhans 島の β 細胞から分泌されるインスリンは典型的同化ホルモンである．糖質に関しては，グルコースの細胞内への取り込みを促進し，グリコー

ゲン合成促進・糖新生抑制・蛋白質合成促進・トリグリセリド合成促進作用を示す．このことは食後分泌されるホルモンとしては，非常に合目的である．α細胞から分泌されるグルカゴンは，グリコーゲン分解を促進する．ホルモンによる代謝調節のキーとなる酵素を紹介しておく．

ホルモン感受性リパーゼは，脂肪細胞に存在するリパーゼであり，トリグリセリドを分解する．カテコラミンなどにより活性化され，インスリンにより抑制される．また，リポ蛋白リパーゼ(LPL)により，カイロミクロンやVLDLに含まれるトリグリセリドが分解され，生じた遊離脂肪酸を末梢細胞において利用・貯蔵するが，LPL活性はインスリンによって促進される．

5．ビタミン・微量元素の働き

a）ビタミン

ビタミンは，水溶性ビタミン9種類，脂溶性ビタミン4種類の合わせて13種類が存在する．各ビタミンの機能と病態への関与について表2，表3に示す．

b）微量元素

通常体内貯蔵量が鉄よりも少ない金属を微量元素としており，日本人の食事摂取基準では，鉄，銅，亜鉛，マンガン，セレン，ヨウ素，クロム，モリブデンが微量ミネラルとしてあげられている．各微量元素の吸収量，体内総量，機能，病態への関与について表4に示す．

D 呼吸器

1．胸郭を形成する臓器の位置，構造(図5)

胸郭は胸部内臓が入っている空間(胸腔)を取り囲む壁であり，胸壁と横隔膜によって形成され，胸壁は，胸骨，脊柱，肋骨によって構成される．心臓，肺，食道などを保護するとともに，胸郭が動くことによって呼吸運動に関与する．なお胸椎と肋骨は関節によって連結しているが，前方では肋骨は肋軟骨となっている．胸郭を形成する骨格のすきまを筋肉が埋めており，肋骨の間をつないでいるのが肋間筋，胸郭の下方境界となっているのが横隔膜である．

2．気道の位置，構造

気管は左右の気管支に分かれ，葉気管支(右肺では上・中・下葉の3本，左肺では上・下肺の2本)に分かれ，さらに分岐して細気管支となり，最終的に肺胞となる．気管はU字型の硝子軟骨からなっており，後方の軟骨が欠けている部分は，平滑筋となっている．

肺胞は1層の肺胞上皮細胞からなっており，その他マクロファージ，肺胞がつぶれるのを防ぐ役割を果たすサーファクタント分泌細胞などが存在する．肺胞は平滑筋を持たないので，自ら能動的に収縮することはできず，胸腔内圧の変化によって，受動的な動きしかできない．肺胞はブドウの房のような構造をしており，これは表面積を広げて，能率よく酸素を取り込む構造と考えられる．

3．換気の仕組み

吸気時には外肋間筋・横隔膜が収縮し，胸郭が拡大して胸腔内圧が低下する．逆に呼気時には，外肋間筋・横隔膜が弛緩し，胸郭が縮小し，胸腔内圧が上昇する．肺胞における酸素分圧は約100mmHg，二酸化炭素分圧は約40mmHg，肺の毛細血管における酸素分圧は約40mmHg，二酸化炭素分圧は約46mmHgであり，肺におけるガス交換は，肺胞と肺の毛細血管間のガス分圧の差による拡散による．

4．呼吸障害(拘束性と閉塞性)の機序

肺の機能障害は拘束性と閉塞性に分けられる．拘束性は肺活量減少をきたし，%肺活量が80%未満のものであり，例として間質性肺炎があげられる．閉塞性は気道閉塞などのため1秒率低下をきたし，1秒率が70%未満のものである．例としては，気管支喘息や慢性閉塞性肺疾患(COPD)があげられる．

E 循環器

1．心臓の位置・構造

心臓は縦隔内の正中よりやや左に位置し，上部の大血管が出入りする部分を心底，下部の先端を心尖という．心臓は右心，左心に分けられ，それぞれ心房，心室に分かれる．左右の心房の間は心房中隔，左右の心室の間は心室中隔によって隔てられる．大静脈からの血液は右心房に戻り，右心室から肺動脈に駆出され，肺静脈からの血液は左心房に戻り，左心室から大動脈に駆出される．

右心房・右心室間には三尖弁，左心房・左心室間には僧帽弁，右心室からの出口には肺動脈弁，左心室からの出口には大動脈弁があり，これらの弁は逆流防止の役割を果たしている．なお僧帽弁は二尖弁となっている．

心筋は横紋筋に分類されるが，骨格筋とは異なり分枝構造を持ち，また心筋細胞同士が境界膜という特殊構造により連絡しており，これにより心房や心室全体が同期して収縮することができる．

心臓の拍動リズムは洞結節が発生し，これが房室結節からHis束に伝わり，右脚・左脚に分岐し，さらにPurkinje線維を通じて，心室全体に伝わる．

表 2　水溶性ビタミンの機能と病態への関与

ビタミン	活性型	機能	欠乏症	欠乏リスクが高まる状態・状況
ビタミン B_1（チアミン）	チアミン 3 リン酸（TTP）	αKGDH[1]，PDH[2]，BCKDH[3]の補酵素 神経細胞膜の構成成分	脚気（高拍出性心不全，多発性神経炎，浮腫，乳酸アシドーシス），Wernicke 脳症（眼球運動障害，運動失調，意識障害）	アルコール依存症，吸収不良症候群，リフィーディング症候群，ビタミン B_1 補給なしの TPN
ビタミン B_2（リボフラビン）	FAD，$FADH_2$	呼吸鎖への電子供与 SDH[4]，Acyl-CoA-DH[5]の補酵素	舌炎，口角炎，脂漏性皮膚炎，眼症状	単独の発症は稀で複合ビタミン欠乏症としての発症が多い 下垂体疾患，肝疾患，糖尿病，テトラサイクリン服用，クロルプロマジン服用
ナイアシン（ニコチン酸，ニコチンアミド，トリプトファン[6]）	NAD，NADH，NADP，NADPH	TCA 回路，脂肪酸合成などに関与する多くのデハイドロゲナーゼの補酵素	ペラグラ（光線過敏性皮膚炎，下痢，認知障害）	アルコール依存症，拒食症，吸収不良症候群，トリプトファン代謝異常（Hartnup 病，カルチノイド症候群），イソニアジド服用，5-フルオロウラシル服用，トウモロコシを主食とする地域
パントテン酸	コエンザイム A（CoA）	アセチル CoA，アシル CoA など糖・脂質代謝の中間代謝産物の構成分子	足の異常感覚・灼熱感，うつ状態	動物性・植物性食品に広く含有されており欠乏症は稀 重度の栄養障害がある場合
ビタミン B_6（ピリドキシン，ピリドキサール，ピリドキサミン）	ピリドキサールリン酸（PLP）	アミノトランスフェラーゼ，GP[7]，ALAS[8]の補酵素	食欲不振，嘔吐，下痢，口唇炎，口角炎，ペラグラ様皮膚炎，多発性神経炎，鉄芽球性貧血，痙攣	アルコール依存症，イソニアジド服用，抗うつ薬服用，経口避妊薬服用
ビオチン	ビオチン	PC[9]，ACC[10]，アミノ酸異化に関わるカルボキシラーゼ[11]の補酵素	皮膚炎，舌炎，食欲低下，うつ状態（非常に稀）	ビオチンを含まない栄養摂取（経腸栄養，TPN，ミルク），厳格な食事制限を伴う食物アレルギー患者
葉酸	メチルテトラヒドロ葉酸（メチル THF）など	一炭素代謝[12]，メチオニン合成[13]	巨赤芽球性貧血，神経障害，腸管機能障害，動悸，口内炎，胎児神経管閉鎖障害	胃切除後，アルコール依存症，フェニトイン服用，経口避妊薬服用，メトトレキサート服投与，妊娠時
ビタミン B_{12}（シアノコバラミン）	デオキシアデノシルコバラミン	メチルマロニル CoA ムターゼ[14]の補酵素	巨赤芽球性貧血，神経障害，Hunter 舌炎（舌尖の発赤・痛み・灼熱感，平滑舌）	自己免疫性胃炎，胃切除後，盲係蹄症候群，慢性膵炎，吸収不良症候群，回盲切除後，Zolliger-Ellison 症候群，メトホルミン服用
	メチルコバラミン	メチオニン合成酵素の補酵素		
ビタミン C（アスコルビン酸）	アスコルビン酸（還元型）	抗酸化作用[15]，コラーゲン・カルニチン・ステロイド合成における水酸化反応[16]	壊血病（成人：皮膚点状・斑点状出血，歯肉出血，消化管出血，創傷治癒遅延），Möller-Barlow 病（小児：軟骨・骨境界部での出血，骨形成不全，骨折）	野菜・果物の長期にわたる摂取不足，アルコール依存症，ヘビースモーカー

[1] αKGDH：α-ケトグルタル酸デヒドロゲナーゼ，TCA 回路に関与する酵素
[2] PDH：ピルビン酸デヒドロゲナーゼ，ピルビン酸をアセチル CoA に変換する酵素
[3] BCKDH：分岐鎖α-ケト酸デヒドロゲナーゼ，分岐鎖アミノ酸（ロイシン，イソロイシン，バリン）の異化に関与する酵素
[4] SDH：コハク酸デヒドロゲナーゼ，TCA 回路に関与する酵素・呼吸鎖複合体 2 の構成酵素
[5] Acyl-CoA-DH：アシル CoA デヒドロゲナーゼ，β酸化に関与する酵素
[6] トリプトファンはナイアシン活性を持ち広義のナイアシンに含まれる．ナイアシン当量に含める場合はその質量の 1/60 としてカウントする．
[7] GP：グリコーゲンホスホリラーゼ，グリコーゲン分解に関与する酵素
[8] ALAS：δ-aminolevulinate synthase，ヘム合成に関わる酵素
[9] PC：ピルビン酸カルボキシラーゼ
[10] ACC：アセチル CoA カルボキシラーゼ
[11] アミノ酸異化に関わるカルボキシラーゼ：プロピオニル CoA カルボキシラーゼ（イソロイシン，メチオニンの異化），メチルクロトニル CoA カルボキシラーゼ（ロイシンの異化）
[12] 一炭素代謝：分子合成において炭素 1 分子の供与体となる反応．プリン，チミジン，メチオニンの合成に関わる．
[13] メチオニン合成：一炭素代謝としてメチル THF のメチル基がホモシステインに供与されメチオニンが合成される．この反応は，メチオニン合成酵素において補酵素としてメチルコバラミンが作用してなされる．
[14] メチルマロニル CoA ムターゼ：メチルマロニル CoA のサクシニル CoA への変換（異性化）を触媒する酵素．イソロイシン，バリンなどのアミノ酸や奇数鎖脂肪酸の異化で生じるプロピオニル CoA はメチルマロニル CoA に代謝され，サクシニル CoA は TCA 回路の基質であるため，アミノ酸・脂肪酸異化を ATP 産生に結びつける最終段階の酵素である．
[15] アスコルビン酸（還元型）は活性酸素種などに電子を供与し抗酸化作用を発揮し，自身はデヒドロアスコルビン酸（酸化型）となる．
[16] 水酸化酵素の活性中心には鉄が配位しており，活性発揮には還元型の Fe^{2+} を必要とし，酸化型の Fe^{3+} となると失活する．アスコルビン酸は鉄を還元型に保ち活性を維持する．

表3　脂溶性ビタミンの機能と病態への関与

ビタミン	活性型	機能	欠乏症	欠乏リスクが高まる状態・状況	過剰症
ビタミンA[1] (レチノイド)	レチナール	オプシンと結合しロドプシンを形成し感光基として機能する	夜盲症，皮膚の角化，眼球乾燥症，成長障害，骨・神経系の発達障害，免疫能低下，消化管粘膜上皮障害による易感染	重度の肝障害，吸収不良症候群，発展途上国における乳児栄養障害	口唇炎(初期症状)，鼻粘膜・眼の乾燥，皮膚の乾燥・紅斑・落屑・剥脱・脱毛，爪脆弱化，頭痛・悪心・嘔吐
	レチノイン酸	核内受容体に作動し遺伝子発現を調整し，胚発生における形態形成，上皮細胞のケラチン蛋白質の分化と産生に関与			
	レチノール	マンノースの糖蛋白質への組み込みに関与する(細胞増殖において重要)			
ビタミンD (カルシフェロール)	カルシトリオール [1,25(OH)$_2$-D$_3$][2]	骨，小腸，尿細管におけるカルシウム・リン代謝の制御(詳細は「PTH，ビタミンD，FGF23」参照)	小児：くる病 成人：骨軟化症	日照時間不足，発展途上国における栄養障害，食物アレルギー患者，アトピー性皮膚炎患者，腎不全	高カルシウム血症[3](意識障害，消化器症状，腎障害)
ビタミンE (トコフェロール)	α-トコフェロール	活性酸素除去による抗酸化作用	欠乏症は稀[4]． 低出生体重児：血小板増加，浮腫，溶血性貧血 AVED[5]：運動失調，深部感覚障害	脂質吸収障害(胆道閉鎖症，短腸症候群，Crohn病など)，エゼチミブ服用	
ビタミンK	フィロキノン (ビタミンK$_1$)[6] メナキノン (ビタミンK$_2$)[7]	蛋白質のグルタミン酸残基をカルボキシル化し，カルボキシルグルタミン酸(GLA)残基を形成する[8]	易出血，新生児メレナ，骨折リスクの増加	新生児(腸内細菌が未発達，母乳にビタミンKが少ない)，抗菌薬投与，脂肪吸収障害，エゼチミブ服用	

1) ビタミンAの含有動物性食物はレバー，ミルク，卵に限られる．プロビタミンとしてβ-カロテンがあり緑黄色野菜と果物に含有される．
2) 動物性前駆物質(7-デヒドロコレステロール)が紫外線によりプレビタミン型となり，さらに熱でコレカルシフェロール(D$_3$)が形成される．D$_3$は肝臓の25-水酸化酵素で25-OH-D$_3$さらに腎臓の1α-水酸化酵素で1,25(OH)$_2$-D$_3$となり活性型となる．なお，植物性前駆物質(エルゴステロール)からは同様の反応を経てエルゴカルシフェロール(D$_2$)が形成されるが，以後の水酸化による活性化過程も同様で活性も同等とされている．
3) 多くの場合は，活性型ビタミンD製剤の過剰投与に起因する．
4) 植物性油脂に広く含有されるため欠乏症を生じにくい．
5) ataxia vitamin E deficiency: α-tocopherol transfer proteinの遺伝子異常による常染色体劣性遺伝疾患
6) 緑葉野菜に豊富に含有される．
7) 腸内細菌によりフィロキノンが変換され生じる．
8) GLA化される蛋白としては凝固因子(プロトロンビン，Ⅶ，Ⅸ，Ⅹ)，オステオカルシンなどがある．

2. 血圧の仕組み(図6)

血圧は心臓の収縮期において最も高く(収縮期血圧：最高血圧)，拡張期において最も低い(拡張期血圧：最低血圧)．最高血圧と最低血圧の差を脈圧という．

血圧は，心拍出量と末梢血管抵抗によって規定される．

内分泌性調節として，レニン・アンジオテンシン・アルドステロン系による調節が重要である．細胞外液量低下に対して，傍糸球体装置からレニンが分泌され，レニンはアンジオテンシノゲンをアンジオテンシンⅠに変換し，アンジオテンシンⅠはさらに，肺に存在するアンジオテンシン変換酵素(ACE)の作用により，アンジオテンシンⅡとなる．アンジオテンシンⅡは，非常に強力な血管収縮作用に加えて，副腎皮質からのアルドステロン分泌を促進する．アルドステロンは腎臓の尿細管に作用して，ナトリウム再吸収・カリウム排泄を促進し，これにより細胞外液量が増加する．

3. 脈拍の仕組み

上大静脈と右心房の境界付近に存在する洞房結節が心臓全体のペースメーカーであり，その興奮は右心房の下方で心室中隔近くに存在する房室結節(田原結節)に伝わり，次いで心室中隔を走るHis束となり，左脚と右脚に分岐し，左脚はさらに前枝と後枝に分岐する．His束に始まるこれらの線維はPurkinje線維と呼ばれる．

表４　各微量元素の吸収量，体内総量，機能，病態への関与

	吸収量（mg/日）	体内総量	機能	病態への関与
鉄	0.6～1.5[1]	男性 3.6g 女性 2.4g	○ヘム蛋白質（ヘモグロビン：肺から組織への酸素輸送，ミオグロビン：筋肉内の酸素輸送・貯蔵） ○ヘム酵素（チトクロム：呼吸鎖電子伝達，チトクロム P-450：薬物の酸化的分解，カタラーゼ：過酸化水素を酸素と水に分解） ○非ヘム酵素（鉄-硫黄クラスターを持つ酵素，NADP デヒドロゲナーゼ，SDH，アコニターゼなど） ○鉄依存性酵素：種々の水酸化酵素 ○鉄輸送：トランスフェリン ○鉄貯蔵：フェリチン，ヘモジデリン	欠乏症：鉄欠乏性貧血 過剰症：ヘモクロマトーシス
銅	0.3～0.9	50～120mg	○銅含有酵素 ・リシルオキシダーゼ：コーラーゲン，エラスチンの架橋 ・セルロプラスミン：鉄を酸化し貯蔵鉄をヘモグロビン合成へ移行 ・チトクロム C オキシダーゼ：呼吸鎖蛋白 ・スーパーオキシドジスムターゼ（SOD1）：活性酸素（スーパーオキシド）を過酸化水素に変換 ・ドパミン β-ヒドロキシラーゼ：ドパミンをノルアドレナリンに変換	欠乏症：貧血，好中球減少，骨格異常，Menkes 病（細胞内銅輸送を担う ATP7A 異常で欠乏症をきたす，中枢神経障害，結合識障害） 過剰症：Wilson 病（細胞内銅輸送を担う ATP7B 異常，神経症状，肝不全，溶血性貧血，Kayser-Fleisher 角膜輪）
亜鉛	3～4	男性 2.5g 女性 1.5g	○亜鉛含有酵素 ・SOD1 ・オルニチントランスカルバミラーゼ：尿素回路の酵素 ・炭酸脱水素酵素 ・アルコール脱水素酵素 ・アルカリホスファターゼ	欠乏症：創傷治癒遅延，味覚障害，胸腺萎縮・免疫能低下，食欲低下，成長障害，男性性腺機能低下
マンガン	0.2～0.6	10～20mg	○マンガン含有酵素 ・SOD2: ミトコンドリアに局在する SOD ・アルギナーゼ：尿素回路の酵素 ・ピルビン酸カルボキシラーゼ：ピルビン酸をオキサロ酢酸に変換	欠乏症はヒトでは不明．動物研究では両性の不妊
セレン	0.025～0.07	3～20mg	○セレン含有酵素 ・グルタチオンペルオキシダーゼ：活性酸素の除去 ・ヨードチロニン脱ヨウ素酵素：チロキシン（T4）をトリヨードチロニン（T3）に変換 ・セレノプロテイン P	欠乏症 ・克山（ケシャン）病，小児・女性にみられる心筋症 ・その他（下肢筋肉痛，皮膚乾燥・薄化）
ヨウ素	0.1～0.2[3]	20～30mg[2]	T3 と T4 の合成に用いられる	欠乏症：海外内陸国でみられる．甲状腺腫，甲状腺機能低下症 過剰症：海藻，特に昆布の過剰摂取．甲状腺腫，甲状腺機能低下症
クロム	0.0002[4]	3～5mg	ヒトでの詳細不明	欠乏するとインスリン抵抗性，耐糖能が悪化し，補充で改善する
モリブデン	0.1～0.3	2～3mg	○モリブデン含有酵素 ・キサンチンオキシダーゼ：尿酸代謝酵素[5] ・亜硫酸オキシダーゼ：亜硫酸を硫酸に変換する酵素[6]	TPN 治療を受けた患者に欠乏の報告があり，血症メチオニンの増加，血漿・尿中の尿酸・硫酸の低下，神経過敏，昏睡，頻脈，頻呼吸がみられ補充で改善した

[1] 胃酸で可溶化が増し，アスコルビン酸で還元され Fe^{3+} から Fe^{2+} となると吸収が促進される．
[2] 75%は甲状腺に存在する．
[3] 成人の推奨は 130 μg/日，上限 3mg/日．日本人は 0.5～3mg/日摂取しており，必要以上に摂取している．
[4] 吸収率は低く，10 μg/日の摂取で 2%，40 μg/日の摂取で 0.5%である．
[5] 尿酸代謝の律速酵素であり，阻害薬はアロプリノールである．C 端にモリブデンが配位し，N 端は鉄-硫黄クラスターを持つ．
[6] メチオニン，システインなどの含硫アミノ酸の異化の最終段階で生じた亜硫酸を酸化し，硫酸に変換する．

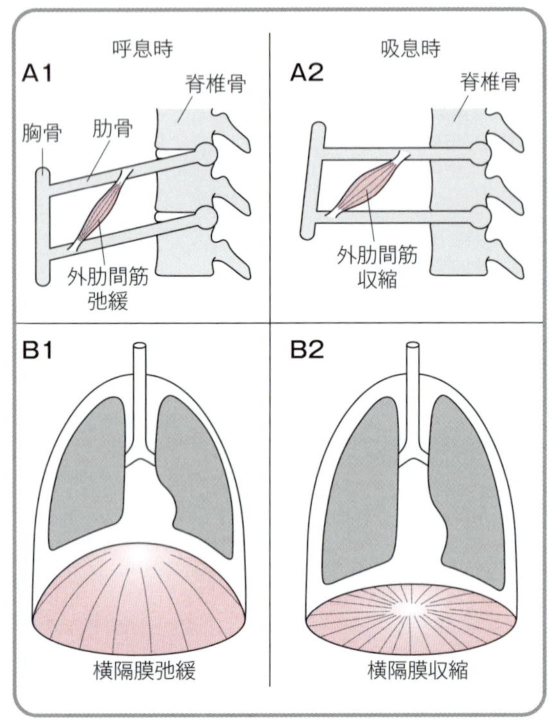

図5　胸郭の動き
（佐藤昭夫，佐伯由香，原田玲子．人体の構造と機能，第3版，医歯薬出版，東京，2012より引用）

4．心収縮機能の仕組み

心周期は収縮期と拡張期に分けられ，収縮期はさらに等容性収縮期と駆出期，拡張期は等容性拡張期と充満期に分けられる．左心室を例に述べると，左心室が収縮し，圧が高まると僧帽弁が閉鎖するが，大動脈弁はまだ閉じているので，圧は高まるが血液はどこへも駆出されず，これを等容性収縮期という．心室内圧＞大動脈圧となると，大動脈弁が開く（駆出期）．心室内圧＜大動脈圧となると大動脈弁が閉じるが，僧帽弁はまだ閉じているので，容積は変わらず，心室内圧が急速に低下する（等容性拡張期）．心室内圧＜心房内圧となると僧帽弁が開き，血液が心房から心室に流入する（充満期）．

5．動脈硬化の成因

動脈硬化は，動脈壁が肥厚・硬化した状態であり，アテローム性動脈硬化（粥状動脈硬化），細動脈硬化，中膜石灰化硬化（Mönckeberg 硬化）の3つのタイプに分けられるが，単に動脈硬化といった場合は，粥状硬化を指すことが多い．

内皮細胞が障害されると，血管の弛緩反応が障害されるとともに，内皮細胞に接着分子が発現され，単球が内皮細胞表面に接着し，内皮細胞間隙から侵入してマクロファージに分化する．マクロファージは血管壁において，酸化 LDL などを取り込んで泡沫細胞を形成する．さらに血管平滑筋細胞の遊走増殖，線維組織増殖・石灰化などが加わって，粥状動脈硬化病変（粥腫）となる．

F 腎

1．腎，尿路系の位置，構造

腎臓はソラマメ状の構造といわれ，外側の皮質と内側の髄質に分けられる．腎臓の内側中央部は，血管や尿管の出入りする部位であり，腎盂と呼ばれる．

腎臓はネフロンという機能単位からなり，1個の腎臓には約100万個のネフロンが存在し，ネフロンは腎小体と尿細管からなる．腎小体は，糸球体と Bowman 囊からなる．糸球体に輸入細動脈から流入した血液は濾過され，輸出細動脈から出ていく．糸球体において濾過されて生じた原尿は，Bowman 囊から尿細管に入る．尿細管は，非常に屈曲した近位尿細管から，直線的に髄質まで下行して，ヘアピン状にUターンして皮質に戻り，再度屈曲した遠位尿細管となったあと，合流して集合管になる．

腎盂から尿管が出て膀胱に至る．膀胱には3層の平滑筋層があり，また膀胱粘膜は伸び縮みしやすい移行上皮からなる．膀胱から尿道への出口は膀胱括約筋があり副交感神経の刺激により弛緩して排尿が起こる．

2．体液の恒常性

腎臓はホメオスタシス（恒常性）維持に極めて重要な役割を果たしている．

糸球体で生成する原尿は1日約150Lであるが，水の99％は再吸収され，最終的に1日の尿量は約1.5Lである．水の吸収のうち約70％は近位尿細管，残りは遠位尿細管・集合管で起こる．細胞外液量が減少すると，アルドステロン分泌が増加して，ナトリウム再吸収に伴って水の再吸収が促進され，尿量は減少する．また抗利尿ホルモン分泌が増加して，集合管における水の再吸収促進・尿量減少が起こる．

血液の pH は7.35〜7.45の狭い範囲に維持されている．生体内では，代謝に伴い多量の酸が産生されるが，二酸化炭素（炭酸）は呼吸によって，それ以外の酸は腎臓によって尿に排泄される．このため慢性腎不全においては，代謝性アシドーシスが起こる．

3．蛋白尿の原因，機序

運動後や発熱時など，疾患によらなくても，蛋白尿が一過性にみられることがあり，生理的蛋白尿と呼ば

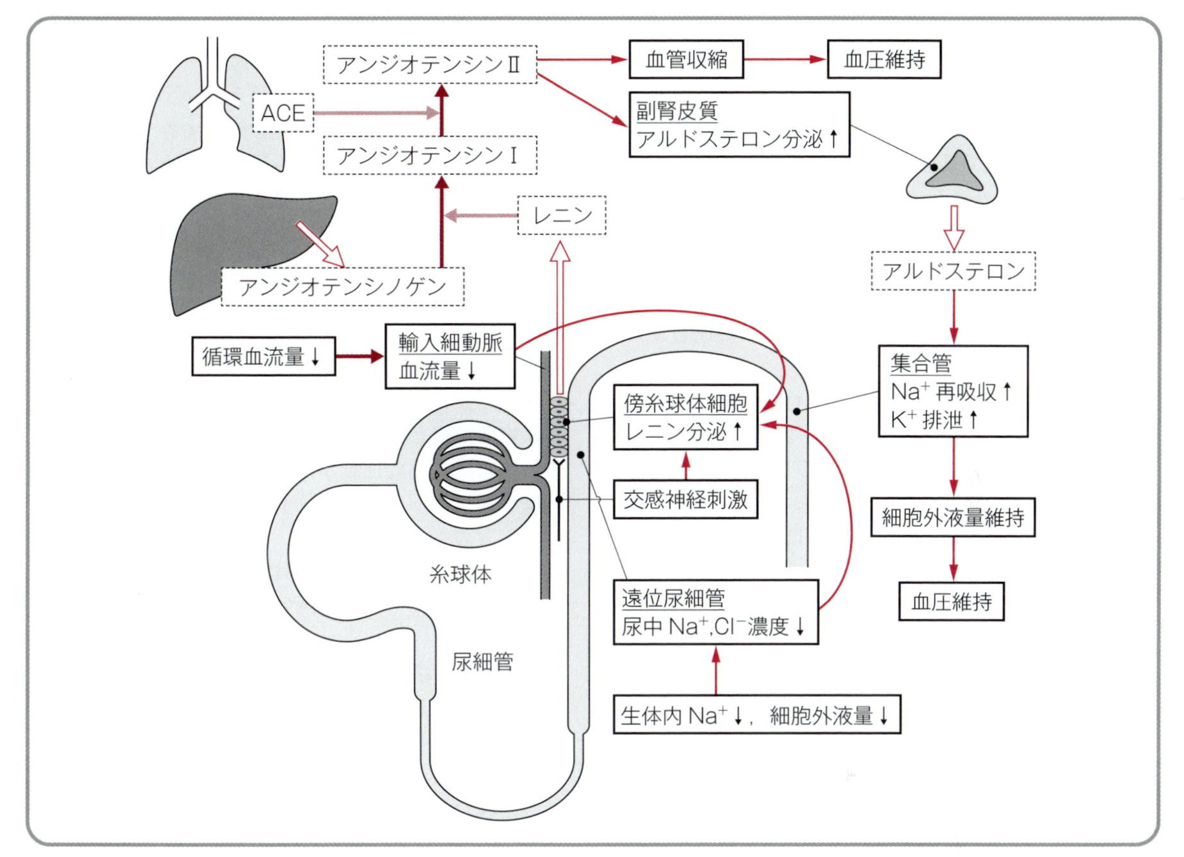

図６　レニン・アンジオテンシン・アルドステロン系とナトリウム，細胞外液，血圧の維持機構

れる．持続性にみられる病的蛋白尿は，腎前性・腎性・腎後性に分類される．低分子蛋白は糸球体で濾過され，尿細管で再吸収される．腎前性は，血液中に増加した低分子蛋白が尿細管での再吸収能力を超えて増加したため認められるものであり，多発性骨髄腫に伴うBence Jones 蛋白などがあげられる．腎性はさらに，糸球体性と尿細管性に分けられる．糸球体性は，糸球体基底膜の透過性亢進や障害によるもので，アルブミンを中心とした高分子蛋白尿が特徴である．尿細管性は，近位尿細管における再吸収障害によるものであり，β_2 ミクログロブリンなどの低分子蛋白尿が特徴である．腎後性は，尿路の炎症や腫瘍によるものである．

4．尿の性状

尿の成分の 95％以上は水である．尿は生体のホメオスタシス維持に重要な役割を果たしているため，尿の性状は種々の条件によって大きく変動する．尿量は約 1.5L/日，pH は約 6 とやや酸性である．

尿量が 400mL/以下のものを乏尿，50～100mL/日以下のものを無尿という．尿量の増加する疾患としては，糖尿病，尿崩症が有名であるが，比重は前者では高く，後者では低い．尿中ウロビリノゲンは弱陽性が正常であり，溶血や肝疾患などにおいて増加，閉塞性黄疸では低下する．尿糖は陰性が正常であるが，糖尿病ではなくても，尿細管におけるグルコースの再吸収閾値が低いために尿糖陽性となる，腎性糖尿に注意を要する．尿ケトンは正常では陰性であり，極度のインスリン作用不足，絶食あるいは高度の糖質摂取不足などにおいて陽性となる．

G 消化器

1．各消化管の位置，構造

消化管は，口-咽頭-食道-胃-腸・小腸（十二指腸，空腸，回腸）-大腸（盲腸，虫垂，結腸（上行結腸・横行結腸・下行結腸・S 状結腸），直腸）-肛門から構成される．

口は皮膚組織から粘膜へと移行し，口裂の奥には口腔がある．口蓋は前方 2/3 が硬口蓋，後方 1/3 が軟口蓋で最奥部には口蓋垂がある．咽頭は物を飲み込む際，口腔部の口蓋垂と舌根が動いて還流を防ぎ，喉頭蓋が気管への入り口を閉じる．咽頭筋は収縮し，食物を食道へと運ぶ．咽頭に続く食道は長さ約25cm，第6頸椎部から脊柱と気管の間を通り，心臓の後面を下り，横隔膜を食道裂孔で貫通して胃につながる．胃は，食物を3〜6時間貯め込み，胃液で消化する．中央部分は胃体，外側を大彎，内側を小彎，食道との接続部は噴門，上部は胃底，下部で十二指腸とつながる開口部は幽門，その手前を幽門前庭という．胃の動きを制御する筋肉は平滑筋で，幽門部は幽門括約筋を形成している．

小腸は6〜7mある．十二指腸の下行部には総胆管と膵管が開口する十二指腸乳頭(Vater乳頭)がある．小腸壁は粘膜表面に多数の絨毛および微絨毛が刷子縁を形成し栄養素の吸収面積を広げている．絨毛間には多数の腸腺(Lieberkuhn陰窩)が開口し，腸液を分泌している．小腸壁の筋層は内輪・外従の2種類の平滑筋層は自律神経叢(Auerbach神経叢)があって，消化管運動や腺の分泌を調節している．大腸の内壁は粘膜であるが，繊毛はない．肛門部分の筋肉は輪形状を持つ内肛門括約筋，横紋筋である外肛門括約筋がある．

2. 肝，胆道，膵の位置，構造

肝臓は男性約1.3kg，女性約1.1kgで横隔膜直下やや右寄りにある．左右の2葉からなり，右葉は左葉の約2倍である．肝臓は肝動脈から酸素供給を，門脈からは静脈血を受ける．腸管から吸収された栄養素の大部分は肝臓に入り，代謝処理されて，肝静脈を経て下大静脈に至る．また，肝臓は大きな分泌腺であり，解毒・排泄器官でもある．脂肪の消化に必要な胆汁酸の分泌をはじめ，代謝処理した物質(胆汁色素，コレステロール，解毒物など)を細胆管に集め，胆管，総胆管を経て十二指腸に排泄する．胆道とは，肝臓でつくられた胆汁が十二指腸に至るまでの経路で胆管，胆囊，十二指腸乳頭部に区分される．胆汁は，肝細胞で生成される消化液で，脂肪の消化吸収を助ける．膵臓の外分泌膵は，膵管を通して十二指腸への各種の膵酵素と電解質を含むアルカリ性の膵液を分泌し，内分泌膵はLangerhans島とも呼ばれ，α細胞はグルカゴンを，β細胞はインスリンを，δ細胞はソマトスタチンを，PP細胞はパンクレアティック・ポリペプチドを分泌する．

3. 咀嚼と嚥下の仕組み

食物の摂食・嚥下には，①認知，②口への取り込み，③咀嚼，食塊形成，④咽頭への送り込みからなる口腔期，⑤嚥下反射により咽頭を通過する咽頭期，⑥食道を通過する食道期からなる．

①食物の認識(認知期)では，食物の味や硬さ，においなどを連想する．食べる前に唾液が出て，胃液が分泌し，反射的に食べる準備を整える．②口唇，歯で食物を取り込み，その後は口唇を閉鎖する．③口に取り込んだ食べ物は舌と歯を巧みに使って唾液と混ぜ咀嚼し，飲み込みやすい食塊に整えられる．④舌の運動によって奥舌まできた食塊は奥舌と軟口蓋でつくられる口峡を通過して咽頭に送り込まれる．⑤咽頭通過はほんの一瞬であるが，このとき鼻腔と気管への道を閉じ呼吸は停止している．食塊を咽頭へ送る力は，舌が直接押し出す力と咽頭にできる陰圧が吸引する力である．軟口蓋により鼻腔，喉頭蓋で気管が閉鎖され，同時に声門前庭と声門も閉じている．⑥食塊が咽頭に入ると咽頭壁に蠕動運動が生じて食塊を食道へ送る．同時に食道入口部の食道括約筋(輪状咽頭筋)が弛緩して食塊が食道へ送り込まれる．食道に食べ物が送り込まれると，逆流しないように食道括約筋はぴったりと閉鎖し，蠕動運動で胃へと運ばれる．

4. 胃液の分泌機構

酸分泌を促進させる因子として，アセチルコリン，ガストリン，ヒスタミンがあげられる．脳相の酸分泌に関与するアセチルコリンは中枢を介して迷走神経が刺激された際に，分泌されて作用する．胃相の酸分泌は，胃に入った蛋白性の食物は胃壁のG細胞に作用してガストリンを分泌させ，これが血行を介して胃酸(HCl)の分泌および胃の運動を促進する．次いで，胃酸や胃での消化産物が十二指腸壁のS細胞に作用するとセクレチンが胃体部からのソマトスタチン分泌やプロスタグランジンE_2(PGE_2)分泌を促進させることによって間接的に酸分泌を抑制する．同時に膵臓に作用して多量のアルカリの分泌をもたらす．ヒスタミンは胃体部のECL細胞や肥満細胞で産生され，胃体部粘膜の局所で常に壁細胞を刺激している．

5. 胃運動，胃排泄の仕組み

胃の役目は，その蠕動運動と攪拌運動によって食物をまぜ，胃液と消化酵素のペプシンを分泌して食物を消化する．食物は2〜3時間胃のなかにとどまり，次第に粥状になる．前庭部の収縮力により十二指腸に排出される．胃排出遅延により食物が胃に長く停滞することで，胃もたれ，食後膨満感，悪心などを呈する．

6. 各栄養素の消化，吸収機構

蛋白質，脂肪および複合炭水化物が主に小腸で分解され，吸収可能な低分子物質となることを消化，消化管粘膜を通過して血液またはリンパ液中に入ることを吸収という．

でんぷんやグリコーゲンなどの多糖類は唾液，膵液のアミラーゼによって加水分解され，二糖類，マルトトリオース，α-デキストリンなどのオリゴ糖類が生じ，腸上皮細胞刷子縁のラクターゼ，スクラーゼ，グルコアミラーゼ，イソマルターゼなどにより単糖類となって吸収され門脈へ運ばれる．

蛋白質は胃液に含まれるペプシンと，膵液に含まれるトリプシン，キモトリプシン，カルボキシペプチダーゼなどにより加水分解され，少数のアミノ酸で構成されるオリゴペプチドとなる．オリゴペプチド（ジペプチド，トリペプチドを含む）は吸収上皮細胞膜のオリゴペプチダーゼによりアミノ酸に分解されて吸収される．アミノ酸よりもジペプチドなどのほうが速やかに吸収される．

トリグリセリド（TG）は膵リパーゼにより加水分解されて，モノグリセリドと遊離脂肪酸が生じる．これらは胆汁に含まれる胆汁酸と微小複合ミセルを形成し可溶化され，小腸の上皮から吸収される．

小腸上皮細胞内でモノグリセリドと遊離脂肪酸は細胞内の滑面小胞体でエステル化を受けてTGに再合成される．再合成されたTGはリン脂質，リポ蛋白質，コレステロールなどとともにカイロミクロンとなりリンパ管へ運ばれる．

水は経口摂取の約2Lの水分に加えて消化管分泌液として1日約10Lが小腸に送られ，大部分が下部空腸，回腸，大腸で吸収される．ナトリウムイオンは小腸，大腸で受動輸送により吸収されるが，一部グルコースなどの吸収と同時に能動輸送でも取り込まれる．カリウムイオンと塩素イオンは空腸で受動的に，回腸で能動輸送により吸収される．重炭酸イオンは小腸で能動輸送で，カルシウムイオンは十二指腸で能動的に，マグネシウムは小腸で受動的に吸収される．鉄イオンは十二指腸と上部空腸で能動輸送により吸収されるが，ヘモグロビンに結合している鉄はそのまま吸収され，細胞内で鉄イオンが遊離する．

脂溶性ビタミンは，脂質とほぼ同じ経路で，ビタミンB_1とB_6は拡散により，ビタミンB_2は能動輸送により小腸で吸収される．ビタミンB_{12}は，胃壁細胞から分泌される内因子と結合して回腸遠位で吸収される．

7．各栄養素の代謝

a）炭水化物の代謝

摂食により細胞内に入ったグルコースは，ヘキソキナーゼによりグルコース-6-リン酸（G-6-P）に転換され，5炭糖リン酸経路，グリコーゲン合成，解糖系の3つの経路で代謝される（図7）．肝臓，脂肪組織，赤血球

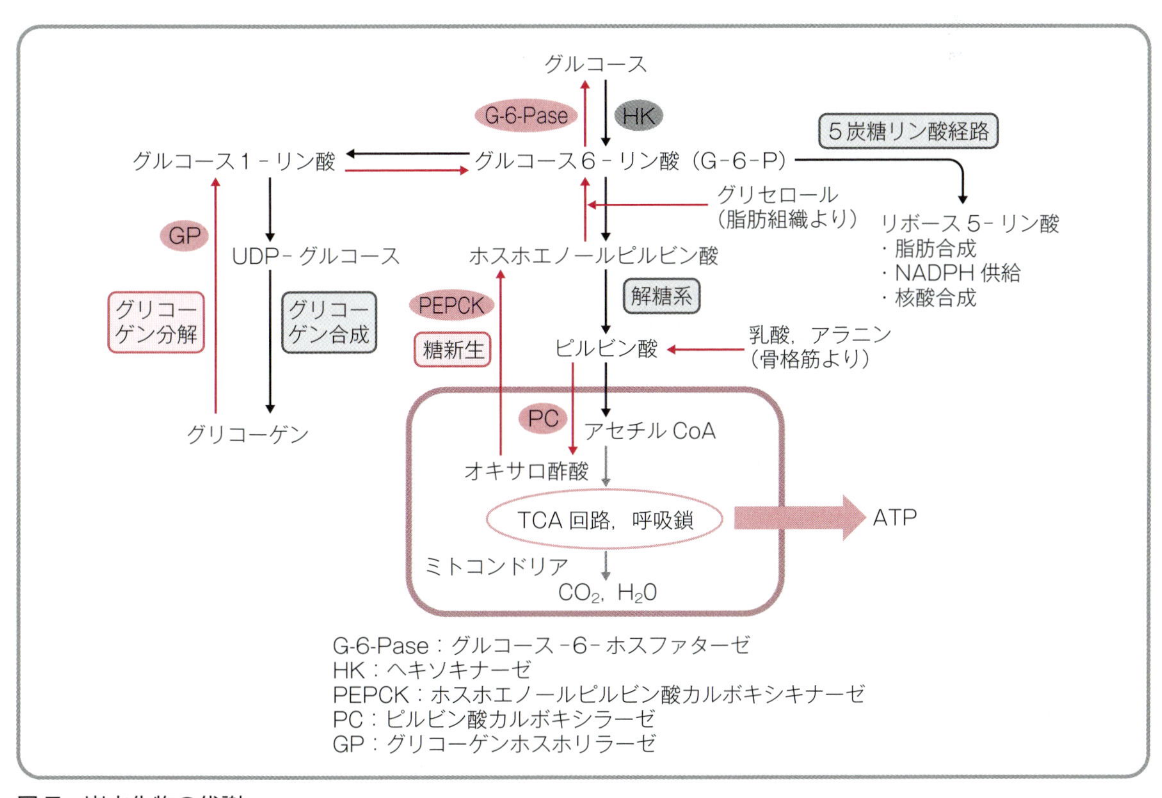

図7　炭水化物の代謝

などの5炭糖リン酸経路は脂肪酸合成の際にNADPHを供給する．解糖系でピルビン酸まで代謝されると差し引き2分子のATPを生じる．ピルビン酸はミトコンドリアに取り込まれ，ピルビン酸デヒドロゲナーゼやTCA回路における各種デヒドロゲナーゼの作用で還元代謝産物（NADHや$FADH_2$）やCO_2を生じる．還元代謝産物はミトコンドリアの呼吸鎖に電子を供与し，呼吸鎖では，そのエネルギーをミトコンドリア外部へのH^+の汲み出しに用いる．生じたH^+勾配によりATP合成酵素を介しH^+が再びミトコンドリア内に戻る際にATPが産生される．呼吸鎖におけるこの一連の過程で，O_2が消費されH_2Oを生じる．結局，解糖系・ミトコンドリア代謝による一連の代謝でグルコース1分子より38分子のATPと6分子のCO_2が産生される．グリコーゲンはG-6-Pからグルコース1-リン酸，UDP-グルコースを経て合成されるが，グリコーゲン分解の際は直接，グリコーゲンホスホリラーゼ（GP）によりグルコース1-リン酸に変換される．肝からのグルコース放出は，G-6-Pがグルコース-6-ホスファターゼ（G-6-Pase）によりグルコースに変換されることで生じる．G-6-Paseは骨格筋には存在せず骨格筋からのグルコース放出はない．このG-6-Pの供給はグリコーゲン分解と糖新生によってなされる．糖新生は，解糖系を単純に逆行するのではなく，ピルビン酸はピルビン酸カルボキシラーゼによりオキサロ酢酸となり，さらにホスホエノールピルビン酸カルボキシキナーゼ（PEPCK）によりホスホエノールピルビン酸に変換される．糖新生の基質として，骨格筋由来の乳酸，ピルビン酸，アラニンや脂肪組織由来のグリセロールが用いられる．哺乳類では脂肪酸から糖新生はできない．

b）脂質の代謝

吸収直後の脂質はカイロミクロンとなり大循環するが，リポ蛋白リパーゼ（LPL）の作用でTGを血管壁や脂肪細胞に分配して，肝臓に至る（第Ⅶ章-1の図4参照）．肝臓からはVLDL粒子として血流に放出され，TGやコレステロールを末梢の組織に運搬する．TGが減少しコレステロールが多くなったLDLは，コレステロールを末梢に供給する．一方，肝臓などでつくられたアポ蛋白質，リン脂質含有量の多いHDLは，レシチンコレステロールアシルトランスフェラーゼ（LCAT）の作用でレシチンから脂肪酸をコレステロールに転移させることにより末梢のコレステロールを肝臓に運搬する（第Ⅶ章-1の図6参照）．

エネルギー量が十分な場合，脂肪酸および炭水化物はインスリン作用によりTGとして蓄えられる．余剰のグルコースは5炭糖リン酸経路を経てNADPHが産生され，さらにグリセロールリン酸，ピルビン酸へ代謝される（図8）．ピルビン酸はピルビン酸デヒドロゲナーゼ（PDH）によりアセチルCoAとなり，TCA回路でクエン酸に変換された後，細胞質で再びアセチルCoAとなりさらにマロニルCoAとなる．これらアセチルCoA，マロニルCoA，NADPHを用いて脂肪酸が合成され，グリセロールリン酸とエステル化してTGとなり貯蔵される（図8）．動物の不飽和化酵素は二重結合を入れることのできる位置が限定されており，ω9系不飽和脂肪酸の合成はできるが，ω6系，ω3系多価不飽和脂肪酸の合成はできず食物から摂取する必要がある．

エネルギー供給が不十分な場合，脂肪酸は脂肪酸アシルCoAとなり，カルニチンシャトルを介してミトコンドリアに取り込まれ，β酸化によりアセチルCoAを生じ，TCA回路，呼吸鎖を経てATPが産生される（図8）．多量の脂肪酸が肝臓に流入するとアセチルCoAはATP産生のみでなくケトン体（アセト酢酸，β-ヒドロキシ酪酸，アセトン）産生に用いられる．ケトン体は，3-ケト酸CoAトランスフェラーゼが存在する骨格筋や脳でエネルギーとなる．

体内のコレステロールは食事に由来するものと体内で合成されたものからなる．食事性のコレステロールは小腸から吸収されたあとにカイロミクロンとなりカイロミクロンレムナント受容体経路によって肝臓に取り込まれる一方，コレステロールの生合成は70%が肝臓で行われ，アセチルCoAからHMG-CoA，メバロン酸を経て生成される．

肝臓で直接合成される胆汁酸（コール酸，ケノデオキシコール酸）は一次胆汁酸と呼ばれる．一次胆汁酸は胆汁により腸管内に排泄され，腸内細菌により7α脱水酸化を受け，デオキシコール酸，リトコール酸の二次胆汁酸となる．ケノデオキシコール酸の一部はウルソデオキシコール酸，すなわち三次胆汁酸となる．胆汁酸はタウリンやグリシンとの抱合体として存在する．

c）蛋白質の代謝

ヒトが1日約70gの蛋白質を経口摂取したとき，さらに50gの蛋白質（消化酵素や消化管粘膜）が腸管に分泌される．このうち110gがアミノ酸あるいはペプチドとして吸収され10gは便中に排出される．生体では140～200gの蛋白質が合成されている．合成される体蛋白質は，筋肉が35g，肝臓が20g，白血球が15g，ヘモグロビンが6gなどである．また，尿中では尿素やアンモニアの窒素分が蛋白質として60g排出され，皮膚からも2g排出される．

蛋白質を合成するのに必要なアミノ酸は20種類あるが，動物はアミノ酸をすべて合成できず，食物より摂取する必要がある．そのような必須アミノ酸として，メチオニン，スレオニン，フェニルアラニン，トリプ

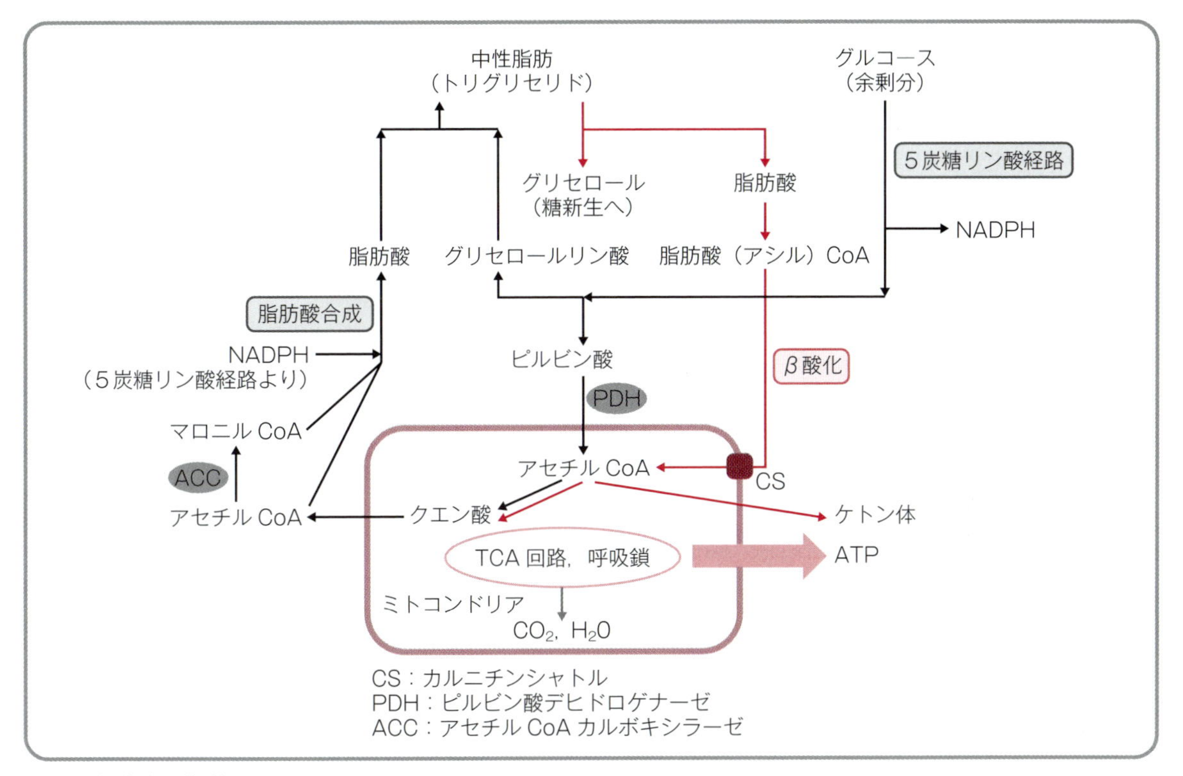

図８　脂肪酸の代謝

トファン，バリン，イソロイシン，リジン，ヒスチジンの9種類がある．細胞が蛋白質合成を進めるシグナルとして重要なのは，セリン・スレオニンキナーゼである mammalian target of rapamycin（mTOR）を介するシグナルである．ロイシンなどのアミノ酸やインスリンシグナルは mTOR を活性化し蛋白質合成を亢進させる．また，飢餓・ストレス・炎症などによる異化亢進時には体蛋白質は分解されアミノ酸となり代謝される．アミノ酸のアミノ基は各種アミノトランスフェラーゼにより α-ケトグルタル酸に転移されグルタミン酸を生じ，尿素回路で処理され（図 8），尿素の形で排泄される．残りの炭素骨格はさらに分解され，ピルビン酸や TCA 回路の基質となり，両者とも ATP 産生に用いられるが，前者は糖新生にも用いられる．

d）空腹時と摂食時の代謝

空腹時においては，肝臓で主として，グリコーゲン分解，糖新生によりグルコースが産生され血液中に供給される（肝糖放出）（約 8g/時）（図 9a）．肝臓には約 80g のグリコーゲンが存在するが，絶食が長期にわたると枯渇し，肝糖放出は主として糖新生によってなされる．グルコースの 60％は中枢神経において取り込まれ消費される．食物に含まれる炭水化物は，消化され単糖類の形で吸収され，門脈中のグルコースは最初に肝臓に到達し，約 50％は肝臓に取り込まれ，主としてグリコーゲンとして貯蔵される（図 9b）．取り込まれないで肝臓を通り抜けたグルコースは大循環に入り血糖値が上昇する．膵 β 細胞は血糖値の上昇を感知し，インスリンを分泌する．膵 β 細胞から分泌されたインスリンはまず門脈を介して肝臓に作用し，肝でのグリコーゲン分解，糖新生の和である肝糖放出をほぼ完全に抑制する．肝臓を通過し大循環に入ったインスリンは骨格筋でのグルコース取り込みを増強し，グリコーゲンが蓄積される．骨格筋には肝臓よりも多い約 400g のグリコーゲンが蓄積されているが，G-6-Pase が存在しないため絶食時にグルコースとして放出されることはなく，運動時に解糖系，ミトコンドリア代謝を介してエネルギーとして消費される．

肝臓でのグリコーゲン分解，糖新生は主として空腹時には低下し，摂食時には上昇するインスリン/グルカゴン比により，グリコーゲンホスホリラーゼのリン酸化を介する活性調節，グルコース-6-ホスファターゼやホスホエノールピルビン酸カルボキシキナーゼの発現調節が制御されている．

空腹時にはインスリン低値により脂肪組織のホルモン感受性リパーゼが活性化し TG が分解され遊離脂肪酸が放出され，各組織へエネルギー源として供給され

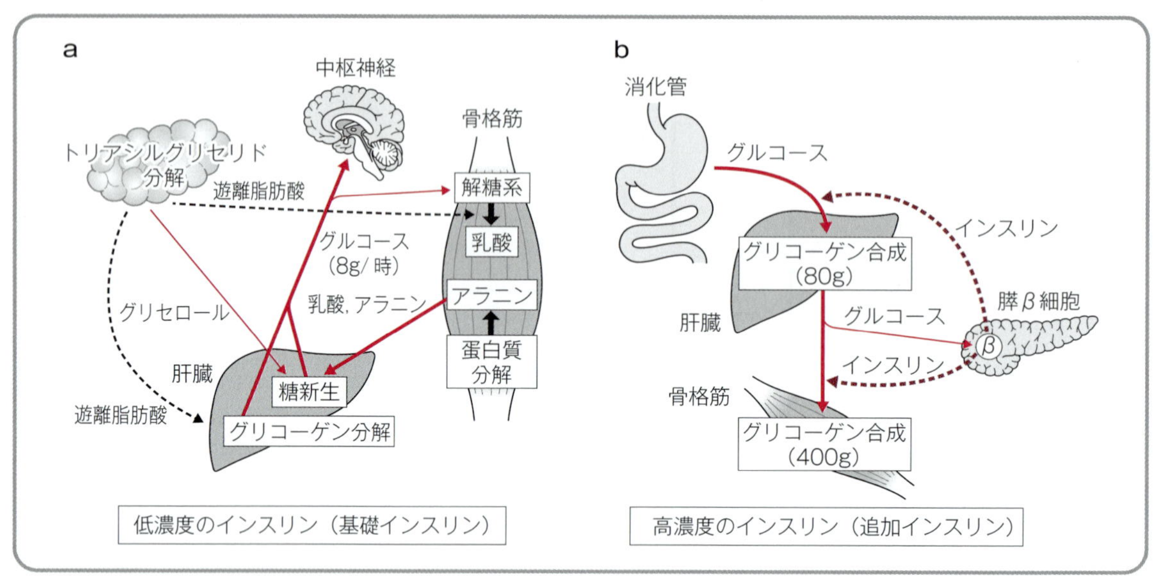

図９　空腹時と食事摂取時のグルコース制御機構

る．空腹時には各組織の ATP 産生はグルコース酸化から脂肪酸酸化にシフトしている．その機序としてマロニル CoA によるカルニチンシャトル抑制効果の解除による β 酸化の亢進がある(図 8)．脂肪酸合成の過程で産生されるマロニル CoA はカルニチンシャトルを抑制し，β 酸化を抑制する作用を持つ．細胞内マロニル CoA 濃度は AMP キナーゼ(AMPK)によって制御される．空腹時にグルコース供給が減少しグルコース酸化が低下すると細胞内 AMP/ATP 比が上昇し AMPK が活性化する．AMPK はマロニル CoA を産生するアセチル CoA カルボキシラーゼをリン酸化し活性を抑制するので，マロニル CoA が減少する．したがって，AMPK 活性化を介して空腹時の β 酸化亢進をきたす．さらに β 酸化によるアセチル CoA の増加はピルビン酸デヒドロゲナーゼを抑制し，グルコース酸化・脂肪合成を抑制する．ただし中枢神経では遊離脂肪酸を利用できず，絶食時には中枢神経に優先的にグルコースが供給される．摂食時には AMPK の活性は抑制されるので，β 酸化は抑制され，ACC も活性化されるため脂肪合成にも有利となる．

8．腸管運動の仕組み

大腸に入った内容物を蠕動運動によって移動させ，分節運動，振子運動によって混和する．内容物は徐々に水分が吸収され，12〜24 時間かけて S 状結腸まで運ばれ固形化される．自律神経に支配され迷走神経の節後神経である腸管神経叢(Auerbach 神経叢とマイスナー神経叢)が環状筋および縦走筋を支配し蠕動を調節している．

9．腸肝循環

胆汁は膵液類似のアルカリ性に胆汁酸塩，胆汁色素その他の物質が溶け込んだもので，胆汁酸塩は胆汁酸のナトリウムあるいはカリウム塩である．胆汁酸は肝臓でコレステロールから合成され，主要なものはコール酸である．グリシンあるいはタウリンとの抱合体は，グリココール酸とタウロコール酸である．この抱合も肝臓で行われる．胆汁酸の大部分は回腸から再吸収されて肝臓に戻り再利用されるが，これを胆汁酸の腸肝循環という．胆汁酸の主な生理作用は，食品中の脂質を乳化し，リパーゼの活性を高めて脂肪酸やグリセリドとミセルをつくって消化を促進することである．

10．脳腸相関

脳と胃腸は，自律神経でつながっており自律神経は内臓や血管などに分布し，消化や呼吸，血液の循環，代謝などを調節する．

ストレスなどによって交感神経の働きが強くなると，胃腸の働きが低下する．うつ状態は，脳がストレスを受けており，自律神経の失調を引き起こし，ひどい場合は肩こりや頭痛などの身体症状を伴う．生理不順や月経困難症の女性は，胃腸の働きが悪いために，便秘や頭痛を訴えることもある．つまり，脳と体(末梢)は相互に調整しあって生命活動を行い，全身の恒常性(ホメオスタシス)を維持している．なかでも，多くのホルモン産生細胞と神経細胞を有している消化管は，脳との密接な情報連絡を行っており，「脳腸相関」と呼ばれる制御系が存在する．

11．便の性状

正常な便は，黄色から褐色がかった色調で，粘液や血液などが付着していない半ねり状の塊である．腸に障害が起こると便は様相を変え，泥や水のような下痢便になったり，硬くて十分に量が出ない便秘になったりする．赤い便は大腸からの出血で，大腸癌，潰瘍性大腸炎，Crohn 病などが疑われる．黒い便は胃・十二指腸から上の器官で出血が疑われる．ヘモグロビン(血色素)が胃酸により黒色に変色し，タールになる．白い便は肝臓でのビリルビンの代謝異常や胆汁の排泄障害で，胆管・胆嚢，肝臓，膵臓疾患が疑われる．便が細くなると大腸癌，特に直腸癌が疑われる．

12．アンモニア代謝

筋肉などで蛋白質が分解され生じたアミノ酸は主としてアラニン，グルタミンの形で肝臓に輸送される．各種アミノ酸のアミノ基は，肝臓で各種アミノトランスフェラーゼによりα-ケトグルタル酸に転移されグルタミン酸を生じるか，酸化的脱アミノにより遊離アンモニアとなる．生じたグルタミン酸は，細胞質でオキサロ酢酸にアミノ基を転移しアスパラギン酸を生じ尿素回路に入るか，ミトコンドリア内でグルタミン酸デヒドロゲナーゼにより代謝されアンモニアを放出する．アンモニアは生体にとって有毒で，ミトコンドリア内のカルバモイルリン酸シンターゼ1により重炭酸と反応しカルバモイルリン酸を生じ尿素回路に入る．尿素回路を図 10 に示す．生じた尿素は腎で排泄される．

H 血液，アレルギー，免疫

1．造血臓器および血球の構造

胎児の肝臓や脾臓での造血は 20 週あたりを頂点として次第に衰え，骨髄での造血はだんだん盛んになり，24 週で造血の中心となる．骨髄中にある好中球-単球幹細胞から，好中球の母細胞である骨髄芽球ができ，それから前骨髄球・骨髄球・後骨髄球・杆状核球・分

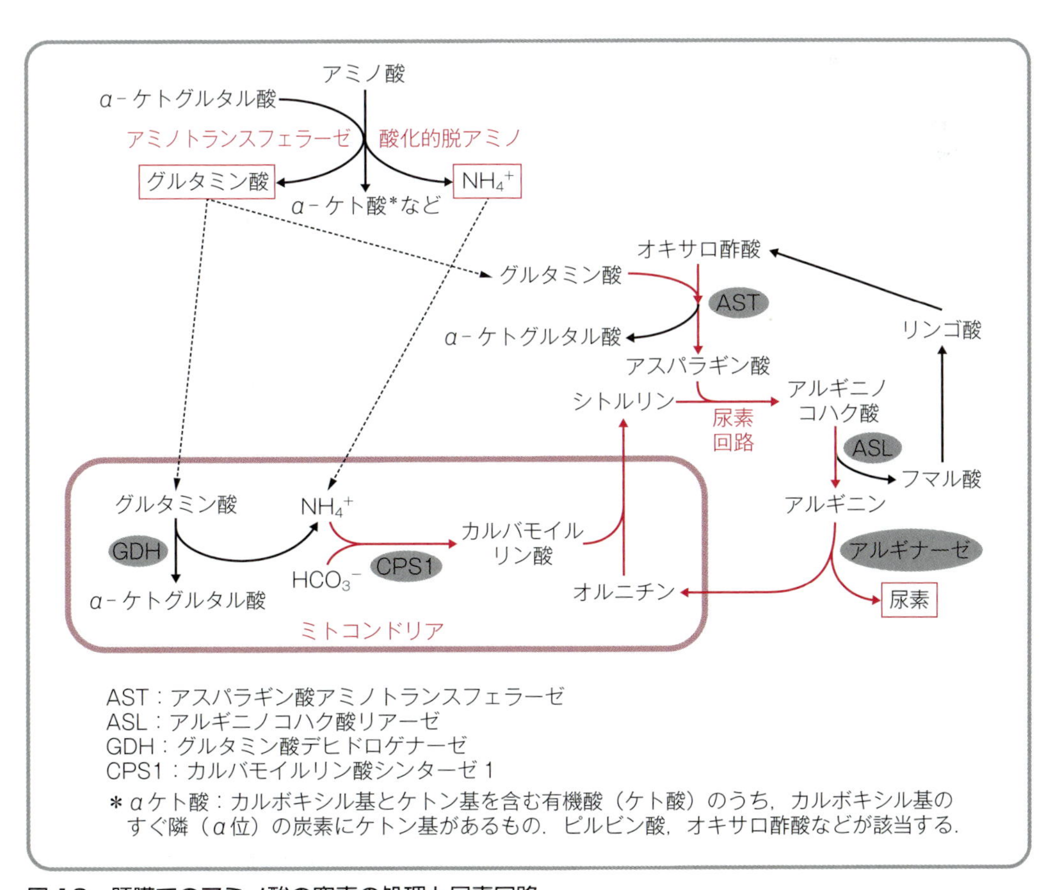

図 10　肝臓でのアミノ酸の窒素の処理と尿素回路

節核球の順に成熟する．骨髄球になってから血中へ流出するまでの所要時間は9～12日と考えられるが，感染症などで需要が多くなると2日ぐらいまでに短縮する．また，骨髄の有核細胞の約20％はリンパ球で，胸腺・リンパ節・脾臓・消化管リンパ組織などにはリンパ球の集合体がある．

赤血球は核がなく，円板状で，直径は7.7μm，厚さは2μmであり，横からみると両面の中心は多少へこんでいる．赤血球幹細胞から分化してきた前赤芽球は分裂を繰り返しながら好塩基性赤芽球，多染性赤芽球，正染性赤芽球へと成熟し，最後に脱核して網赤芽球（網状赤血球）となって末梢血液中に出現する．網赤芽球は約2日間成熟して赤血球となる．成熟赤血球の末梢血液中での寿命は120日間で，寿命がきた赤血球は脾臓を中心とする網内系組織において破壊される．

白血球は無色，有核で，アメーバ様運動を行い，それによって毛細血管を通過して出入りする．形は円形あるいは不整形のものなどがある．白血球は細胞質に特殊な顆粒を持つ好中球・好酸球・好塩基球，顆粒をもたない単球とリンパ球がある．

2．血球の機能

赤血球中のヘモグロビンは鉄を含み，酸素を取り入れて酸化ヘモグロビンとなり，酸素の不足した組織にいくと酸素を放出して還元ヘモグロビンとなる．

好中球は炎症部で抗炎症作用を示したのちに破壊され，細網細胞系で処理される．血中での寿命は4～12時間といわれる．成熟好中球には活発な運動能，他のものに粘着する性質もあり，毛細管内皮細胞の間を通って周囲の組織へ遊出する．好中球は細菌や異物はまずその表面に付着し，貪食，次いで分解・消化する．末梢リンパ組織には，T細胞やB細胞の幹細胞を分化成熟させる作用と，新生を繰り返すことによって抗原刺激に対応する機能を有している．T細胞は細胞性免疫に，B細胞は体液性免疫に関与する．両者は抗原を認識し，それに反応して増殖し，記憶細胞を生成する．

血小板の機能としては，毛細血管透過性の抑制，血小板の粘着と凝集，血液凝固の促進，血餅の収縮，線維素溶解の抑制，血管の収縮がある．血小板が刺激されると，濃染顆粒に含まれていたセロトニンやトロンボキサンA_2が分泌され，血管を収縮させ止血する．

3．血球産生機構

血球はすべて胎生期に未分化間葉細胞から派生する．生後は主として骨髄とリンパ組織でつくられる．生後の造血中心は骨髄で，赤血球・血小板・骨髄性白血球は骨髄でつくられる．全能造血幹細胞はリンパ球を含めて全血球系に分化しうるもので，主として骨髄にある．リンパ球に関しては複雑である．骨髄と胸腺が若いリンパ球をつくって末梢リンパ組織へ送り込み，これがもとになって，機能を有するリンパ球が末梢リンパ組織でつくられる．

血球系統に方向づけられた単能幹細胞にコロニー形成単位（CFU）が作用するが，好中球・単球系に分化するものはCFU-CあるいはCFU-NM，好酸球になるものはCFU-Eos，赤芽球になるものはCFU-E，巨核球に分化するものはCFU-Mgkという．

赤芽球系幹細胞にはCFU-Eより前の段階にバースト形成単位（BFU）-Eがあり，バースト促進因子（BPA）といわれる物質の刺激により，比較的ゆっくりながら爆発的な集落形成を行うが，ヘモグロビンを産生する細胞はつくらない．CFU-Eになるとエリスロポエチンに対する感受性が高まり，ヘモグロビンを産生する血球，すなわち赤芽球に分化する．

4．アレルギーの仕組み

抗原抗体反応が過剰に起こり，人体に障害をもたらす場合で，普通抗原にならないような異物（食物や花粉など）にも抗体を生じ，体内で強い抗原抗体反応を起こして症状を示すことをアレルギー反応と呼ぶ．アレルギーを起こす免疫が成立する過程を感作という．アレルギー反応は4つに分類される．

Ⅰ型アレルギーは，即時型アレルギー，アナフィラキシー型とも呼ばれ，皮膚反応では15分から30分で最大に達する発赤，膨疹を特徴とする即時型皮膚反応を示す．発現機序としては，血中や組織中のマスト細胞および好塩基球上の高親和性IgEレセプター（FcεRI）と結合したIgE（レアギン抗体）にアレルゲンが結合する．これにより，マスト細胞，好塩基球からヒスタミンをはじめとする種々化学伝達物質（ケミカルメディエータ）が遊離する．その結果，各組織の平滑筋収縮，血管透過性亢進，分泌亢進などをきたし，アレルギー反応が出現する．Ⅱ型アレルギーは細胞障害型ないしは細胞融解型で細胞および組織の抗原成分，または細胞および組織に結合したハプテンのいずれかとIgGまたはIgM抗体が反応し，そこに補体が結合することにより細胞障害を起こす．Ⅲ型アレルギーは，免疫複合体型またはArthus型とも呼ばれ，可溶性抗原とIgGまたはIgM抗体との抗原抗体結合物，いわゆる免疫複合体による組織障害である．免疫複合体は，補体を活性化することによりC3aやC5aを産生してアナフィラトキシンとしてマスト細胞や好塩基球からのvasoactive amine遊離を起こし，血管透過性亢進，平滑筋収縮などのⅠ型アレルギー様の反応を起こす．C3a，C5aはまた好中球遊走因子として好中球を組織局所に集め，その好中球が免疫複合体を貪食することにより，種々蛋白分解酵素の分泌，活性酸素の放出をきたし，組織傷害性の炎症を起こす．Ⅳ型アレルギーは，遅延型アレルギー，細胞性免疫，ツベルクリン型とも呼ばれる．皮膚反応では抗原皮内注射 24〜72 時間後に，紅斑，硬結を特徴とする炎症反応を示す．本反応は感作 T 細胞と抗原との反応により，感作 T 細胞からリンホカインが放出され細胞障害を起こす．

5．アレルギーの原因(図 11)

上皮細胞は抗原（アレルゲン）曝露や細胞障害により自然免疫反応が惹起され，IL-25, IL-33, thymic stromal lymphopoietin（TSLP）などのサイトカインを産生・放出する．皮下の間葉系組織に存在する樹状細胞はこれらのサイトカインが作用すると構造・性質が変化し，進入した抗原を取り込み貪食して抗原を提示し，所属リンパ節に移行し，ナイーブ T（Th0）細胞と接触する．Th0 は，アレルギーの発生を抑制する細胞性免疫を担う Th1 細胞と，アレルギーの発症を促進する液性免疫を担う Th2 細胞に分化することができる．樹状細胞と接触した Th0 細胞は Th2 細胞に分化する．また，皮下間葉組織には group 2 innate lymphoid cell（ILC2）が存在し，IL-25, IL-33, TSLP により活性化される．Th2 細胞や活性化された ILC2 は IL-4 や IL-13 を分泌し，これらは抗原で活性化された B 細胞に作用し，抗原特異的 IgE 産生が誘導される．抗原特異的 IgE はマスト細胞表面に接着し，そこで抗原が架橋するとマスト細胞からヒスタミンやロイコトリエンなどが放出されアレルギーが発症する．

6．免疫機構

免疫反応は，免疫発現のエフェクターによって B 細胞が形質細胞へ分化して，抗原に特異的な抗体を産生するものを液性免疫と呼び，抗原特異的な感作 T 細胞が誘導されて免疫現象を担うものを細胞性免疫と呼ぶ．

また，免疫は先天性免疫と獲得性（後天性）免疫として分類される．先天性免疫は血液型のように生まれつき自然に抗体を生じたものであり，獲得性免疫は微生物などの感染により後天的に生体に生じた免疫である．獲得性免疫はその免疫の生じ方からさらに 2 種類に区別される．能動免疫は実際に感染症にかかったりワクチンの接種によって抗原が生体内に入り，生体自身の働きによって抗体を生じ免疫力がつくものである．もう一方は受動免疫で，すでに免疫抗体を持つ他のヒトや動物の血清の注射を受けて生体に生じる免疫である．

異物（抗原）が体内に入ると，マクロファージによって抗原が処理され，免疫リンパ球（B 細胞，T 細胞）に抗原情報を提示する．T 細胞は抗原の種類や提示の状況によって Th1 か Th2 に分化し，Th1 は細胞性免疫の活性化を，Th2 は液性免疫の活性化を示す．

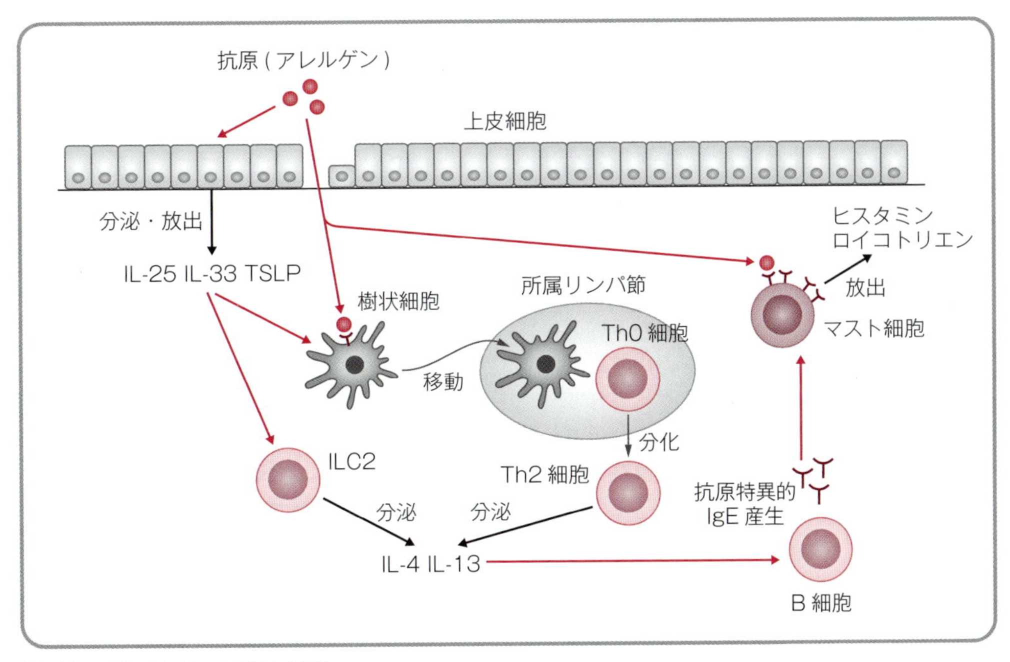

図 11　アレルギーの発症機構

I 皮膚

1．加圧に対する皮膚防御機構

最も上側にある表皮 0.06～0.2 mm には，真皮と接触し細胞分裂を盛んに起こす1層の基底細胞があり，そこから生じる表皮細胞が基底側から有棘細胞(有棘層)・顆粒細胞(顆粒層)・淡明層・角質細胞(角質層)へと変化しながら外側に動く．上皮では不溶性で線維状蛋白質のケラチンを生成して保護機能を有する．角質部分は，活動をやめた細胞を脂質が取り囲んでおり，モルタルを挟んでレンガが積まれたような構造を取っている．この脂質はセラミド，コレステロール，遊離脂肪酸が特定の比率で層状に重なっている．

表皮の下層にある真皮 2.0～2.2 mm は中胚葉由来であり，表皮との接触面である凸凹した乳頭層(真皮乳頭)と，その下の網状層に分けられる．網状層は皮下組織と明瞭な境界を持たず，密なコラーゲン線維の結合体のなかに弾性線維が網状に分布し，皮膚本体に強靱さを与える．また，水分を維持する糖類の一種ヒアルロン酸も含まれる．真皮部分には，ほかにコラーゲン線維をつくる線維芽細胞や，免疫機能や炎症などに関係する肥満細胞(マスト細胞)がある．また，神経は表皮まで到達するが毛細血管は真皮内にとどまる．皮膚と筋膜など下部の組織をつなぐ部分は皮下組織と呼ばれ，真皮と比較すると線維密度が低い結合組織でつくられている．この層には皮下脂肪が多く，栄養の貯蔵や体の保温機能を有する．

2．皮膚損傷の治癒過程

第1期の炎症反応期は受傷後約 4～5 日である．創傷により血液凝固因子の活性化，血小板の凝集，血管収縮をし，破壊部位を止血する．滲出液による腫脹，毛細血管の拡張による発赤，組織反応での発熱，末梢神経の刺激による疼痛，マクロファージにより壊死組織が処理される．第2期の増殖期(肉芽形成期)は，マクロファージの放出する物質により線維芽細胞がコラーゲンを産生する．創傷治癒過程の初期には，まず血小板擬集能に優れるⅢ型コラーゲンが産生蓄積され，線維芽細胞が分泌するコラーゲンを主とした肉芽組織による収縮，やがてⅠ型コラーゲンに置き換えられて，いずれは太く密なコラーゲン線維となる．これにより組織は安定し血管新生，毛細血管発達がみられる．肉芽組織は瘢痕組織へ変化し創は安定する．

J 骨運動器

1．骨代謝

骨は一生を通じて絶えずリモデリングを繰り返している動的な組織である．緻密骨と海綿骨の組み合わせにより，運動に適した密度と防護に適した強度が実現されている．加えて骨はカルシウム，マグネシウム，リン，ナトリウム，その他のイオンの貯蔵庫にもなっている．骨のリモデリングは，骨マトリックスを産生する骨芽細胞と骨マトリックスを吸収する破骨細胞の，2種類の細胞によって行われる．

骨芽細胞は有機マトリックスの石灰化を制御する．骨芽細胞がマトリックスを分泌してそこに石灰化が起こると，骨芽細胞は骨細胞になる．骨細胞は骨形成と骨吸収を支配する主要制御因子として働いている．さらに，骨細胞は線維芽細胞増殖因子 23(FGF23)の分泌も行っている．Runt 関連転写因子 2(Runx2)は，軟骨細胞，骨芽細胞前駆細胞，肥大軟骨細胞，成熟骨芽細胞に特異的に発現する転写因子である．Runx2 は，オステリックス，NFκB 活性化受容体リガンド(RANKL)など，いくつかの重要な骨芽細胞蛋白の発現を制御している．Wnt ファミリーに属する分子からのシグナルも骨芽細胞の増殖と分化に重要である．骨芽細胞の機能は，トランスフォーミング増殖因子(TGF)β，FGF2・18，血小板由来増殖因子(PDGF)，インスリン様増殖因子(IGF)Ⅰ・Ⅱなどにより調節を受けている．副甲状腺ホルモン(PTH)やカルシトリオール［1,25(OH)$_2$-D$_3$］のようなホルモンは，骨芽細胞に発現した受容体を活性化して骨ミネラルの恒常性を維持し，骨の様々な機能に影響を与える．

骨吸収は破骨細胞によって行われる．骨芽細胞が破骨細胞の分化や活性を制御することが可能になっている．macrophage colony-stimulating factor(M-CSF)は破骨細胞前駆細胞を融合させて活性化破骨細胞を形成する．RANKL は RANK 受容体に結合し，破骨細胞の分化と活性化を誘導する．一方，オステオプロテジェリンは RANKL に結合して破骨細胞の分化を阻害する．インターロイキン 1,6,11,TNF-α，インターフェロンγなども，破骨細胞の分化と機能を調節している．PTH や 1,25(OH)$_2$-D$_3$ は破骨細胞の数や活性を間接的な機序により増加させる．対照的に，カルシトニンは直接的に破骨細胞の機能を阻害する．エストラジオールには骨内に多くの細胞標的があり，骨吸収は抑制される．

2．筋肉・筋力維持の機構

筋肉は赤筋(赤色筋)と白筋(白色筋)の2種に分類され，色調はミオグロビンやミトコンドリアの量に左右され，ミトコンドリアが多く活発なものが赤く，ミトコンドリアが少なく不活発なものが白くみえる．白筋は収縮の筋原線維が発達しており素早く縮むことができるため，速筋とも呼ばれる．速筋を構成する type Ⅱ

線維は，筋原線維 ATPase の反応性によってさらに IIa，IIx，IIb の 3 種類に分けられる．赤筋（遅筋）を構成する type I 線維は脂肪や炭水化物を消費する酵素が豊富でゆっくりした運動を持続的に行うのに適し，心臓や呼吸に関する器官の筋肉を構成する．エネルギー産生は白筋が酸素を必要としない解糖系でなされるのに対し，赤筋は酸素を消費するミトコンドリア呼吸鎖における酸化的リン酸化反応でなされる．哺乳動物において，不活動や飢餓は骨格筋の退化をきたす．筋肉量の減少においては，蛋白質含有量の低下と筋線維数の減少の両者を伴う．加齢に伴って筋衛星細胞の機能が低下し，骨格筋の機能や量は低下していく．しかし，レジスタンス運動により，高齢者においても若年者同様に筋の再生や肥大を期待できる．

3．骨折の機序とその予防

骨折とは骨にひびが入ることや骨が折れることで，通常は周辺組織の損傷を伴う．低骨量のリスクや骨折のリスクとして栄養不良，カルシウム摂取不足，運動不足，過度のアルコール摂取，喫煙，ダイエットによる過度の体重減少などがある．

幼児期から青年期にかけて，特にカルシウムやビタミン D の毎日の適切な摂取を心がけることで最大骨量を増大することができる．適切な量が摂取できている場合，これらのサプリメントは不要である．成人期の最大骨量を維持するためにも適正なカルシウム摂取が必要であり，閉経女性ではカルシウム摂取によって海綿骨の損失を完全には防止できないが，皮質骨の減少を軽減できる．ビタミン D（VD）は腸管でのカルシウム・リン吸収，骨のリモデリング（骨吸収と骨形成）および腎臓でのカルシウム・リン再吸収を調節して骨塩量および骨密度を増加させたり，保持する作用がある．成長期における特に高強度の運動は骨量獲得に有益である．しかし，栄養障害，体脂肪量減少をきたしている若年女子の場合は，過度の運動はかえって骨量減少をきたす可能性がある．喫煙や過度の飲酒は骨量減少，皮質骨厚減少をきたす．

加齢とともに摂取たんぱく量に対する筋蛋白合成能は低下するが，十分なたんぱく摂取により補うことは可能である．したがって，高齢者では 1 日体重 1kg あたり 1g 以上のたんぱく質の摂取が必要であり，レジスタンス運動の併用が効果を高める．このことにより，骨密度だけでなく筋量や筋力を上げて骨折を予防できる．また，骨形成に関与しているマグネシウム，ビタミン K およびビタミン C 含有食品を積極的に摂取することが重要である．

第III章

栄養評価法

入院患者では高率に栄養不良の患者がみられ，栄養不良に陥ると，創傷治癒の遅延，合併症の増加などをきたす．栄養不良のある患者に栄養管理を行うことにより，これらの悪影響が改善される[1,2]．他方，栄養状態のよい患者に，静脈栄養や経腸栄養などの特別な栄養治療を行うことは，かえって栄養管理による合併症を増すことになり，推奨されない．栄養管理の最初のステップは，栄養管理が必要な栄養不良患者を抽出することであり，次に抽出した患者に適切な方法で，適切な量の栄養を補給することである[3]．

現在までに，多くのアセスメント法が開発されている[4〜10]．栄養不良は「栄養素の不足する状態で，栄養素の投与によって改善する状態」と定義することもできる．しかしながら，栄養不良の診断には「gold standard」が存在せず，また大規模な前向き臨床試験もほとんど行われていないため，十分なエビデンスは存在していないのが現状である．栄養不良を診断する意義は，栄養不良患者を見つけ対処することにより，①栄養不良による疾病の治癒の遅れを防ぐ，②栄養不良による合併症の重症化あるいは発生を防ぐ，ことである．

実臨床で行われている栄養評価法は，体重や食事摂取量の推移といった診察時の問診や身体診察によって得られた所見から判断する主観的データアセスメントと，血液検査や画像検査などによって得られたデータから判断する客観的データアセスメントの組み合わせで行われている．

主観的データアセスメントとして開発され，現在，世界的に広く用いられているのが，subjective global assessment（SGA）[5]，malnutrition screening tool（MST）[6]，malnutrition universal screening test（MUST）[7]，nutritional risk screening tool 2002（NRS-2002）[8]，mini nutritional assessment（MNA®）[9]，mini-nutritional assessment-short form（MNA®-SF）[10]である．

客観的データアセスメントで日本で最も用いられるのが，血清アルブミン値であり，「血清アルブミン値が高いと栄養状態がよい」，または「血清アルブミン値が低いと栄養不良である」としている場合が多い．しかしながら，アルブミンは肝臓で合成される蛋白質で，炎症などの際には合成が減る「負の急性期蛋白質」として知られている．炎症以外にも，ストレス，肝疾患，腎疾患などにより影響されることより，必ずしも栄養状態を表すよい指標でない[11]．そのため血清アルブミン値はSGA，MNA®などの欧米の主要な栄養評価の指標の項目としては使用されていない．血清アルブミン値は，現在の栄養治療の適切さの評価法としては不適切である．他方，血清アルブミン値は病気の重症度を表しており，予後の予測指標としては有用であることから，栄養不良に陥りやすい状態（栄養リスク：nutritional risk）を示す指標としては有用である[11]．

本項では，実臨床に使用されることの多いSGA，MNA®，MNA®-SFに加えて，日本病態栄養学会栄養評価ガイドライン作成委員会が作成した栄養評価のガイドライン[12]について解説する．

加えて，画像による評価，検査値による評価についてもその特徴を説明する．

A SGA

SGAは6つの評価項目から成り立っており（表1），問診と身体診察から得られた所見から判断するもので，特別な器械や検査を必要としない．

最も重要な項目は体重変化と食事摂取量の変化であり，どの評価方法でも重要な項目として採用されている．また，この2つだけの評価法（MST）もあり，簡単なスクリーニング法として用いることもできる．

判定は，「栄養状態良好」「中等度の栄養不良」「高度の栄養不良」の3段階で行う．

判定基準は，全体のアセスメントを通して，その患者にどの程度の栄養管理が必要かを主観的・直感的に判断する．「栄養状態良好」は特に介入する必要がない状態，「中等度の栄養不良」は注意深く経過観察し，状況に応じて速やかに介入が必要な状態，「高度の栄養不良」は今すぐに介入が必要な状態と考えればよい．

SGAは個々の医療者の主観による評価方法であり，各段階に明確な境界線は存在せず，信頼度の高い評価法とするためには多くの症例を経験し，熟練した医療者の指導を定期的に受けることが必要である．

1．体重の変化

これは栄養の補給が十分でないことを表すため，最も重要な指標である．絶対的な体重減少の基準はないが，1ヵ月間で5%，3ヵ月間で7.5%，6ヵ月間で10%以上の体重減少を，有意の体重減少とすることが多い．しかし，この値は厳格なものではなく，これ以下の場合にも，意味があることもある．特に最近の体重減少が重要であり，現在も体重減少が続いているかどうかは重要な問題である．また，体重測定しておらず，体重変化が明らかでない場合には，他人からやせたと指摘されたり（他覚的），自分自身でやせてきたという（自覚的）所見も含まれる．

SGAでは最近2週間での体重減少も聞いているが，これも栄養評価に重要である．体重減少が持続していることは，現在も栄養素の不足が続いていることを示しており，栄養不良による合併症の発症しやすさを表す重要な指標となる．

表1　主観的包括的評価(SGA)

A. 病歴
1. 体重の変化
過去6ヵ月間における体重減少 ＿＿ kg （減少率%）＿＿ %
過去2週間における変化：＿＿（増加）＿＿（無変化）＿＿（減少）
2. 食事摂取における変化(平常時との比較)
無変化 ＿＿
変化：(期間)＿＿(週)
タイプ：(不十分な固形食)＿＿（完全液体食）＿＿（低カロリー液体食）＿＿（絶食）
3. 消化管症状(2週間の持続)
なし ＿＿ 悪心 ＿＿ 嘔吐 ＿＿ 下痢 ＿＿ 食欲不振
4. 機能性
機能障害なし
機能障害：(期間) ＿＿（週）
タイプ：制限つき労働 ＿＿ 歩行可能 ＿＿ 寝たきり ＿＿
5. 疾患，疾患と栄養必要量の関係
初期診断：
代謝亢進に伴う必要量/ストレス　なし ＿＿ 軽度 ＿＿ 中等度 ＿＿ 高度
B. 身体(スコアで表示すること：0＝正常；1＋＝軽度，2＋＝中等度，3＋＝高度)
皮下脂肪の減少(上腕三頭筋，前胸部) ＿＿ 筋肉の減少(大腿四頭筋，三角筋) ＿＿
くるぶし部浮腫 ＿＿ 仙骨部浮腫 ＿＿ 腹水 ＿＿
C. 主観的包括的評価
栄養状態良好　A＿＿
中等度の栄養不良　B＿＿
高度の栄養不良　C＿＿

(Detsky AS, McLaughin JR, Baker JP, et al. What is subjective global assessment of nutritional status? J Parent Enteral Nutr 1987; **11**: 8-13より引用)

2. 食事摂取量の変化

次の指標としては，食事摂取量が十分でないことがあげられる．2週間以上にわたり必要量の50〜70%以下の補給しかできていないとき，あるいはほとんど摂れていない状態が1週間以上続く場合には栄養不良と判定する．長期間では体重減少が明らかになるが，短期間では体重減少がそれほどでもなく，傷を治すための栄養素の不足が起こりやすいため，重要である．

3. 消化器症状

次に，2週間以上続く，食欲不振，下痢，嘔吐などの消化器症状である．これも，食事摂取量が減ることなどにより，将来体重が減り，栄養不良になる可能性がある．悪性腫瘍などでは，口内炎，味覚障害，嚥下障害なども重要な因子となる．これらの症状があっても，経腸栄養などにより十分な栄養管理が行われていれば，栄養状態が保たれている患者も少なくない．

4. 身体機能の変化

身体機能の低下も，栄養不良を示すよい指標である．栄養不良になると，疲れやすくなり，あまり長くは歩くことができなくなり，また横になる時間が多くなる．最近，症状が強くなった場合には栄養不良が疑われる．ただし，脳卒中後遺症，外傷，リウマチ性関節炎などの栄養不足が原因でない機能障害は栄養評価の項目としては含まれない．SGAでは，あくまでも栄養不良によると思われる機能低下を評価する．

器具を用いる測定法としては握力計などが有用である．筋力は筋肉量だけでなく筋代謝状態も合わせて評価することができる．栄養不良患者では筋線維が細くなるが，特にタイプⅡの筋線維が減少する．タイプⅡの筋線維は嫌気性代謝を主に行っており短時間の瞬発的な運動に適しているが疲労しやすい特徴がある．握力の測定方法としては標準的な評価方法はなく，優位側手で3回測定しその最高値を用いるものや1回測定で評価する方法があるが，日本では非優位側手で10回連続測定し，その平均値を年齢別，性別に健常者の握力との比(% Grip strength：%GS)で評価するのが一般的である[13]．握力は他の身体計測指標と異なり着衣の問題などを考えることなく容易に臨床の場において行える身体計測栄養指標のひとつである．握力計がない場合は，患者と握手をすることからだけでも評価は可能である．

これらの指標は栄養指標として鋭敏で，栄養状態が回復する場合にも，筋肉量の減少あるいは増加といった形態学的な変化よりも，機能的な指標である筋力が早く変化する．

5．基礎疾患

基礎疾患では，代謝を亢進させ，栄養不良に陥らせる可能性がある疾患があるかを検討する．この場合，栄養管理が不十分であるときには体重も減少するので，最初の質問(体重減少)だけでも，栄養不良になった場合には拾いあげることができる．しかしながら，特定の疾患においては高頻度に栄養不良をきたすため，そして将来栄養不良になることを防ぐために，あらかじめ予防的に栄養介入を行うことは有効な手段である．

6．身体診察による評価

ここでは脂肪，筋肉の減少，浮腫，脱水の存在などをみる．SGA などの評価ツールでは体重減少を重要な項目としてあげているが，最も重要なのは筋肉の減少であり，次に皮下脂肪の減少である．この体重の変化を複雑にするのが，脱水，浮腫である．体内の水分量は短期間に増減し，体重の大きな変化をきたす．そのため，体重減少を考える場合には浮腫，脱水の存在を考慮したうえで評価する必要がある．

メジャーなどを用いた身体計測が多く用いられるが，正しく評価するには，熟練を要する．計測値としては上腕三頭筋皮下脂肪厚(TSF)が用いられる．日本における基準値は JARD2001[13]に詳細に記載されている．論文などを書くときには貴重なデータとなるが，再現性に乏しく，測定機器(インサーテープやアディポメータ)が必要になるなど，実地臨床には不向きな点もある．時間と効率を考えると，臨床的には正しい診察法を身につけ，診察のみでこれらを評価するだけで十分であろう．

皮下脂肪の減少は，眼の下のくぼみや，下部肋骨部の観察，上腕三頭筋部位をつまみ皮下脂肪の量を観察する．筋肉は側頭部(こめかみの部分)の陥凹，肩や鎖骨の骨の突出(筋肉が消失することにより骨が突出してみえる)，背部の肩甲骨のまわりの筋肉を観察する．大腿四頭筋，腓腹筋は触れてみて，つまんでみて，筋肉の量や緊張度を観察する．量が少なくなるとともに柔らかくなるのが特徴である．また，下肢では，筋肉が少なくなった場合には膝の関節が大きくみえるようになることも重要な所見である．

7．BMI による評価

身体計測は体重と身長が一般的である．SGA では BMI を栄養評価の項目に入れておらず，体重の減少のみを重要視している．他方，栄養素の蓄積あるいは予備が減少している場合に，ストレスが加わったときに対応力が少ないことを重視して，MUST などの評価ツールでは BMI を栄養評価指標として加えている．BMI 18.5 未満が「やせ」と診断され，栄養不良を疑う．ただし，BMI が高くても急激な体重減少，摂取量の低下は微量栄養素の不足を中心とした栄養不良をきたす．逆にやせていても健康で，栄養素の不足がない人もいるので注意が必要である．また，浮腫や腹水のある場合には BMI が高値となるのでその判定には注意が必要である．

B MNA®，MNA®-SF

65 歳以上の高齢者に使用する目的で，具体的かつ信頼性の高い再現可能な評価ツールとして，MNA®，MNA®-SF があり，臨床現場では MNA®-SF がよく用いられる．評価表(図 1)は，ネスレニュートリションインスティテュートのホームページからダウンロード可能である[14]．

MNA®は，高齢者の栄養状態を評価するツールをデザインすることを目的に，認知機能評価ツールである MMSE (Mini Mental State Examination)をモデルに作成された[15]．

6 個のスクリーニング項目(最大 14 ポイント)と 12 個のアセスメント項目(最大 16 ポイント)で構成されており，予診で栄養状態を判定し，必要に応じてさらに次の質問に進む形式となっている．

MNA®-SF は，6 個のスクリーニング項目による栄養評価を指し，専門的な知識は不要であり，数分で完了できるツールであるため，誰でもどこでも使用可能である．

6 項目は，食事摂取量，体重変化，ADL，精神的・身体的ストレスの有無，認知症・精神的問題の有無，BMI からなっており，それぞれのスコアリングを行い，12～14 ポイントで「栄養状態良好」，8～11 ポイントで「低栄養のおそれあり (At risk)」，0～7 ポイントで「低栄養」と判定する．

最近では，MNA®-SF がフレイルのスクリーニングにも応用できることが示されており[16]，高齢者におけるハイリスク集団の抽出に非常に有用なツールである．

C 日本病態栄養学会の栄養評価のガイドライン[12]

表 2，表 3 に，日本病態栄養学会栄養評価ガイドライン作成委員会が試案として示した栄養評価のガイドラインを示す．従来のガイドラインとの大きな違いは，栄養状態(表 2)と栄養リスク(表 3)に分けて作成して

簡易栄養状態評価表
Mini Nutritional Assessment
MNA®

Nestlé Nutrition Institute

氏名：　　　　　　　　　　　　　　　　性別：

年齢：　　　　　　体重：　　　　kg　身長：　　　　cm　調査日：

スクリーニング欄の□に適切な数値を記入し、それらを加算する。11 ポイント以下の場合、次のアセスメントに進み、総合評価値を算出する。

スクリーニング

A　過去 3 ヶ月間で食欲不振、消化器系の問題、そしゃく・嚥下困難などで食事量が減少しましたか？
0 = 著しい食事量の減少
1 = 中等度の食事量の減少
2 = 食事量の減少なし　□

B　過去 3 ヶ月間で体重の減少がありましたか？
0 = 3 kg 以上の減少
1 = わからない
2 = 1～3 kg の減少
3 = 体重減少なし　□

C　自力で歩けますか？
0 = 寝たきりまたは車椅子を常時使用
1 = ベッドや車椅子を離れられるが、歩いて外出はできない
2 = 自由に歩いて外出できる　□

D　過去 3 ヶ月間で精神的ストレスや急性疾患を経験しましたか？
0 = はい　2 = いいえ　□

E　神経・精神的問題の有無
0 = 強度認知症またはうつ状態
1 = 中程度の認知症
2 = 精神的問題なし　□

F　BMI 体重 (kg) ÷ [身長 (m)]^2
0 = BMI が 19 未満
1 = BMI が 19 以上、21 未満
2 = BMI が 21 以上、23 未満
3 = BMI が 23 以上　□

スクリーニング値：小計（最大：14 ポイント）□□

12-14 ポイント：　栄養状態良好
8-11 ポイント：　低栄養のおそれあり (At risk)
0-7 ポイント：　低栄養

「より詳細なアセスメントをご希望の方は、引き続き質問 G～R におすすみください。」

アセスメント

G　生活は自立していますか（施設入所や入院をしていない）
1 = はい　0 = いいえ　□

H　1 日に 4 種類以上の処方薬を飲んでいる
0 = はい　1 = いいえ　□

I　身体のどこかに押して痛いところ、または皮膚潰瘍がある
0 = はい　1 = いいえ　□

J　1 日に何回食事を摂っていますか？
0 = 1 回
1 = 2 回
2 = 3 回　□

K　どんなたんぱく質を、どのくらい摂っていますか？
・乳製品（牛乳、チーズ、ヨーグルト）を毎日 1 品以上摂取　はい □　いいえ □
・豆類または卵を毎週 2 品以上摂取　はい □　いいえ □
・肉類または魚を毎日摂取　はい □　いいえ □
0.0 = はい、0～1 つ
0.5 = はい、2 つ
1.0 = はい、3 つ　□.□

L　果物または野菜を毎日 2 品以上摂っていますか？
0 = いいえ　1 = はい　□

M　水分（水、ジュース、コーヒー、茶、牛乳など）を 1 日どのくらい摂っていますか？
0.0 = コップ 3 杯未満
0.5 = 3 杯以上 5 杯未満
1.0 = 5 杯以上　□.□

N　食事の状況
0 = 介護なしでは食事不可能
1 = 多少困難ではあるが自力で食事可能
2 = 問題なく自力で食事可能　□

O　栄養状態の自己評価
0 = 自分は低栄養だと思う
1 = わからない
2 = 問題ないと思う　□

P　同年齢の人と比べて、自分の健康状態をどう思いますか？
0.0 = 良くない
0.5 = わからない
1.0 = 同じ
2.0 = 良い　□.□

Q　上腕（利き腕ではない方）の中央の周囲長(cm)：MAC
0.0 = 21cm 未満
0.5 = 21cm 以上、22cm 未満
1.0 = 22cm 以上　□.□

R　ふくらはぎの周囲長 (cm)：CC
0 = 31cm未満
1 = 31cm 以上　□

評価値：小計（最大：16 ポイント）□□.□
スクリーニング値：小計（最大：14 ポイント）□□.□
総合評価値（最大：30 ポイント）□□.□

低栄養状態指標スコア

24～30 ポイント	□	栄養状態良好
17～23.5 ポイント	□	低栄養のおそれあり (At risk)
17 ポイント未満	□	低栄養

Ref.　Vellas B, Villars H, Abellan G, et al. *Overview of MNA® - Its History and Challenges.* J Nut Health Aging 2006; 10: 456-465.
Rubenstein LZ, Harker JO, Salva A, Guigoz Y, Vellas B. Screening for Undernutrition in Geriatric Practice: *Developing the Short-Form Mini Nutritional Assessment (MNA-SF).* J. Geront 2001; 56A: M366-377.
Guigoz Y. The Mini-Nutritional Assessment (MNA®) *Review of the Literature – What does it tell us?* J Nutr Health Aging 2006; 10: 466-487.
® Société des Produits Nestlé SA, Trademark Owners.
© Société des Produits Nestlé SA 1994, Revision 2009.
さらに詳しい情報をお知りになりたい方は、www.mna-elderly.com にアクセスしてください。

図 1　簡易栄養状態評価表
（ネスレニュートリションインスティテュートのホームページ<https://www.mna-elderly.com/forms/MNA_japanese.pdf>より引用）

表２　栄養状態の評価

スクリーニング項目
いずれかがみられる場合，栄養不良の可能性があるものとする． 1．5%以上の体重減少（それ以下の減少でも現在も減少が続いている） 2．明らかな食事摂取の低下
アセスメント項目
1．筋肉，皮下脂肪量の低下 2．BMI の低下 3．身体活動能力の低下（栄養に関連した） 4．握力，脚力の低下

栄養状態の評価を A，B，C で表す．
（中屋　豊，村上啓雄，鈴木壱知，ほか．栄養スクリーニングおよび栄養アセスメント法．日本病態栄養学会誌 2008; 11: 411-415 より引用）

表３　栄養リスクの評価

1．消化管症状（2 週間以上続く）：食欲低下，悪心・嘔吐，下痢 2．基礎疾患（代謝亢進をきたす可能性のある疾患） 3．急性期蛋白質（CRP など） 4．血清蛋白質［アルブミン，トランスサイレチン（プレアルブミン）など］

栄養リスクは病態，検査値などから総合的に評価し，栄養不良になるリスクが軽度から中等度のものを＋，高頻度に栄養不良になるリスクの場合には＋＋で表す．
（中屋　豊，村上啓雄，鈴木壱知，ほか．栄養スクリーニングおよび栄養アセスメント法．日本病態栄養学会誌 2008; 11: 411-415 より引用）

いる点である．これらの項目の多くは他の栄養評価ツールでよく用いられている項目である．実際には，表４の栄養評価プロトコールに従って評価を行い，栄養状態はさらに表 4B の基準をもとに，高度あるいは軽度～中等度の栄養不良に分類する．栄養状態の不良のものには，介入が必要である．また，栄養状態がよくても，栄養リスクのある者については，現在の栄養補給法を継続していくことになるが，経過観察が必要である（表 4C）．

1．スクリーニング項目（表 4A）

体重減少と食事摂取量の低下を，最重要の評価項目としてあげている．

体重減少については前述のとおり，1 ヵ月間で 5%，3 ヵ月間で 7.5%，6 ヵ月間で 10%以上の明らかな体重減少として有意であり，2 点と評価する．それより低い体重減少であっても，栄養不良に陥る可能性があるので，表 4A に従ってスコアリングを行う．他覚的にも自覚的にも減ったかどうか明らかでない場合は，1 点を加える．また，現在も体重減少が続いている場合は，栄養素の不足が続いている可能性があり，1 点を加える．

食事摂取量の変化については，元気なときに比べて 1 週間以上減っていたり（1 点），5 日間以上ほとんど摂れていない状態（2 点）のときに，スコアリングする．

これらの点数が 2 点以上の場合，次のアセスメントへと駒を進める．

2．アセスメント項目（表 4B）

まず，身体診察により，筋肉量・脂肪量の減少を観察する．続いて，BMI，身体機能として活動量・疲れやすさ・握力・脚力の評価を行い，正常・軽度低下・中等度低下・高度低下で判定する．

そのうえで，A：ほぼ正常のもの，B：軽度～中等度の栄養不良，C：高度の栄養不良と分類し，B を中心として，A や C が混在する場合は B に分類する．

B と C では介入を行い，A で栄養リスクがないものは原則として介入の必要はないが，A で栄養リスクを有するものに対しては注意深い経過観察が必要となる．

なお，各項目の評価時の注意事項については，SGA の各項目を参照すること．

3．栄養リスクの評価（表 4C）

表２の栄養状態を示す所見は，すでに栄養不良に陥った人を見つけるのに重要な所見であるが，将来栄養不良になる可能性がある人たちを拾いあげる必要もある．そのために，次に重要な因子が，基礎疾患および消化管症状であり，それらについては SGA の各項目で前述したとおりである．前項のアセスメントで栄養状態が良好であっても，リスクがある患者では，経過観察さらには予防的な介入が必要な場合もある．

急性期蛋白質は，炎症や代謝亢進をきたす疾患で上昇しており，これは必ずしも現在の栄養状態を示すものではないが，エネルギー消費量が亢進し，蛋白異化が亢進していることを示唆しており，注意深い経過観察が必要なマーカーであり，基礎疾患とほぼ同じような意義を持つ．主に C 反応性蛋白質（C-reactive protein：CRP）と血清アルブミン値が用いられる．CRP は炎症などで上昇し，血清アルブミン値は逆に低下する．このため，アルブミンは負の急性期蛋白質と呼ばれている．炎症性サイトカインによりアルブミンは血管外へ漏出するなどの要因でも変化するため，必ずしも体蛋白質の減少を示すものではない．特に，疾患のある入院患者では，血清アルブミン値の低値は，エネルギーおよびたんぱく質の十分な投与でも改善せず，病態の

表４　栄養評価プロトコール

A．スクリーニング

	点数		
体重の変化*	0	1	2
変化なし，あるいは増加	○		
3ヵ月で2.5～5%の体重減少		○	
3ヵ月で5%以上の体重減少			○
1週間で1.5～2.5%の体重減少			○
不明		○	
食事摂取量の変化	0	1	2
変化なし，あるいは増加	○		
5日間以上かなり食事摂取が減っている			○
1週間以上元気なときに比べ明らかに食事摂取が減る		○	

*正確な体重測定がなくても明らかに減ったと思われるものは2点とする．
合計2点以上：アセスメント，介入を行う．1点：厳重に経過観察．

B．アセスメント

	A	B	C
栄養状態	良好	軽度～中等度の栄養不良	高度の栄養不良
体重変化	変化なし	1ヵ月間で5%以下，あるいは6ヵ月間で10%以下の体重減少．あるいは現在も体重が減少し続けている．	1ヵ月間で5%以上，あるいは6ヵ月間で10%以上の体重減少．現在も体重が減少し続けている．
食事摂取量	変化なし，あるいは増えている	明らかな摂取量の減少	2週間以上にわたり必要量の50～70%以下の摂取．あるいは1週間以上ほとんど摂れていない
筋肉の喪失	なし	軽度～中等度	高度の減少
皮下脂肪の減少	なし	軽度～中等度	高度の減少
BMI	18.5kg/m^{2}以上	17.0～18.5kg/m^2	17.0kg/m^{2}未満
活動量	正常	中等度の機能低下あるいは最近の機能低下	かなり低下，ほとんどゴロゴロしている．
疲れやすさ	なし	軽度みられる	高度あり
握力・脚力の低下	なし	軽度	高度の低下

Aが主たるときにはAに，Cが主たるものはCに分類する．Bを中心にA，Cが混在するときはBとする．B，Cとされたものは介入を行う．Aについてはリスク評価を行う．

C．栄養リスク

臨床症状や検査値から総合的に評価し，中等度以上の栄養不良に陥るリスクが高いもの	＋＋		
臨床症状や検査値から総合的に評価し，栄養不良に陥るリスクがあるもの		＋	

アセスメントがAであっても，＋＋のものは予防的な介入を考慮する．A＋のものは経過を厳重に観察する．
（中屋　豊，村上啓雄，鈴木壱知，ほか．栄養スクリーニングおよび栄養アセスメント法．日本病態栄養学会誌 2008; 11: 411-415より作成）

改善によってのみ上昇することが少なくない．

rapid turnover proteinも，血清アルブミン値と同じように炎症などの種々の因子に大きく影響される．トランスサイレチン（プレアルブミン）が術後の評価に用いられることが多いが，栄養状態よりも，むしろ病気の重症度あるいは病態を表していることが多い．たとえば低下していたトランスサイレチンが上昇する場合には，病状が回復し，異化状態から同化状態に向かっていることを示す．したがって，これらの指標は現在の栄養状態よりも病状や予後あるいは栄養不良を起こす可能性（栄養リスク）を表すよい指標である．

D 画像による評価

同じ体重やBMIであっても筋肉量の多い人の予後がよいことが種々の疾患で知られている．蛋白質は種々の機能を司っているため，蛋白質の減少により，種々の機能異常が起こり，創傷治癒の回復が遅れる．そのため，栄養状態の評価においては，蛋白質の蓄積量が最も重要である．それを代用する指標として体細胞量，筋肉量が用いられている．現在，用いられている身体組成の測定法は，コンピュータ断層撮影(computed tomography：CT)，二重エネルギーX線吸収測定(dual-energy X-ray absorptiometry：DXA)，および生体電気インピーダンス(bioelectrical impedance analysis：BIA)である．

CT検査では，X線の吸収値であるCT値により脂肪や筋肉量を直接測定する方法である．通常，第3腰椎部のCT像より，筋肉量，内臓脂肪量，皮下脂肪量を直接測定し，全身の筋肉量の推定を行っている．また，内臓脂肪はメタボリックシンドロームの診断に用いられている．CT検査では直接，筋肉，脂肪量を測定できるため最も正確な方法であるが，放射線被曝が問題となる．そのため，通常診断に用いたCT検査などで分析されることが多いが，吸気時では横隔膜が下がり臍部画像に腎臓が含まれやすく，呼気位相終末位の撮像に比較して精度が落ちるという難点がある．

BIA法による測定は，組織による電気抵抗が異なることを利用し，生体に微弱な電流を流し，身体の電気抵抗値(インピーダンス)を測定し，身体組成を測定する方法である．BIA法は，DXA法よりもコストが安く，非侵襲的であり，簡単にベッドサイドでの測定が可能なことで広く用いられている．浮腫など体水分の影響を受けるなどの欠点がある．

DXA法は，骨粗鬆症などの診断に用いられているが，骨塩量とともに体脂肪量や除脂肪量の測定が可能である．X線が物質を通過する際に，それらによる吸収や散乱によってエネルギー量が減衰する．組織によりこの吸収量や散乱量が異なることを利用して測定する．DXA法では全身の脂肪量だけでなく，局所，たとえば腹部，大腿部などの部位別の測定も可能である．CT検査とともに，最も信頼性の高い評価法である．また，非侵襲的で，再現性が高く，BIA法と異なり水分量の影響を受けないという長所がある．短所としてはCT検査と比較して少ないものの放射線被曝があること，コストが高く，装置設置のためのスペースが必要であり，利用できる施設が限られることである．

これらの検査法は，まだ機器や計測法の統一ができておらず，また，機種により正常値などが異なる．そのために縦断的な変化をみるには有用であるが，他施設の値を利用することが難しいなどの欠点がある．標準化や大規模試験が今後必要と思われる．

E 検査値による評価

現在ある栄養評価に用いられている検査値は栄養状態のみを表すものはなく，他の病態でも変化するものばかりである．そのため，栄養評価には単一の検査値を用いるのではなく，体重変化，食事摂取量や診察などとともに総合的に判断する必要がある．

日本では，血清アルブミン値，トランスサイレチン(プレアルブミン)が栄養状態の評価に用いられているが，これらは肝臓で合成される，負の急性期蛋白質として知られている．血清アルブミン値に関しては，これまでも述べてきたように，現在の栄養状態を示すよい指標ではない[17]．その他，肝疾患，ネフローゼなどで低下するので注意が必要である．他のrapid turnover proteinとして知られているプレアルブミン，レチノール結合蛋白，トランスフェリンなども，炎症により大きく影響される．また，リンパ球数も細胞免疫が栄養不良で低下するなどの理由で，栄養状態の評価として用いられているが，感染，造血などの他の病態でも影響を受けるため，注意が必要である．

血清アルブミン値はどんなによい栄養補給を行っても，疾病，あるいは炎症が改善しないと上昇しないことが多い．そのため，血清アルブミン値などを栄養補給の指標として用いるには問題がある．すなわち血清アルブミン値が低いからといってたんぱく質の投与量を増やしても，アルブミンは上昇しないことが少なくない．たんぱく質，エネルギーの投与量はその病態に合わせて行うべきで，血清アルブミン値に基づくべきではない．

その他，総コレステロール値やヘモグロビンなど，種々の指標が栄養評価に用いられているが，どの指標も他の要因に影響されることが多く，特異性が低いことを念頭に置いておく必要がある．

詳細については，第Ⅵ章を参照していただきたい．

F 栄養摂取量

栄養摂取量を評価する方法は，聞き出し法，写真で食事を撮影する方法などがあるが，非常に複雑で栄養学の専門的な知識が必要である．簡単には体重の減少，増加がその人に必要な栄養摂取量を表すよい指標と考えてよい．現在の体重が目標より少ない場合には，現在の摂取量より増やし，また体重が過体重であれば，現在の食事より減らすといった方法が医師にとっては現実的であると思われる．

G まとめ

栄養不良の診断では，血液検査だけに頼ることは厳に慎み，的確な問診と病歴聴取(特に体重減少と食事摂取に関するものを詳細に)，身体診察で得られる各種所見(筋肉や脂肪の喪失や微量栄養素による欠乏症状)，身体機能，認知機能，基礎疾患やストレス状態について，各種ツールによる評価法を積極的に利用することで，簡便・迅速・適切に総合的評価を行うことが重要である．

文献

1) Potter J, Langhorne P, Roberts M. Routine protein energy supplementation in adults: systematic review. BMJ 1998; **317**: 495-501
2) Stratton RJ, Green CJ, Elia ME. Disease Related Malnutrition: An Evidence-based Approach to Treatment, CAB International, Oxford, 2003
3) American Dietetic Association. Identifying patients at risk: ADA's definitions for nutrition screening and nutrition assessment. J Am Diet Assoc 1994; **94**: 838-839
4) Nagel MR. Nutrition screening: identifying patients at risk for malnutrition. Nutr Clin Prac 1993; **8** (4): 171-175
5) Detsky AS, McLaughin JR, Baker JP, et al. What is subjective global assessment of nutritional status? J Parent Enteral Nutr 1987; **11**: 8-13
6) Ferguson M, Capra S, Bauer J, et al. Development of a valid and reliable malnutrition screening tool for adult acute hospital patients. Nutrition 1999; **15**: 458-464
7) Malnutrition Advisory Group (MAG). Guidelines for the Detection and Management of Malnutrition, British Association for Parenteral and Enteral Nutrition, Redditch, 2000
8) Kondrup SP, Allison M, Elia B, et al. ESPEN guidelines for nutrition screening 2002. Clin Nutr 2003; **22**: 415-421
9) Vellas B, Guigoz Y, Garry PJ. The Mini Nutritional Assesment (MNA) and its use in grading the nutritional state of elderly patients. Nutrition 1999; **15**: 116-122
10) Kaiser MJ, Bauer JM, Uter W et al. Prospective validation of the modified mini nutritional assessment short-forms in the community, nursing home, and rehabilitation setting. J AM Geriatr Soc 2011; **59**: 2124-2128
11) Gabay C, Kushner I. Acute-phase proteins and other systemic responses to inflammation. N Engl J Med 1999; **340**: 448-454
12) 中屋　豊，村上啓雄，鈴木壱知，ほか．栄養スクリーニングおよび栄養アセスメント法．日本病態栄養学会誌 2008; **11**: 411-415
13) 日本人の新身体計測基準値(JARD2001)．栄養—評価と治療 2002; **19** (Suppl)
14) 簡易栄養状態評価表 <https://www.mna-elderly.com/forms/MNA_japanese.pdf>(最終アクセス：2020 年 9 月 30 日)
15) Vellas B, Villars H, Abellan G, et al. Overview of MNA® - its history and challenges. J Nut Health Aging 2006; **10**: 456-465
16) Pinar Soysal, Nicola Veronese, Ferhat Arik, et al. Mini Nutritional Assessment Scale-Short Form can be useful for frailty screening in older adults. Clin Interv Aging. 2019; **14**: 693-699
17) Fuhman MP. The albumin-nutrition connection separating myth from fact. Nutrition 2002; **18**: 199-200

第Ⅳ章

栄養投与量の決定法

各種疾患治療における栄養管理では，患者個々を栄養評価し，必要栄養素を算出，十分量を補給することが最も重要とされる．ここでは，疾病罹患時における投与エネルギー量の決め方(基礎エネルギー代謝量，活動係数，ストレス係数)，たんぱく質，脂質，糖質，水分，ミネラル，ビタミンなどの投与量の決定方法を示すが，投与後も適時再評価を行い，必要栄養素の投与量を見直すべきである．

A 摂取基準

疾患を有する者への栄養摂取基準は，原則として性別，年齢，体格(身長・体重など)，生活活動強度，代謝に影響のある病状などを考慮して算出する．

現在，日本人における食事の摂取基準としては，厚生労働省が策定した「日本人の食事摂取基準(2020年版)」[1)]があるが，健康の維持・増進，エネルギー・栄養素欠乏症の予防，生活習慣病の予防，過剰摂取による健康障害の予防を目的として，エネルギーほか各種栄養素の摂取量の基準を示したものである．そこで，この「日本人の食事摂取基準」の数値を参考に，患者の体格，身体活動レベル，病状などを考慮して適宜エネルギーほか各種栄養素の摂取量を増減する方法が用いられる．しかし，「日本人の食事摂取基準」に示される数値はあくまでも健常者を対象としているため，疾患特異性をどのように反映させるかは明確な基準がないのが現状であり，各種疾患ごとに作成されている「診療ガイドライン」に準拠すべきである．また，栄養補給を行うための摂取基準は，患者個別に実施される栄養スクリーニング，栄養アセスメントに基づき，栄養管理計画を作成し，経時的に策定・変更されることが望ましい．

B 疾病罹患時における投与エネルギー量の決め方

1．基本的な考え方

必要エネルギー量の決定において，一般的には「消費エネルギー量」を充足する量をもって「必要エネルギー量」とし，消費エネルギー量は，(詳細は後述するが)熱量計を用いて実測値から求めるか，または，[基礎エネルギー代謝量×活動係数(activity factor：AF)×ストレス係数(stress factor：SF)]で算出する方法などがあり，原疾患を有する患者個々の状態に対応させた使い分けが必要となる．

臨床栄養管理の実施にあたっては，患者個々の年齢，性別など個体差に加えて，代謝動態なども十分に考慮して，適切なエネルギー投与量を決定することが求められる．特に，臨床現場では侵襲や手術などによるエネルギー代謝の亢進などが想定され，エネルギー需要に満たないエネルギー投与量が設定されている場合が多く，エネルギー投与量の不足はカタボリズムを招くことになるので注意が必要である(表1)．

一方，過剰なエネルギー投与は，肥満や脂肪肝などの障害に加え，過剰な糖質割合から，呼吸不全の患者では過剰な CO_2 産生につながる可能性もある．また，極度の栄養不良患者への過剰な栄養投与は，リフィーディング症候群(心不全，低リン血症，呼吸不全など．第Ⅹ章-2-F-1参照)の原因となることから[2)]，飢餓(絶食)期間などを十分に考慮して必要エネルギー量と段階的なエネルギー量の投与計画が決定されるべきである．

必要エネルギー量が決定され投与を実施することになるが，患者の栄養摂取状態，身体変化(体重の推移)，疾患の回復状態などを継時的に臨床検査データなどで把握し，アセスメントに基づく必要エネルギー量の調整を行うことが，最も重要な点である．

表1　基礎代謝量を変動させる疾患

変動	原因
基礎代謝亢進	○内分泌疾患：甲状腺機能亢進症，Cushing症候群，副腎機能亢進症 ○重症炎症性疾患：急性肺炎，急性膵炎，劇症肝炎，敗血症など ○慢性疾患：肝硬変，慢性閉塞性肺疾患，心不全，本態性高血圧，貧血 ○細胞分裂亢進：白血病，悪性腫瘍などに伴う疾患 ○手術，外傷，熱傷，発熱時
基礎代謝低下	○内分泌疾患：甲状腺機能低下症，副腎機能低下症，下垂体機能低下症 ○ショック時 ○低栄養状態：神経性やせ症，栄養失調 ○安静：脳血管病変によるベッド上安静，統合失調症など

(武田英二(編)．臨床病態栄養学，第3版，文光堂，東京，2013より作成)

2．基礎エネルギー代謝量の算出法，測定法

基礎エネルギー代謝量とは「身体的にも精神的にも安静な状態で生命を維持するのに必要な生理的に最小のエネルギー代謝量」と定義されている．

一般的な考え方としては，エネルギー代謝に影響の少ない疾患であれば，推定式により算出し，当面の目標値として活用できるが，重篤な栄養不良患者や急性膵炎，悪性腫瘍などの病態によるエネルギー代謝の違いが大きい疾患を有する場合は，間接熱量計による基礎エネルギー代謝量(basal energy expenditure：BEE)の実測が望ましい．

基礎エネルギー代謝量は，下記に示すように，種々の方法で測定される．

a）体重のみを用いて算出する方法

推定式を表2に示した．

b）直接熱量測定法

直接熱量測定法は，人体から放出される熱を水や氷などの媒体を介して温度変化として測定する方法である．しかし，この方法は，被験者を外界と隔離することが必要となり，大規模な実験室や装置が必要となるため，実用的ではない．

c）間接熱量を測定し算出する方法

間接熱量測定法は，代謝亢進など疾患特異的な環境下での非常に有効な方法として臨床現場で活用されることが多くなっている(Weirの式より)．

間接熱量測定法の問題点としては，呼気，吸気の漏出の可能性が大きいことと，高濃度酸素の投与が行われている場合には，測定結果に影響を与えることがあるため注意が必要である．

表2　体重のみを用いた基礎代謝量の推定式

年齢(歳)	男性	女性
1～2	35.8W+289	36.3W+270
3～5	33.0W+357	31.2W+344
6～8	34.3W+247	32.5W+224
9～11	29.4W+277	26.9W+267
12～14	24.2W+324	22.9W+302
15～17	20.9W+363	19.7W+289
18～29	18.6W+347	18.3W+272
30～49	17.3W+336	16.8W+263
50～69	16.7W+301	16.0W+247
70～	16.3W+268	16.1W+224

単位：kcal/日
(山内有信．運動・栄養・健康，三恵社，名古屋，2009：p32より引用)

［Weirの式］

基礎代謝量(kcal/日)＝［3.941×(VO_2)＋1.106×(VCO_2)］×1.44×2.17×(UN)

VO_2：酸素消費量(mL/分)，VCO_2：二酸化炭素消費量(mL/分)，UN：尿素窒素(g/日)

d）推定式を用いて算出する方法

［Harris-Benedictの式］

男性 BEE＝66.47＋13.75×BW(kg)＋5.0×身長(cm)－6.75×年齢(歳)

女性 BEE＝655.1＋9.56×BW(kg)＋1.85×身長(cm)－4.68×年齢(歳)

この方法は，性別や年齢を考慮している点で優れてはいるが，1919年に発表されたもので[3]，100年も前の欧米人を基準としており，高齢化社会を迎える日本人に適応した式であるとは考えにくい．また，日本人には体格的な側面から少々多めに算出される傾向にあることも認識すべきである．

今回，American Journal of Clinical Nutritionに基礎代謝推測式の精度を評価した論文が公表され，65歳以上の健常者集団で，間接カロリメトリーでの実測や二重標識水法でのTEEとの比較において，公表されている17個の推定式のうち，Ikedaの式(京大)，Livingston式，Mifflin式の3つを推奨するという結果が報告された．

［Ikedaの式］[4)]

BEE(kcal)＝10×BW(kg)－3×年齢(歳)＋125(男性)＋750

注意点として，対象の年齢が65歳以上であることと，BMI30以上だと誤差が大きくなる傾向があげられるが，Harris-Benedict式や国立栄養研の式より精度が高いとされている[5)]．

臨床現場では，実測または推定式より算出されたエネルギー量は，その体重を維持するためにどの程度のエネルギー量が必要かを判断するものであり，設定後のアセスメントによるチェックが必要となり，絶対的なものではない．特に，体重の変化，生化学検査値などの変化を確認しながら繰り返し調整を行うことが必要である．

3．1日エネルギー必要量の決定方法

a）目標体重に生活活動強度を掛けて求める方法

最も単純な算出方法として汎用されているものは，糖尿病患者を中心とした慢性疾患患者の必要エネルギー量の設定に用いられている方法であり，目標体重に生活活動強度(表3)を掛けて求める方法が一般的である．身体活動量に応じて3段階のレベルが設定されているが，目標体重は，総死亡が最も低いBMIは年齢によって異なり，一定の幅があることを考慮し，以下の式から算出することが推奨されている．

表3　生活活動強度の目安

やや低い （デスクワークが主な人，主婦）	25～30kcal/kg 標準体重
適度 （立ち仕事の多い職業）	30～35kcal/kg 標準体重
高い （力仕事の多い職業）	35～kcal/kg 標準体重

65歳未満　　　　　　　　：[身長(m)]^2×22
前期高齢者(65歳から74歳)：[身長(m)]^2×22～25
後期高齢者(75歳以上)　　：[身長(m)]^2×22～25

特に，75歳以上の後期高齢者は現体重に基づき，フレイル，(基本的)ADL低下，併発症，体組成，身長の短縮，摂食状況や代謝状態の評価を踏まえ，適宜判断することが求められる．

b）簡易式から算出する方法

エネルギー代謝に影響のない疾患であれば，基礎エネルギー代謝量(BEE)×身体活動強度(身体活動による代謝の増加を考慮した活動代謝量)といった推定式で求めることが可能であるが，次に示す簡易式から算出する方法が一般的である．基礎エネルギー代謝量(BEE)は基礎代謝基準値[1]を用いてもよい．

［簡易式］
1日必要エネルギー量(kcal/日)＝BEE×AF×SF

c）その他の方法

推定式以外の1日必要エネルギー量の決定方法は，二重標識水法などがあるが，一般的ではない．

4．総エネルギー投与量決定における注意点

本来であれば，患者個々の体格や年齢，基礎疾患，術後侵襲，ストレスなどを考慮し，必要エネルギー量を決定すべきであるが，臨床現場で設定されている標準体重×25～30kcalといった決定方法には多くの問題点が存在する．たとえば，肥満者では基礎代謝量を過大評価，逆にやせの場合は過小評価する可能性があり注意が必要である．

5．減量を目的とした食事療法

減量のための食事療法の基本は，摂取エネルギーを減らし，消費エネルギーを増やすことが重要であり，低エネルギー食が設定されることがある．大別すると，600kcal/日以下の超低エネルギー食(very low calorie diet：VLCD)と，600～1,200kcalの低エネルギー食(low calorie diet：LCD)が用いられる．減量のための食事療法の種類と利点・欠点を表4に示す．VLCD療法は，安全に施行するために原則入院にて行われ，禁忌としては心不全，肝不全，腎不全，妊娠などがある．

C たんぱく質，脂質，糖質の投与量

1．たんぱく質必要量の求め方

たんぱく質は，骨格筋，内臓，血漿蛋白など組織構成蛋白やホルモンや酵素など機能性蛋白として体内に存在し，生命活動維持に必須の栄養素である．しかし，貯蔵形態を持たないため，摂取量が不足すると，主に筋蛋白を分解して生命維持に必要なアミノ酸を供給することになり，創傷治癒遅延，感染症のリスク増大につながる．そこで，毎日，一定量のたんぱく質の補給が重要となる．

たんぱく質の必要量は，健常者の場合は0.8～1.0g/kg/日とされているが，年齢や病態によっても変化し，身体の代謝亢進状態を踏まえたたんぱく質量の管理が必要である[6]．

特に，外傷や手術，褥瘡などの創傷治癒過程，さらに，炎症性腸疾患など消化管から蛋白質が漏出する病態や，熱傷や水疱性疾患など皮膚から蛋白質が浸出する病態，胸水や腹水に血漿蛋白が移行する病態では，

表4　食事療法の種類と利点・欠点

	食事制限療法	低エネルギー療法 (low calorie diet)	超低エネルギー療法 (very low calorie diet)
エネルギー量(kg IBW/日)	20～30kcal	10～20kcal	10kcal 以下
1日あたり	1,200～1,800kcal	600～1,200kcal	600kcal 以下
体重減少効果	小さい，緩徐		大きい，急速
長期的治療	可能	可能	困難
治療方法	外来	主に外来	主に入院
栄養バランス	容易	やや困難	困難，たんぱく質確保
副作用	なし	ほとんどなし	多い
体重再増加	比較的少ない	しやすい	多い

たんぱく質の必要量が増加することが報告されており，重要な管理ポイントとなる．

総たんぱく質必要量＝(エネルギー必要量÷C/N)×6.25

C/N(エネルギー－窒素比)が一般的に150～200になるように調整

尿中尿素窒素から求める考え方もある．1日の尿中尿素窒素×6.25で蛋白の崩壊を算出し，それに非尿素窒素による蛋白量4gをプラスすることで，定量的な求め方も可能となる．

近年，前述のSFを目標体重に掛けてたんぱく質量を算出する方法も紹介されてはいるが，エビデンスに基づいた方法とは考えにくい．

栄養評価では，Maroniの式を活用し，患者個々のたんぱく質摂取量の把握を行う必要がある．

[Maroniの式]

たんぱく質摂取量(g/日)＝[尿素窒素排泄量(g)＋0.031×その時点の体重(kg)]×6.25

また，臨床でのたんぱく質必要量は，蛋白質異化作用の程度と栄養摂取の妥当性を評価するためにも「窒素出納」によるチェックが望ましい．

窒素出納(g)＝[たんぱく質摂取量(g)/6.25]－[尿中尿素窒素(g/24時間)＋4(g)]

窒素出納の目標値は1～3gで，マイナスの場合は体蛋白の崩壊，プラスの場合は筋肉形成での蓄積を意味する．

患者の摂取栄養素量や病態を考慮したうえで，どの方法を選択するかを検討すべきである．

2．脂質必要量の求め方

脂質は各種栄養素中最大のエネルギー源であり(1g＝9kcal)，コレステロールや細胞膜成分として重要な役割を果たす．

脂質のエネルギー比率は，約20～40%を供給することになり，疾患を考慮して量・種類の使い分けが必要となるが，例外として，慢性閉塞性肺疾患(COPD)では，総エネルギー比率の約50%を脂質で供給し，炭水化物は総エネルギー比率の約30%以下に管理するなど特殊な場合もある．

膵臓疾患や黄疸など膵外分泌酵素の低下，胆汁酸分泌の低下例では，脂質摂取量を制限する．

3．糖質(炭水化物)必要量の求め方

糖質は最も速やかに利用されるエネルギー源として最も重要とされる成分である．脳，神経，赤血球，腎尿細管，精巣などはグルコースのみをエネルギー源としているため，1日100g以上の炭水化物の摂取量を確保することが望ましいとされている．特に糖尿病患者であっても「1日130g以下の低炭水化物食は推奨できない」と注意喚起されており[7]，食事管理を行ううえでは必要量の炭水化物を摂取することが必須の条件となっている．

必要以上に供給量が低下した場合，生命維持活動にも大きな影響を与えることになり，最も気になるのがケトアシドーシス(酸血症)や体蛋白の分解，合成障害の影響である．炭水化物の1日の摂取量は，健常者においては「日本人の食事摂取基準(2020年版)」[1]によると「総エネルギーの少なくとも55%以上であることが望ましい」とされている．

炭水化物摂取量の調整は，Atwater係数を用いて，以下の式で算出できる．

炭水化物(g)＝[エネルギー必要量(kcal)－たんぱく質必要量(g)×4(kcal)－脂質必要量(g)×9(kcal)]÷4(kcal)

一方，糖質の過剰投与は，高血糖の誘因なるため注意が必要であり，投与する糖質の種類については，消化吸収障害の有無，耐糖能異常や低下の有無などを把握することが重要となる．また，経静脈栄養法では，エネルギー源として速やかに利用されるグルコースが用いられ，代謝過程でビタミンB_1が必須となる．ビタミンB_1の不足により，ピルビン酸の蓄積，乳酸の大量生成につながり，乳酸アシドーシスを引き起こすため，経静脈栄養補給を行っている場合はビタミンB_1が投与されているかどうかを確認することが必要である．

D 水分必要量の求め方

1．水分出納・水分投与量

生体における水分の役割は，①溶媒としての役割(栄養素の消化吸収，pHや浸透圧の維持，尿などの排泄時)，②血液濃度や粘度のバランス保持，③発汗作用により体温を調節する機能，などであり，非常に重要な役割を持つ．

身体の水分量は，年齢，性別，体脂肪量などの要因によって変化し，成人では60%程度が体水分量であるのに対して，高齢者では50%程度に低下し，小児では70～80%と水分への依存性が高い．

小児は，体重が少なく，前述したように水分含有量が多いため，少量の水分喪失であっても容易に脱水症となることに注意する．高齢者においても表5，表6に示すような脱水の危険因子や脱水に陥りやすい理由があり，注意が必要である．

水分は，筋肉や内臓に多く含有され，骨格や脂肪では少ない．健常者であれば，除脂肪体重が体内水分量と相関することから，体内水分量は〔体内総水分量＝除脂肪体重×0.73〕の式で求められる．

表5　脱水の危険因子

○感冒や肺炎などの発熱
○糖尿病による多尿
○尿濃縮能の低下(腎機能低下，ADH など分泌低下)
○塩分制限や利尿薬投与
○口渇感の低下
○意図的摂食制限(排尿，誤嚥の回避)
○摂食・嚥下障害などによる食事摂取量の減少

表6　高齢者が脱水に陥りやすい理由

1. 体内水分量は加齢とともに減少
　乳幼児 70～80%，成人約 60%，高齢者約 50%
2. 「溜池」＝体内水分量の減少
　→「渇水」＝脱水のリスクが高い
3. 体内水分が 5%喪失すると疲労感や頭痛，眩暈などの症状が出現(10%喪失で死に至ることもある)
4. 高齢者特有の外的要因が存在

表7　脱水症の診断

1. 定期的な体重の測定
　○短期的な体重の変化→水分の変化
2. 皮膚，粘膜，舌の乾燥
3. 口渇感
　○高浸透圧脱水では出やすい
　○低浸透圧脱水では出にくい
4. 血液検査
　○BUN，ヘマトクリット，血清総蛋白
　○BUN/Cr の上昇→脱水，異化亢進，消化管出血，窒素過剰負荷
5. 脱水の徴候
　○皮膚の弾力性低下，腋窩乾燥，口腔粘膜乾燥
6. 重度の脱水
　○意識混濁，四肢脱力，脈拍増加，収縮期血圧低下
7. 血液検査より
　○BUN/Cr の上昇(>25)
　○Ht/Hb の上昇(>3.5)
　○UA 高値(>7mg/dL)

1日の必要水分量は，簡易式として

必要水分量(mL)＝30～35(mL)×現在の体重(kg)

例）体重 60kg の人では1日必要水分量約 1,800mL

発熱などで体温が 37℃を超えた場合，必要水分量は体温が 1℃上昇ごとに 150mL/日増加する．

2. 喪失がある場合

体内水分の 10%を喪失すると各種機能障害が出現し，20%が失われると生命維持が不可能となることから，水分欠乏量をチェックすることは重要である．

水分欠乏量(L)＝健常時体重(kg)×0.6×[(血清ナトリウム濃度−140)/140]

大量の出血や下痢などで異常に細胞外液を喪失した場合は，乳酸リンゲル液，酢酸リンゲル液などの細胞外液補充液を用いる．また，手術や食欲不振などで経口摂取が不足する場合は，生理的に喪失する水と電解質を補充する必要があり，3号維持液が用いられる．

脱水症は，表7のように診断する．

E ビタミンの必要量

ビタミンは水溶性と脂溶性に分類され，生体内での化学反応を調節し，一部補酵素として働く．脂溶性ビタミンは体内に蓄積されることから，補給時には過剰症に注意が必要である．

ビタミン必要量は，健常者では「日本人の食事摂取基準(2020 年版)」[1]の推奨量もしくは目安量を参考とするが，疾患を有する患者には病態による変化を考慮して適宜調整する．

特に，ビタミン B_1 のように静脈栄養時と食事・経腸栄養施行時とでは必要量が大きく異なる栄養素があるので注意が必要である．

ビタミンはほとんど生体内では合成できないことから，摂取量の不足により，免疫力の低下や皮膚症状などが生じる．水溶性ビタミンについては，欠乏症の回避を中心に必要量を決定し，脂溶性ビタミン類については，欠乏症の視点のみならず，過剰症への注意が必要となる．たとえば，ビタミン A の場合は，カロテノイドの形で摂取すればビタミン A 過剰症は生じない．

F ミネラルの必要量

臨床的に重要となるミネラルには，多量ミネラル(Na，K，Ca，Mg，P)と微量ミネラル(Fe，Zn，Cu，Mn，I，Se，Cr，Mo)などがあげられている．

主な成分として，鉄は 70%が血液中に存在し，赤血球のヘモグロビンと結合して酸素の運搬を行い，褥瘡発生時には低下することが多く補給が必要となる．亜鉛も蛋白質の構成成分として不可欠な微量元素である．それぞれのミネラル類の必要量の基準は「日本人の食事摂取基準(2020 年版)」の推奨量もしくは目安量を参考とする．

文献

1) 厚生労働省．日本人の食事摂取基準(2020 年版)，「日本人の食事摂取基準」策定検討会，2019 <https://www.mhlw.go.jp/content/10904750/000586553.pdf>(最終アクセス：2020 年 10 月 20 日)

2) Jensen GL, Binkley J. Hazards of overfeeding. Nutritional Considerations in the Intensive Care Unit: Science, Rationale, and Practice, Shikora SA, et al (eds), Kendall/Hunt Publishing Company, Dubuque, 2002: p111-118
3) Harris J A, Benedict F G. A biometric study of basal metabolism in man. Carnegie Institute of Washington, Washington, DC, 1919 (Publication number 297)
4) 池田香織，濵崎暁洋，幣憲一郎ほか．糖尿病患者の必要エネルギー量推定方法の比較—標準体重法 vs 基礎代謝量推定式—．糖尿病 2015; **58**: 805-811
5) Porter J, Nguo K, Collins J, et al. Total energy expenditure measured using doubly labeled water compared with estimated energy requirements in older adults (≥ 65 y): analysis of primary data. Am J Clin Nutr 2019; **110**: 1353-1361
6) Rand WM, Pellett PL, Young VR. Meta-analysis of nitrogen balance studies for estimating protein requirement in healthy adults. Am J Clin Nutr **77**: 109-127, 2003
7) American Diabetes Asociation (ADA). Nutrition Recommendations and Intervention for Diabetes-2006. Diabetes Care 2006; **29**: 2140

第 V 章

病態栄養の症候

病態栄養に関連する症候としては，栄養障害のもたらす結果として引き起こされるものや逆にその症候の存在により栄養摂取，栄養素の吸収あるいはエネルギー代謝に影響があるものなどが含まれる．これらの症候は栄養障害のスクリーニングやアセスメントの際にも評価が必要である．また，放置すれば，さらなる栄養障害をきたすため，適切な対応が必要である．以下に主要な症候につき概説するが，これらの症候に関しては多くの優れた成書があり，参考にされたい[1~6]．

A 食欲不振

1．定義

食欲不振とは食欲の減退，消失した状態をいう．食欲とは食物摂取に対する生理的欲求をいう．必ずしも空腹と同一ではなく，空腹感があっても食欲がない場合もある．

2．食欲の調節機構

食欲の調節の中枢は視床下部にあり，視床下部外側野に摂食中枢が，腹内側核に満腹中枢がある．摂食調節には多くの分子が関与しているが，なかでも重要なものは脂肪細胞より産生され，食欲抑制に働くレプチンである(図1)．脂肪量が増加(肥満)すると，レプチン産生も増加し，視床下部に作用し，食欲抑制に働く因子(POMC，CARTなど)を増加させ，食欲亢進に働く因子(NPY，AgRPなど)を低下させる．エネルギー摂取低下などにより，脂肪量が低下するとレプチン産生は低下し食欲亢進に働く．レプチン以外にも食欲は多くの因子により調節されている．また，味覚はもちろん，視覚，嗅覚なども重要であり，これらの障害によっても食欲低下が生じるため，食物の味以外に見た目，においなども食欲増進には重要である．

3．食欲不振と栄養障害

食欲不振による摂食量低下により，不足したエネルギーを補うため，グリコーゲン，脂肪，蛋白質の順に分解され，必要なエネルギーを補う．体蛋白の25～30％が失われると生命維持が困難となる(nitrogen death)．水分，ミネラルなどの摂取も減少すれば脱水や電解質異常も引き起こされる．絶食期間が長期になれば消化管粘膜上皮の萎縮をきたし，腸粘膜バリアの破綻によるbacterial translocationを引き起こす．各種ビタミン不足による症状も出現し，また亜鉛欠乏などにより味覚異常が生じ，さらなる食欲低下につながる．

4．食欲不振をきたす疾患

主には消化器系疾患であるが，非消化器系疾患も多い．消化器系疾患では口腔・鼻咽喉疾患(歯肉炎，口内炎，口唇炎，舌炎，副鼻腔炎，扁桃炎，扁桃周囲炎，咽頭炎)，食道疾患(食道炎，食道憩室炎，食道癌)，胃疾患(急性胃炎，慢性胃炎，胃癌，幽門狭窄)，腸疾患(急性腸炎，虫垂炎，腸狭窄，潰瘍性大腸炎，腸結核，腸管寄生虫症，吸収不良症候群，大腸癌，慢性便秘)，

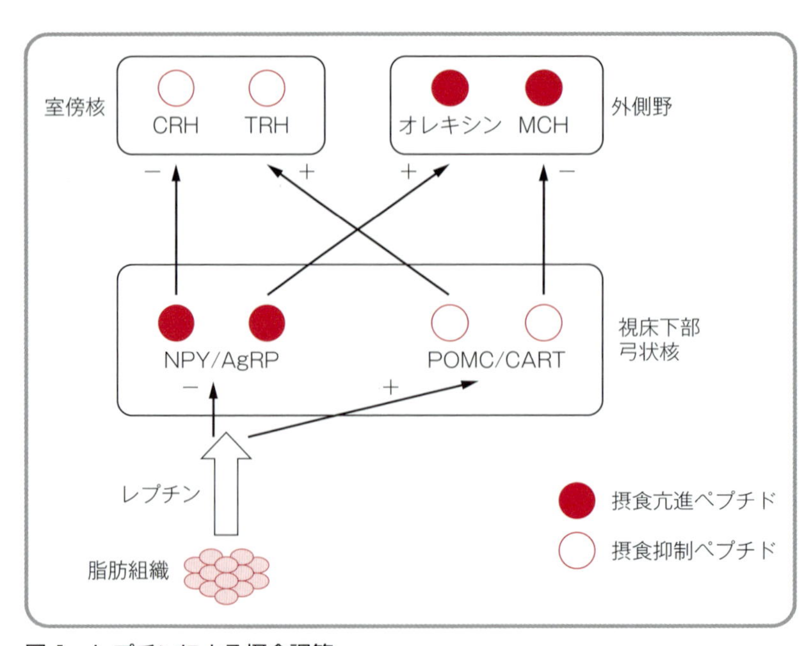

図1　レプチンによる摂食調節

肝胆道疾患(急性肝炎，慢性肝炎，肝硬変，肝癌，胆石症，胆囊炎)，膵疾患(急性膵炎，慢性膵炎，膵癌)などがある．

非消化器系疾患では心疾患(うっ血性心不全)，腎疾患(急性腎炎，慢性腎炎，腎不全)，血液疾患(鉄欠乏性貧血，再生不良性貧血など)，感染症(急性感染症，慢性感染症)，ビタミン欠乏，内分泌疾患(下垂体前葉機能低下症，甲状腺機能低下症，副腎皮質機能低下症，副甲状腺機能亢進症)，アレルギー疾患(アレルギー性胃腸炎)，代謝疾患(糖尿病，妊娠悪阻，高カルシウム血症，低ナトリウム血症など)，薬物(サリチル酸，NSAIDs，抗腫瘍薬，抗菌薬，ジギタリスなど)，精神神経疾患(神経性やせ症，神経症，自律神経失調症，うつ状態，うつ，脳血管障害)などがある．

B 悪心・嘔吐

1．定義

嘔吐とは胃または腸内容が食道を経て口腔より吐出される現象であり，悪心(嘔気ともいう)は咽頭から前胸部，心窩部にかけて感じられる嘔吐が起こりそうな不快な感覚をいう．

2．嘔吐の機序(図 2)

嘔吐に関する中枢としては延髄網様体の嘔吐中枢がある．その近傍には呼吸，血管運動，消化管運動，唾液分泌などの中枢や前庭神経核などがあり，悪心・嘔吐時にはこれらの刺激症状(発汗，唾液分泌，顔面蒼白，脈拍変化，血圧変化，めまいなど)も伴いやすい．嘔吐中枢への刺激は消化管など末梢からの迷走神経や交感神経を介する経路，大脳皮質など高位中枢からの経路，脳圧亢進，脳循環不全などの直接刺激，代謝異常，化学物質などによる chemoreceptor trigger zone (CTZ)を介するものがある．

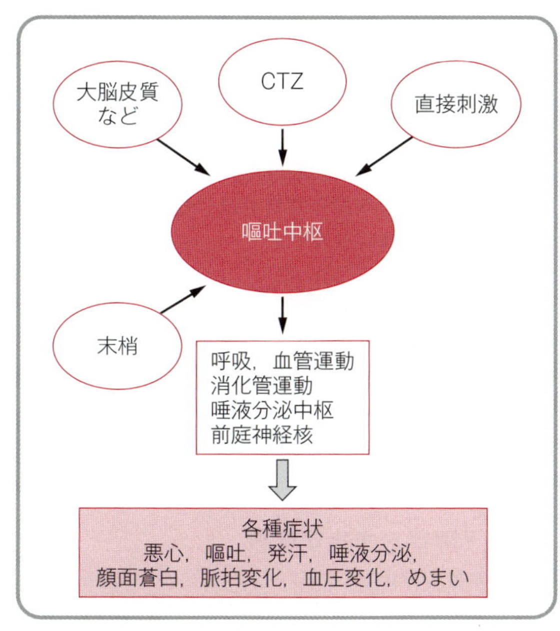

図 2　嘔吐のメカニズム

3．悪心・嘔吐と栄養障害

悪心・嘔吐により十分な食物摂取が困難となり，食欲不振同様，体成分の分解や消化管粘膜の萎縮をきたす．また，嘔吐により水分，電解質が失われ，脱水，電解質異常をきたす．誤嚥性肺炎のリスクも高まる．

4．悪心・嘔吐をきたす疾患

悪心・嘔吐をきたす消化器系疾患は，胃疾患(急性胃炎，慢性胃炎，幽門狭窄，急性胃麻痺，胃腫瘍)，腸疾患(腸閉塞，上腸間膜動脈症候群，虫垂炎，Crohn 病，腸間膜血管閉塞)，肝・胆・膵疾患(肝炎，肝硬変，肝不全，胆石症，胆囊炎，膵炎，膵癌)，横隔膜・腹膜疾患(横隔胸膜炎，横隔膜下膿瘍，腹膜炎)などがある．なお，食道疾患による食道狭窄からの吐出は嘔吐というよりもむしろ逆流というべきで悪心は伴わない．

非消化器系疾患では，尿路・子宮付属器疾患(尿路結石，子宮外妊娠，卵巣腫瘍の茎捻転)，心・大動脈・肺疾患(うっ血性心不全，心筋梗塞，腹部大動脈瘤，肺疾患：咳に合併)，神経系疾患(頭蓋内圧亢進，炎症，血管障害，神経症，精神疾患)，感覚器疾患(Ménière 病，動揺病，緑内障：めまいに合併)，アレルギー性疾患(アレルギー性胃腸症，Henoch-Schönlein 紫斑病)，感染症(食中毒，細菌性赤痢，全身感染症，感冒，インフルエンザなど)，代謝疾患(妊娠悪阻，尿毒症，糖尿病，肝不全)，内分泌疾患(甲状腺クリーゼ，Addison 病クリーゼ)，薬物，アルコール，放射線などがある．薬物は胃に対する直接作用(鉄剤，アミノフィリン，ジギタリス，サリチル酸，NSAIDs，降圧利尿薬，抗菌薬，抗腫瘍薬，脂質異常治療薬)あるいは嘔吐中枢に対する作用(アヘン，エストロゲン，ジギタリス，β 遮断薬，アドレナリン，レボドパ，抗菌薬，抗腫瘍薬，抗不安薬)により嘔吐を引き起こす．

C 胸やけ・げっぷ(おくび)

1．定義

胸やけは酸性の胃液の食道内逆流によって起こるもので，胸骨下あるいは心窩部上部に感じる痛みあるいは灼熱感である．げっぷはおくびともいい，胃内に貯留した空気が食道に逆流し，さらに口腔から吐き出される状態である．げっぷが出ること自体は日常的なことであり，病的な意味は少ないが，頻回に起こる場合や胸やけに伴う場合は注意が必要である．

2. 胸やけ，げっぷの病態

胸やけの病態は単純ではなく，様々な因子が組み合わさって生じる食道粘膜の刺激および運動障害によるものである．胃液を含んだ胃内容物の食道への逆流による食道下部粘膜の刺激症状が胸やけの本態として重要であるが，明らかな酸逆流がなくても胸やけが生じることがあり，十二指腸液の逆流や食道粘膜の感受性亢進などの関与も考えられる．胃内容物の食道への逆流は胃・食道の消化管運動機能異常として捉えることができる．逆流防止機構として下部食道括約筋(lower esophageal sphincter：LES)が重要であるが，LES圧の低下により病的逆流が生じる．胃内容の停滞，胃運動の亢進，腹腔内圧の亢進も逆流の原因となる．通常健常者でもある程度の食道・胃逆流は生じており，食道の蠕動運動により速やかに逆流物の胃への移動が起こるが，蠕動運動の低下により食道粘膜障害を生じ，胸やけを生じる．

3. 胸やけ，げっぷと栄養障害

胸やけ，げっぷにより十分な食物摂取が困難となり，食欲不振同様，体成分の分解や消化管粘膜の萎縮をきたす．また，誤嚥性肺炎のリスクも高まる．

4. 胸やけ，げっぷをきたす疾患

胸やけ，げっぷをきたす疾患として，器質性疾患と機能性疾患・病態に分けられる．器質性疾患としては食道・胃疾患が中心であり，逆流性食道炎，食道炎，食道裂孔ヘルニア，食道アカラシア，食道癌，胃・十二指腸潰瘍，急性胃粘膜障害，慢性胃炎，幽門狭窄，胃癌，胃全摘後などがある．機能性疾患・病態としてはfunctional dyspepsia(FD)，食道痙攣，空気嚥下症，LES圧低下をきたすもの(膠原病，妊娠，薬剤，食物，術後など)，食物，薬物による直接粘膜刺激，腹腔内圧上昇，精神的ストレスなどがある．LES圧低下の原因を表1にまとめる．

表1　LES圧低下の原因

- ○逆流性食道炎
- ○強皮症，混合性結合組織病(食道蠕動運動低下による)
- ○妊娠(エストロゲン，プロゲステロン上昇，腹圧上昇)
- ○薬剤：経口避妊薬，カルシウム拮抗薬，テオフィリン
- ○外科手術後：胃全摘後(LESの切除)
- ○食物など：コーヒー，チョコレート，タバコ，アルコール，香辛料

D 嚥下障害

1. 定義

嚥下は咀嚼された飲食物(食塊)を口腔から咽頭，食道を経て胃に輸送する生理機能であり，多数の筋肉や神経(三叉，迷走，舌下，舌咽など)がかかわっている．これらが何らかの原因により機能的あるいは器質的に障害され，嚥下の一連の運動が種々の程度に妨げられる場合を嚥下困難という．

2. 嚥下の流れとその障害

嚥下の一連の流れは食物の認知(認知期)，口への取り込み，咀嚼と食塊形成(準備期)，咽頭への送り込み(口腔期，嚥下の第Ⅰ相)，咽頭通過/食道への送り込み(咽頭期，嚥下の第Ⅱ相)，食道通過(食道期，嚥下の第Ⅲ相)の5つの段階に分けることができる(図3)．摂食嚥下には覚醒し，食物を認知できることが必要である．認知機能障害では拒食になったり，食物が口のなかで止まってしまったりする．口唇の運動障害などでは食物の口腔内への取り込みの障害やいったん取り込んでも口腔外にこぼれてしまうなどの障害が起こる．口腔内では舌と歯を使って食物を唾液と混ぜて咀嚼し，飲み込みやすいかたち(食塊)に整える．これがうまくできないと食物をそのまま飲み込まざるを得ない．食塊は舌により咽頭に送り込まれる．ここまでが随意運動である．咽頭通過，食道への送り込みは嚥下反射として起こる．食塊が咽頭に入ると舌根が咽頭後壁に押しつけられ，咽頭内圧が高まり，咽頭壁は収縮，同時に食道入口部の食道括約筋が弛緩して食塊を食道へ送り込む．気道は喉頭蓋で閉じられ，声門も同時に閉じられ，誤嚥を防止している．このタイミングがずれたり，閉鎖が不十分であると誤嚥が起こる．また，咽頭収縮が弱かったり，食道括約筋の弛緩が不十分であると咽頭残留が生じる．食道に食物が送り込まれると蠕動運動により胃へと運ばれていく．

3. 嚥下障害と栄養障害

嚥下障害により食物摂取が不十分であれば当然栄養障害も起こるが，重要なのは誤嚥性肺炎である．誤嚥性肺炎による消耗によりさらに栄養障害が悪化する．また，栄養障害による筋力低下などにより嚥下障害が顕在化しやすい．

4. 嚥下障害をきたす疾患

嚥下障害の原因としては，器質的原因，機能的原因，心理的原因がある．器質的原因としては，口腔・咽頭の障害として，舌炎，口内炎，歯槽膿漏，扁桃炎，扁

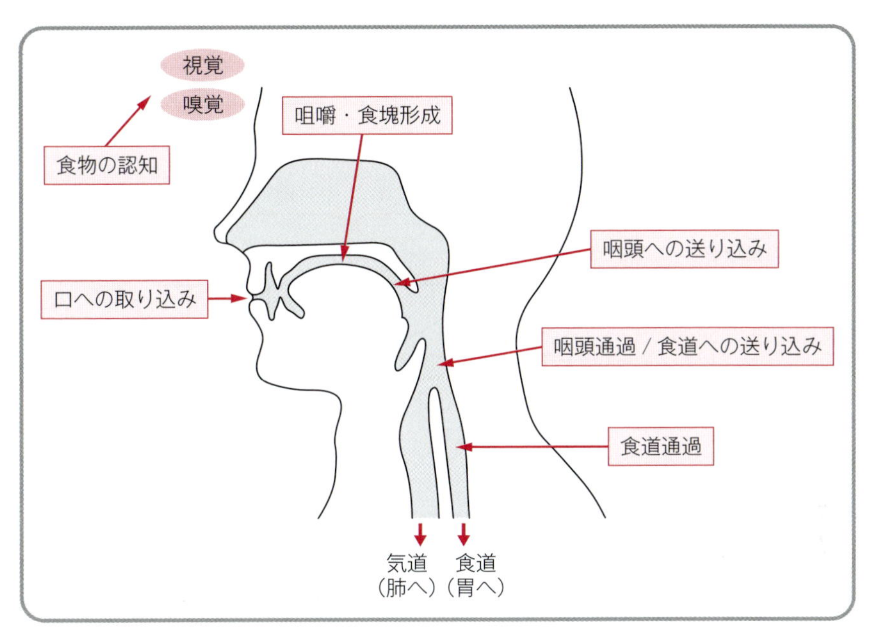

図３　摂食・嚥下の流れ

桃周囲膿瘍，咽頭炎，喉頭炎，咽後膿瘍，口腔・咽頭腫瘍，口腔・咽頭部の異物，術後，外部からの圧迫などがある．また食道の障害として，食道炎，潰瘍，食道ウェブ，憩室，狭窄，異物，腫瘍，食道裂孔ヘルニア, 外部からの圧迫などがある．機能的原因としては，口腔咽頭部の障害として脳血管障害，脳腫瘍，頭部外傷，脳膿瘍，脳炎，多発性硬化症，Parkinson 病，筋萎縮性側索硬化症，末梢神経炎，重症筋無力症，筋ジストロフィー，筋炎, 代謝性疾患，薬剤性などがある．食道の障害としては脳幹部病変，アカラシア，筋炎，強皮症，全身性エリテマトーデス(SLE)，薬剤性などがある．心理的原因としては神経性やせ症，認知症，心身症，うつなどがある．

E 腹痛

1．定義

腹痛は腹部の疼痛であり，体性痛，内臓痛，関連痛に分類される．体性痛は壁側腹膜，腸間膜などの神経が炎症などによって刺激されて起こる．内臓痛は管腔臓器(消化管，胆道，尿管など)の神経や実質臓器(肝臓, 腎臓など)の被膜の神経が攣縮や伸展によって刺激されて起こる. 関連痛は疼痛の発生部位からの刺激を, 同じ神経分節に属する皮膚領域にも疼痛として感じるものである．

2．腹痛と栄養障害

腹痛，特に食後に腹痛をきたす場合は疼痛を恐れるため十分な食物摂取が困難となり，食欲不振同様，体成分の分解や消化管粘膜の萎縮をきたす．また，精神的な影響も大きい．

3．腹痛をきたす疾患

腹痛をきたす疾患としては，腹腔外疾患による腹部への関連痛(胸膜炎，肺炎，心外膜炎，心筋梗塞，脊髄疾患など)の場合や腹腔内臓器による場合がある. 後者では食道疾患，胃十二指腸疾患，腸疾患などの消化管疾患や肝，胆道疾患，膵疾患，腎尿路系疾患，脾疾患，性器疾患，腹膜疾患，血管系の疾患など多種多様な疾患が含まれる．

F 下痢・便秘

1．定義

下痢とは糞便中の水分含有量が増加して，泥状ないし水様を呈する状態をいう．便の水分量によって軟便(60～80%)，泥状便(80～90%)，水様便(90%以上)となる．下痢の場合，排便回数も増加することが多く，排便量も増加する傾向がある．具体的には 1 日の糞便中の水分量が 200 mL 以上を下痢としている．

便秘は本来体外に排出すべき糞便を十分量かつ快適に排出できない状態と定義される[7]．また，便秘症とは便秘による症状が現れ，検査や治療を必要とする場

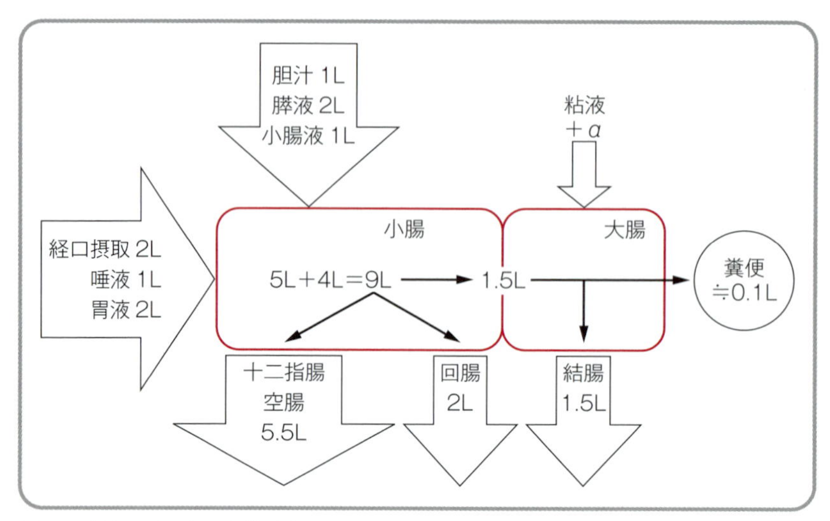

図４　腸管における水分吸収

合であり，排便回数減少によるもの（腹痛，腹部膨満感など），硬便によるもの（排便困難，過度の努責など）および便排出障害によるもの（軟便でも排便困難，過度の努責，残便感とそのための頻回便など）がある．

2. 下痢・便秘の発生メカニズム

a）腸管での水分吸収と下痢のメカニズム

健常成人の腸管での水分吸収は図４に示す．1日あたり約2Lの経口摂取水分と唾液，胃液，胆汁，膵液，小腸液など約9Lが流入し，十二指腸・空腸で約5.5L，回腸で約2Lが吸収され，大腸には1.5Lが流入する．そのほとんどは右側結腸で吸収され，糞便中の水分は100mL程度である．流入する水分量が増加した場合，小腸で最大12Lまで，大腸で4～6Lまでの吸収が可能である．下痢は小腸・大腸における分泌亢進あるいは吸収低下により生じる．病態生理的には下痢は浸透圧性下痢，分泌性下痢，滲出性下痢（粘膜障害），腸管運動異常による下痢に分類される．浸透圧性下痢は腸管内の浸透圧上昇により腸管が半透膜として働き，水分が腸管内に移行し，便が液状化する．分泌性下痢は腸上皮細胞の分泌亢進により下痢となるものである．滲出性下痢は腸粘膜の障害により，透過性亢進による下痢をきたす．滲出液が排出され，蛋白漏出や吸収障害も併発する．腸管運動異常による下痢は腸管運動の亢進により内容物の通過時間が短縮し，水分が十分吸収されずに下痢をきたす．逆に腸管運動低下により小腸内容物が停滞し，腸内細菌の増殖から胆汁酸の脱抱合を促進し，脂肪や水分の吸収障害をきたし下痢になる場合もある．

b）排便および便秘のメカニズム

経口摂取された食物は2～6時間で盲腸に達し，大腸で水分が吸収されて便塊が形成される．便塊は通常はS状結腸で蓄えられ，直腸は空である．S状結腸から直腸への移送は大蠕動あるいは胃結腸反射と呼ばれる結腸全体（特に下行結腸に強い）の強い収縮運動により引き起こされる．これは飲食物の摂取により起こるものである．歩行や喫煙などで誘発されることもある．これによりS状結腸内の便塊が直腸へと移行する．便塊により，直腸内圧が高まると（30～50mmHg），骨盤神経，仙髄，さらに上位中枢に刺激が到達し，便意が認識される．さらに骨盤神経や陰部神経を介して直腸の収縮と内肛門括約筋の弛緩を行う．これを排便反射という．排便時にはさらに随意筋である外肛門括約筋を弛緩させ，また，同時に腹壁の筋肉と横隔膜を収縮させて腹圧を高める（いわゆるいきみ）ことにより便塊を体外に排出することができる．

便秘は原因から器質性便秘と機能性便秘に，症状から排便回数減少型と排便困難型に，病態から大腸通過正常型，大腸通過遅延型および便排出障害に分類される．しかし，病態による分類を行うためには大腸通過時間や排便造影検査など専門的検査が必要であり，一般臨床では不必要である．専門的検査を施行しない場合は病態分類を念頭に置いたうえで，症状分類に従って診断・治療を行う．器質性便秘は大腸の形態的変化を伴う便秘で，狭窄性，非狭窄性に分けられる．狭窄性便秘は狭窄によって糞便の通過が物理的に障害されるもので，腫瘍性疾患や非腫瘍性疾患（Crohn病など）がある．非狭窄性便秘は狭窄はないが，大腸の形態的変化によって生じるものである．巨大結腸など大腸の慢性の拡張により糞便の通過が遅延し，排便回数や排便量が減少する場合(排便回数減少型)や直腸の形態的変化により便排出障害をきたす場合(排便困難型)がある．機能性便秘は大腸の形態的変化を伴わない便秘であり，排便回数や排便量が減少して結腸に便が過剰に貯留するため症状を呈する排便回数減少型と，排便時に直腸内の糞便を十分かつ快適に排出できず残便感を生じる排便困難型に分類される．

3．下痢・便秘と栄養障害

下痢により脱水，電解質異常が起こりやすい．また，重度の下痢では経口，経腸栄養が困難となる．長期の絶食，静脈栄養のあとでの経口，経腸栄養開始時には容易に下痢をきたすため，少量より開始する必要がある．

高度の便秘では消化管の器質的疾患の有無を検索する必要がある．また，経口経腸栄養の増量が困難となる場合がある．腹痛，腹部膨満感，悪心・嘔吐，逆流をきたすこともある．

4．下痢・便秘をきたす疾患

a）下痢をきたす疾患

①浸透圧性下痢：緩下薬，経腸栄養剤による下痢，乳糖不耐症，ダンピング症候群，短腸症候群など

②分泌性下痢：細菌毒素によるもの(コレラ，大腸菌，MRSA など)，エンテロウイルス(ロタウイルスなど)，WDHA 症候群，Zollinger-Ellison 症候群など

③滲出性下痢：感染性腸炎，炎症性腸疾患(潰瘍性大腸炎，Crohn 病)など

④腸管運動異常による下痢：過敏性腸症候群，胃切後，甲状腺機能亢進症，糖尿病，強皮症など

b）便秘をきたす疾患

①器質性便秘：狭窄性(大腸がん，Crohn 病，虚血性大腸炎など)，非狭窄性(巨大結腸，直腸瘤，直腸がんなど)

②機能性便秘：排便回数減少型(特発性，代謝内分泌疾患，神経筋疾患，膠原病，便秘型過敏性腸症候群，薬剤性，経口摂取不足/食物繊維摂取不足，便秘型過敏性腸症候群)，排便困難型(骨盤底筋協調運動障害，腹圧低下，直腸感覚低下，直腸収縮力低下など)

G 発熱

1．定義

発熱とは平熱(37.0℃)以上の体温をいう．体温の程度により微熱(37.0～37.9℃)，中等度発熱(38.0～38.9℃)，高熱(39.0℃以上)に分類される．また，1日1℃以上の熱較差があるものを弛張熱，1℃以上の熱較差がなく，常に38℃以上のものを稽留熱，間欠的に発熱するものを間欠熱と呼ぶ．

2．体温調節，発熱のメカニズム

通常，体温は周囲の温度変化に影響されることなく，ほぼ一定に保たれている．体温の調節は熱の産生と放散によって行われている．熱の産生は栄養素の燃焼(代謝)により産生されている．ふるえ(筋肉の収縮による)と非ふるえ熱産生に分類され，非ふるえ熱産生には基礎代謝による熱産生も含まれる．熱の放散は輻射，蒸発，対流(伝導)による．輻射は全放散熱量の約 60％程度である．蒸発には不感蒸泄と発汗がある．これらは視床下部の体温調節中枢により交感神経，副交感神経を介して調節されている．高体温時には副交感神経を通じて血管拡張，発汗亢進，代謝抑制，呼吸促進に働き体温を低下させる．低体温時には交感神経を介して血管収縮，立毛，ふるえ，代謝促進などにより熱産生に向かう．

感染，外傷，組織障害などによって生じた内因性発熱物質(サイトカインなど)によりプロスタグランジンが産生され視床下部に作用して体温調節のセットポイントを上昇させ，熱産生亢進，放熱低下に働き，発熱が起こる．

3．発熱と栄養障害

発熱により食欲が低下し，摂食量が減少すれば，食欲不振同様，体成分の分解や消化管粘膜の萎縮をきたす．また，発熱によりエネルギー代謝は亢進する．体温 1℃上昇につきストレス因子を 0.2 増加させる．また，発汗亢進に伴い水分必要量も増加する．

4．発熱をきたす疾患

発熱をきたす疾患では感染性疾患が最も多い．非感染症では悪性腫瘍，膠原病・アレルギー疾患などである．

H 浮腫

1．定義

浮腫は液状成分が間質の結合織内や体腔内に過剰に蓄積した状態をいう．ほとんどが水分で他に細胞成分や蛋白を含む．なお，結合織内への液体貯留を水腫，皮下組織への貯留を浮腫，体腔内への貯留を腔水症(胸水，腹水など)として分ける場合もある．胸水，腹水に関しては次の項目で述べる．

2. 浮腫の発生メカニズム

局所性因子と全身性因子がある．局所性因子としては毛細血管からの水分の漏出量がリンパ流より多くなると局所に水分が貯留し浮腫が発生する．すなわち，毛細管内圧の上昇，毛細管内の膠質浸透圧の低下，間質から毛細管への還流の低下，リンパ系の障害などによって浮腫を生じる．全身性のものとしては腎性浮腫，心性浮腫，肝性浮腫，内分泌性浮腫，栄養障害性浮腫などがある．腎性浮腫では腎疾患による糸球体濾過量低下よりナトリウム，水分の貯留をきたす．ネフローゼ症候群ではさらに低アルブミン血症による血漿膠質浸透圧低下が加わる．心性浮腫ではうっ血性心不全による心拍出量低下より腎血流量低下，糸球体濾過量低下につながる．肝性浮腫は低アルブミン血症や肝での抗利尿ホルモン分解の低下，門脈圧亢進，リンパ還流不全などが関与する．内分泌性浮腫ではエストロゲンやステロイドの作用による．甲状腺機能低下症での粘液水腫は厳密には浮腫とは異なる．栄養障害性浮腫では主に低アルブミン血症による血漿膠質浸透圧低下によるが，脚気では心性の因子も加わる．

3. 浮腫と栄養障害

前述のように栄養障害により浮腫が生じるため，浮腫の有無は栄養アセスメントとして重要である．また，高度の浮腫がある場合は体重の評価が困難となる．皮膚も脆弱となり褥瘡が発生しやすくなる．浮腫性疾患では水電解質管理に特に注意が必要である．

4. 浮腫をきたす疾患

全身性浮腫をきたす疾患としては以下のものがあげられる．

①腎性浮腫：急性腎炎，慢性腎炎，糖尿病性腎症，ネフローゼ症候群など
②心性浮腫：うっ血性心不全，弁膜症，心筋梗塞，心筋症，肺性心，肺高血圧症など
③肝性浮腫：肝硬変，慢性肝炎など
④内分泌性浮腫：月経前浮腫，卵巣過剰刺激症候群，性ホルモン，ステロイド投与，Cushing 症候群，アルドステロン症
⑤薬剤性浮腫：ナトリウム含有薬(炭酸水素ナトリウムなど)，血管拡張性降圧薬，甘草製剤，NSAIDs
⑥その他：特発性浮腫，蛋白漏出性胃腸症

局所性浮腫をきたすものとしては血管神経性浮腫(Quincke 浮腫)，静脈性浮腫(上・下大静脈症候群，静脈血栓症，静脈瘤など)，リンパ性浮腫(本態性，フィラリア症，悪性腫瘍の転移，術後，放射線治療後など)がある．

I 胸水・腹水

1. 定義

a) 胸水の定義

壁側胸膜と臓側胸膜の間(胸膜腔)には呼吸運動に伴う摩擦を低下させるため少量の胸膜液が存在する(通常 20 mL 以内)．胸膜液の病的な貯留を胸水とする．

b) 腹水の定義

腹腔内には生理的に 30～40 mL の体液が存在している．しかし，何らかの原因によりこれ以上液体が貯留した場合を腹水とする．

c) 漏出液と滲出液

漏出液は血漿膠質浸透圧低下，静脈圧上昇など組織破壊を伴わない非炎症性疾患により血管内から漏れ出て貯留したものである．一方，滲出液は炎症などで血管透過性が亢進し血液や組織液が血管外へ流出したものである．

2. 胸水・腹水のメカニズム

a) 胸水のメカニズム

通常胸膜水は壁側胸膜で産生され，臓側胸膜で吸収される．胸水貯留の原因としては静脈圧の上昇，膠質浸透圧の低下，毛細血管透過性亢進，胸膜リンパ系通過障害がある．前二者は漏出性胸水となり，後二者は滲出性胸水となる．

b) 腹水のメカニズム

漏出性腹水では腹膜そのものには病変がなく，門脈圧亢進，低アルブミン血症による膠質浸透圧低下，腎における水，ナトリウム貯留などにより腹水が貯留する．一方，滲出性腹水は腹膜に炎症や腫瘍が存在することにより，腹膜血管透過性が亢進し，血液成分が滲出して生成される．

3. 胸水・腹水と栄養障害

栄養障害による低アルブミン血症からの血漿膠質浸透圧低下は当然胸腹水貯留をきたしうる．また，大量の胸腹水貯留は体重変動の評価を困難にする．胸水貯留による呼吸困難や腹水貯留による腹部膨満感はそれぞれ食事摂取を困難にする．

4. 胸水・腹水をきたす疾患

a) 胸水をきたす疾患

漏出性胸水をきたすのは，うっ血性心不全，肝硬変，ネフローゼ症候群，腎不全などで，滲出性胸水をきたすのは，感染症，悪性腫瘍，肺血栓・塞栓症などである．

b) 腹水をきたす疾患

門脈圧亢進の有無と漏出性，滲出性により 4 群に大

別できる．特殊なものとして腹膜偽粘液腫(ゲル状腹水)がある．門脈圧亢進あり漏出性腹水(肝硬変，門脈閉塞，Budd-Chiari 症候群，心性，肝静脈閉塞など)，門脈圧亢進あり滲出性腹水(特発性細菌性腹膜炎，肝硬変に伴う乳び腹水)，門脈圧亢進なし漏出性腹水(ネフローゼ症候群，蛋白漏出性胃腸症など)，門脈圧亢進なし滲出性腹水(細菌性腹膜炎，結核性腹膜炎，胆汁性腹膜炎，膵性腹水，がん性腹膜炎，リンパ管閉塞による乳び腹水など)となる．

J 脱水

1．定義

脱水は身体より水分の喪失した状態をいう．身体の水分量は体重の約 60％であるが，通常その 5～20％の喪失により発症し，脱水の重症度は喪失量とその速度により決まる．

2．脱水の分類

脱水は電解質組成により，低張性脱水，等張性脱水，高張性脱水に分類される．低張性脱水では水分以上に電解質の喪失が多い状態で電解質濃度や浸透圧の低下を伴う．等張性脱水は等張液の喪失によるもので電解質濃度や浸透圧は変わらないが，飲水などにより容易に低張性脱水に変わりうる．高張性脱水は主として水分が失われた状態で電解質濃度や浸透圧の上昇を伴う．

3．脱水と栄養障害

脱水症に対しては，水・電解質異常に対する対応が第一である．また，長期の経腸栄養では液体経腸栄養剤の投与量がそのまま水分量ではないことに留意する必要がある．

4．脱水をきたす疾患

水分，塩分の摂取不足から脱水となる場合では意識障害，嚥下障害，麻痺などがある．水分，塩分の喪失によるものでは，腎からの喪失によるものとして腎機能障害，糖尿病，Addison 病，利尿薬過剰，尿崩症，低カリウム血症，高カルシウム血症などがある．腎以外からの喪失によるものとして嘔吐，下痢，イレウス，熱傷，熱中症，大量発汗などがある．

K 意識障害

1．定義

意識とは起きている状態(覚醒)または自分の現在の状態や周囲の状況などを正確に認識できている状態を指す．意識の状態や意識障害の程度を意識レベルとして評価する．意識障害の程度により昏睡(coma：いかなる外的刺激にも反応しない)，半昏睡(semicoma：ときどき自動的な体動や開眼がみられる以外は昏睡状態)，昏迷(stupor：強い刺激でかろうじて開眼，払いのけなどの反応を示すが，十分には覚醒できない状態)，傾眠(somnolence：放置すると眠っているが，刺激により短時間は目覚めることができる状態)に分けられる．また，Japan Coma Scale (3-3-9 度方式) や Glasgow Coma Scale などによる分類もよく用いられる．

2．意識障害の発生メカニズム

意識レベルの維持には脳幹網様体賦活系が重要な役割を果たしている．また，視床下部もかかわっている．この脳幹網様体賦活系が器質的あるいは代謝的に障害されると意識障害が生じる．脳幹網様体賦活系は脳幹部より視床を介し大脳半球に放散しており，脳幹部では小病変でも意識障害をきたすが，大脳半球では広汎な病変ではじめて意識障害を引き起こす．障害機序としては頭蓋内器質性病変，頭蓋内血行障害，呼吸障害による肺性脳症，代謝障害による代謝性脳症，心因性反応などがある．

3．意識障害と栄養障害

意識障害をきたした場合，当然摂食嚥下に重大な影響がある．嘔吐を伴うことも多く，誤嚥性肺炎や消化管出血などに注意が必要である．また，患者が自覚症状を訴えることがないため，注意深い観察が必要である．

4．意識障害をきたす疾患

頭蓋内病変として脳血管障害(脳出血，脳梗塞，くも膜下出血など)，感染症(脳炎，髄膜炎，脳膿瘍など)，腫瘍(原発および転移性脳腫瘍)，外傷(脳挫傷，硬膜下血腫，硬膜外血腫など)，てんかんなどがある．頭蓋外病変としては循環障害(心不全，末梢循環不全など)，呼吸障害(低 O_2 血症，高 CO_2 血症など)，代謝障害(肝性脳症，尿毒症性脳症，糖尿病ケトアシドーシスによる昏睡，高浸透圧高血糖症候群による昏睡，低血糖昏睡，下垂体，甲状腺，副腎機能異常によるもの，Wernicke 脳症，電解質異常など)，中毒(睡眠薬，アルコール，麻酔薬，麻薬，農薬，重金属，CO など)，心因反応(ヒステリーなど)などがある．

L やせ(低体重)・肥満

1. 定義

やせ(低体重)は著しく体脂肪量が減少した状態で，BMI 18.5kg/m² 未満とされている．また，脂肪組織のみならず通常筋肉量も減少する．低体重であっても体重がほぼ一定で，日常生活に支障のない場合には病的とみなさないこともあるが，高度のやせには何らかの原因を伴うことが多い．また，現在の体重の評価ではそれほど高度のやせでなくても体重の急激な減少には注意が必要である．実際，体重の変動(特に減少)は栄養アセスメントの重要な評価項目であり，体重減少率＝(平常時体重－現在の体重)/平常時体重×100(%)で評価する．

肥満は脂肪組織が過剰に蓄積した状態で，BMI 25kg/m² 以上のものとされている．肥満はそれのみでは疾患ではなく，肥満症となって疾患と位置づけられる．肥満症は肥満に起因ないし関連する健康障害を合併するか，その合併が予測される場合で，医学的に減量を必要とする病態をいい，疾患単位として取り扱う．健康障害の合併が予測される場合とは，健康障害を伴いやすいハイリスク肥満すなわち内臓脂肪型肥満のことである．

2. やせ(低体重)・肥満のメカニズムと分類

体重の増減は摂取エネルギーと消費エネルギーのバランスによっている．やせの原因としては摂取エネルギー不足，消費エネルギーの増加，エネルギーの喪失などがある．摂取エネルギー不足には食物摂取の不足，消化吸収障害，栄養素の利用障害などがあり，消費エネルギー増加には代謝・異化の亢進，運動量増加などがある．エネルギーの喪失は体液の喪失や寄生虫などである．肥満では摂取エネルギーが消費エネルギーを上回ることにより脂肪の過剰蓄積，体重増加をきたす．病因が明らかでなく過食や運動不足による原発性肥満と病因が明白な二次性肥満に分類される．二次性肥満では内分泌性肥満や遺伝性肥満，視床下部性肥満，薬物による肥満などがある．

3. やせ(低体重)・肥満と栄養障害

やせではエネルギー不足により体重減少，脂肪の減少や筋肉の萎縮が進行する．進行すれば低アルブミン血症より浮腫をきたす．また，各種ビタミンなどの不足による症状なども出現する．悪性腫瘍などに伴う悪液質では高度のやせとなるが，経口摂取不良にもかかわらずエネルギー消費は亢進している．

肥満ではエネルギー摂取は過剰であるが，各種栄養素の摂取に偏りがあり，ビタミンなどの不足をきたす場合があり，注意が必要である．

4. やせ(低体重)・肥満をきたす疾患

a) やせをきたす疾患

[エネルギー摂取低下によるもの]

①食物摂取不足によるもの：食物不足(社会的・経済的要因)，食欲不振(神経性やせ症，うつなど)，通過障害(消化器腫瘍，潰瘍，麻痺など)，中毒(アルコール，麻薬，覚醒剤など)

②消化吸収障害：消化障害(慢性膵炎，胃切除など)，吸収障害(吸収不良症候群，腸切除)

③栄養素の利用障害：代謝異常，内分泌異常(糖尿病，副腎不全など)，肝疾患(肝硬変など)

[エネルギー消費の亢進によるもの]

①代謝・異化の亢進：発熱・炎症(感染症，膠原病など)，悪性腫瘍，内分泌異常(甲状腺機能亢進，褐色細胞腫など)，薬物(甲状腺ホルモン，覚醒剤など)

②運動量増加：マラソン，重労働

③エネルギーの喪失：体液喪失(熱傷，外傷など)，尿細管障害，寄生虫など

b) 肥満をきたす疾患

①原発性肥満(病因が不明)

②二次性肥満：内分泌性肥満(Cushing 症候群，甲状腺機能低下症，偽性副甲状腺機能低下症，インスリノーマ，性腺機能低下症，Stein-Leventhal 症候群)，遺伝性肥満(Bardet-Biedl 症候群，Prader-Willi 症候群)，視床下部性肥満(間脳腫瘍，Fröhlich 症候群，empty-sella 症候群)，薬物による肥満(向精神薬，副腎皮質ホルモン)

文献

1) 名尾良憲(原著)，村上義次，勝　健一(改訂)．主要症候からみた鑑別診断学，第2版，金芳堂，京都，2012
2) 福井次矢，奈良信雄(編)．内科診断学，第3版，医学書院，東京，2016
3) 日本臨床栄養学会(監修)．臨床栄養医学，南山堂，東京，2009
4) 東口髙志(編)．NST 完全ガイド改訂版，照林社，東京，2009
5) 日本病態栄養学会(編)．病態栄養専門医テキスト，改訂第2版，南江堂，東京，2015
6) 日本病態栄養学会(編)．認定 NST ガイドブック，第5版，南江堂，東京，2017
7) 日本消化器病学会関連研究会　慢性便秘の診断・治療研究会(編)．慢性便秘症診療ガイドライン 2017，南江堂，東京，2017

第 Ⅵ 章

病態栄養と検査値異常

A 蛋白代謝指標

1. 総蛋白

ヒトの血漿中にはアミノ酸などの100種類を超える蛋白が存在し，これらをすべて合わせた蛋白の総量が総蛋白で，血漿の約8%を占める．

総蛋白は約60%のアルブミンと約20%のグロブリンが主成分である．その他の20%は様々な微量蛋白で，フェリチンやトランスフェリンなどがある．

脱水症の場合，血液が濃縮されるために総蛋白が見かけ上高値となる．

アルブミンが体外に喪失してしまうようなネフローゼ症候群，蛋白漏出性胃腸症の病態や，食事の摂取量の不足によるダイエット，低栄養状態では，アルブミンの原料となる蛋白が不足するため総蛋白は低値となる．

2. 血清アルブミン

アルブミンは肝臓で合成される分子量6.6万の蛋白質で，血中半減期が2～3週間と長い．血漿蛋白の60%を占め，内臓蛋白質を最もよく反映する．アルブミンの喪失(ネフローゼ症候群，蛋白漏出性胃腸症など)，細胞外液量の増加による希釈(うっ血性心不全，妊娠など)，産生低下(肝硬変)など，低栄養以外にも種々の要因によって起こる．特に，炎症の存在時には，炎症性サイトカインによって肝臓でのアルブミン合成が抑制されるため，血清アルブミン濃度は大きく低下する．この場合，低栄養の指標としての血清アルブミン濃度の意義は限定的である．

[基準範囲] 4.0～5.0g/dL

[高値を示す疾患] 脱水症

[低値を示す疾患] 吸収不良症候群，ネフローゼ症候群，炎症性疾患，熱性疾患

3. レチノール結合蛋白

レチノール結合蛋白(retinol-binding protein：RBP)は，主に肝で合成される分子量約2.1万の蛋白質で，ビタミンA(レチノール)を主要な貯蔵臓器である肝臓から標的臓器へ運搬する役割を担う．

動的栄養指標に用いられる蛋白質は，半減期が短いため rapid turnover protein(RTP)と呼ばれ，そのなかでもRBP(半減期1.5日)は，他のRTPであるトランスサイレチン(半減期2日)，トランスフェリン(半減期7日)と比較して血中濃度の変化が早く，鋭敏である．肝胆道系疾患では肝細胞の蛋白合成能が低下するため低値となり，腎不全では糸球体濾過能が低下するため高値となる[1]．

[基準範囲] 2.8～7.6mg/dL

[高値を示す疾患] 腎不全，脂肪肝，高脂血症

[低値を示す疾患] ビタミンA欠乏症，吸収不良症候群，重症肝障害，閉塞性黄疸，甲状腺機能亢進症，感染症，外傷

4. トランスサイレチン

トランスサイレチン(transthyretin：TTR)は，電気泳動法でアルブミンより陽極側に泳動されるため，プレアルブミンとも呼ばれる．

肝細胞で合成される分子量5.5万の四量体蛋白で，甲状腺ホルモンのサイロキシンとレチノール(ビタミンA)の輸送に関与する．肝臓で合成されるため，肝疾患で低値となるほか，炎症，妊娠，腫瘍，低栄養などで血中濃度が低下する．半減期は2日と短いため，栄養状態の動的指標となる．

[基準範囲] 22.0～40.0mg/dL

[高値を示す疾患] 腎不全，ネフローゼ症候群，甲状腺機能亢進症

[低値を示す疾患] 栄養摂取不足，術後栄養不良，重症肝障害，感染症，悪性腫瘍，妊娠

5. トランスフェリン

トランスフェリン(transferrin：Tf)は，分子量約8万の糖蛋白で，肝臓で合成される鉄輸送蛋白である．半減期が7日と短いため，動的栄養指標として用いられる．

鉄欠乏時には産生が亢進して高値となり，鉄過剰時，慢性感染症，炎症，悪性腫瘍，肝障害では低値となる．

[基準範囲] 190～320mg/dL

[高値を示す疾患] 鉄欠乏性貧血，真性多血症(妊娠)

[低値を示す疾患] 先天性無トランスフェリン血症，栄養障害，重症肝障害，感染症

6. Fischer比

必須アミノ酸のなかで，アミノ酸の炭素骨格が分枝構造を持つバリン，ロイシン，イソロイシンを分岐鎖アミノ酸(branched chain amino acid：BCAA)と呼ぶ．BCAAはm-TORを活性化し，蛋白質の合成を促進して蛋白異化を抑制する．エネルギー源として利用され，アンモニア代謝にも使われる．一方，芳香族アミノ酸(aromatic amino acid：AAA)は，その構造にベンゼン環などの芳香族を有するアミノ酸である．芳香族アミノ酸であるフェニルアラニンとチロシンは，神経伝達物質の前駆物質であり，肝硬変では増加している．

バリン・ロイシン・イソロイシンとチロシン・フェニルアラニンのモル比(BCAA/AAA)をFischer比という．健常者のFischer比は，3～4でほぼ一定である．

肝機能低下時には，チロシンやフェニルアラニンの血中濃度が上昇する一方で，分岐鎖アミノ酸の筋肉における消費亢進などにより血中濃度は低下するため，Fischer 比は低下する．

7．BTR

分岐鎖アミノ酸のチロシンに対するモル比を総分岐鎖アミノ酸/チロシンモル比(branched chain amino acids/tyrosine molar ratio：BTR)という．臨床的意義は Fischer 比と同等である．健常者の基準範囲は5〜10程度である．肝機能が低下すると著しく減少する．BTR値の是正のため，BCAA を主とした特殊組成アミノ酸製剤を用い，アミノ酸バランスを補正する．

8．アンモニア

アンモニアは，アミノ酸の代謝産物の一つであり，肝臓，腸管，腎臓で産生される．体蛋白や核酸の分解，腸管内での食事蛋白の分解により生成される．有害な物質であり，中枢神経系に作用して，意識障害の原因となる．主として肝臓において尿素サイクルにより毒性の低い尿素に変換され，腎臓から排泄される．筋，腎臓，脳でも代謝される．

B 脂質代謝

1．総コレステロール(TC)

体内のコレステロールは，胆汁酸と複合体を形成して小腸から吸収される外因性コレステロールと，肝臓内のメバロン酸経路を介して生合成される内因性コレステロールに大別される．コレステロールは，リポ蛋白により血液中を輸送され，比重とサイズにより，カイロミクロン，VLDL(超低比重リポ蛋白)，LDL(低比重リポ蛋白)，IDL(中間比重リポ蛋白)，HDL(高比重リポ蛋白)に分けられる．VLDL とカイロミクロンは中性脂肪の輸送を，HDL と LDL はコレステロールの輸送を主に担っている．総コレステロール値は，動脈硬化症のリスク評価，脂質異常症の診断，肝機能や栄養状態の指標として評価される．

2．高比重リポ蛋白コレステロール(HDL-C)

HDL-C は HDL 内に含まれるコレステロール成分である．HDL は，末梢細胞の余剰なコレステロールを除去し，肝臓へ逆転送する．また，HDL は脂質が蓄積して動脈硬化を起こした血管からもコレステロールを引き抜く．日本動脈硬化学会は，低 HDL コレステロール血症を HDL-C 値が 40 mg/dL 未満と定義している[2]．低 HDL 血症は，動脈硬化の危険因子である．

［基準範囲］男性 40〜85 mg/dL，女性 40〜95 mg/dL

［低値を示す疾患］原発性(α-リポ蛋白欠損症，魚眼病，アポ A-Ⅰ欠損症，LCAT 欠損症)，続発性(高リポ蛋白血症，虚血性心疾患，脳梗塞，腎不全，肝硬変，糖尿病，肥満症，喫煙，アンドロゲン薬服用)

［高値を示す疾患］原発性(家族性高 HDL コレステロール血症，コレステロールエステル転送蛋白(CETP)欠損症)，続発性(閉塞性肺疾患，原発性胆汁性肝硬変症，アルコール摂取，エストロゲン薬服用，運動)

3．低比重リポ蛋白コレステロール(LDL-C)

LDL は VLDL から合成され，末梢組織へのコレステロールの輸送を行っており，全身の組織や細胞は主に LDL からコレステロールを取り込んでいる．LDL-C が増加すると LDL が血管に沈着し，酸化変性されて動脈硬化を起こすため，高 LDL 血症は冠動脈疾患の危険因子とされる．

日本動脈硬化学会は，高 LDL コレステロール血症を LDL-C 値が 140 mg/dL 以上と定義しており，LDL-C は空腹時の採血により Friedewald 式(LDL-C＝TC-HDL-TG/5)または直接法で求めること，トリグリセリド(TG)値が 400 mg/dL 以上や食後採血の場合は，non HDL-C(TC－HDL-C)か LDL-C 直接法を使用するとしている[2]．

［基準範囲］55〜139 mg/dL

［低値を示す疾患］原発性(無β-リポ蛋白血症，低β-リポ蛋白血症)，続発性(甲状腺機能亢進症，肝硬変)

［高値を示す疾患］原発性(高リポ蛋白血症Ⅱa，Ⅱb 型)

4．遊離脂肪酸

脂肪細胞は中性脂肪(トリグリセリド)を蓄えているが，グルコースが不足してエネルギーを供給できない状態が生じた場合，ホルモン感受性リパーゼが活性化して脂肪組織の中性脂肪が分解され，遊離脂肪酸(free fatty acid：FFA)が血中に放出されて体内の各組織でエネルギー源として活用される．遊離脂肪酸は即時的なエネルギー不足状態を評価する指標である．体脂肪を分解して血中に脂肪酸を放出する代謝系は，エネルギー状態に対して非常に鋭敏に反応し，エネルギー状態が改善するとすぐに活性化の低下が生じる．

5．脂肪酸分画

脂肪酸は，二重結合がない飽和脂肪酸，二重結合が1つの一価不飽和脂肪酸，二重結合が2つ以上の多価不飽和脂肪酸に分類される．一価不飽和脂肪酸の代表はオレイン酸である．多価不飽和脂肪酸は，二重結合の位置により，αリノレン酸，エイコサペンタエン酸(EPA)，ドコサヘキサエン酸(DHA)などのω3系(n-3)脂肪酸と，リノール酸，アラキドン酸(AA)などのω6 (n-6)系脂肪酸などに分けられる．ω3系のEPAやDHAは魚油に含まれ，ω6系のリノール酸は紅花油などの植物油に多く含まれる．リノール酸，αリノレン酸，およびリノール酸から合成されるアラキドン酸は必須脂肪酸と呼ばれる．

必須脂肪酸は，生体膜の構成成分であるリン脂質に多く含まれ，生体機能の恒常性維持に重要である．欠乏すると，成長異常，生殖機能障害，皮膚の水分・バリア機能損失などがみられる．アラキドン酸(AA)やEPAからは，プロスタグランジン，トロンボキサン，ロイコトリエンなどの生理活性物質(エイコサノイド)が生成され，血小板凝集，動脈壁や気管支の収縮弛緩，血液の粘度などを調整する．血栓性疾患でω6系が高値を示し，出血性疾患でω3系が高値を示す．無脂肪の静脈栄養などで出現する必須脂肪酸欠乏症では，エイコサトリエン酸が増加する．

C 糖代謝

1．血糖

血中のブドウ糖濃度を血糖という．健常者の空腹時血糖は70～110mg/dL程度である．血糖は，食物の消化管での吸収，肝臓での糖新生とグリコーゲンの合成・分解，末梢組織での消費，腎臓からの排泄などの影響を受ける．血糖調節には主に内分泌系と自律神経系が関与している．インスリンと副交感神経は血糖を下げ，グルカゴン，アドレナリン，甲状腺ホルモン，成長ホルモン，副腎皮質ホルモン，交感神経は血糖を上げる．

[低値を示す疾患] 膵疾患(インスリノーマ)，内分泌異常(下垂体機能不全，副腎機能低下症，甲状腺機能低下症)，肝疾患(急性肝不全，肝硬変，肝癌)，その他(絶食，激しい運動，胃切除後，インスリン・経口糖尿病治療薬使用)

[高値を示す疾患] 糖尿病，膵疾患(急性膵炎，慢性膵炎，膵癌，ヘモクロマトーシス)，内分泌異常(先端巨大症，Cushing症候群，褐色細胞腫，甲状腺機能亢進症，グルカゴノーマ)，肝疾患(肝硬変，慢性肝炎，脂肪肝)，その他(肥満，妊娠，低栄養，脂質異常症，脳血管障害，感染症，胃切除後，副腎皮質ステロイド使用)

2．HbA1c(ヘモグロビンA1c)

HbA1cはヘモグロビンにグルコースが非酵素的化学反応で安定的に結合した糖化ヘモグロビンである．過去1～2ヵ月間の平均血糖値を反映し，糖代謝異常の有無の判定，糖尿病の診断，血糖コントロール状態の指標に用いられる．耐糖能正常者のHbA1cの基準値は4.6～6.2％である．国際標準値であるNGSP(National Glycohemoglobin Standardization Program)値を使用する．

糖尿病の診断は，HbA1c値(6.5％以上)に加え，空腹時血糖(126mg/dL以上)，75g経口糖負荷試験(OGTT)2時間値(200mg/dL以上)，随時血糖値(200mg/dL以上)，あるいは糖尿病の臨床所見と組み合わせて診断される．また，糖尿病の治療の目的は，糖尿病の合併症である網膜症，腎症，神経障害などの細小血管合併症，および冠動脈疾患，脳血管疾患，末梢動脈疾患などの動脈硬化性疾患の進展の阻止である．血糖正常化を目指す際の目標値としてHbA1c(NGSP)6.0％未満，合併症を予防するための目標値として7.0％未満，治療強化が困難な際の目標値として8.0％未満とする基準が提唱されている[3]．

[HbA1cで留意すべき点]

①ときどき高血糖状態をきたす病態ではHbA1c値は高血糖状態を反映しない．経口薬，インスリン治療により高血糖の是正を開始した場合は，血糖値の改善に遅れてHbA1c値が改善するため，治療結果が数ヵ月にわたって安定するまでHbA1c値で判定することはできない．

②HbA1c値は赤血球の正常な半減期およびその寿命に依存する．溶血性貧血，肝硬変などの赤血球寿命の短縮している病態では通常の血糖値とHbA1c値の関係が成り立たない．

③血糖値の変動の大きい症例では血糖コントロール状態の実態を反映しにくい．低血糖は見かけ上のHbA1c値をよくしてしまうことから，低血糖を頻発する患者ではあえて厳格な血糖コントロール状態を目指さずにHbA1c 8.0％未満が推奨される．

3．グリコアルブミン

グリコアルブミン(糖化アルブミン：GA)は，アルブミンにグルコースが結合したもので直近約2週間の血糖値のコントロール状態がわかる．腎性貧血などではグリコアルブミンでの測定が望ましいが，ネフローゼ症候群など体外に蛋白質が失われて血漿蛋白質の半減期が短くなる病態では見かけ上低値を示すため，注意を要する．

[基準範囲] 11～16％

4．インスリン抵抗性指数(HOMA-IR)

インスリン抵抗性とは，インスリンに対する感受性が低下し，インスリンの作用が十分に発揮できない状態のことである．インスリン抵抗性が生じると，1日に必要なインスリン量が増えるため，膵β細胞の疲弊の要因となり，さらに血糖コントロールの悪化をきたす．

インスリン抵抗性指数(homeostasis model assessment as an index for insulin resistance：HOMA-IR)は，インスリン抵抗性の簡便な指標であり，早朝空腹時の血中インスリン値と空腹時血糖値から算出される．空腹時インスリン値(μU/mL)×空腹時血糖値(mg/dL)÷405で求められ，健常者は1.6未満であり，2.5以上はインスリン抵抗性があると判断する．空腹時血糖値140mg/dL以下の場合に，クランプ法により求めたインスリン抵抗性とよく相関する．血中インスリンを測定するため，インスリン治療中の患者には使用できない．

5．75g経口糖負荷試験

75g経口糖負荷試験(oral glucose tolerance test：OGTT)とは，耐糖能(血糖値を正常に保つ能力)を調べる検査であり，糖尿病が疑われる患者に対し，10時間の絶食後に75gブドウ糖液(トレーランG®)を飲ませて，意図的に一時的な高血糖を誘発させ，服用前，服用後30分，60分，120分後の血糖値を測定し，血糖値の推移から糖尿病を診断するものである．また，空腹時から負荷30分後のインスイリン上昇率(μU/mL)と血糖上昇量(mg/dL)の比から算出されるインスリン分泌指数からは，インスリン分泌能を推定できる．血糖値が境界型や，現在糖尿病の疑いが否定できないグループ，血糖値が正常高値の者や，糖尿病でなくても将来糖尿病の発症リスクが高いグループに施行が推奨される[3]．

D 血液一般検査

1．赤血球

採血し，抗凝固薬(EDTA塩)を加え，自動血球計数器にかけて測定する．このとき同時に，白血球数，血小板数，網状赤血球数，ヘモグロビン量，ヘマトクリットも調べることができ，貧血の診断に大切な赤血球恒数(赤血球指数)も算出できる．赤血球恒数には次の3つがあり，これを検討することで貧血の種類を診断することができる．

［赤血球恒数］

①平均赤血球容積(MCV)：ヘマトクリット÷赤血球数で算出するもので，赤血球の平均の容積つまり大きさがわかる．

②平均赤血球色素量(MCH)：ヘモグロビン量÷赤血球数で算出．1個の赤血球に含まれるヘモグロビン量の平均値が得られる．

③平均赤血球色素濃度(MCHC)：ヘモグロビン量÷ヘマトクリットで算出．一定量の赤血球のなかにどれくらいのヘモグロビンがあるかがわかる．

［赤血球数の基準範囲］男性：430〜570万/μL，女性：390〜520万/μL

男女とも1μL(＝1 mm^3)中の赤血球数が300万個以下の場合は，明らかな貧血と診断される．逆に赤血球の数が増え過ぎて600万〜800万個になることがある．これは多血症(赤血球増多症)と呼ばれ，血液が濃くなって流れにくくなり，血管が詰まりやすくなる．貧血は原因によっていくつかの種類に分類されるが，前述のMCVとMCHCの数値を比較することによって，それを診断することができる．

MCVが上昇しMCHCが正常：大球性正色素性貧血(悪性貧血といわれる．ビタミンB_{12}や葉酸の不足が原因)

MCVもMCHCも正常：正球性正色素性貧血(赤血球が脊髄でつくられない再生不良性貧血，赤血球が破壊される溶血性貧血など)

MCVもMCHCも低下：小球性低色素性貧血(鉄欠乏性貧血のことで，鉄の欠乏によって起こり，貧血の大部分を占める)

2．ヘモグロビン

赤血球中の大部分を占めている血色素である．ヘムという色素とグロビンという蛋白質からできている．赤血球中のヘモグロビンは，酸素を体内の組織に運び，代わりに二酸化炭素を受け取って肺まで運んできて放出し，再び酸素と結びついて各組織に運ぶという重要な働きを担っている．

必要量のヘモグロビンがつくられない場合，酸素の運搬が十分に行われないため，貧血状態になる．足りない酸素を補うために血液の循環が速くなって動悸や息切れを引き起こす．

貧血には，赤血球の数が減ると同時に1個の赤血球に含まれるヘモグロビンも減る小球性低色素性貧血と，1個の赤血球に含まれるヘモグロビンの量は同じで，赤血球の数が減少する正球性正色素性貧血とがある．赤血球数とヘモグロビン量とを比較することによって，いずれかの判別ができる．また，輸血を行う際の指標としても用いられる．

［基準範囲］男性：13.0〜16.6g/dL，女性：11.4〜14.6g/dL

3．白血球

白血球は血液の成分のひとつで，異物の進入に対抗して体を守る働きをしている．外部から細菌などの異物が体に入ってくると，白血球の数が増加して，その異物を自らのなかに取り込んで消化し無害化する．したがって，細菌感染症などの病気にかかっているときは，血液中の白血球数が増える．

逆に，骨髄の造血機能の低下などがあると，白血球数は減少する．

［基準範囲］成人の場合は3,300～9,000/μL．白血球数は，朝と夜，喫煙，運動，ストレス，食事，入浴により10～15%ほど変動する．

［検査結果の判定］

白血球数が増加している場合：感染症，外傷，心筋梗塞，扁桃炎，肺炎，胆囊炎，腎盂炎，虫垂炎，白血病，副腎皮質ステロイドの使用など

白血球数が少ない場合：重症感染症，再生不良性貧血，放射線被曝，薬剤アレルギー，抗がん薬治療の副作用，肝硬変など

4．血小板

血管が傷ついて出血した場合，血小板は損傷した血管に粘着し，また血小板同士が凝集して血栓をつくって止血に関与する．血小板がおよそ5万/mL以下になったときには止血に支障をきたし，出血傾向が起きる．逆に血小板数が多過ぎれば，血栓傾向を起こす．

［基準範囲］13.0万～34.9万/μL

血小板数が10万個以下，あるいは40万個以上の場合は精密検査や治療が必要となる．また，血小板は，その数だけではなく凝集能力にも注意が必要である．

［低値を示す疾患］血小板減少性紫斑症，急性白血病，再生不良性貧血，悪性貧血，肝硬変，Banti症候群，全身性エリテマトーデス(SLE)など

［高値を示す疾患］骨髄増殖性疾患(本態性血小板血症，慢性骨髄性白血病)，血栓症など

E 炎症反応

1．C反応性蛋白

C反応性蛋白(C-reactive protein：CRP)は，炎症や細胞・組織破壊により増加する急性相蛋白質の一つであり，代表的な炎症マーカーである．局所の炎症で産生された炎症性サイトカイン(IL-1, IL-6, TNF-αなど)は，肝臓に作用してCRPの産生を促進する．栄養アセスメントにおける動的指標として利用されるRBPやTTRやTfは炎症時に低下するため，これらの低下が低栄養によるものか，炎症によるものかを鑑別するためにCRPを栄養指標と同時に測定することは有用である．

［基準範囲］0.0～0.40mg/dL

［高値を示す疾患］炎症性疾患，感染症(ウイルス感染では増加しない)

2．赤血球沈降速度(赤沈，血沈)(erythrocyte sedimentation rate：ESR)

クエン酸ナトリウムで凝固を阻止した血液をガラス管に入れ，垂直に立てて放置すると赤血球と血漿蛋白の相互作用により赤血球が凝集し，その後，赤血球が下へ沈降し，透明な血漿が上に残る．この沈降距離を赤沈値とする．炎症によって血漿中に陽性荷電のグロブリンやフィブリノゲンが増加していると赤血球が凝集しやすくなり，沈降速度が速くなる．赤沈は，組織の崩壊，炎症，血漿蛋白異常を反映し，感染症や炎症性疾患の活動性の指標として汎用される．通常は1時間の沈降速度を測定する．

［基準範囲］(1時間値)男性：2～10mm，女性：3～15mm

［異常値を示す疾患］

赤沈の促進：炎症(急性・慢性感染症，膠原病など)，組織破壊(急性心筋梗塞，悪性腫瘍など)，血漿蛋白異常(多発性骨髄腫)

赤沈の遅延：真性多血症，播種性血管内凝固症(DIC)

F 微量元素

1．亜鉛

亜鉛は，ヒトの体内において，鉄に次いで含量の多い必須微量金属元素である．亜鉛は体内に2～3g存在し，生体内に広く分布する．亜鉛は多くの酵素に含まれ，化学反応の触媒に関わるほか，遺伝子転写因子の立体構造を維持する役割を持つ．

亜鉛欠乏は，慢性中心静脈栄養，下痢，炎症性腸疾患，妊娠，低栄養，肝硬変，慢性腎臓病などで生じ，欠乏症状は，味覚異常，皮膚炎，脱毛，貧血，口内炎，男性性機能異常，易感染性，骨粗鬆症など多彩である．小児では，身長・体重の増加不良(発育障害)をきたす[4]．

［基準範囲］血清Zn：66～118μg/dL

2．セレン

セレンは酵素に含まれる微量元素で，触媒を助ける働きがある．セレンを含む酵素であるグルタチオンペルオキシダーゼは，過酸化水素や脂質を含む過酸化物を分解して過酸化物による損傷を防止する．セレンが不足すると，生体内の過酸化物の生成が増加し，発がんや老化が促進する．

セレン欠乏症状は，爪床の白色化や変形，皮膚炎，心筋症，筋肉痛，大球性貧血などである[5]．心筋障害に伴う心不全症例では死亡例も報告されている．通常の食生活では欠乏症をきたすことはないが，静脈栄養

患者で適切にセレンを補充していない場合にセレン欠乏症が生じる．

セレンの必須量の範囲はかなり狭く，投与時には注意を要する．

3．鉄

鉄は鉄欠乏性貧血の診断や鉄過剰症の診断に重要である．体内の鉄含有量は3.5〜4.5gで，約2/3がヘモグロビンと結合し赤血球内に存在する．残りの大半は組織に貯蔵鉄として細胞内フェリチン蛋白質に収容され，少量がミオグロビン鉄(筋肉)や，チトクロームやカタラーゼなどの含鉄酵素中に存在し，鉄を運搬する蛋白質であるトランスフェリンと結合して血清鉄として存在する．

血清鉄は，消化管からの鉄吸収，体外への鉄喪失，骨髄赤血球造血による鉄利用，脾臓などの網内系細胞による老廃赤血球由来の再利用鉄の放出，肝臓などでの鉄貯蔵のバランスにより増減する．

血清鉄の増加の原因としては，鉄過剰症，造血低下(再生不良性貧血など)，鉄剤内服，肝細胞障害などがある．低下の原因としては，鉄の喪失(消化管出血，生理出血など)，鉄の摂取不足，吸収障害，体の成長や妊娠に伴う需要の増大，炎症による鉄の利用障害(感染症，膠原病など)などがある．

［基準範囲］　血清Fe：40〜80 μg/dL

4．銅

銅は体内に約80mg含まれる必須微量元素であり，化学反応を触媒する酵素に含まれる．小腸から吸収され，血液中では血清と赤血球中に同等に存在する．血清中の90〜95％はセルロプラスミンと結合して存在する．主に肝臓から胆汁を介して糞便へ，5％以下が腎臓を介して尿中へ排泄される．

銅欠乏症状は鉄剤投与に抵抗する貧血，白血球減少や骨髄白血球系の成熟障害を認める．また，小児では骨年齢の低下，骨幹端の不整およびspurring(棘形成，トゲやイガのように不整になる)，骨皮質の菲薄化や骨の透亮像が認められる．

［基準範囲］血清Cu：71〜132 μg/dL

G 電解質

1．ナトリウム(Na)

体内の総ナトリウム量は細胞外液量を反映しており，体内の総ナトリウム量の増減により細胞外液量の増減による浮腫，高血圧，脱水などを生じる．一方，細胞内液の溶質量は一定である．

ナトリウムを摂取すると，細胞外液の血漿浸透圧が増加し，細胞内液から細胞外液への水の移動が起こる．浸透圧が増加すると抗利尿ホルモンの分泌増加をきたして水排泄が低下し，渇き中枢を介して水摂取の増加が起こる．ナトリウムに対して相対的に水過剰であれば低浸透圧血症(低ナトリウム血症)が，水不足であれば高浸透圧血症(高ナトリウム血症)が生じる．

［基準範囲］138〜145mEq/L

a) 低ナトリウム血症

心不全，ネフローゼ症候群，肝硬変，慢性腎不全，心因性多飲症などの細胞外液量の増加や，利尿薬による腎からのナトリウム喪失，下痢，熱傷による腎外からの体液喪失，抗利尿ホルモン不適合分泌症候群(SIADH)などが原因となる[6]．緊急性を要するのは中枢神経症状を認める場合であり，脳細胞内浮腫により脳圧が亢進し，頭痛，嘔吐，傾眠，痙攣，昏睡などを認める．

b) 高ナトリウム血症

水分摂取不足，大量発汗，尿崩症などによる水分の喪失，副腎腫瘍によるミネラルコルチコイドの過剰分泌による腎臓での過剰なナトリウム再吸収，食塩の過剰摂取などが原因となる．緊急を要するのは血清濃度が160mEq/L以上の場合であり，中枢神経系の細胞内脱水による傾眠，せん妄などの意識障害，痙攣，筋硬直などがみられる．

2．カリウム(K)

カリウムは細胞内液の主な陽イオンであり，98％が細胞内液に，2％が細胞外液中に存在する．生体内の細胞では，ATPのエネルギーを利用してナトリウムを細胞外に排泄し，カリウムを細胞内に取り込むことで，細胞外のカリウム濃度を細胞内の濃度より低く保ち，細胞膜を挟んだ電気的勾配をつくって膜電位を生じさせ，細胞内のpHや浸透圧の調節，筋肉の活動，神経伝達など様々な細胞機能に関わる[7]．

［基準範囲］3.6〜4.8mEq/L

a) 低カリウム血症

摂取不足，代謝性アルカローシスによる細胞外から細胞内への移行，腎外性カリウム喪失(発汗，嘔吐，下痢)，腎性尿中カリウム喪失(原発性アルドステロン症によるミネラルコルチコイドの過剰分泌)などが原因となる．

血清濃度が2.5mEq/L以下になると，筋力低下，倦怠感などの症状が出現し，高度(2.0mEq/L以下)になると，呼吸筋・四肢麻痺，麻痺性イレウス，横紋筋融解などを認める．

心電図ではT波平坦化，U波，心室期外収縮などの不整脈が出現する．

b) 高カリウム血症

摂取量増加，細胞内移行障害，細胞内から細胞外への放出(代謝性アシドーシス，インスリン欠乏，高浸透圧など)，腎からの排泄低下(腎機能低下)などが原因となる．血清カリウム濃度が7～8mEq/L以上になるまで筋力低下などの筋症状はみられないことが多い．中枢神経や呼吸筋を支配する神経の症状は最後まで保たれることが多く，心伝導障害が主な所見となる．

[異常値が認められた場合の注意点] カリウム異常により心電図異常や呼吸筋麻痺などを認める場合には致死的となる場合があり，原因鑑別よりも治療を優先させる必要がある．

3. カルシウム(Ca)

体内には約1kgのカルシウムが存在し，その99%は骨や歯などの硬組織に局在し，細胞外液には0.1%(1g)，血液中には300mg存在する．血清Caは，蛋白結合型Ca(～45%)，重炭酸やクエン酸などとの結合型(酸結合型Ca，～10%)，イオン型(Ca^{2+}：イオン化Ca，～45%)として存在する．生理的な活性を持つのはイオン化Caであり，各種酵素の活性化，細胞間の接着，血液凝固，細胞膜の透過性制御などに関与する．

低アルブミン血症(<4mg/dL)が存在する場合には，血清Caは見かけ上低値を示すため，Payne式にて算出する．

補正Ca濃度(mg/dL)＝実測Ca濃度(mg/dL)＋[4－血清アルブミン(g/dL)][8]．

カルシウム濃度はリン酸濃度とも関連しており，正常時では副甲状腺ホルモンや活性型ビタミンD，カルシトニンにより厳密にコントロールされている．

[基準範囲] 血清総Ca：8.8～10.1mg/dL

a) 低カルシウム血症

慢性腎不全，ビタミンD欠乏症，副甲状腺機能低下症，低蛋白血症などが原因となる．臨床症状としては手指，口唇のしびれや筋攣縮などの症状が主体で，特にテタニーが特徴的である．緊急性を要するのはテタニーにより呼吸困難や喘鳴を伴う喉頭痙攣，気管攣縮が生じた場合で，これを低カルシウム血症性クリーゼという．心電図でのQT延長はひとつの指標となる．

b) 高カルシウム血症

原発性副甲状腺機能亢進症，悪性腫瘍に伴う高カルシウム血症，ビタミンD過剰投与，甲状腺機能亢進症，Addison病などが原因となる．血清カルシウム濃度12mg/dL以下では，無症状あるいは脱力感，食欲低下，頭痛，口渇，悪心・便秘などの消化器症状を認め，14mg/dL以上となると傾眠などの意識障害，多尿，脱水などを認める．

4. リン(P)

成人体内のリン含有量は約850gで，85%は骨や歯などの硬組織に存在し，残りの15%が細胞内液に存在し，細胞外液には約0.1%存在する[8]．体内に存在するリンの多くは蛋白質，脂質，糖などと結合した形で存在しており，リン脂質(細胞膜)，DNAやRNA(遺伝子)，クレアチンリン酸，ATPやcAMPなど，生命維持に関わる重要な化合物を構成している．

[基準範囲] 2.7～4.6mg/dL

a) 低リン酸血症

低栄養，リフィーディング症候群，急性アルコール中毒，熱傷，腫瘍性骨軟化症，骨軟化症，副甲状腺機能亢進症，ビタミンD欠乏症などが原因となる．筋力低下，呼吸不全，心不全，痙攣，昏睡がみられる．

b) 高リン酸血症

慢性腎不全，副甲状腺機能低下症，代謝性または呼吸性のアシドーシスなどが原因となる．臨床像は随伴する低カルシウム血症によるものであると考えられ，テタニーが含まれる．

5. マグネシウム(Mg)

マグネシウムは成人の体内に21～28g存在し，骨に60～65%，筋肉に23%，10%が脳，膵，肝，腸，腎などに，1.5%が細胞外液中に存在する．血清マグネシウムの55～70%がイオン型で，蛋白結合型が25～35%，リン酸やクエン酸などとの結合型は10～5%である．血清Caと同様，生理活性を有するのはイオン型であり，生体内のフォスファターゼ，解糖系，尿素サイクルに関わる各種酵素を活性化させ，エネルギー代謝に不可欠である[8]．

[基準範囲] 1.8～2.4mg/dL

a) 低マグネシウム血症

原因には，摂取不足，吸収不足，高カルシウム血症またはフロセミドなどの薬物による排泄増加がある．臨床像はしばしば随伴する低カリウム血症や低カルシウム血症によるものであり，食欲不振，悪心，嘔吐，嗜眠，振戦，テタニー，痙攣，不整脈がある．治療はマグネシウムの補充を行う．

b) 高マグネシウム血症

主な原因は腎不全である．症状には，低血圧，呼吸抑制，心停止がある．診断は血漿マグネシウム濃度によって行う．治療にはグルコン酸カルシウムの静注があり，フロセミドを投与してもよい．重症例では血液透析が有用となる場合がある．

H 血液ガス(酸塩基平衡)

血液ガス分析の主な目的は，呼吸(酸素化と換気)の状態および酸塩基平衡を評価することである．

体内で発生する酸の大部分は揮発性酸である炭酸であり，二酸化炭素として呼気中に排泄される．蛋白質の代謝から生じる不揮発酸は約1mmol/kgで，これは腎からの排泄が必要となる．

発生した不揮発酸は，血中および細胞内の緩衝物質によって直ちに消去され，pHの変化を最小限にとどめている[9]．

腎では，近位尿細管でのHCO_3^-の再吸収と皮質集合管でのHCO_3^-の産生により不揮発酸が排泄される．皮質集合管でのHCO_3^-の産生はH^+がリン酸塩，アンモニアと結合し排泄されることにより産生される．

腎における酸排泄増加に影響を与える因子は細胞外液pH低下，脱水，低カリウム血症である．

排泄↑：細胞外液pH低下，脱水，低カリウム血症

排泄↓：細胞外液pH上昇，溢水，高カリウム血症

血漿pHの正常値は7.40±0.05である．pH<7.35を酸血症(acidemia)といい，pH>7.45をアルカリ血症(alkalemia)という．

acidemiaにしようとする働きをアシドーシスという．HCO_3^-を減少させる働き(代謝性アシドーシス)とCO_2を増加させる働き(呼吸性アシドーシス)に分けられる．代謝性アシドーシスは，体内の酸発生か腎での酸排泄障害によりHCO_3^-が減少することにより起こる．呼吸性アシドーシスは，肺換気が減少しCO_2が蓄積することによって起こる．

alkalemiaにしようとする働きをアルカローシスという．HCO_3^-を増やす働き(代謝性アルカローシス)か，CO_2を減少させる働き(呼吸性アルカローシス)に分類される．代謝性アルカローシスは酸の喪失やアルカリの投与，または腎でのHCO_3^-再吸収増加によって引き起こされる．呼吸性アルカローシスは，肺換気が増加しCO_2が減少することによって起こる．

I 腎機能

尿検査は採取直後の新鮮なものについて行う．時間が経つと，尿中の有形成分は容易に崩壊変形し，多くの化学成分も変化する．安静状態で，食事の影響が少なく，濃縮されており，pHは酸性に傾き，成分の保存もよいため，早朝起床直後の早朝第一尿が最適であるが，随時尿の場合は食事の影響をなるべく避け，安静状態のものが好ましい．

尿定性検査(尿試験紙法)は，尿蛋白や糖，潜血などの排出を，試験紙を尿につけることによりその色調の変化で判定する．慢性腎臓病(CKD)を発見するにあたり最も重要なのが尿蛋白である．健常者では1日150mg未満の排泄がみられる．

1．尿アルブミン

アルブミンは中分子量蛋白(40～100kDa)であり，腎障害により尿アルブミンが出現する．尿中アルブミン測定は糖尿病性腎症の早期診断に有用であり[3,10]，随時尿で尿中アルブミン/クレアチニン比(mg/g)30未満が正常，30～299が微量アルブミン尿，300以上が顕性アルブミン尿とされる．非糖尿病性腎疾患や高血圧，高度肥満，尿路感染症，うっ血性心不全などでも微量アルブミン尿を呈することがあり，原疾患にかかわらず多くの腎障害の早期マーカーである．

また，推算糸球体濾過量(estimated glomerular filtration rate：eGFR)に加えて心血管死亡や末期腎不全の独立した危険因子であることが確認され，CKDの定義に組み込まれている．高血圧や肥満では皮質深部にある傍髄質糸球体が太い動脈(弓状動脈)に近く，その輸入細動脈に高い圧力がかかるため，はじめに障害される．同様の循環動態は，脳の穿通枝などの重要臓器にもみられる．尿アルブミンは高い圧力のかかっている細動脈の障害を反映する．

2．eGFR

糸球体濾過量(glomerular filtration rate：GFR)は，単位時間あたりに腎臓のすべての糸球体により濾過される血漿量であり，腎機能の指標である．GFR測定の世界的基準はイヌリンクリアランスであるが，手技が煩雑で日常検査に適さないため，血清クレアチニン値と年齢，性別から簡便にGFRを求めるeGFRや，筋肉量に影響されないGFR指標である血清シスタチンC(Cys-C)値に基づくGFR推定式を用いて，CKDの重症度(病期)の評価が行われる[10]．

[男性]

eGFRcreat(mL/分/$1.73m^2$)＝194×血清クレアチニン$^{-1.094}$×年齢$^{-0.287}$

eGFRcys(mL/分/$1.73m^2$)=104×Cys-C$^{-1.019}$×0.996$^{年齢(歳)}$−8

[女性]

eGFRcreat(mL/分/$1.73m^2$)＝194×血清クレアチニン$^{-1.094}$×年齢$^{-0.287}$×0.739

eGFRcys(mL/分/$1.73m^2$)=104×Cys-C$^{-1.019}$×0.996$^{年齢(歳)}$×0.929−8

eGFRcreat：血清クレアチニン値からの推算式

eGFRcys：血清シスタチンC値からの推算式

クレアチニンは筋肉内のクレアチンの最終代謝産物であり，糸球体で容易に濾過され，尿細管での再吸収や分泌が少ないため，糸球体濾過量の指標として用いられる．血清クレアチニン濃度は，筋肉量に比例し，性別，年齢，栄養状態などの要因で変化する．GFRが40程度まで低下して初めて上昇するので，腎機能の指

標としては鋭敏ではない．

シスタチンCは全身の有核細胞から産生され，一定の速度で分泌される低分子蛋白質である．血中では他の血清蛋白とは複合体を形成せず，糸球体を自由に通過し，近位尿細管で99％が再吸収，分解されることから，血中シスタチン濃度は糸球体濾過によって規定される．GFRの低下に伴い血中濃度は上昇する．血清シスタチンC濃度は，蛋白摂取や炎症，年齢，性差，筋肉量などの影響を受けないため，小児，老人，妊産婦でも同じ基準で診断できる．

J 間接カロリメトリー(安静時エネルギー消費量，非蛋白呼吸商)

個々の症例に適したエネルギー投与量を求めることは，栄養管理を行ううえで最も重要である．エネルギー投与量の算出には，エネルギー代謝の変化を知り，消費エネルギーを把握することが必要である．動的栄養指標として間接熱量計を使用すると，リアルタイムでのエネルギー消費量の測定が可能となる．

間接熱量測定法は，栄養素の燃焼に用いられた酸素消費量(VO_2)と二酸化炭素産生量(VCO_2)を測定し，エネルギー代謝量を算出するものである．

安静時エネルギー消費量(resting energy expenditure：REE)の算出にはWeirの公式(REE(kcal/日)＝$3.941 \times VO_2$(L/日)$+1.106 \times VCO_2$(L/日)$-2.17 \times$UUN)が広く用いられている．

尿中総窒素排泄量(UUN)(g/日)を用いずに，蛋白質の占める割合を12.5％と仮定したWeirの変式$3.94 \times VO_2$(L/日)$+1.11 \times VCO_2$(L/日)または［$3.94 \times VO_2$(mL/分)$+1.11 \times VCO_2$(mL/分)］$\times 1.44$を用いることも多い．

呼吸商(respiratory quotient：RQ)は，1分間あたりの消費酸素量と二酸化炭素産生量の比(二酸化炭素排泄量/酸素消費量)である．炭水化物，脂質，蛋白質は，それぞれ代謝される際に消費される酸素の量と二酸化炭素の産生量の比が異なっている．ブドウ糖が代謝される場合には，$C_6H_{12}O_6 + 6O_2 \rightarrow 6CO_2 + 6H_2O$＋エネルギーの式から，酸素消費量と二酸化炭素発生量が同じであるため，呼吸商は1.0となる．脂質の呼吸商は0.71，蛋白質の呼吸商は0.85である．

文献

1) 白上洋平，清水雅仁．レチノール結合蛋白．臨床検査ガイド2015年改訂版，文光堂，2015：p92-93
2) 動脈硬化性疾患予防ガイドライン2017年版，日本動脈硬化学会，東京，2017
3) 日本糖尿病学会(編)．糖尿病治療ガイド2020-2021，文光堂，東京，2020
4) 日本臨床栄養学会(編)．亜鉛欠乏症の診療指針2018．日本臨床栄養学会雑誌2018；**40**：120-167
5) 日本臨床栄養学会(編)．セレン欠乏症の診療指針2018．日本臨床栄養学会雑誌2018；**40**：239-283
6) 山鳥真里，深川雅史．ナトリウム．パーフェクトガイド検査値事典，第2版，中原一彦(監)，総合医学社，東京，2014：p148
7) 中屋　豊．カリウム(K)．図解入門よくわかる栄養学の基本としくみ，秀和システム，東京，2009：p164-167
8) 山内一由．生体内金属元素．臨床検査法提要，改訂第34版，金井正光(監)，金原出版，東京，2015：p535-552
9) 要　伸也．酸塩基平衡異常．日本内科学会雑誌2015；**104**：938-947
10) 日本腎臓学会(編)．エビデンスに基づくCKD診療ガイドライン2018，東京医学社，2018

第Ⅶ章

主要疾患の栄養管理

1 内分泌・代謝疾患

❶糖尿病

A 疾患の解説

糖尿病は，インスリン作用不足による慢性的な高血糖状態を主徴とする疾患群である．インスリンの標的臓器である骨格筋，肝臓，脂肪組織でのインスリン抵抗性が関与するが，糖尿病発症には必ずインスリン分泌不全が存在する．初期には無症状で経過するため，治療開始の遅れが生じることも本疾患を特徴づける．高血糖状態が慢性的に持続すると特有の合併症が発生する．この細小血管合併症の重症化は時間と高血糖の程度に依存するが，高血糖のある閾値を超えると時間依存的に指数関数的に頻度が増加する特徴を有する．三大合併症は糖尿病に特有な合併症で神経障害，網膜症，腎症である．この順序で徴候が発現することが多いが，重症化した段階で，神経障害では下肢の疼痛や知覚障害からくる下肢の壊疽，網膜症では視力低下や失明，腎症ではネフローゼ症候群から腎不全，透析に至り，QOL は著しく低下する．

一方，糖尿病は高齢になるほど頻度が高くなり，全身の動脈硬化症をも進展させ，脳梗塞，心筋梗塞，下肢の閉塞性動脈硬化症など，糖尿病に特有ではないが生命予後に直接関連する合併症も引き起こす．また，最近では歯周病も糖尿病の合併症と捉えられるようになり，さらに認知症の頻度やがんの発生率も多少とも高まる可能性が示唆されている．一方，治療に際しての医原性の低血糖や急性の高血糖昏睡なども起こることがあり，急性の合併症にも細心の注意が必要である．

B 病態栄養

1．病態生理

糖尿病は1型，2型，その他の型，妊娠糖尿病の4種類に成因別に分けられるが，病態的にもインスリン依存状態かインスリン非依存状態かを区別する．それぞれ治療法は異なる．

a）成因分類[1)]

①1型糖尿病

日本における頻度は糖尿病全体の10％未満である．大半は自己免疫を基盤とした膵臓のβ細胞の破壊・消失によりインスリンの欠乏が生じて発症する糖尿病であるが，自己免疫性と特発性に区別される．自己免疫性には急性発症1型糖尿病と緩徐進行1型糖尿病があり，特発性には劇症1型糖尿病のほかいくつかのサブタイプがある．自己免疫性の急性発症1型糖尿病は典型的なタイプで若年に多いとされてきたが，全年齢に起こりうる．急性に発症し，継続したインスリン治療が必要で，膵島関連自己抗体［GAD 抗体，IA-2抗体，インスリン自己抗体(IAA)，亜鉛輸送担体8(ZnT8)抗体］などが発症時点で陽性の場合に診断される．緩徐進行1型糖尿病は2型糖尿病のように発症自体が緩徐で，発症時のケトーシスやケトアシドーシスは認めず，高血糖是正にインスリンを必ずしも必要としない．また，経過中 GAD 抗体や膵島細胞抗体(ICA)が陽性であれば緩徐進行型と診断される．膵島関連自己抗体が検出されない1型糖尿病の全体を特発性1型糖尿病と呼んでおり，劇症1型糖尿病もこのなかに含む．

②2型糖尿病

日本人糖尿病の約90％以上を占める糖尿病の型で，インスリン分泌低下とインスリン抵抗性にかかわる複数の遺伝素因に加え，加齢，運動不足，過食(高脂肪食)，肥満などが環境因子として加わり発症する．多くは中年以降に発症するが，小児期・思春期にも2型糖尿病が増加しており80％以上で肥満を伴う．遺伝素因は大部分の症例で多因子遺伝が想定され，インスリン分泌低下とインスリン感受性低下の両者が発病にかかわり，この両者の関与の程度は個々の症例で異なっている．膵β細胞機能はある程度保たれており，生存のためにインスリンが必要になることはまれではあるが，感染症などでインスリン需要が増大するとケトアシドーシスをきたすことはありうる．インスリン分泌の特徴として，経口的な糖負荷後の早期のインスリン分泌反応が低下している．

③その他の特定の機序，疾患によるもの

○遺伝因子として遺伝子異常が同定された糖尿病

a．膵β細胞機能にかかわる遺伝子異常

b．インスリン作用機構にかかわる遺伝子異常

○他の疾患・病態にかかわる種々の糖尿病

に分類される．

④妊娠糖尿病

妊娠中にはじめて発見または発症した，糖尿病に至っていない糖代謝異常である．妊娠時に診断された明らかな糖尿病（overt diabetes in pregnancy）は除外する．妊娠糖尿病を診断する意義は，軽い糖代謝異常でも，児の過体重を起こしやすく周産期異常の原因になることと，将来母体が糖尿病への発症リスクが高まるので早期介入するメリットが得られることである．

b）糖尿病の病態（病期）（図 1）

糖尿病のいずれの成因の場合であっても，経過は血糖値正常領域から境界領域，さらに糖尿病領域へと進展する．糖尿病領域ではインスリン非依存状態とインスリン依存状態に分けられる．インスリン非依存状態のなかで①インスリン不要，②高血糖是正のためにインスリン必要の状態が区別される．インスリン依存状態では内因性インスリン分泌は大きく損なわれ，ほぼ枯渇しているので絶対的にインスリンが補充されなければ生命の維持も危ぶまれる状態である．

c）慢性合併症

慢性高血糖，脂質異常などの代謝異常に高血圧が加わり，全身血管を中心とした組織変性や機能喪失が起こる．全身に起こりうるが，高血糖を基盤とする代表的な細小血管障害と高血糖以外に複数の危険因子がかかわる大血管障害に分類される．細小血管障害は神経障害，網膜症，腎症に分類され，大血管障害は脳血管障害，冠動脈疾患，末梢動脈疾患に分類される．ほかに糖尿病足病変や歯周疾患など多彩な合併症がある．いずれも患者の機能予後に関連し，QOL や生命予後にかかわるので，これらの合併症治療や対策が重要課題である[2]．予防には糖尿病の早期発見と治療，適切かつ継続的なリスク管理が重要である．慢性高血糖により引き起こされる細胞内代謝異常のため発生する①ポリオール代謝経路の亢進，②プロテインキナーゼ C の活性化，③ヘキソサミン経路の亢進，④終末糖化産物 AGE および AGE 受容体系の活性化，などが細小血管障害の発症進展に大きく関与している[3]．

①糖尿病網膜症

網膜の血管壁細胞や基底膜の肥厚などが原因で血流障害が発生し，出血，白斑，網膜浮腫などの初期病変が生じ，進行すると黄斑症や血栓形成から虚血が生じる．高血糖の持続や虚血から血管新生を促す VEGF などが放出され，網膜前あるいは硝子体内に新生血管が生じ，硝子体出血や網膜剝離を引き起こして視力障害をきたす．病期は①正常，②単純網膜症，③増殖前網膜症，④増殖網膜症，の 4 期に分類される．①②は血糖コントロール，高血圧の治療など内科的治療が重要

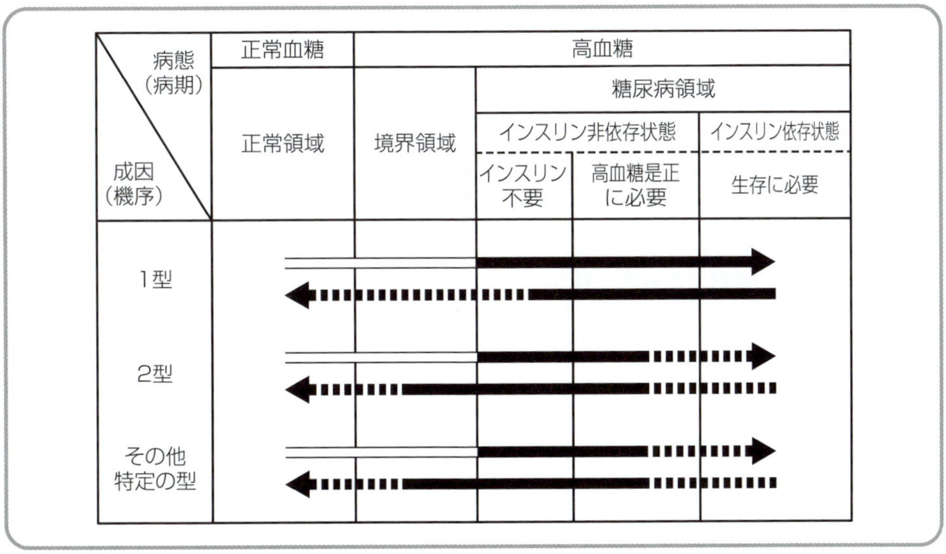

病態（病期）／成因（機序）	正常血糖	高血糖			
	正常領域	境界領域	糖尿病領域		
			インスリン非依存状態		インスリン依存状態
			インスリン不要	高血糖是正に必要	生存に必要
1型					
2型					
その他特定の型					

図 1　糖尿病における成因と病態の概念

右向きの矢印は糖代謝異常の悪化（糖尿病の発症を含む）をあらわす．矢印の線のうち，▬▪▪▪の部分は，「糖尿病」と呼ぶ状態を示す．左向きの矢印は糖代謝異常の改善を示す．矢印の線のうち，破線部分は頻度の少ない事象を示す．例えば 2 型糖尿病でも，感染時にケトアシドーシスに至り，救命のために一時的にインスリン治療を必要とする場合もある．また，糖尿病がいったん発病した場合は，糖代謝が改善しても糖尿病とみなして取り扱うという観点から，左向きの矢印は黒く塗りつぶした線であらわした．その場合，糖代謝が完全に正常化するに至ることは多くないので，破線であらわした．

（日本糖尿病学会．糖尿病の分類と診断基準に関する委員会報告（国際標準化対応版）．糖尿病 2012; **55**: 485-504 より許諾を得て転載）

で，③④は眼科医の治療が必須である．血管新生緑内障は高率に失明につながる末期合併症で，ほかに白内障も視力障害をきたす．

②糖尿病性腎症

糖尿病を発症してから約5〜10年の経過で微量アルブミン尿の出現をもって発症する．慢性高血糖により腎糸球体の過剰濾過，糸球体構造の破壊，メサンギウム領域の増生，さらに機能低下が生じる．糖尿病性腎症の病期は5期に分類される．糸球体濾過量（推算糸球体濾過量：eGFR）と尿中アルブミン排泄量（UAE）または尿蛋白排泄量によって病期を判定する．

ⅰ）第1期（腎症前期）：尿中アルブミンが随時尿で30mg/gCr未満．良好な血糖コントロール，降圧治療が重要である．

ⅱ）第2期（早期腎症期）：尿中アルブミン30mg/gCr以上，300mg/gCr未満．良好な血糖コントロール，降圧治療に加え，たんぱく質の過剰摂取を控える．

ⅲ）第3期（顕性腎症期）：尿中アルブミン300mg/gCr以上あるいは持続的蛋白尿0.5g/gCr．適切な血糖コントロール，降圧治療，脂質管理に加え，たんぱく質制限食が加わる．

ⅳ）第4期（腎不全期）：eGFRが30mL/分/1.73m^{2}未満となり血清クレアチニンが上昇してくる時点で，尿蛋白の値は問わない．透析を視野に入れる時期で，血圧・血糖管理に加え低たんぱく食，貧血治療も考慮する．

ⅴ）第5期（透析療法期）：腎不全が進行し，透析療法に至った時期である．現在，日本における血液透析導入の原疾患1位が糖尿病である．糖尿病性腎症の進行を遅らせることは大変重要である．

③糖尿病神経障害

糖尿病三大合併症のうち最も早期に現れ，また最も発症頻度が高く，全身の末梢神経系が障害される．左右対称性の多発神経障害と単神経障害があり，糖尿病以外の原因による神経障害を除外することが重要である．主として両足の感覚・運動神経障害と自律神経障害を呈する．良好な血糖コントロールを維持することによりその発症・進展を抑制できる．

④大血管障害

ⅰ）脳血管障害：脳出血より脳梗塞が多い．糖尿病は脳梗塞の独立した危険因子であり，非糖尿病者の2〜4倍高頻度である．糖尿病有病率はアテローム血栓性脳梗塞とラクナ梗塞で高い傾向にある．脳血管障害の予防には早期から良好な血糖コントロールを保ち，高血圧治療を十分に行う必要がある．

ⅱ）冠動脈疾患：糖尿病では心筋梗塞を起こす危険度は健常者の3倍以上で，日本でも虚血性心疾患が直接死因となる糖尿病患者が増加している．糖尿病患者の心筋梗塞は，無症候性に経過するものや，発症時にすでに多枝病変を有する進行した症例が多く，心不全や不整脈を起こしやすい．

ⅲ）末梢動脈疾患：糖尿病患者の10〜15％に合併する．糖尿病患者の下肢潰瘍は下肢の末梢動脈閉塞を主因とするものは半数以下であり，多発神経障害，微小循環障害，外傷や感染などが複雑に関与する．足病変の管理では毎日の足の観察が重要で，傷や感染などの有無をみたうえで，早期に主治医と相談するように指導を行う．

⑤歯周病

歯周病はグラム陰性嫌気性菌の感染による歯周組織の慢性炎症で，糖尿病の重大な合併症である．糖尿病患者では歯周病は重症化しやすく，血糖コントロールも悪化しやすい．慢性炎症が改善すると，インスリン抵抗性が軽減して血糖コントロール状態も改善する．

2．薬物と栄養との関連

糖尿病治療の基本は食事療法と運動療法であることは間違いないが，この基盤は崩れやすく脆弱であることが多い．不十分な食事療法により低血糖や体重増加，あるいは薬物療法が無効になるなど種々の問題を起こしやすい．薬物療法を理想的に組み合わせるには，患者の病態を正確に把握することと，食事・運動療法の基礎確立のための患者教育，患者指導が重要である．

a）スルホニル尿素薬（SU薬）

膵β細胞膜上のSU受容体に結合し，インスリン分泌を促進する．経口血糖降下薬のなかでは最も効果が強い．低血糖域でもインスリン分泌を促進するので，ごく少量でも低血糖を起こしうる．また，肝，腎障害のある高齢患者では低血糖が遷延する可能性がある．食事の時刻や量の変動により低血糖をきたし，回避のために過食をきたし体重増加に至る懸念がある．

b）速効型インスリン分泌促進薬

SU薬と同じ膵β細胞のSU受容体に結合するが，SU薬とは異なり短時間で解離し，吸収や血中からの消失が速い．食前30分では低血糖をきたすおそれがあるため，毎食直前に服用する．

c）αグルコシダーゼ阻害薬

αグルコシダーゼを阻害し，腸からの糖の吸収を遅らせ食後の血糖上昇を抑える．食直前に服用して作用を発揮する．炭水化物の割合が少ない食事では効果が減弱する．本薬単独では低血糖を起こしにくいが，SU薬との併用では低血糖の可能性があり，低血糖を起こした場合はブドウ糖を服用させる．ショ糖（砂糖）などは即効性がない．

d）ビグアナイド薬

肝臓での糖新生の抑制が主たる作用であるが，消化管からの糖吸収の抑制や末梢組織でのインスリン感受性の改善など種々の膵外作用も発揮する．肝・腎・心・肺機能の低下した患者や大量の飲酒，栄養不良患者では乳酸アシドーシスの危険があるため投与しない．発熱や下痢など脱水のおそれがあるときは休薬する．また，造影剤使用前後それぞれ2日間は投与を中止する．

e) チアゾリジン系薬

核内受容体のPPARgと結合し，脂肪のサイズを小型化することにより脂肪酸代謝が改善し，骨格筋，肝臓などの末梢組織のインスリン抵抗性が改善する．単独では低血糖の危険は少ない．水分貯留作用を示す傾向があるため，心不全のリスクがある患者には投与しない．また，女性において骨折の頻度上昇が報告されている．浮腫や水分貯留とは別に体重増加が指摘されており，食事療法を確実に行う必要性がある．

f) DPP-4 阻害薬

インクレチンのGIPやGLP-1を体内で分解するDPP-4を選択的に阻害する作用を持つ．内因性のインクレチン作用を増強して血糖値を下げる．インクレチンは血糖値に依存してインスリン分泌を促進するので，単独では低血糖を起こしにくい．DPP-4阻害薬とSU薬の併用による重篤な低血糖の発生が報告されており，併用時にはSU薬の減量が望ましい．

g) SGLT2 阻害薬

近位尿細管に存在して，ブドウ糖の再吸収に重要な役割を果たすSGLT2を選択的に阻害して，尿中にブドウ糖を排泄促進して血糖値を下げる．1日60～80g程度のブドウ糖が排泄されるので，高度の糖質制限を実施している場合，ケトン体産生亢進からケトーシスとなるおそれがある．また，浸透圧利尿により脱水を起こしやすいので，高齢者などでは水分補給に特に注意する．心筋梗塞，脳梗塞例が報告されており，動脈硬化のリスクの高い患者では特に注意が必要である．また，皮膚の発疹，尿路感染が報告されている．

h) GLP-1 受容体作動薬

グルカゴン様ペプチド-1(GLP-1)に由来し，DPP-4の分解を受けにくい構造を持ち，膵β細胞上のGLP-1受容体に特異的に結合する．血糖値依存的にインスリン分泌を促進し，グルカゴン分泌は抑制する．胃内容の排出遅延作用，食欲抑制作用のほか体重の減少が認められる．1日1～2回注射薬のほか，週1回の製剤もある．開始初期に悪心・嘔吐，下痢などの副作用もある．SU薬，インスリンとの併用で低血糖の発生頻度が高くなるので，薬剤の減量も考慮する．

i) インスリン療法

高血糖是正のため発症初期より実施可能で，1型糖尿病ばかりでなく，2型糖尿病にも広く用いられる．インスリン製剤には大きく分けて，作用の短いものと，長時間作用するものの2種がある．短時間型には超速効型と速効型，長時間型には中間型，持効型があり，そのほか短時間型をミックスした混合型がある．強化インスリン療法(基礎インスリン補充に加え，頻回の速効，超速効型の補充)は容易に実施できるが，基礎インスリン補充に経口薬を組み合わせるBOT(basal supported oral therapy)も広く行われている．インスリン療法ではインスリン過剰による必要以上の食物摂取による体重増加が懸念される．低血糖への対応として，ブドウ糖の携行や対処法を指導する．

C 評価と診断

1. 糖尿病の診断

糖尿病の診断は，慢性の高血糖が持続していることを証明することで行う．

糖尿病を含め糖代謝異常には3区分がある．正常型，境界型，糖尿病型である．

a) 診断のための検査と判定区分

①早朝空腹時血糖値126mg/dL以上(7mmol/L以上)

②75gOGTTで2時間値200mg/dL以上

③随時血糖値200mg/dL以上

④HbA1cが6.5%以上

上記①～④のいずれかが確認された場合に「糖尿病型」とする．随時血糖値は食事と採血時刻との時間関係を問わないで測定した血糖値で，糖負荷後の血糖値は除く．

⑤早朝空腹時血糖値110mg/dL未満

⑥75gOGTTで2時間値140mg/dL未満

⑤と⑥が両者とも確認された場合に「正常型」と判定する．

上記の「糖尿病型」「正常型」のいずれにも属さないものを「境界型」と判定する．

2. 糖尿病の診断手順

はじめての検査で「糖尿病型」が確認された場合，別の日に行った検査で上記の「糖尿病型」が確認されれば糖尿病と診断する．

ただし，以下の重要項目も併せて考慮する．

①血糖値とHbA1cを同時に測定して両者が「糖尿病型」を満たすとき，糖尿病と診断できる．

②HbA1cのみの反復検査でどちらも「糖尿病型」を満たしても，糖尿病とは診断できない．必ず血糖値の確認が必要である．

③初回の血糖値が「糖尿病型」を示し，以下のいずれかの項目を満たすとき，糖尿病と診断できる．

1) 口渇，多飲，多尿，体重減少などの糖尿病に典

型的な症状

2）確実な糖尿病網膜症

④現在の血糖値のいかんにかかわらず，過去に上記の基準を満たして糖尿病と診断できるデータが確認される場合は糖尿病と診断するか，糖尿病の疑いをもって対応する．

3．糖尿病病態把握のための検査

a）血糖コントロール指標

高血糖の程度を把握するための指標としてHbA1c，グリコアルブミン，1,5-AGの3項目がある．

① HbA1c（グリコヘモグロビン）

β鎖N末端バリンのアミノ基とブドウ糖のアルデヒド基が結合して生成された反応物である．過去約1～2ヵ月の平均血糖値を反映し，血糖コントロール状態の指標に用いられる．正常者の基準範囲は4.6～6.2%である．貧血により低下するので注意が必要である．

②グリコアルブミン（GA）

アルブミンがブドウ糖と結合しケトアミンとなった生成物である．アルブミンの血中半減期が約17日であるので，過去1～2週間の平均的な血糖値を反映すると考えられている．正常者の基準範囲は11～16%である．ネフローゼ症候群などアルブミンが消失する病態では低値となる．

③ 1,5-AG（1,5アンヒドログルシトール）

1,5-AGはブドウ糖の1位のOH基がとれた構造で，血中の1,5-AG代謝量は安定しており，日内変動もない．主に食物から摂取され，腎でほとんど再吸収されるので排泄量はごく一部である．高血糖時には腎尿細管での再吸収時にブドウ糖と競合するので，1,5-AGの再吸収が阻害され血中濃度が低下する．正常者の基準範囲は14.0mg/mL以上である．アカルボースやSGLT2阻害薬内服時には平均血糖値より異常な低値を示すので注意する．アカルボース内服時は，αアミラーゼの阻害による1,5-AGの消化管からの吸収障害が原因と考えられている．

b）インスリン分泌能の評価

インスリン分泌能の最も鋭敏な検査が経口ブドウ糖負荷試験（OGTT）である．75gOGTTで負荷後30分の血中インスリンの増加量を血糖値の増加量で除した値をインスリン分泌指数（insulinogenic index）といい，0.4を下回るとインスリン分泌能の低下を表す．また，空腹時の血中C-ペプチド値と尿中C-ペプチド排泄量（24時間値）はインスリン分泌能の指標と考えられ，血中C-ペプチド0.5ng/mL以下，尿中C-ペプチド20mg/日以下はインスリン依存状態と考えられている．

c）インスリン抵抗性の検査

簡便なインスリン抵抗性の指標として，早朝空腹時のインスリン値がある．15mU/mL以上を示す場合は明らかなインスリン抵抗性の存在が考えられる．また，早朝空腹時の血中インスリンと血糖値との積を405で除した値をHOMA-Rといい，空腹時血糖値が140以下の場合はインスリン抵抗性をよく反映する．HOMA-Rが1.6以下の場合は正常で，2.5以上の場合にインスリン抵抗性があると考えられる．

d）合併症の検査

①糖尿病神経障害

ⅰ）腱反射：アキレス腱反射は膝立位（膝立ち）で行い，大きめの打鍵器を用いる．進行すると膝蓋腱反射も障害される．

ⅱ）振動覚検査：C-128または64の音叉を両足の内踝にあてて，振動が自覚できる時間を測定する．C-64は半定量が可能な音叉を用いる．C-128では，振動を始めてから10秒以内に自覚できなくなる場合に低下と判定する．

ⅲ）起立試験：自律神経機能を調べる検査で，10分間安静臥床後に血圧を測定し起立させ，1分後の収縮期血圧が30mmHg以上低下した場合に異常と判定する．

ⅳ）心電図R-R間隔の変動測定：自律神経機能を調べる検査で，R-R間隔の呼吸性変動をcoefficient of variationで表した値で評価する．正常者ではCV値は2%以上であるが，障害されると低下する．

②糖尿病網膜症

網膜病変の有無，進行度については眼科医の判定が必要である．

③糖尿病性腎症

腎機能は尿中微量アルブミン，尿蛋白，血清クレアチニン，およびクレアチニンクリアランスなどを用いて判定する．

④大血管症

ⅰ）足関節上腕血圧比（ankle brachial index：ABI）：上肢と下肢の血圧比を測定する．正常では，仰臥位で下肢血圧は上肢血圧より若干高いので1を上回る．下肢の血流が障害されると下肢血圧が低下し，1を下回る．

ⅱ）脈波伝播速度（pulse wave velocity）：動脈壁が硬化すると脈波の速度が上昇する．正常値は1,400cm/秒未満であるが，年齢の影響を受けるので判定には留意する．

ⅲ）頸部エコー検査：頸動脈の内膜中膜複合体の肥厚度を測定し，1.0mm以下を正常とする．また，プラークの有無も検討する．

ⅳ）心臓3D-CT検査：造影CTで冠動脈の画像を描出して3次元画像から冠動脈狭窄の有無を判定する非侵襲的な検査法で，広く行われている．

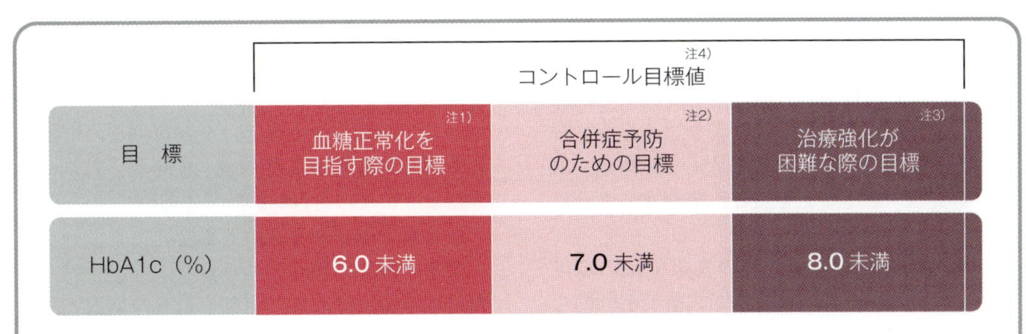

治療目標は年齢，罹病期間，臓器障害，低血糖の危険性，サポート体制などを考慮して個別に設定する.

注1） 適切な食事療法や運動療法だけで達成可能な場合，または薬物療法中でも低血糖などの副作用なく達成可能な場合の目標とする.
注2） 合併症予防の観点から HbA1c の目標値を 7%未満とする．対応する血糖値としては，空腹時血糖値 130 mg/dL 未満，食後 2 時間血糖値 180 mg/dL 未満をおおよその目安とする.
注3） 低血糖などの副作用，その他の理由で治療の強化が難しい場合の目標とする.
注4） いずれも成人に対しての目標値であり，また妊娠例は除くものとする.

図 2　血糖コントロール目標
（日本糖尿病学会(編・著)．糖尿病治療ガイド 2020-2021，文光堂，東京，2020：p33 より引用）

表 1　コントロール目標

血糖	正常化	HbA1c 6.0%未満
	合併症の予防	HbA1c 7.0%未満
	治療強化が困難な際	HbA1c 8.0%未満
体重	BMI	22～25
血圧	収縮期	130mmHg 未満
	拡張期	80mmHg 未満
血清脂質	LDL コレステロール	120mg/dL 未満(冠動脈疾患がある場合 100mg/dL 未満)
	HDL コレステロール	40mg/dL 以上
	中性脂肪	150mg/dL 未満(早朝空腹時)
	non-HDL コレステロール	150mg/dL 未満(冠動脈疾患がある場合 130mg/dL 未満)

D 治療

1．糖尿病治療目標[4)]

治療目標は健康な人と変わらない生活の質を得て，また健康な人と同等な健康寿命で過ごすことである．これには糖尿病の合併症である神経障害，網膜症，腎症といった細小血管障害や動脈硬化症の発症・進展阻止が必要である．

a）血糖コントロールの目標

血糖コントロールの目標は，熊本宣言で示されたように年齢，罹病期間，臓器障害の有無，低血糖の危険性，サポート体制などを考慮したうえで個々の症例で設定する．一般には，合併症予防の観点から HbA1c は 7.0%未満を目標値とする(図 2)．一方，HbA1c 6.0%未満は食事療法や運動療法だけで達成できる場合や，薬物使用中でも低血糖などの副作用がない状態で達成可能な場合の目標である．特に若い世代は 6.0%未満を目指すべきである．一方，高齢や合併症などで集中的な治療が難しく，副作用などで治療の強化が難しい場合の目標 HbA1c は 8.0%未満も妥当である．

b）その他の指標の目標

体重，血圧，脂質の目標値も定められている．現在の状況や年齢，その他を考慮し，必要に応じてそれぞれの目標を定めていくことが必要である(表 1)[4)].

2. 糖尿病患者の食事療法の実際

a) 食事療法の目的と原則[5]

糖尿病における食事療法の目的は，①健康人と同様の日常生活を送るために必要な栄養素を過不足なく補給すること，②糖尿病の代謝異常を是正し，体重，血糖値，血清脂質値，血圧などを良好に維持するように役立たせること，である．

このような目的を達成するための食事療法の原則は，①適正なエネルギー量の食事，②健康で活動的な生活に必要な栄養バランスのとれた食事，③合併症を防ぐ食事，である．

b) 1日の総エネルギー摂取量の設定[4]

適正な1日の総エネルギー摂取量は，年齢，性別，身長，体重，日々の生活活動量などを目安に設定するが，これまでの食習慣を反映するように個々の症例で配慮が必要である．肥満を防止し，適正な体重が維持でき，活動的の生活が支障なく送れる量が重要である．

1日総エネルギー摂取量＝目標体重(kg)**×エネルギー係数(kcal/kg)

で算出する[4]．

**原則として年齢を考慮に入れた目標体重を用いる．

［目標体重の目安］

① 65歳未満：［身長(m)］^{2}×22

② 65～74歳：［身長(m)］^{2}×22～25

③ 75歳以上：［身長(m)］^{2}×22～25*

*75歳以上の後期高齢者では，現体重に基づきフレイル，(基本的)ADL低下，併発症，体組成，身長の短縮，摂食状況や代謝状態の評価を踏まえ，適宜判定する．

［身体活動レベルの目安と病態によるエネルギー係数(kcal/kg)］

①軽い労作(大部分が坐位の静的活動)：25～30

②普通の労作(坐位中心だが通勤・家事，軽い運動を含む)：30～35

③重い労作(力仕事，活発な運動習慣がある)35～

以上の3つの係数から選択する．

ただし，高齢者のフレイル予防では身体活動レベルより大きい係数30～35を，肥満者では身体活動レベルより低い係数の20～25などを設定し，体重の推移を見守る．

c) 具体的な献立，メニューの設定

先の項目で設定した個別のエネルギー量が決まったら，次の2とおりの方法でメニューを設定する．

①栄養素の配分から決める場合

まず炭水化物の量を決定し，たんぱく質と脂質の量を決定する．炭水化物は1日に50～60%エネルギーが目安とされており，50%，55%，60%に設定した場合の3とおりの設定方法が食品交換表に紹介されている．たんぱく質は20%エネルギー以下を目安とし，残りは脂質で摂る．

食品交換表では，すべての食品を4群，6表に分類し，食品に含まれるエネルギー80kcalを1単位と定めている．同じ表中の食品は交換可能なので種々の食品から同じ栄養素が摂取でき，献立が多彩かつ豊富にできるようになった(第Ⅷ章-図3参照)．

②食事の献立から決める場合

食事の献立に使う食品から一人前について何をどれだけ使うかを決めて，それぞれ6つの表に割り振る．それぞれのグラム数からそれぞれの表の摂取単位数が決定され，1食あたりの食事バランスが決定する．残りの食事で過不足のバランスがとれるよう個々の食事を調整することになるが，食品交換表の1日の指示単位の配分を参考に配分して調整すると，計算や献立の構成が容易になる(図3)．

d) その他

アルコールは糖尿病の病態に大きく影響するため，血糖管理が不十分な場合や，肥満や高血圧などを合併している場合は極力禁酒する．ショ糖はできる限り少量とし，天然の甘味料を少量用いるのがよい．高血圧合併例では食塩を1日6g未満にすることが推奨されている．尿中アルブミンが30～300mg/gCrになり腎症2期となれば，たんぱく質の過剰摂取を控え，尿中アルブミンが300mg/gCrを超える顕性腎症期に入った場合には摂取たんぱく量は0.8～1.0g/kg標準体重に制限する．

3. 各種の病態を考慮した栄養療法

a) 腎症，透析患者

糖尿病性腎症を合併する場合，病期分類に応じた総エネルギー，たんぱく質制限，食塩制限，カリウム制限，場合によって水分制限も行う．糖尿病性腎症による透析患者では心不全や腎性貧血の頻度が高まるので，これらを管理できるよう炭水化物や脂質からのエネルギーを十分に摂取させ各種のビタミン・ミネラルや，水分のバランスもとれるような指導が重要である．

b) 糖尿病合併妊娠と妊娠糖尿病

糖尿病合併妊娠では母体や児の合併症を予防するため，食前95mg/dL以下，食後1時間140mg/dL以下，食後2時間120mg/dL以下が推奨されている．栄養療法は，母体に必要なエネルギー量と児の成長や胎盤の形成・維持に必要なエネルギー，分娩後は授乳に必要なエネルギーを総和して計算する．

妊娠中の摂取糖質不足に伴う母体のケトーシス予防と，厳格な血糖コントロールを行えるようにすることが食事療法の基本である．

糖代謝異常合併妊娠の総摂取エネルギー量は，

①妊娠初期：標準体重(kg)×30kcal＋50kcal

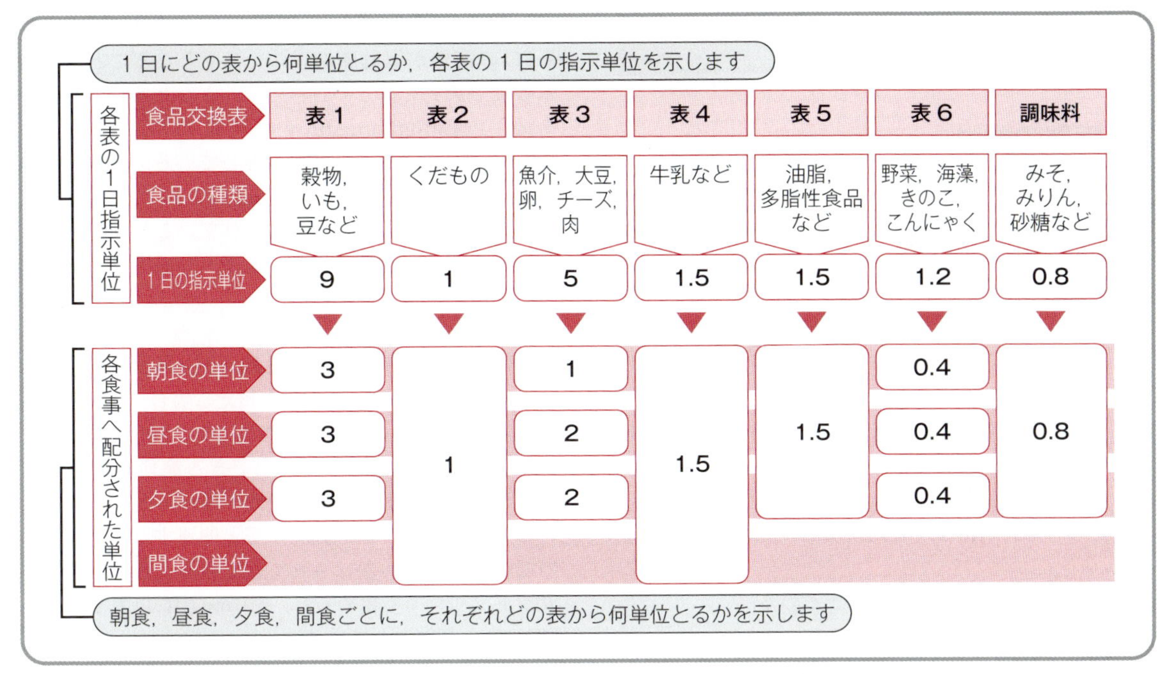

図3　1日の指示単位20単位(1600kcal/炭水化物55%)の単位配分の一例
(日本糖尿病学会(編・著). 糖尿病食事療法のための食品交換表, 第7版, 日本糖尿病協会・文光堂, 東京, 2013: p18より許諾を得て転載)

②妊娠中期：標準体重(kg)×30kcal＋250kcal
③妊娠末期：標準体重(kg)×30kcal＋450kcal
④授乳期　：標準体重(kg)×30kcal＋350kcal
が勧められている.

肥満妊婦については体重減少や飢餓状態を招かないエネルギー制限とし，1日摂取エネルギーを標準体重×30kcalとし，エネルギー付加は行わない.

糖代謝異常妊婦における極端なエネルギー制限や糖質制限食などの有用性については，根拠が乏しく推奨されていない. 妊娠経過を参考に個別に摂取エネルギーや栄養素の配分を調節することが重要である.

c) 低血糖

SU薬やインスリン療法中の患者では70mg/dL未満の低血糖をきたす可能性がある. 症状は，多くの場合50mg/dLを下回ると現れる. 脱力感のほか，交感神経症状(頻脈，発汗，動悸など)と中枢神経症状(目かすみ，空腹感，意識障害など)がみられる. 経口摂取が可能であれば，ブドウ糖10gや糖を含む飲み物を200mL程度摂取させる. 意識障害がある場合にはブドウ糖，蜂蜜などを口唇と歯肉の間に塗りつける. グルカゴンがあれば1バイアルを家族が注射し，速やかに医療機関へ搬送するよう指導する(最近ではグルカゴンの点鼻薬も使用可能である).

d) シックデイ

糖尿病患者が感染症や胃腸疾患などで発熱，下痢などをきたし，食事摂取ができないときをシックデイと呼んでいる. 2型糖尿病でもケトアシドーシスをきたすことがあり，インスリン依存状態ではさらに起こりやすいので特別な注意が必要である. 水分は1日1,000mL以上摂取するように指導する. 食欲がなくても，消化のよい食べ物(おかゆ，アイスクリームなど)を摂取するよう指導し，絶食させない指導が重要である. 症状が悪化する場合などは，医療機関で補液などを行う. インスリンの中断は高血糖のおそれもあり，医師に連絡するよう事前の打ち合わせが必要である.

e) 高齢者の糖尿病

高齢者では薬物代謝の低下から低血糖なども起こしやすい. 遷延性の低血糖なども起こりやすく，SU薬やインスリン療法では注意が必要である. また，脱水や栄養不良にも陥りやすく，高齢者の病態に配慮した食事療法を心がける. 食事内容は同年齢の高齢者が摂取するエネルギー量を基本とし，食事バランスに注意する.

f) 外科手術時の管理

術前に代謝状態，合併症の状態など病態を詳しく把握する. HbA1c 7.0%以下，空腹時血糖値140mg/dL以下，食後2時間血糖値200mg/dL以下，尿ケトン陰性を目指す. 周術期には一時的にスライディングスケール法を用いて調整することが多いが，術後に食事量が安定すれば，通常のインスリン療法を開始する.

❷脂質異常症

A 疾患の解説

高脂血症(hyperlipidemia)とは血清脂質が高値を示す状態で，動脈硬化性疾患と関連が深いことが問題とされてきた．従来，高脂血症は総コレステロール(TC)中心の診断基準であった．しかし，2007年からは，LDLコレステロール(LDL-C)の高値が動脈硬化性疾患のリスクになるという疫学データと，高HDLコレステロール(HDL-C)によるTC高値の高脂血症の診断を避ける目的，またHDL-C低値も動脈硬化のリスクであることなどから，脂質異常症の診断基準に改め，さらに診断基準からTCが除かれた(表2)．中性脂肪(TG)値も高ければ高いほど，冠動脈疾患の発症頻度が高まる[6]．

各項目の意義について以下にまとめる．

1．LDL-C(低比重リポ蛋白コレステロール)

米国のFramingham studyやその他の欧米の疫学調査から，TCやLDL-C上昇は冠動脈疾患の発症率，死亡率を増加させることが明らかにされている．日本でも，吹田スコアに基づく層別化解析などでTCやLDL-Cが上昇すると冠動脈疾患の相対リスクが連続して上昇することが示されている[7]．

2．HDL-C(高比重リポ蛋白コレステロール)

低HDL-C血症は，高LDL-C血症とは独立して冠動脈疾患の発症リスクを増加させる[8]．ガイドラインで40mg/dL未満がスクリーニング基準とされている[6]．

3．TG(中性脂肪，トリグリセリド)

TGの高値が冠動脈疾患のリスクとなることは，欧米の疫学調査をはじめ日本のデータなど多数の報告がある．Framingham studyの結果から，米国では150mg/dL以上を高TG血症としている．日本の疫学調査でも空腹時TG値が150mg/dL以上で冠動脈疾患の発症が増加することが示されている[9]．TG上昇に伴う他の因子，耐糖能異常，肥満，高血圧などを考慮することが重視されている．

4．non HDL-C(non HDLコレステロール)[6]

血清TG値が400mg/dLを超える場合，Friedewald式を用いたLDL-Cの算出ができない．non HDL-CはTCからHDL-Cを減じて算出できる簡便な指標であり，動脈硬化性疾患の発症予測に優れると考えられている．non HDL-Cが冠動脈疾患と関連することは日本の疫学調査で明らかにされてきている．管理目標値がガイドラインでも定められ，170mg/dL以上を高non HDL-Cの基準としている．

B 病態栄養

1．病態生理

生体は脂質を組織に運ぶために蛋白質と結合したかたちをとっている．これがリポ蛋白で，種類によって組成が異なるが，基本構造は似ている．水に親和性がないTGとコレステロールエステルが核(コア)を形成し，そのまわりを1層のリン脂質とコレステロールからなる皮膜が覆い，この皮膜に両親媒性(水と脂に親和性がある)の蛋白質が結びついて安定化した粒子を形成している．このリポ蛋白の代謝を図4に示す．

表2　脂質異常症診断基準(空腹時採血)*

LDLコレステロール	140mg/dL以上	高LDLコレステロール血症
	120～139mg/dL	境界域高LDLコレステロール血症**
HDLコレステロール	40mg/dL未満	低HDLコレステロール血症
トリグリセライド	150mg/dL以上	高トリグリセライド血症
Non-HDLコレステロール	170mg/dL以上	高non-HDLコレステロール血症
	150～169mg/dL以上	境界域高non-HDLコレステロール血症**

* 10時間以上の絶食を「空腹時」とする．ただし水やお茶などカロリーのない水分の摂取は可とする．
**スクリーニングで境界域高LDL-C血症，境界域高non-HDL-C血症を示した場合は，高リスク病態がないか検討し，治療の必要性を考慮する．
・LDL-CはFriedewald式(TC−HDL-C−TG/5)または直接法で求める．
・TGが400mg/dL以上や食後採血の場合はnon HDL-C(TC−HDL-C)かLDL-C直接法を使用する．ただしスクリーニング時に高TG血症を伴わない場合はLDL-Cとの差が+30mg/dLより小さくなる可能性を念頭においてリスクを評価する．
(日本動脈硬化学会．動脈硬化性疾患予防ガイドライン2017年版，2017：p14より許諾を得て転載)

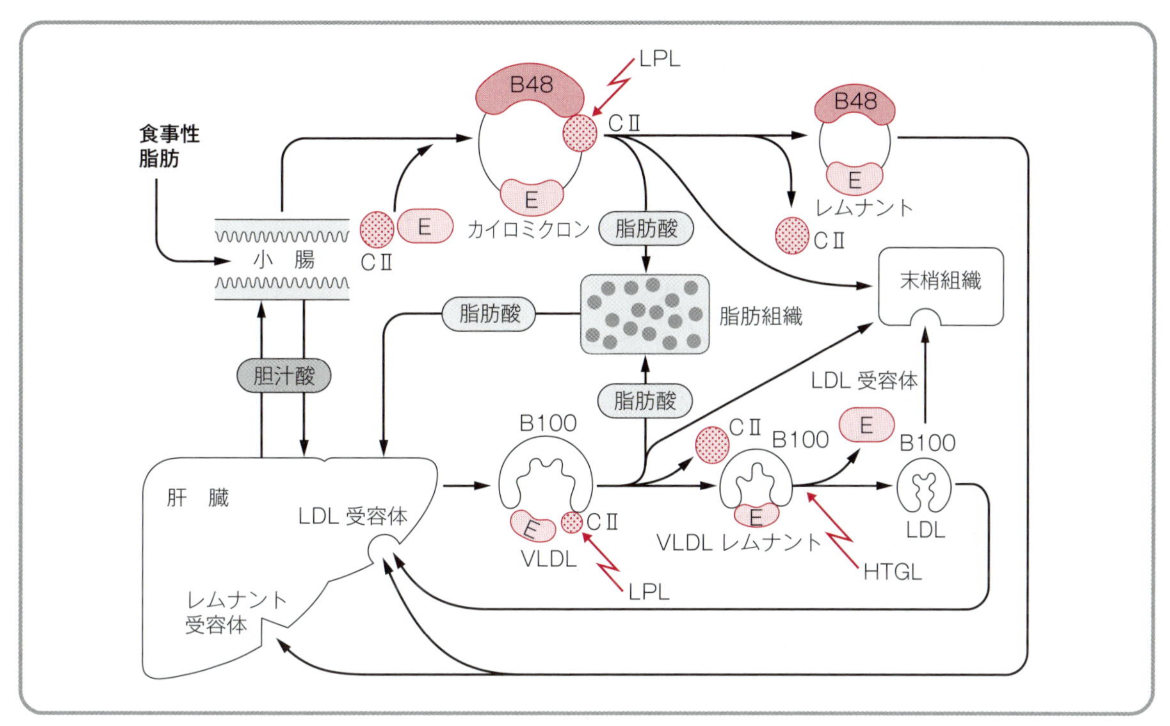

図４ リポ蛋白代謝の概要

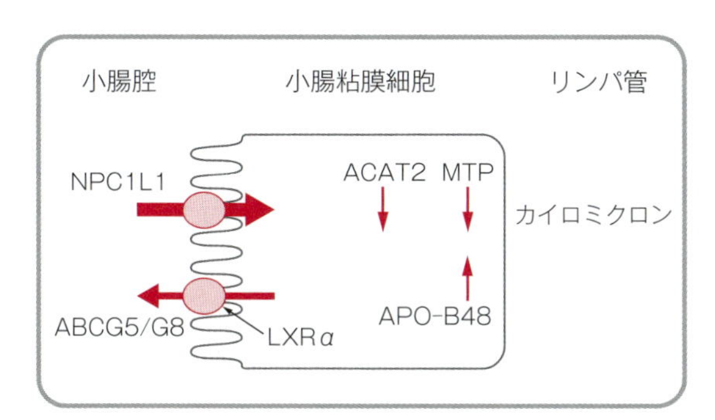

図５ コレステロール吸収の分子機構

a）食事から合成されるリポ蛋白(カイロミクロン：CM)

食事に含まれる脂質の大部分(90％以上)はTGで，コレステロールはわずかで通常300～500mg/日程度である．これらの脂質は胆汁酸(胆汁中のコレステロール1日800～2,000mg)によってミセルを形成し，このなかのTGがリパーゼにより分解され，モノグリセリドと脂肪酸となり，小腸粘膜細胞に吸収される．コレステロールエステルは加水分解を受け遊離コレステロールとなり，小腸粘膜のトランスポーターNPC1L1を介して取り込まれて上皮細胞内でACAT(アシルコレステロールアシルトランスフェラーゼ)によりコレステロールエステルに戻る．そしてTGやアポ蛋白B48とパッケージ化されCMを形成し，リンパ管から血中に運ばれる(図5)．この輸送中にアポ蛋白CⅡやアポ蛋白Eを獲得し，成熟したCMを形成する．途中，血管内皮細胞にあるリポ蛋白リパーゼ(LPL)の作用で一部のTGが分解され，脂肪酸が各細胞に栄養源として分配される．TGが減少したCMの残りをカイロミクロンレムナント(CM-R)と呼ぶ．食事中のTGが多いとCMが増加するので，高TG血症を起こしうる．しかし，一般にはLPL作用は強力で，LPLの活性に異常あるいはLPLの活性に必要な活性化因子のアポCⅡに異常がなければCMの増加による高TG血症を起こすことはない．一方，食品中に含まれるコレステロールは多くはないが，過剰に摂取すれば影響は大きいものと考えられている．

b）内因性リポ蛋白代謝と栄養

図4に示されるようにCM-Rからの脂質をもとに，*de novo* 合成の脂質を合わせ肝細胞内でVLDL(超低比重リポ蛋白)を産生する．VLDLはTGを多く含むリポ蛋白で，血中でLPLの作用を受けてTGが分解を受け，コレステロールが中心の小さなリポ蛋白に変化する．これがLDL(低比重リポ蛋白)であり，体内の多くの細胞に発現しているLDL受容体を介して細胞内に取り込まれる．コレステロールは多くの細胞の膜構成成分であるばかりでなく，副腎ではホルモン骨格を形

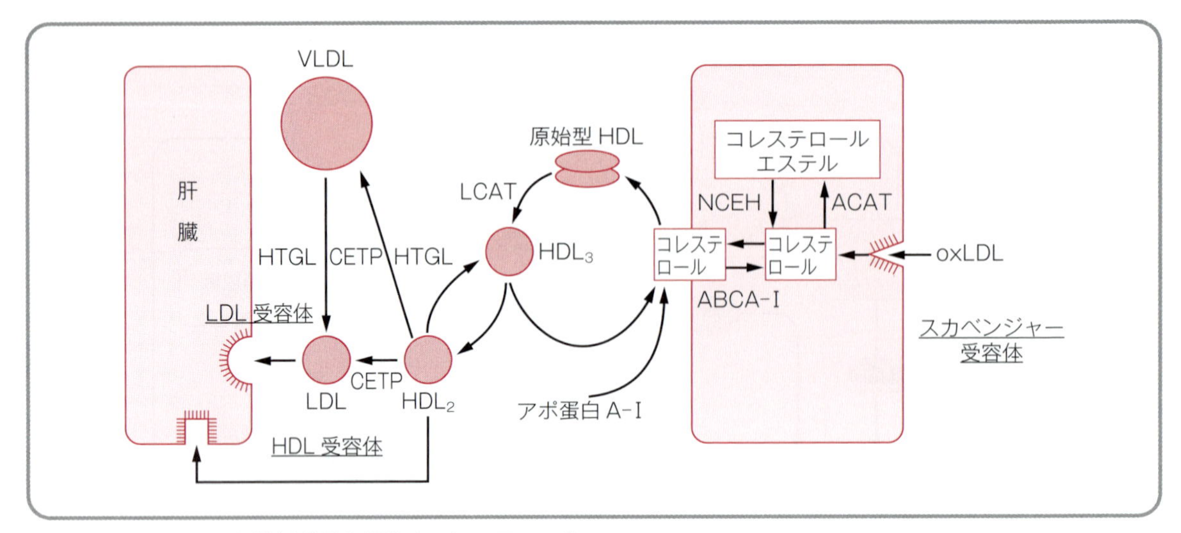

図６　コレステロール逆転送系と細胞内コレステロール

成してステロイドホルモン，性腺ホルモンの合成に利用される．また，肝臓では胆汁酸の材料としても利用される．血中のコレステロールの約70％がLDLに存在するので，LDLの多寡が血中TC値を決定する．LDL-Cの量を決定しているのがLDL受容体であり，この受容体の合成・代謝がTC値に大きな影響を与えている．

LDL受容体の合成は，食事によるコレステロール摂取量や飽和脂肪酸の摂取量に依存して決定されている．食事中のコレステロール含量が増加すると，CM-Rのコレステロール量が増加し，肝臓に輸送されるコレステロール量も増加する．コレステロールは直接SREBPという調節因子を介してLDL受容体合成を抑制する．LDL受容体発現の低下は血中LDL，コレステロールの増加を引き起こす．飽和脂肪酸もLDL受容体の合成の抑制を介して血中LDLを増加させるので，LDLの調節は食事のコレステロールや飽和脂肪の摂取に大きくかかわるため，その管理には生活習慣を考慮することが大切である．

c）コレステロール逆転送系と栄養

HDLが末梢細胞から過剰となった遊離コレステロールを受け取り，肝臓に転送して胆汁中に排泄する経路をコレステロール逆転送系と呼んでいる（図６）．HDLの主要アポ蛋白であるアポA-Iは，細胞表面のABCA-1というコレステロールトランスポーターから渡される遊離コレステロールとともに，原始HDLを形成する．この遊離コレステロールは血中でLCAT（レシチンコレステロールアシルトランスフェラーゼ）によってコレステロールエステルとなり，HDLのコアの部分に移行し，HDLは球状の粒子となり，粒子サイズが大きくなる．このHDLに対してCETP（コレステロールエステル転送蛋白）が働き，コレステロールエステルはLDLやVLDLに転送される．これらのコレステロールエステルは肝臓のLDL受容体を介して取り込まれ，肝臓から胆汁中に排泄される．

低HDLをきたす要因として肥満，運動不足，喫煙があげられている．特に運動不足や肥満による低HDLの原因は高TG血症，すなわちVLDLの分解低下によるHDLの生成低下にあるとされる．したがって，食事指導を行う際には運動指導も同時に行うことが必要である．

2．薬物療法と栄養

最も使用される薬剤の働きは，主としてLDL受容体の合成を亢進させることである．したがって，栄養指導の要点はLDL受容体の合成を抑制させず，コレステロールの合成を促進しないことである．薬物療法を行う前には，しっかりとした食事療法や運動療法といった生活習慣の改善がまず優先される．

薬物療法は，3～6ヵ月の栄養指導や運動指導などによる生活習慣の改善を行っても目標値に達しない場合に考慮する．リスクが少なければ薬物の必要性は低いが，中リスク群以上では目標のLDL-Cレベルが厳しく，薬物介入も必要となる．しかし，この場合でも上記の生活習慣の改善がまず優先される．また，冠動脈疾患がすでにある二次予防の患者では，栄養指導とともに薬物療法を考慮する．

食品のなかには薬物の代謝に関係する肝酵素に影響するものもあり，注意が必要である．スタチンのなかには肝代謝酵素であるCYPで代謝されるものも多く，

表３　リスク区分別脂質管理目標値

治療方針の原則	管理区分	脂質管理目標値（mg/dL）			
		LDL-C	Non HDL-C	TG	HDL-C
一次予防 まず生活習慣の改善を行った後，薬物療法の適応を考慮する	低リスク	<160	<190	<150	≧40
	中リスク	<140	<170		
	高リスク	<120	<150		
二次予防 生活習慣の是正とともに薬物療法を考慮する	冠動脈疾患の既往	<100 （<70）*	<130 （<100）*		

＊ 家族性高コレステロール血症，急性冠症候群の時に考慮する．糖尿病でも他の高リスク病態（非心原性脳梗塞，末梢動脈疾患（PAD），慢性腎臓病（CKD），メタボリックシンドローム，主要危険因子の重複，喫煙）を合併する時はこれに準ずる．

・一次予防における管理目標達成の手段は非薬物療法が基本であるが，低リスクにおいても LDL-C が 180mg/dL 以上の場合は薬物治療を考慮するとともに，家族性高コレステロール血症の可能性を念頭においておくこと（出典の第５章参照）．

・まず LDL-C の管理目標値を達成し，その後 non HDL-C の達成を目指す．

・これらの値はあくまでも到達努力目標値であり，一次予防（低・中リスク）においては LDL-C 低下率 20～30%，二次予防においては LDL-C 低下率 50%以上も目標値となり得る．

・高齢者（75 歳以上）については出典の第７章を参照．

（日本動脈硬化学会．動脈硬化性疾患予防ガイドライン 2017 年版，2017：p16 より許諾を得て転載）

CYP3A4 で代謝される薬剤はグレープフルーツの摂取が影響するので，栄養管理において注意が必要である．

a）スタチン

コレステロールの合成酵素で律速段階を触媒する HMG-CoA 還元酵素を拮抗的に阻害し，コレステロールの合成が抑制される．ただ，コレステロールを低下させるメカニズムには，この合成抑制より LDL 受容体合成亢進が重要である．すなわち，コレステロールの細胞内プールが減少したことを，SREBP2 という調節因子が感知して LDL 受容体の合成が高まり，血中の LDL-C 低下をきたす．したがって，栄養指導では食事中のコレステロール摂取過剰や飽和脂肪酸の摂取増加が LDL 受容体抑制に働くので，抑制させないよう指導する．

b）エゼチミブ（EZ）

小腸のコレステロール吸収に働く NPC1L1 というコレステロールトランスポーターを特異的に阻害して，コレステロールの吸収を抑制する．EZ は通常用量の 10mg で LDL-C を 18％程度低下させるが，特に肥満者や糖尿病患者ではコレステロールの吸収が亢進しており，栄養指導との併用が効果的な薬剤である．

c）レジン

レジンは腸管内の胆汁酸と結合してミセルの形成を阻害することで，コレステロールの吸収を阻害する薬剤である．コレステロール，TG の吸収が抑制され，血中の LDL-C が低下する．本薬剤は小腸内で作用するが，脂肪の吸収障害から便秘，腹部膨満，下痢などの副作用や，脂溶性ビタミン群の吸収障害が起こりうるので，栄養管理上注意が必要である．

d）フィブラート

細胞内の核内受容体 PPARα を活性化して脂肪酸の β 酸化が促進され，肝臓での TG 合成が低下するとともに VLDL の産生と血中への分泌が低下する．また，TG の分解酵素である LPL の産生を増加させ，HDL の主要なアポ蛋白のアポ A-1 の合成を亢進させる．腎で排泄される薬剤が多いので，腎機能障害を有する患者では注意する．

e）EPA 製剤

魚油から抽出した薬剤で，肝臓での VLDL 合成を抑制し，TG を低下させる．魚油の摂取と心血管イベントの予防については種々の疫学調査や二次予防試験で明らかにされ，日本においても EPA の冠動脈疾患予防の有効性が示されている．

C 評価と診断

脂質異常症の診断は表２に示すとおりである．動脈硬化の予防の観点から診断基準が定められている．脂質異常のうち，高脂血症とされるものは原発性と続発性に分けられている．一方，低脂血症も分類されるが，TC や TG が低い場合にまれな原発性の場合を除けば，栄養不良を含む二次性を考慮する必要がある．

リスクの層別化については第Ⅷ章の図４を参照していただきたい．リスク区分別脂質管理目標値は表３に示した．

D 治療

脂質異常症の治療には，①食事療法，②運動療法，

表4 食事療法のポイント

【伝統的な日本食は動脈硬化性疾患の予防に有効である】
1. 総摂取エネルギーの適正化
　○エネルギー摂取量(kcal)＝目標体重(kg)×エネルギー係数(kcal/kg)
　○目標体重(kg)＝[身長(m)]^2×22～25(年齢別)で算出する
2. 栄養素配分の適正化
　○炭水化物：50～60%
　○脂肪　　：20～25%
　　飽和脂肪酸：エネルギー比率として4.5～7.0%(未満)
　　ω3系多価不飽和脂肪酸の摂取を増やす
　　トランス脂肪酸をできるだけ減らす
　○食物繊維：1日25g以上が目安
　○アルコール摂取：1日25g以下を目標
　○ビタミンC，ビタミンB_6，ポリフェノールの含有量の多い野菜，果物などを多く摂取するが，果物には果糖などの単糖類が多く含まれるので，過食に陥りやすいので注意する
　○食塩の摂取は1日6g未満を目標にする
【次段階の食事療法】
病型に合わせた食事療法の目安
1. 高LDLコレステロール血症
　○LDL-Cを上昇させる飽和脂肪酸は7%未満
　○コレステロールの摂取は200mg/日以下を目指す
　○トランス脂肪酸の摂取を減らす
　○水溶性食物繊維，植物ステロールの摂取を増やす
2. 高TG血症
　○炭水化物のエネルギー比率を50%以下
　○アルコール摂取の制限
　○ω3系多価不飽和脂肪酸摂取を増やす
　○高カイロミクロン血症を伴う場合，厳格に脂質制限を行う(総エネルギー比15%以下)
3. 高TG＋高LDL-Cの場合
　1. ＋2. の食事

③薬物療法，④プラズマフェレーシス(血漿交換療法)，⑤外科的治療(回腸バイパス術など)，などがある．

1. 食事療法(表4)

食事療法の要点は，①エネルギー制限，②コレステロール，飽和脂肪の制限，③糖質，アルコールの制限，④食物繊維の摂取，である．

高脂血症患者では肥満，運動不足，糖尿病，高血圧などが併存することが多い．

エネルギー制限により体脂肪量が減少し，インスリン抵抗性が改善する．LPLはインスリン抵抗性で機能の低下をきたすため，肥満，糖尿病ではTGの分解処理が低下し，VLDLの代謝が低下する．また，肥満はコレステロールの合成を亢進させるので，エネルギー制限による肥満の是正は脂質異常の改善につながる．表4に示すような総エネルギーの適正化を目指すが，当面は肥満におけるエネルギー制限の程度は1日250kcal程度を目安とする．また，エネルギーの配分は炭水化物50～60%，脂肪20～25%とする．

脂質の選択としてコレステロールや飽和脂肪酸の多い食品は控える．ただし，下限にも注意が必要で，飽和脂肪は総エネルギーの4.5%以上，7%未満を目標とする．ω3系多価不飽和脂肪酸を多くし，トランス脂肪酸を減らす．炭水化物については穀類や麺類，果物，飲み物に含まれるものすべてを合わせ考慮する．アルコールの摂取もTG値にかかわるので注意が必要である．バランスのよい食事療法の実践が行われているか，1～3ヵ月経過を観察する．食事療法は継続性と安全性の両面からの評価が必要であり，偏りをなくすことも重要である．約半年を目安に，これらの治療でなお改善がみられないときは，薬物療法を考慮する．

2. 薬物療法

薬物療法は，約6ヵ月間の食事療法，運動療法を経てもなお改善しないときに実施されるが，生活習慣の是正は継続して行われることが原則である．薬物療法を行う際の注意点として，使用薬物との相互作用がある．薬物療法中の栄養素の偏りが起こらないよう，継続した食事療法の管理が行われることが必要で，それが副作用の軽減にもつながる．

❸痛風・高尿酸血症

A 疾患の解説

高尿酸血症は，性・年齢を問わず，「血清尿酸値が血漿中の尿酸溶解度で7.0mg/dLを超える場合」と定義され，尿酸産生過剰型と尿酸排泄低下型と両者の混在した混合型に分類される(図7)．高尿酸血症は遺伝素因に環境因子が作用して起こる．環境因子には，過食，大量飲酒，肥満，激しい運動，脱水，ストレスなどがある．成人男性における高尿酸血症の頻度は20〜25%と報告されている．

痛風は，高尿酸血症が長く続いて症状が生じたもので，関節炎や腎機能障害(痛風腎)，尿路結石などが起こる．血清尿酸値が高いほど発症率は高くなるが，発症するのは高尿酸血症の10%程度のみで，なぜ一部にだけ発症するのかは不明である．また，尿路結石は痛風患者の10〜20%程度に認められる．痛風は中年男性に好発し，男女比は50〜70：1と男性に圧倒的に多く，これは欧米諸国に比べて日本に特有の傾向である．

B 病態栄養

尿酸は細胞の核酸を構成するプリン体が分解されたものか，プリン体を含む食物のいずれかに由来する．哺乳類は十分量のプリン体合成が可能のため，食物中の核酸が分解・吸収されて生じたプリン体は，体内のリサイクル系には回らず肝臓で直ちに尿酸に変換され，そのまま尿中に排泄される．ヒトの尿酸排泄の70%は腎臓に依存し，残り30%が汗や消化液などの腎外処理によるが，尿中への尿酸排泄能力の上限は1日約500〜600mgと限界がある．日本人の平均プリン体摂取量は1日約100〜150mgと十分許容範囲内であるが，摂取量が1日約300〜500mgに達する例では，体内蓄積量が増大し高尿酸血症が起こる．内臓脂肪の蓄積に伴い血清尿酸値は上昇するが，これにはインスリン抵抗性に伴う高インスリン血症が腎尿細管での尿酸再吸収を増加させ，血清尿酸値を上昇させるほか，肝臓における脂肪合成の亢進に伴いプリン合成が促進され，尿酸産生が亢進する機構が想定されている．

また，アルコールにより血清尿酸値は上昇するが，その機構として①エタノールがアセチルCoAに変換される際，過剰のAMPが産生され，これが分解される際に大量の尿酸が生成される，②エタノール酸化の際，NADHが増加し，肝臓でのNADHを利用するピルビン酸からの乳酸生成が高まり，腎での尿酸排泄を阻害するので血清尿酸値が上昇する，③アルコール飲料中のプリン体に由来する尿酸の増加，の3つが存在する．

血清尿酸濃度が飽和状態になると，関節液や結節内に針状の尿酸塩の結晶が析出する．

そして，多核白血球が針状結晶を貪食し，尿酸塩がマクロファージや滑膜細胞などを刺激すると，様々なサイトカインや接着分子などが放出され，激痛を引き起こすと考えられている．痛風発作は，血清尿酸値が高値のときだけでなく，数値が大きく変動する際にも起こりやすい．

また，尿路結石の危険因子は，①尿量低下，②高尿酸尿，③酸性尿，であり持続する酸性尿が最大の危険因子となる．痛風患者では必ずしも高尿酸尿を呈していないため，尿路結石の頻度は高くはなく10〜20%程度しか合併しない．

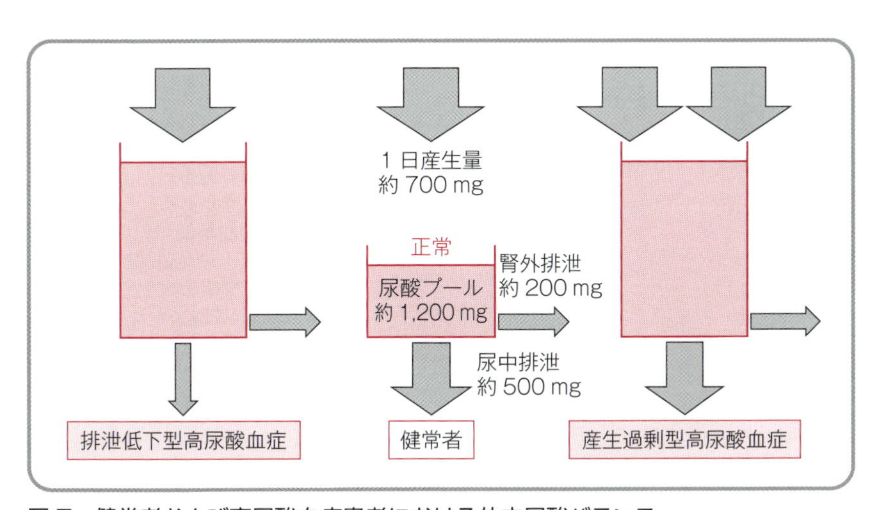

図7　健常者および高尿酸血症患者における体内尿酸バランス

C 評価と診断

高尿酸血症の病態把握には，尿酸産生過剰型，尿酸排泄低下型，混合型の病型分類を行う．

尿酸クリアランスおよびクレアチニンクリアランスの測定は1日蓄尿で行うこともできるが，外来診療では60分法で行うことがガイドラインでは推奨されている(表5)[10]．尿中尿酸排泄量は，以下の式で算出される[10]．

尿中尿酸排泄量(mg/kg/時)＝

$$\frac{[\text{尿中尿酸濃度(mg/dL)}]\times[\text{60分間尿量(mL)}]}{100\times\text{体重(kg)}}$$

正常値0.496(0.483～0.509)mg/kg/時*

*対象は健常男性

スポット尿で尿中尿酸とクレアチニン比を測定し，0.5を超えれば産生過剰型，0.5以下であれば排泄低下型と分類する簡便法に関しては，明確なエビデンスがないこともありガイドラインでは推奨されていない．

高尿酸血症は，原発性高尿酸血症と，他の病態や薬剤に起因する二次性高尿酸血症に分類される[10]．日常診療においては，原発性高尿酸血症の占める割合が圧倒的に多いが，鑑別を行うことは必須である．

痛風の主症状は，特徴的な急性関節炎発作と痛風結節であり，そのほかに痛風腎や尿路結石が合併する．診断には米国リウマチ学会の基準が使用され(表6)，感度・特異度ともに高い[11]．1または2を満たすか，3の11項目のうち6項目以上を満たせば痛風と診断する．痛風発作時の血清尿酸値は低値のことも多いため診断的価値は低い．一方，痛風結節は診断上の価値は高いものの頻度が低い．また，プリン体の摂取量を把握することは治療上重要であるが，正確で簡便な評価方法がないため，問診や食事記録調査などで推定摂取量を評価する．

表5 尿酸クリアランス，クレアチニンクリアランス試験実施法(60分法)

3日前	高プリン食・飲酒制限
起床後	絶食 飲水コップ2杯
外来	30分前：飲水300mL 0分：30分後排尿 30分後：中間時採血 [血中尿酸・クレアチニン測定] 60分後：60分間の全尿採取 [尿量測定，尿中尿酸・クレアチニン測定]

(日本痛風・尿酸核酸学会ガイドライン改訂委員会(編)．高尿酸血症・痛風の治療ガイドライン，第3版，診断と治療社，東京，2018：p97より許諾を得て転載)

D 治療

1．治療法

治療目的は尿酸塩の沈着を防ぎ，痛風関節炎，腎障害など尿酸塩沈着症(urate deposition diseases)の発症を予防することである．また，生活習慣を改善して肥満，高血圧など心血管イベントのリスクを軽快することである．運動療法やライフスタイルの改善とともに栄養管理が非常に重要で，体重減少が尿酸値の低下や痛風発作の減少と相関する．ガイドラインの治療指針フローチャートを示す(図8)[10]．痛風の薬物療法では，血清尿酸値を6.0mg/dL以下に維持することが望ましい．無症候性高尿酸血症では，生活習慣改善後も血清尿酸値が8.0mg/dL以上の場合に薬物療法の導入を検討する．

2．栄養療法

a）摂取エネルギーの適正化

食事療法の原則は，プリン体の制限と総エネルギーの制限である．特に肥満者の半数では低プリン体食よりも低エネルギー食のほうが，短期間で尿酸値が激減する．実生活では低プリン体食を毎日摂取することは困難なため，摂取エネルギーの適正化をまず行い，同時に高プリン体含有食品の過剰摂取に注意を払うことが実践的である．摂取エネルギーは，肥満患者などに用いられるエネルギー制限食で十分であり，目標体重(kg)×25～30kcalで設定する．

b）プリン体の制限

100gあたりプリン体を200mg以上含むものを高プリン食品と呼ぶ．その代表的なものを示す(表7)．プ

表6 痛風関節炎の診断基準

1．尿酸塩結晶が関節液中に存在すること
2．痛風結節の証明
3．以下の項目のうち6項目以上を満たすこと
  a）2回以上の急性関節炎の既往がある
  b）24時間以内に炎症がピークに達する
  c）単関節炎である
  d）関節の発赤がある
  e）第1中足趾節関節の疼痛または腫脹がある
  f）片側の第1中足趾節関節の病変である
  g）片側の足関節の病変である
  h）痛風結節(確診または疑診)がある
  i）血清尿酸値の上昇がある
  j）X線上の非対称性腫脹がある
  k）発作の完全な寛解がある

(Wallace SL, Robinson H, Masi AT, et al. Preliminary criteria for the classification of the acute arthritis of primary gout. Arthritis Rheum 1977; **20**: 895-900より引用)

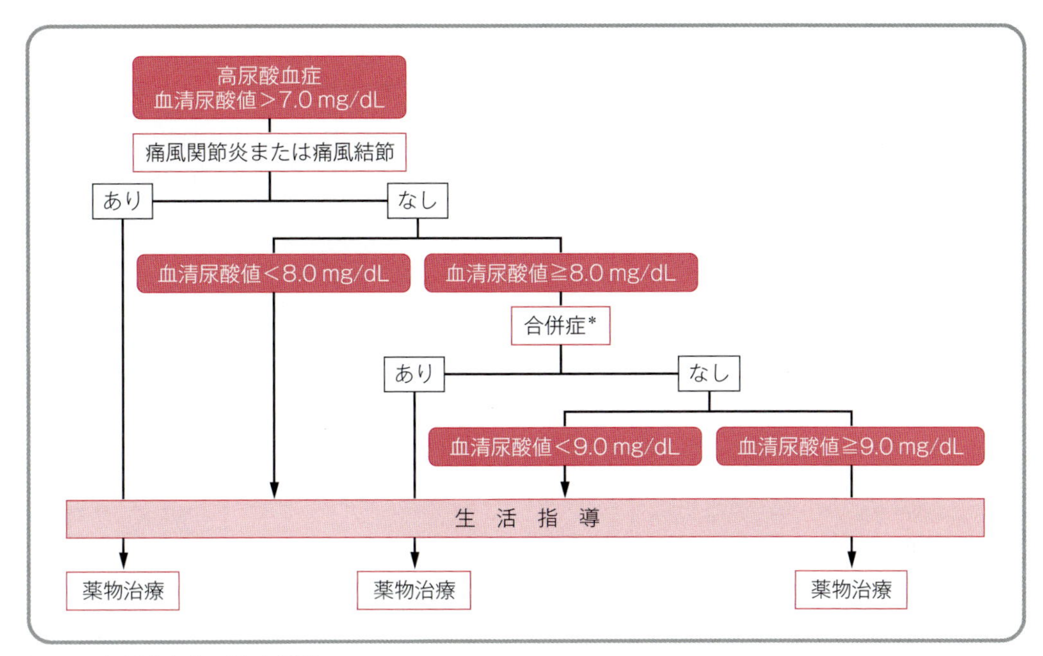

図8 高尿酸血症の治療指針

*：腎障害，尿路結石，高血圧，虚血性心疾患，糖尿病，メタボリックシンドロームなど（腎障害と尿路結石以外は血清尿酸値を低下させてイベント抑制を検討した介入試験は未施行である．このエビデンスを得るための今後の検討が必要となる）

（日本痛風・尿酸核酸学会ガイドライン改訂委員会（編）．高尿酸血症・痛風の治療ガイドライン，第3版，診断と治療社，東京，2018：p116より許諾を得て転載）

表7 高プリン食品の一例

鶏レバー，干物（マイワシ），白子（イサキ，ふぐ，たら），あんこう（肝酒蒸し），太刀魚，健康食品（DNA/RNA，ビール酵母，クロレラ，スピルリナ，ローヤルゼリー），豚レバー，牛レバー，カツオ，マイワシ，大正エビ，オキアミ，干物（マアジ，サンマ）など

リン体は核酸由来であるため，単位重量あたり細胞密度の高い内臓や精巣，卵巣に極めて多く含まれる．

また，野菜より肉類に多く含まれ，単位重量あたりでは肉よりも魚肉に多く，特に赤身の魚の肉に多い．プリン体は親水性で，ソーセージやちくわなどの加工品では調理過程で抜けるので，むしろ低プリン食であり，制限する必要はない．一方，肉汁や鶏ガラのスープには，高濃度のプリン体があるため注意する．プリン体としての1日の摂取量を200〜400 mg以下とするが，日常生活で低プリン食を継続することは困難で，高プリン食をできるだけ避けることが実践的である．

c）アルコールの制限

アルコール摂取量の増加は，プリン体の有無にかかわらず血清尿酸値が上昇し，痛風が増加するので，種類を問わず過剰摂取は避ける．ビールは他のアルコールに比べプリン体の含有量が多いが，一般のビールで100 mLに約5 mgとそれほど高プリン食品というわけではない．ただし，ビールの痛風発症リスクは1.5倍であった[12]とも報告されている．血清尿酸値への影響を最低限に保つ目安量は，1日あたり，ビールなら500 mL，日本酒なら1合，ウイスキーなら60 mL程度にとどめ，週2日以上の禁酒日を設けることが望ましい．

d）アルカリ性食品の摂取と飲水

pH 5の酸性尿では尿酸は100 mL中に数mgしか溶解できない．アルカリ食品は尿の中性化に有効で，尿酸の溶解度を高める，腎臓への尿酸沈着の予防効果が期待できる．海藻類や野菜などのアルカリ食品にはプリン体含有量が少ない食品が多く，積極的な摂取が推奨される．また，脱水は血清尿酸値の上昇や尿の酸性化を引き起こすので，運動後や夏場などは十分な水分摂取が推奨される．尿量を2,000 mL/日以上確保することが目標とされ，それには2,500 mL/日程度の飲水が必要となる．

e）その他の栄養素

コーヒーを1日4〜5杯以上飲む人は，飲まない人に比べて血清尿酸値が有意に低いことが報告されている[13]．この関連は日本茶や紅茶では認められず，またカフェイン抜きのコーヒーでも同様の結果が得られる

表８　尿酸降下薬の種類と投与量，副作用など

	一般名	商品名	推奨される１日投与量と投与方法	併用しない薬剤	併用に注意を要する薬剤	重大な副作用
尿酸排泄促進薬	プロベネシド	ベネシッド®	500～2,000mg 2～4回分服		サリチル酸製剤，インドメタシン，ナプロキセン，ジドブジン，経口糖尿病用剤，パントテン酸，セファロスポリン系抗生物質，ペニシリン系抗生物質，アシクロビル，バラシクロビル塩酸塩，ザルシタビン，ガチフロキサシン水和物，ジアフェニルスルホン，メトトレキサート，経口抗凝固薬，サルファ剤，ガンシクロビル，ノギテカン塩酸塩	溶血性貧血，再生不良性貧血，アナフィラキシー様反応，肝壊死，ネフローゼ症候群
	ブコローム	バラミチン®	300～900mg 1～3回分服		ワルファリン	皮膚粘膜眼症候群(Stevens-Johnson症候群)，中毒性表皮壊死症(Lyell症候群)
	ベンズブロマロン	ユリノーム® ほか	25～150mg 1～3回分服		ワルファリン，ピラジナミド，サリチル酸製剤	重篤な肝障害
尿酸生成抑制薬	アロプリノール	ザイロリック®	200～300mg 2～3回分服		メルカプトプリン(6-MP)，アザチオプリン，ビダラビン，ワルファリンカリウム，クロルプロパミド，シクロホスファミド，シクロスポリン，フェニトイン，キサンチン系薬剤，ジダノシン，ペントスタチン，カプトプリル，ヒドロクロロチアジド，アンピシリン	皮膚粘膜眼症候群(Stevens-Johnson症候群)，中毒性表皮壊死融解症，剥脱性皮膚炎などの重篤な皮膚障害，ショック，アナフィラキシー様症状，再生不良性貧血，汎血球減少，無顆粒球症，血小板減少，劇症肝炎などの重篤な肝機能障害，黄疸，腎不全，腎不全の増悪，間質性腎炎を含む腎障害，間質性肺炎，横紋筋融解症
	フェブキソスタット	フェブリク®	通常10～40mg 1回，最大60mg	メルカプトプリン(6-MP)，アザチオプリン	ビダラビン，ジダノシン	肝機能障害，過敏症
	トピロキソスタット	ウリアデック® ほか	通常40～120mg 2回，最大160mg	メルカプトプリン(6-MP)，アザチオプリン	ワルファリン，ビダラビン，キサンチン系薬剤，ジダノシン	ショック，アナフィラキシー，溶血性貧血，メトヘモグロビン血症

ため，コーヒーに含まれるカフェイン以外の物質に起因することが示唆されている．

ショ糖・果糖の摂取量に比例して，血清尿酸値が上昇して痛風のリスクが増加することや[14]，果糖の過剰摂取が尿路結石の形成を促進するという報告もあることから，ショ糖・果糖の過剰摂取は避けるべきである．

3．薬物療法

代表的な薬物の一覧を表８に示す．病態に合わせて薬剤を選択し，栄養療法の効果を見極めながら少量ずつ開始する．薬剤使用時の注意点は，腎障害合併例での薬剤選択や用量調整，尿酸排泄促進薬使用時の尿路結石予防のための尿アルカリ化薬併用，ワルファリンなど併用薬との相互作用があげられる．痛風発作時は，前兆期にコルヒチン，発作極期にNSAIDsか副腎皮質ステロイドを用いる．痛風発作時は血清尿酸値の変動を少なくすることが必要で，尿酸降下薬の内服を行っている場合は継続し，未投薬の場合は新規に開始せず，

関節炎が完全に鎮静化してから薬剤の最小投与量で開始する.

4. その他の治療法

肥満改善に運動療法は重要であるが, 過度な運動や無酸素運動は尿酸産生が増加し血清尿酸値が上昇するため, 適切な体重を目標にした適度な運動を継続して行うことが推奨される. 有酸素運動は, 血清尿酸値に影響せず, 体脂肪の減少に伴いインスリン抵抗性が改善し, 耐糖能の改善, 血圧値の低下など種々の病態を改善する.

❹肥満症

A 疾患の解説

肥満とは, 体に脂肪が過剰に蓄積した状態と定義され, 肥満症は肥満に関連する健康障害を合併するかその合併が予測される場合で, 減量を必要とする病的なものである(表9)[15].

日本人における肥満者の割合は, 男性が30.7%, 女性が21.9%[16]で, BMI≧30の割合は3.5%程度で日本では高度肥満が少ない特徴がある[17, 18]. 過去約30年の肥満の推移について男性は全年齢階級で増加傾向を示すが, 女性の20〜30歳代は横ばいで, 40〜60歳代で緩やかな減少を認めている.

B 病態栄養

肥満は, エネルギー摂取が消費を上回った結果として生じる. 肥満によってインスリン抵抗性が惹起され, インスリン抵抗性は代償性高インスリン血症を引き起こし, 動脈硬化性疾患をはじめとした様々な疾患の発症・進展に関与している.

インスリン抵抗性と代償性高インスリン血症を共通の病態として, 糖代謝異常, 脂質代謝異常, 高血圧, 肥満が引き起こされ, その結果, 動脈硬化が促進される「メタボリックシンドローム」は, 2005年に診断基準が提唱された(図9)[17]. 現在, メタボリックシンドロームは糖尿病, 高血圧, 脂質異常などの疾病予防対策のシンボルとして用いられている. 今日, 内臓脂肪組織はアディポサイトカインを放出する活発な内分泌臓器と捉えられるようになった. アディポサイトカインのなかには, TNF-αやMCP-1, レジスチンなどインスリン抵抗性に働くものや, レプチンやアディポネクチンなどインスリン抵抗性を軽減するものもある. 肥大化した脂肪細胞では, アディポネクチン分泌が低下し, TNF-αやMCP-1, IL-6などの分泌は亢進し, 脂肪

表9 肥満に起因ないし関連し, 減量を要する健康障害

1. 肥満症の診断基準に必須な健康障害
1) 耐糖能障害(2型糖尿病・耐糖能異常など)
2) 脂質異常症
3) 高血圧
4) 高尿酸血症・痛風
5) 冠動脈疾患:心筋梗塞・狭心症
6) 脳梗塞:脳血栓症・一過性脳虚血発作(TIA)
7) 非アルコール性脂肪性肝疾患(NAFLD)
8) 月経異常・不妊
9) 閉塞性睡眠時無呼吸症候群(OSAS)・肥満低換気症候群
10) 運動器疾患:変形性関節症(膝・股関節)・変形性脊椎症, 手指の変形性関節症
11) 肥満関連腎臓病
2. 診断基準には含めないが, 肥満に関連する健康障害
1) 悪性疾患:大腸がん, 食道がん(腺がん), 子宮体がん, 膵臓がん, 腎臓がん, 乳がん, 肝臓がん
2) 良性疾患:胆石症, 静脈血栓症・肺塞栓症, 気管支喘息, 皮膚疾患, 男性不妊, 胃食道逆流症, 精神疾患
3. 高度肥満症の注意すべき健康障害
1) 心不全
2) 呼吸不全
3) 静脈血栓
4) 閉塞性睡眠時無呼吸症候群(OSAS)
5) 肥満低換気症候群
6) 運動器疾患

(日本肥満学会(編). 肥満症診療ガイドライン2016, ライフサイエンス出版, 東京, 2016:p xiiより許諾を得て転載)

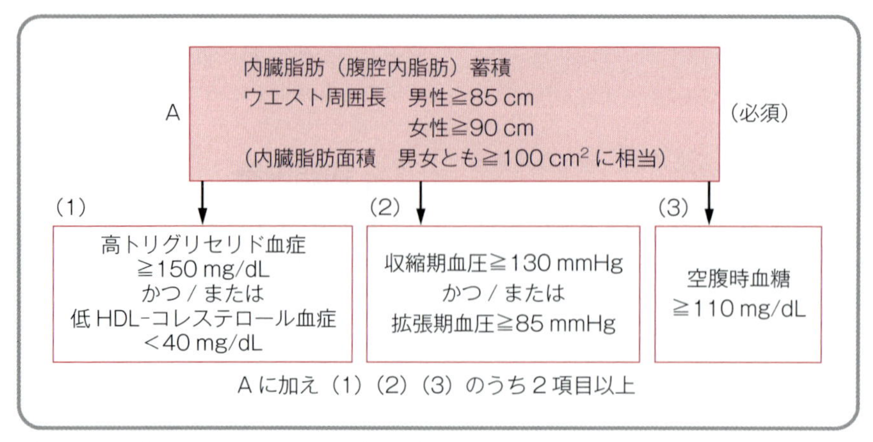

図 9　メタボリックシンドローム診断基準

（メタボリックシンドローム診断基準検討委員会．メタボリックシンドロームの定義と診断基準．日本内科学会雑誌 2005; **94**: 794-809 より作成）

表 10　肥満度分類

BMI（kg/m²）	判定	WHO 基準
＜18.5	低体重	Underweight
18.5≦～＜25	普通体重	Normal range
25≦～＜30	肥満（1 度）	Pre-obese
30≦～＜35	肥満（2 度）	Obese class Ⅰ
35≦～＜40	肥満（3 度）	Obese class Ⅱ
40≦	肥満（4 度）	Obese class Ⅲ

注 1）ただし，肥満（BMI≧25）は，医学的に減量を要する状態とは限らない．なお，標準体重（理想体重）は最も疾病の少ない BMI 22 を基準として，標準体重（kg）＝身長（m）^{2}×22 で計算された値とする．
注 2）BMI≧35 を高度肥満と定義する．
（日本肥満学会（編）．肥満症診療ガイドライン 2016，ライフサイエンス出版，東京，2016：p xii より許諾を得て転載）

組織に炎症性変化が誘導され[19]，インスリン抵抗性が増大することが示されている．

C 評価と診断

現在，肥満の判定には身長，体重から算出される body mass index（BMI）が用いられている．表 10 に，日本肥満学会と WHO が定めた，肥満の判定基準を示す[15]．WHO では BMI 30 以上を肥満としているが，日本では 25 以上を肥満としている．日本では，比較的軽い肥満で肥満関連疾患が発症するデータが蓄積されていること，BMI 25 の付近で高血圧，脂質異常症，高血糖の発現率が増加することなどから[21]，日本肥満学会は WHO 基準と異なる BMI 25 以上を肥満と判定した．肥満症診断のフローチャートを示す（図 10）[20]．

肥満症の診断は，まず肥満の判定を行った後に，肥満が原因で起こる健康障害の有無をチェックする．さらに，ウエスト周囲長の計測が行われ，男性 85 cm，女性 90 cm 以上の者に対して腹部 CT 検査を施行し，臍部にて内臓脂肪面積 100 cm² 以上の者を内臓脂肪蓄積と判定し，肥満症と診断している．

D 治療

1．治療法

肥満症の治療目的は，過剰な体重を標準体重に戻すことではなく，肥満を軽減させることにより，肥満に合併している健康障害を改善させることである．ガイドラインで提案された，肥満症の治療指針のフローチャートを示す（図 11）[15]．

肥満症を肥満症（25≦BMI＜35）と高度肥満症（35≦BMI）に二分したうえで，減量目標は，肥満症で現体重

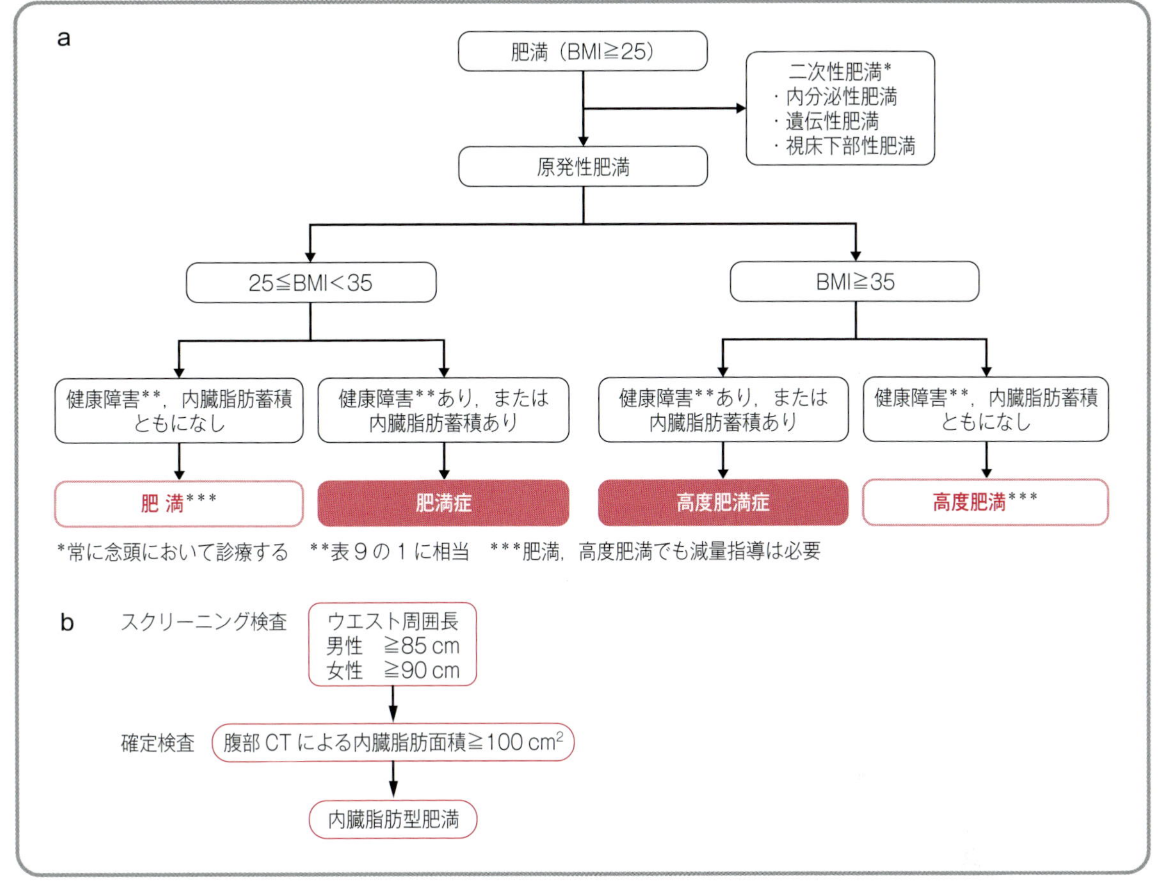

図 10　肥満症診断のフローチャートと内臓脂肪型肥満の判定手順
a：肥満症診断のフローチャート
b：肥満における内臓脂肪型肥満の判定手順（BMI≧25 の場合）
（日本肥満学会（編）．肥満症診療ガイドライン 2016，ライフサイエンス出版，東京，2016：p xiii-xiv より許諾を得て転載）

の 3%，高度肥満症では 5～10%としている．また，肥満症の治療は多岐かつ長期にわたるものであり，複数科の医師・管理栄養士・看護師・薬剤師・理学療法士・臨床心理士・ソーシャルワーカーらによる多職種協働によるチーム医療が必要不可欠である．

2．栄養療法

肥満症の治療の原則は，摂取エネルギー量を消費エネルギー量より少なくすることである．

肥満症の場合に 25 kcal×標準体重/日以下，高度肥満症の場合に 20～25 kcal×標準体重/以下を目安に，医師や栄養士が患者に適した食事量を選択することが重要である．

たんぱく質に関しては，蛋白異化が起こらないよう必須アミノ酸を含むたんぱく質を標準体重 1 kg あたり 1.0～1.2 g 確保することが必須であり，運動療法を併用することで筋力の低下が起こらないようにすることが重要である．

たんぱく質・脂肪・炭水化物（PFC）比については，従来は炭水化物 60%が推奨されていたが，現時点ではたんぱく質を必要量確保したうえで，50～60%を目安に個々の状態に合わせた調節を行っている[15]．1 日 1,000 kcal 程度になると，たんぱく質や微量栄養素が不足しやすいので注意が必要である．特に不足しやすいものは，ビタミンでは A，C，D，B_1，B_2，ナイアシンであり，ミネラルでは鉄とカルシウムに注意が必要である．豆類，海藻，きのこ類，緑黄色野菜の摂取が有用である．

迅速で大幅な減量が必要な高度肥満者では，1 日 600 kcal の超低エネルギー食（very low calorie diet：VLCD）を用いる場合がある．炭水化物，脂質を極力減らしたうえで，十分なたんぱく質とビタミン・ミネラルを摂取することを一般食のみで行うことは現実的に困難であり，そのために調整された食品であるフォー

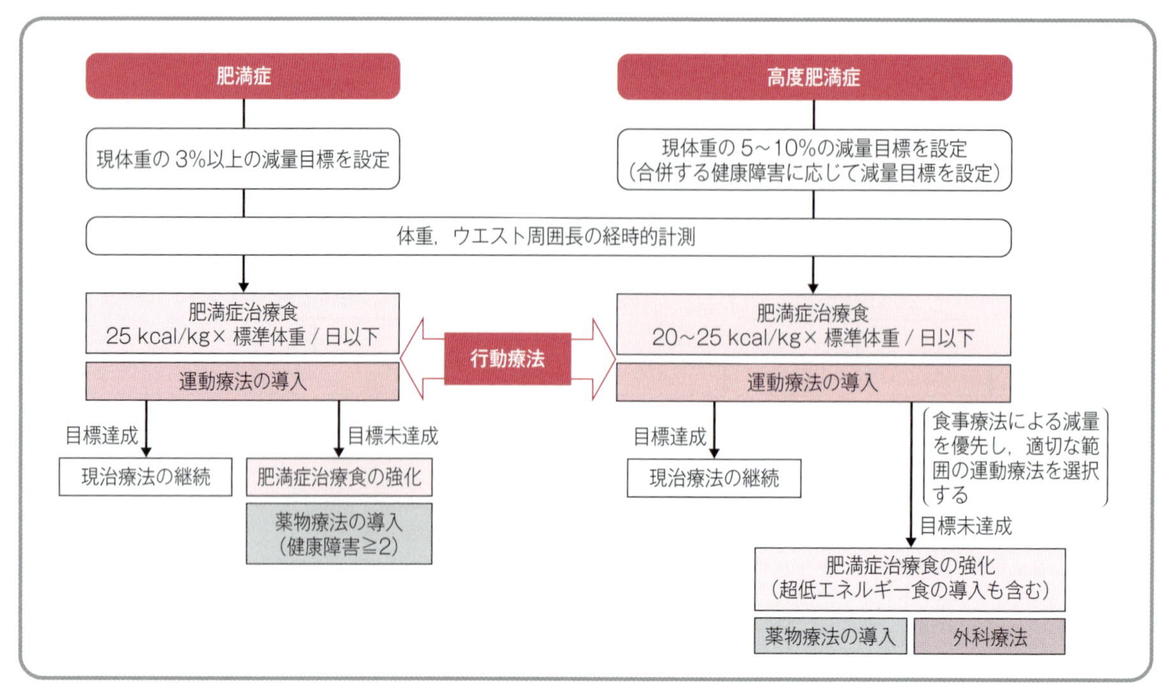

図 11　肥満症治療指針
(日本肥満学会(編). 肥満症診療ガイドライン 2016，ライフサイエンス出版，東京，2016：p xvii より許諾を得て転載)

ミュラ食を用いることが一般的である(表 11)[22].

VLCD には様々な副作用を伴う場合があるので，適応と注意事項を十分に検討したうえで(表 12)[22]，専門医の管理下で入院加療を原則とする.

フォーミュラ食を1日3回実施することで平均 250～300 g/日，5～10 kg/月の減量が期待できるが，長期遵守率やリバウンドの問題があるため，1日1回実施することで平均 100 g/日，2～3 kg/月の減量が期待できる1日1回法も多く行われている.

3. 運動療法

運動療法による体重減少はエネルギー消費量に依存し，身体活動量の増加により減量体重の維持が期待できる. 肥満に伴う健康障害の改善には，まず運動療法や中強度(3～6 Mets)の生活活動でも期待できる.

運動による消費エネルギーは大きくないため，直接の減量効果はそれほど期待できないが，身体トレーニングの継続は基礎代謝の増加，インスリン抵抗性改善や，カロリー制限下の蛋白異化亢進による筋力低下予防にも効果的で，食事・運動療法の併用は必須である.

継続した運動習慣を維持できるように，日常診療において各個人に合わせて指導することが必要となる.

4. 行動療法

肥満者は，程度の差はあるが特有の食行動に関する思考様式と行動特性を有していることが多い.

それらの特徴的なパーソナリティを理解したうえで，日常生活のどのような行動が肥満の助長もしくは改善に結びついているのかを明らかにし，そこに働きかけるのが行動療法である. 患者の主体性を高め，減量プログラムの長期維持を可能にするためには不可欠な治療法である.

5. 薬物療法

世界的には多種類の肥満症治療薬が使用されているが，現在，日本で使用可能な薬物は中枢性食欲抑制薬のマジンドール，脂肪組織でのエネルギー代謝の亢進を介する防風通聖散がある. また，脂肪酸・コレステロール吸収抑制薬であるリパーゼ阻害薬のセチリスタットがあるが，薬価収載保留で未発売である.

糖尿病治療薬である GLP-1 受容体作動薬や SGLT2 阻害薬，ビグアナイド薬にも体重減少効果が認められており，糖尿病治療では体重への影響も考慮した治療を行う必要がある.

6. 外科的治療

現在，大きな発展が認められている治療法は外科的

表 11　フォーミュラ食の組成

熱量および栄養成分		オプティファースト 70（1 袋あたり）	マイクロダイエット（1 袋あたり）	オベキュア（1 食分）	食事摂取基準　1 日量
熱量	(kcal)	84	174	170	
蛋白質	(g)	14	20	22	標準体重(kg)×1.0～1.2g
脂質	(g)	0.4	3.7	2.0	
糖質	(g)	6.0	11.2	15.0	
食物繊維	(g)	－	8.0	4.5	10g/1,000kcal
ビタミン A	(μg)	300(1,000IU)	350	300	8.25μg×体重×1.4
ビタミン D	(μg)	2.0(80IU)	4.2	2.5	5.0μg
ビタミン E	(μg)	4.0(6.0IU)	4.4	10	7～9mg
ビタミン K	(μg)	－	35	5	80μg×体重×0.75
ビタミン B_1	(mg)	0.45	0.9	1.4	1.1mg
ビタミン B_2	(mg)	0.52	0.9	1.6	1.2mg
ナイアシン	(mg)	4.0	13	6.5	17mg
ビタミン B_6	(mg)	0.6	1.3	1.4	1.6mg
葉酸	(μg)	80	163	300	200μg
ビタミン B_{12}	(μg)	1.2	2.2	2.4	2.0μg
パントテン酸	(mg)	2.0	3.3	3.0	5mg
ビタミン C	(mg)	18	60	50	85mg
カルシウム	(mg)	160	380	330	600mg
リン	(mg)	160	250	300	男 1,050，女 900mg
カリウム	(mg)	390	800	500	男 2,000，女 1,600mg
ナトリウム	(mg)	184	260	230	600mg
マグネシウム	(mg)	52	116	165	4.5mg/kg/1.2
鉄	(mg)	3.6	9.0	6.0	12mg
亜鉛	(mg)	－	7.0	3.5	12mg
ヨウ素	(μg)	－	60	20	95μg
セレン	(μg)	－	28	10	24.3μg×体重/60×1.2
クロム	(μg)	－	56	10	35μg

（日本肥満症治療学会治療ガイドライン委員会(編)．肥満症の総合的治療ガイド，日本肥満症治療学会，東京，2013 より許諾を得て転載）

治療である．

高度肥満群に対して，長期にわたる有効性を示すエビデンス[23]や，内科的治療との比較で外科的治療の有効性を示すエビデンスが示され，日本では BMI 35 以上で糖尿病などを合併する高度肥満患者に腹腔鏡下スリーブ状胃切除術が保険適用である．高度肥満患者では，長期にわたる減量と代謝異常改善を目的に外科的治療は手段のひとつとなるが，術後のフォローアップが非常に重要で，食事療法を継続しつつ，合併症の経過観察を行う必要がある．

これらの観点から長期にわたりサポートが可能な，多職種協働によるチーム医療体制を整えることが必要不可欠である[22]．

栄養管理の面からは，術前管理として血糖コントロールや脂肪肝による肝臓肥大の改善を目的とした減量を行い，術後管理としては不足しやすい栄養素の補給やダンピング症候群への対応が必要となる．特に不足しやすい栄養素はたんぱく質，カルシウム，各種ビタミン(A，D，E，K および B_1，葉酸，B_{12}，C)，鉄，亜鉛である．

術前後いずれの場合も，フォーミュラ食の利用が効果的であるという報告がなされており，治療ガイドにも標準治療として示されている[22]．

表 12　フォーミュラ食の適応と使用上の注意事項

Ⅰ．適応と効果
肥満があり，それによって悪化する疾患を有する人が減量および減量後の体重を維持する目的で使用する．合併症の改善や使用薬剤の削減も期待できる．
Ⅱ．使用上の注意事項
①**糖尿病**：低血糖予防のため，フォーミュラ食使用時には以下の使用薬剤を調整する必要がある． ○インスリン：フォーミュラ食摂食直前のインスリン注射量は原則として半量とする． ○経口糖尿病治療薬：スルホニル尿素(SU)薬，速効型インスリン分泌促進薬は，フォーミュラ食摂取時は原則中止にする． ②**腎臓疾患(蛋白尿)**：肥満により尿蛋白が出ることがあり，その場合，フォーミュラ食による減量が尿蛋白を減少させることがある． ③**心臓疾患**：肥満により慢性心不全が増悪している場合，フォーミュラ食による減量で心機能が改善することがある．ただし，不整脈が生じやすいとされており，入院監視下での使用が求められる． ④**肝臓疾患**：脂肪肝にフォーミュラ食は有効であるが，肝硬変(肝不全)時には高蛋白摂取により肝性脳症を誘発する可能性があるため，使用を控える必要がある． ⑤**妊婦**：1 日 1 回の使用であれば問題がないと思われるが，これに関する詳細なデータはまだない． ⑥ **15 歳以下の人**：フォーミュラ食を用いた報告はあるものの，成長曲線への影響などについてのデータはまだない． ⑦**下痢反復例**：使用開始直後に下痢が起こる場合がある．頻回の下痢が持続するときには，使用を中止する． **[使用を禁止すべきケース]** ①急性冠動脈症候群(急性心筋梗塞や不安定狭心症，3 ヵ月以内)：不整脈を助長する可能性がある． ②脳梗塞急性期疾患(3 ヵ月以内)：脱水により脳血流が不安定となり，症状が悪化する可能性がある． ③悪性腫瘍罹患中の人 ④食物アレルギーの既往のある人：フォーミュラ食には，乳蛋白，卵白蛋白，大豆蛋白が含まれていることが多い．これらにアレルギーがある人には使用を控える．

(日本肥満症治療学会治療ガイドライン委員会(編)．肥満症の総合的治療ガイド，日本肥満症治療学会，東京，2013 より許諾を得て転載)

❺骨粗鬆症

A 疾患の解説

骨強度が低下して，骨折しやすくなる骨格疾患であり，骨強度は骨密度と骨質により規定される．原発性骨粗鬆症と続発性骨粗鬆症に分類され，原発性骨粗鬆症は遺伝的素因と加齢に生活習慣が加わった複合的な多因子疾患である．日本の 40 歳以上の患者数は 1,280 万人(男性 300 万人，女性 980 万人)で，女性は男性の約 3 倍多いと推定されている[24]．

続発性骨粗鬆症は骨折リスクの病態を起こす原因を有する疾患である．骨強度低下に対する骨密度と骨質両者の関与の度合いは疾患ごとに様々である．続発性骨粗鬆症の代表的原因として以下のものがある．

①**副甲状腺機能亢進症**：副甲状腺自体の病変である原発性副甲状腺機能亢進症と，慢性腎臓病などによる続発性副甲状腺機能亢進症がある．

②**生活習慣病関連骨粗鬆症**：様々な生活習慣病が骨代謝に影響するが，特に糖尿病と慢性腎臓病によるものが確立されつつある．生活習慣病関連骨粗鬆症では，骨密度は比較的保持され，骨質の劣化が主体となるものが多い．

③**ステロイド性骨粗鬆症**：薬剤性骨粗鬆症であり，ステロイド長期使用者の 50%以上に骨粗鬆症が発症しているとされる．

B 病態栄養

1．病態生理

a) 原発性骨粗鬆症

加齢とともに骨密度が低下し，骨質が劣化し，骨強度が低下する．さらに遺伝素因，成長期の栄養不足，運動不足，生活習慣などが複合的に作用し，骨強度が著しく低下した状態が骨粗鬆症である．骨強度の説明要因のうち 70%が骨密度，30%が骨質であるとされる．骨質は骨微細構造，骨代謝回転，微細骨折の集積，骨組織の石灰化などが規定因子である．骨は破骨細胞による骨吸収と，骨芽細胞による骨形成を繰り返しており(骨のリモデリング)，骨吸収>骨形成となると骨密度が低下する．閉経により骨吸収が異常亢進し高回転型（骨形成亢進・骨吸収亢進）の骨密度低下が起こる．加えて，加齢に伴う骨芽細胞機能の低下，加齢に伴うカルシウム吸収能の低下なども原因となる．

骨質低下の原因には，二次石灰化度の低下や骨微細構造の劣化と，材質劣化がある．また，コラーゲンの減少や分子間架橋の老化が骨質低下を惹起する．これらは，加齢，糖尿病などの酸化ストレスや糖化などにより誘導される．一方，オステオカルシンは，基質の石灰化やコラーゲン架橋形成に関与するが，ビタミンK不足の影響を受ける．

b）続発性骨粗鬆症

①副甲状腺機能亢進症

副甲状腺ホルモン亢進が慢性化すると，骨吸収>骨形成となり骨密度が低下する．原発性では，副甲状腺ホルモンの過剰から高カルシウム血症が認められる．続発性では，ビタミンD欠乏などにより反応性に副甲状腺機能が亢進した状態で，高カルシウム血症は認められない．

②生活習慣病関連骨粗鬆症

1型糖尿病では骨密度低下から大腿骨近位部骨折のリスクが約6倍に高まる．2型糖尿病では骨密度上昇が認められ，大腿骨近位部骨折のリスクは約1.4〜2倍にとどまる．骨質の低下や，転倒リスク，チアゾリジン誘導体などの治療薬の影響など他因子の関与も推定されている．

③ステロイド性骨粗鬆症

骨芽細胞や骨細胞のアポトーシスを増強して骨形成を阻害し，破骨細胞の成熟を増強して骨吸収を促進する．また，腸からのカルシウム吸収低下などにより，続発性副甲状腺機能亢進を起こす．ステロイド開始早期から骨密度低下と骨質劣化が惹起され，脆弱性骨折率が高い．

2. 栄養に関する基礎的病態

a）カルシウムとビタミンD

骨に含まれる多量のカルシウムは血清カルシウム濃度の維持に必須である．副甲状腺ホルモンは，①骨吸収促進，②尿細管カルシウム再吸収促進，③近位尿細管でのビタミンD活性化，を介してカルシウム濃度を維持する．活性型ビタミンDは，腸管からのカルシウム吸収促進作用がある．

b）ビタミンK

ビタミンKは，グルタミン酸残基にカルボキシル基を導入してGla化する酵素，γ-carboxylaseの補酵素である．ビタミンK作用不足は骨折の危険因子となる．

C 評価と診断

現行の診断基準は「原発性骨粗鬆症の診断基準（2012年度改訂版）」である．低骨量の他疾患などを鑑別診断することが重要である．大きな外力に基づかない骨折を脆弱性骨折と診断する．診断には胸腰椎のX線写真が用いられる．骨密度測定にはDXA（dual-energy X-ray absorptiometry）を用い，診断には若年成人平均値（young adult mean：YAM）を用いる．測定部位は腰椎を原則とするが，可能であれば腰椎と大腿骨近位部の2部位を測定し，診断にはYAMに対する比率の低いほうを用いる．国際的には大腿骨近位部のT-scoreが用いられることが多い．YAMの80％がT-scoreでの−1.5，YAMの70％がT-scoreでの−2.5にほぼ相当する．骨代謝マーカーは，骨代謝を鋭敏に反映する非侵襲的な検査で，様々な指標が臨床で用いられている．

なお，「ステロイド性骨粗鬆症の管理と治療ガイドライン2014年改訂版」が発表されている[25]．

D 治療

1. 原発性骨粗鬆症の治療

骨折を予防し，骨格全体の健康を維持するために骨吸収抑制薬や骨形成促進薬による薬物療法，骨強度を維持・増強させる生活習慣の確立，転倒などの危険因子の回避などを総合的に行う．種々の骨折危険因子を考慮に入れた薬物治療開始基準が提案されている（図12）．

a）栄養療法[24, 26]

①カルシウム

日本人の食事摂取基準[27]のカルシウム摂取推奨量は成人で1日620〜800mgで，この推奨量は成長期に十分骨量を獲得し，成人期以降も骨量が維持できているものとして算定されている．加齢によるカルシウム吸収低下などを考慮すると，骨粗鬆症治療には1日700〜800mgの摂取が推奨される．ただし，カルシウム薬の投与は1回に500mg以上としないように注意する．

②ビタミンD

ビタミンDは，脂質吸収低下，日光曝露減少などのため高齢者で不足していることが多い．ビタミンDの摂取目安量は，成人で1日8.5μgである．血中の25(OH)Dを測定することで，ビタミンDの栄養状態を推定できる．活性型ビタミンD製剤投与時は高カルシウム血症に注意する．

③ビタミンK

ビタミンKは，ビタミンK_1，K_2の2型があり，ビタミンK_1は緑黄色野菜，ビタミンK_2は腸内細菌で合成されるか，納豆などの食品から摂取される．ビタミ

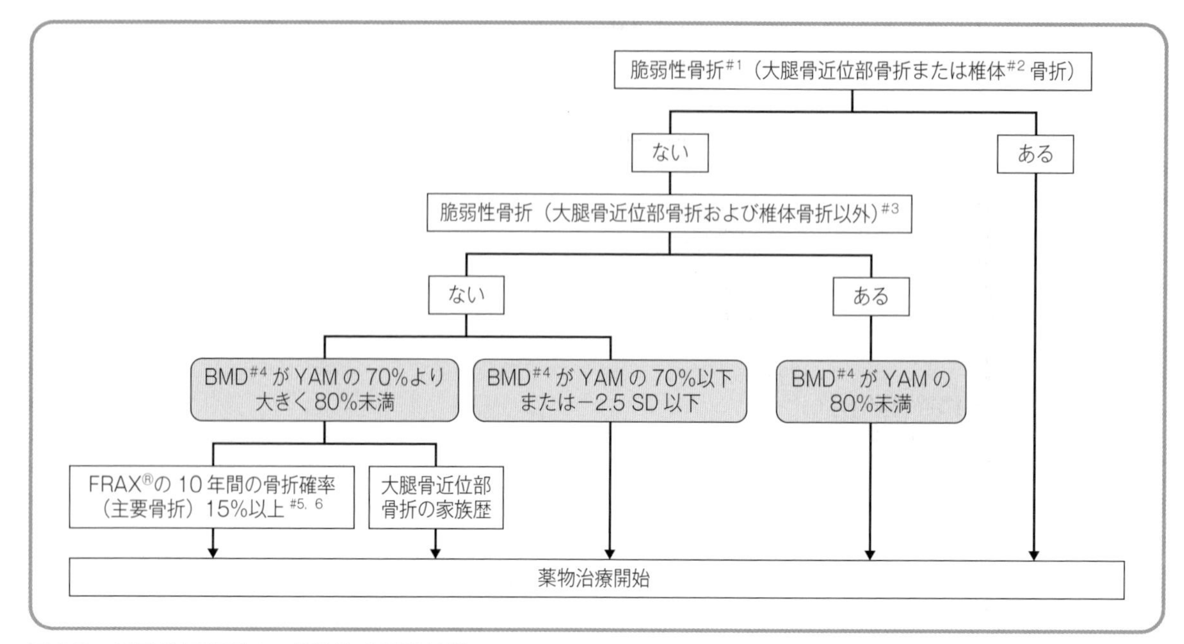

図 12　原発性骨粗鬆症の薬物治療開始基準

#1：軽微な外力によって発生した非外傷性骨折．軽微な外力とは，立った姿勢からの転倒か，それ以下の外力をさす．
#2：形態椎体骨折のうち，3 分の 2 は無症候性であることに留意するとともに，鑑別診断の観点からも脊椎エックス線像を確認することが望ましい．
#3：その他の脆弱性骨折：軽微な外力によって発生した非外傷性骨折で，骨折部位は肋骨，骨盤(恥骨，坐骨，仙骨を含む)，上腕骨近位部，橈骨遠位端，下腿骨．
#4：骨密度は原則として腰椎または大腿骨近位部骨密度とする．また，複数部位で測定した場合にはより低い%値または SD 値を採用することとする．腰椎においては L1〜L4 または L2〜L4 を基準値とする．ただし，高齢者において，脊椎変形などのために腰椎骨密度の測定が困難な場合には大腿骨近位部骨密度とする．大腿骨近位部骨密度には頸部または total hip(total proximal femur)を用いる．これらの測定が困難な場合は橈骨，第二中手骨の骨密度とするが，この場合は%のみ使用する．
#5：75 歳未満で適用する．また，50 歳代を中心とする世代においては，より低いカットオフ値を用いた場合でも，現行の診断基準に基づいて薬物治療が推奨される集団を部分的にしかカバーしないなどの限界も明らかになっている．
#6：この薬物治療開始基準は原発性骨粗鬆症に関するものであるため，FRAX®の項目のうち糖質コルチコイド，関節リウマチ，続発性骨粗鬆症にあてはまる者には適用されない．すなわち，これらの項目がすべて「なし」である症例に限って適用される．

（骨粗鬆症の予防と治療ガイドライン作成委員会(編)．骨粗鬆症の予防と治療ガイドライン 2015 年版，ライフサイエンス出版，東京，2015：p63 より許諾を得て転載）

ンＫ摂取目安量は，成人では１日 150 μg である．低カルボキシル化オステオカルシンを測定すると，ビタミンＫの栄養状態を推定できる．薬物はビタミン K_2 製剤であり，軽度の骨密度上昇効果，椎体・非椎体骨折抑制効果が示されている．

④その他の栄養素

ビタミン B_6，B_{12}，葉酸などのビタミンの摂取量が少ないと，血中ホモシステイン濃度の上昇が認められる．高ホモシステイン血症は，骨密度とは独立した骨折の危険因子である．マグネシウムも骨量や骨質の維持に必要で，適切な摂取が推奨される．食塩，リン，カフェインやアルコールの過剰摂取は控えるよう心がける．

b）薬物療法

多くの薬剤が用いられるが，治療薬の選択では骨密度上昇や骨折抑制効果だけでなく，QOL 改善効果，薬剤アドヒアランス，骨外作用，安全性などを考慮して選択する．

c）その他の治療法

運動介入により骨密度上昇と骨折抑制をもたらすので，各種の運動を個々に合わせ指導する．転倒予防には筋力維持のほか，視力改善を行うことや，常用薬(睡眠薬，降圧薬，糖尿病治療薬など)の見直しなどの環境整備も必要である．

2．続発性骨粗鬆症の治療

a）原発性副甲状腺機能亢進症

外科的切除が原則である．薬物療法ではビスホスホネート製剤，SERM などが考慮される．続発性副甲状腺機能亢進症では，原疾患の治療を行う．ビタミンＤ不足では，天然型ビタミンＤの補充を考慮する．

b) 生活習慣病関連骨粗鬆症

糖尿病ではビスホスホネート製剤やSERM，副甲状腺ホルモン製剤の有用性が報告されているが，その他の疾患については十分なエビデンスはない．

c) ステロイド性骨粗鬆症

一般的な栄養療法や運動療法，生活習慣の改善などは，原発性骨粗鬆症と同様である．薬物療法は，アレンドロネートとリセドロネートが第一選択である．

文献

1) 糖尿病診断基準に関する調査検討委員会．糖尿病の分類と診断基準に関する委員会報告．糖尿病 2010; **53**: 450-467
2) 日本糖尿病学会(編・著)．糖尿病治療ガイド 2020-2021，文光堂，東京，2014
3) 日本糖尿病学会(編・著)．糖尿病専門医研修ガイドブック，第7版，診断と治療社，東京，2017
4) 日本糖尿病学会(編・著)．糖尿病診療ガイドライン 2019，南江堂，東京，2019
5) 日本糖尿病学会(編・著)．糖尿病食事療法のための食品交換表，第7版，日本糖尿病協会・文光堂，東京，2013
6) 日本動脈硬化学会．動脈硬化性疾患予防ガイドライン 2017年版，日本動脈硬化学会，東京，2017
7) Nishimura K, OkamuraT, Watanabe M, et al. Predicting coronary heart disease using risk factor categories for a Japanese urban population, and comparison with the Framingham risk score: The Suita Study. J Atheroscler Thromb 2014; **21**:784-798
8) Okamura T, Tanaka H, Ueshima H, et al; NIPPON DATA90 Research Group. The inverse relationship between serum high-density lipoprotein cholesterol level and all-cause mortality in a 9.6-year follow-up study in the Japanese general population. Atherosclerosis 2006; **184**: 143-150
9) Iso H, Naito Y, Sato S, et al. Serum triglyceride and risk of coronary heart disease among Japanese men and women. Am J Epidemiol 2001; **153**: 490-499
10) 日本痛風・尿酸核酸学会ガイドライン改訂委員会(編)．高尿酸血症・痛風の治療ガイドライン，第3版，診断と治療社，東京，2018
11) Wallace SL, Robinson H, Masi AT, et al. Preliminary criteria for the classification of the acute arthritis of primary gout. Arthritis Rheum 1977; **20**: 895-900
12) Choi HK, Atkinson K, Karlson EW, et al. Alcohol intake and risk of incident gout in men; A prospective study. Lancet 2004; **363**: 1277-1281
13) Kiyohara C, Kono S, Honjo S, et al. Inverse association between coffee drinking and serum uric acid concentrations in middle-aged Japanese males. Br J Nutr 1999; **82**: 125-130
14) Gao X, Qi L, Qiao N, et al. Intake of added sugar and sugar-sweetened drink and serum uric acid concentration in US men and women. Hypertension 2007; **50**: 306-312
15) 日本肥満学会(編)．肥満症診療ガイドライン 2016，ライフサイエンス出版，東京，2016
16) 厚生労働省. 平成29年国民健康・栄養調査結果の概要 <https://www.mhlw.go.jp/content/10904750/000351576.pdf>(最終アクセス：2020年11月12日)
17) メタボリックシンドローム診断基準検討委員会．メタボリックシンドロームの定義と診断基準．日本内科学会雑誌 2005; **94**: 794-809
18) 厚生労働省．平成24年国民健康・栄養調査報告 <https://www.mhlw.go.jp/bunya/kenkou/eiyou/dl/h24-houkoku.pdf>(最終アクセス：2020年11月12日)
19) Suganami T, Ogawa Y. Adipose tissue macrophages: their role in adipose tissue remodeling. J Leuko Biol 2010; **88**: 33-39
20) 日本肥満学会肥満症診断基準検討委員会．肥満症診断基準 2011．肥満研究 2011; **17**: 1-78
21) 吉池信男，西　信雄，松島松翠，ほか. Body Mass Indexに基づく肥満の程度と糖尿病，高血圧，高脂血症の危険因子との関連―多施設共同研究による疫学的検討．肥満研究 2000; **6**: 4-17
22) 日本肥満症治療学会治療ガイドライン委員会(編)．肥満症の総合的治療ガイド，日本肥満症治療学会，東京，2013
23) Sjöström L, Narbro K, Sjöström CD, et al; Swedish Obese Subjects Study. Effects of bariatric surgery on mortality in Swedish obese subjects. N Engl J Med 2007; **357**: 741-752
24) 骨粗鬆症の予防と治療ガイドライン作成委員会(編)．骨粗鬆症の予防と治療ガイドライン 2015年版，ライフサイエンス出版，東京，2015
25) 日本骨代謝学会ステロイド性骨粗鬆症の管理と治療ガイドライン改訂委員会(編)．ステロイド性骨粗鬆症の管理と治療ガイドライン 2014年改訂版，大阪大学出版会，大阪，2014
26) WHO scientific group. WHO Technical Report Series 921 Prevention and Management of Osteoporosis, World Health Organization, Geneva, 2003
27) 厚生労働省．日本人の食事摂取基準 2010年版 <https://www.mhlw.go.jp/shingi/2009/05/s0529-4.html>(最終アクセス：2020年12月11日)

2 呼吸器疾患

❶慢性閉塞性肺疾患（COPD）

A 疾患の解説

慢性閉塞性肺疾患（chronic obstructive pulmonary disease：COPD）は，慢性呼吸不全の基礎疾患として最も高頻度にみられ，日本の疫学調査では40歳以上の日本人での有病率は8.6％であり，約530万人が罹患していると推測されている．COPDに関する国際的ガイドラインであるGlobal Initiative for Chronic obstructive Lung Disease（GOLD）では「有害な粒子またはガスを吸入することによって気道や肺胞に異常が生じ，その結果，慢性の呼吸器症状や気流閉塞を生じる疾患であり，肺の発育障害などの要因も関与する」と定義している[1]．中枢および末梢の気道病変と肺実質破壊の両者が病態の形成に関与する．また，種々の併存症が病態や予後に影響を及ぼしている[1]．

喫煙は最も重要な発症リスクであり，その他には粉塵や化学物質への曝露，室内外の大気汚染，遺伝的素因，気道過敏性の亢進などの関与があげられる．

患者の大多数が喫煙歴のある中高年者で，労作時呼吸困難，喀痰，咳嗽が主症状であり，喘鳴を伴うこともある．呼吸機能検査で閉塞性換気障害が認められ，胸部X線写真などによって他の心肺疾患を除外できればCOPDと診断できる．

B 病態栄養

1．病態生理

喫煙によって肺に好中球，マクロファージ，リンパ球などの炎症細胞が集積し，それがCOPDの病因と深く関連している．肺の炎症がCOPDの病変を引き起こすプロセスとして，プロテアーゼ・アンチプロテアーゼ不均衡とオキシダント・アンチオキシダント不均衡が中心的仮説となっている．これは肺傷害における攻撃因子である種々のプロテアーゼや酸化ストレスが，防御因子であるアンチプロテアーゼや抗酸化物質を量的あるいは質的に凌駕する結果，気道炎症や肺胞壁の破壊が生じるというものである．肺胞細胞のアポトーシスや肺の発育障害の関与も示唆されている．一方，一部の喫煙者のみがCOPDを発症することから，患者側の内因性因子の関与も重要である．

COPDでみられる気流閉塞やエアートラッピングに伴う肺過膨張は運動能の低下をもたらす．ガス交換能の障害によって低酸素血症が生じ，肺高血圧症は右心不全の原因となる．これらはいずれも労作時呼吸困難の原因となる．粘液の過分泌は慢性の湿性咳嗽をもたらす．また，全身性の影響として栄養障害や骨格筋機能障害，心血管疾患，骨粗鬆症，抑うつ，代謝性疾患などがあげられる．COPDは緩徐に進行する慢性疾患であるが，時に呼吸困難，咳，喀痰などの症状が短期間に悪化する増悪と呼ばれる病態が生じる．

COPD患者では体重減少が高率に認められる．呼吸不全に関する調査研究班における調査では，軽症・中等症患者が約7割を占めていたにもかかわらずbody mass index（BMI）が20 kg/m^2未満の体重減少は約30％の患者にみられた[2]．また，体重減少は閉塞性障害の重症度と関連し，対標準1秒量（$\%FEV_1$）が30％未満の最重症患者では約60％と高率な体重減少が認められた[2]．

体重および除脂肪体重（lean body mass：LBM）は1秒量（FEV_1）や肺拡散能（DLco），残気量（%RV）などの呼吸機能指標とともに呼吸筋力や運動耐容能と相関する[3]．BMIは呼吸機能障害の重症度とは独立した予後因子となり，LBMはBMIよりもさらに鋭敏な予後因子となる．栄養障害はCOPDにおける増悪の発症要因にもなり，増悪により栄養障害はさらに進行する．また，栄養障害はQOLの低下とも関連している．すなわち，COPD患者の栄養障害は病態生理およびQOLの低下や予後と密接に関連している．

2．病態と栄養障害

栄養障害の原因として，代謝亢進に基づくエネルギーインバランスや全身性炎症，内分泌ホルモンの分泌動態の変化などの複合的要因の関与が想定される（図1）．安定期においても安静時エネルギー消費量（resting energy expenditure：REE）は増大しており，代謝亢進状態にある．REEの増大は閉塞性換気障害や肺過膨張，呼吸筋力の低下に基づく呼吸筋酸素消費量の増大が主因と考えられる．血中tumor necrosis factor-α（TNF-α）やinterleukin-6（IL-6）などの炎症性メ

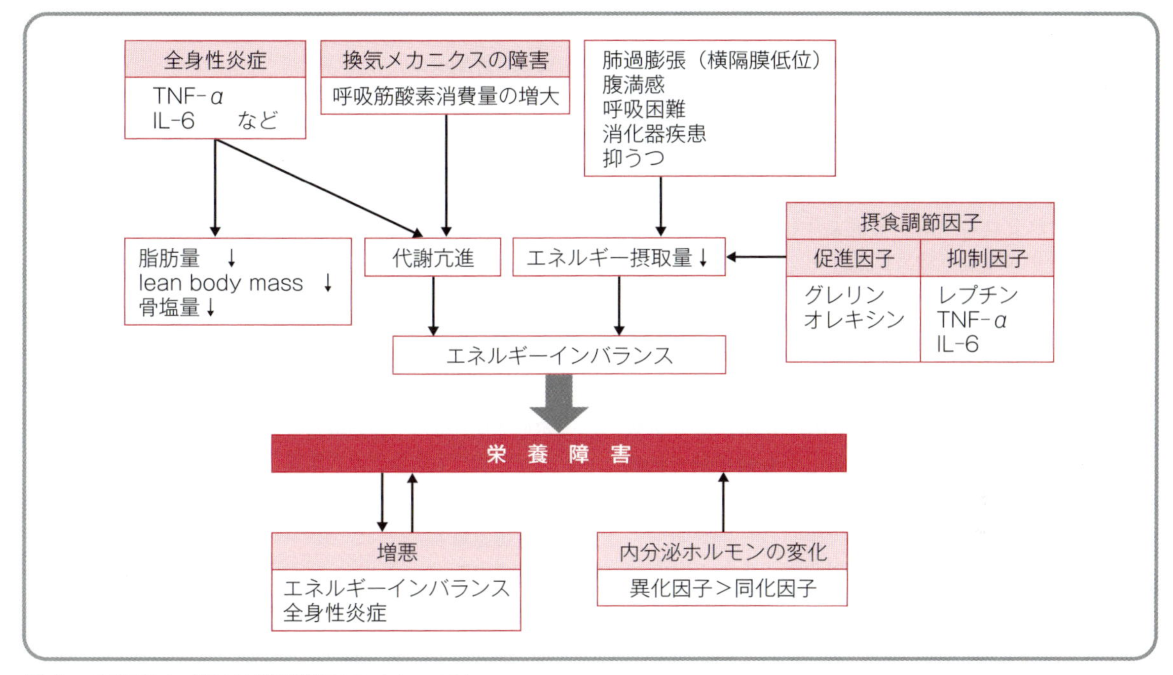

図 1　COPD における栄養障害のメカニズム

ディエータの上昇に反映される全身性炎症が脂肪量(fat mass：FM)や LBM の減少と関連している．TNF-αの上昇は代謝亢進にも関与する可能性がある．炎症性メディエータは摂食抑制因子として食事摂取量の減少と関連し，栄養補給療法の効果にも影響を及ぼす．

炎症性サイトカインや内分泌ホルモンが異化因子や同化因子として栄養障害に関与する．異化因子であるTNF-αや IL-6，ノルエピネフリンは体重減少患者で高値を示す[4]．結果的に，異化因子が成長ホルモンやインスリン様成長因子-1(IGF-1)などの同化因子に対して優位となり，体重減少に関与する．

摂食抑制因子であるレプチンや摂食促進因子であるグレリン，オレキシンの分泌動態と栄養障害との関連が検討されている．COPD 患者では血中レプチンレベルが食事摂取量や栄養療法の効果を規定する可能性がある．胃細胞より分泌されるグレリンは，下垂体からの成長ホルモンの分泌を促すとともに視床下部弓状核に存在するニューロペプチド-Y ニューロンに作用して摂食を亢進させる．体重減少を認める COPD 患者では血中グレリン濃度は上昇しており，栄養障害の進行に対して代償的に分泌が亢進している[4]．これらの摂食調節因子の分泌動態の変化は COPD の栄養障害に関与しており，栄養療法への応用が期待される．栄養障害は増悪の発症要因であり，増悪は栄養障害を急激に悪化させる．両者は悪循環を呈しながら，COPD の予後に重大な影響を及ぼす．

3. 薬物療法と栄養との関連

a）気管支拡張薬

COPD 患者の薬物療法の中心であり，症状を軽減させ QOL を改善する．気管支拡張薬の主な作用は気管支平滑筋の緊張を低下させることである．閉塞性障害や肺過膨張を軽減し，運動耐容能を改善させる．気管支拡張薬には抗コリン薬，β_2 刺激薬，メチルキサンチンの 3 系統が存在し，それぞれ作用機序が異なっている．効果と副作用の面から単剤の用量増加よりは多剤併用が推奨される．

①抗コリン薬：COPD 患者における気道収縮は主として迷走神経由来のアセチルコリンに依存するため抗コリン薬が有効である．長時間作用性吸入抗コリン薬は 24 時間以上効果が持続するため，1 日 1 回のみの吸入で臨床効果が得られ利便性が高い．吸入抗コリン薬は常用量では全身性の副作用はほとんど問題にならないが，口渇や便秘などの消化器系に対する副作用が栄養状態に影響を及ぼす可能性がある．また，下部食道括約筋の緊張低下により胃食道逆流症(GERD)をきたしやすい．

②β_2 刺激薬：β_2 刺激薬は気道平滑筋の β_2 受容体を刺激することによって気管支拡張作用を示し，吸入薬，経口薬，貼付薬が存在する．吸入薬では短時間作用性と長時間作用性がある．長時間作用性では 24 時間作用が持続する薬剤もみられ，長時間作用性抗コリン薬との配合薬も使用可能となっている．頻脈，低カリ

ウム血症，手指振戦などの副作用がみられる場合もあるが，常用量の吸入であれば問題がない．経口や吸入 β_2 刺激薬でREEが増大するとの報告もあるが，栄養状態への影響は明らかではない．抗コリン薬と同様にGERDの併発や増悪に留意する必要がある．

③長時間作用性抗コリン薬/長時間作用性 β_2 刺激薬配合薬：それぞれの単剤の増量よりも副作用のリスクが低く，より強力な気管支拡張作用が期待できる．単剤と比較して，閉塞性障害や労作時呼吸困難の改善効果が大きく，増悪抑制効果も高い．

④メチルキサンチン：メチルキサンチンは徐放性経口薬として投与される．ホスホジエステラーゼ阻害作用によって気管支平滑筋のcAMPを上昇させて気管支拡張作用を示す．気道炎症に対しても低用量で抗炎症作用を示す．副作用の出現には用量依存性があり，不整脈，痙攣などが問題となる．悪心，胃腸障害などは栄養障害の原因となる可能性がある．また，REEを増大させる可能性も指摘されているが明確ではない．GERDの誘発に留意する必要がある．

b）グルココルチコイド

経口グルココルチコイドの長期投与はステロイドミオパチー（特に呼吸筋）をきたし呼吸不全を悪化させるため使用すべきではない．吸入グルココルチコイドの継続投与によって，COPDの進行を抑制することはできないが，長時間作用性 β_2 刺激薬との配合薬では，呼吸機能の改善，増悪頻度の減少，QOLの改善が認められた．喘息との合併例（asthma and COPD overlap：ACO）に対する吸入グルココルチコイドの適応は明確であり，最近3剤の配合剤を用いたトリプルセラピーも行われている．吸入グルココルチコイドの有効性を末梢血好酸球数で予測する試みもあるが，現時点では明確な基準はない．

c）その他の薬剤

喀痰調整薬には増悪抑制効果が認められる．感染を契機とした増悪時には抗菌薬，右心不全合併時には利尿薬の投与が必要となる．

C 評価と診断

スパイロメトリーで1秒量（FEV_1）の努力肺活量（FVC）に対する比率である1秒率（FEV_1/FVC）が70%未満に低下していることが診断に必須である．一方，病期分類は FEV_1 の予測値に対する比率である%FEV_1 に基づいて定められ，Ⅰ期（軽度の気流閉塞：%FEV_1 ≧80%），Ⅱ期（中等度の気流閉塞：50%≦%FEV_1＜80%），Ⅲ期（高度の気流閉塞：30%≦FEV_1＜50%），Ⅳ期（極めて高度の気流閉塞：FEV_1＜30%）に分けられる．病期は気流閉塞の程度による分類であり，疾患の重症度の判定，予後予測，治療法の決定は，労作時呼吸困難などの症状や運動耐容能，併存症の有無，増悪頻度などを加味して総合的に判断する[5]．COPDは進行すると慢性呼吸不全状態に移行する．

日本呼吸器学会の「COPD診断と治療のためのガイドライン」[5]では推奨される栄養評価項目が段階的に示されている（表1）．安定期の患者においても同年代の健常者と比較し，%IBWあるいはBMIの低下が認められる．簡易栄養状態評価表であるMini Nutritional Assessment®-Short Form（MNA®-SF）では約半数に栄養学的なリスクがみられ，MNA®-SFのスコアが増悪の予測因子となる[6]．内臓蛋白では血清アルブミンの低下はないがrapid turnover protein（RTP）であるプレアルブミン（トランスサイレチン），レチノール結合蛋白が低下を示す．血漿アミノ酸分析では，分岐鎖アミノ酸（BCAA）の低下によるBCAA/芳香族アミノ酸（AAA）比の低下を認める．すなわち，安定期COPD患者はRTPの低下とアミノ酸インバランスを伴うマラスムス型の蛋白・エネルギー栄養障害を呈しており，“pulmonary cachexia”と称される．体成分分析では，FMの減少は軽度の体重減少（80%≦%IBW＜90%）から認められるが，LBMとBMCの減少は中等度以上の

表1　推奨される栄養評価項目

必須の評価項目
- ○体重（%IBW，BMI）
- ○食習慣
- ○食事摂取時の臨床症状の有無

行うことが望ましい評価項目
- ○食事調査（栄養摂取量の解析）
- ○簡易栄養状態評価表（MNA®-SF）
- ○%上腕囲（%AC）
- ○%上腕三頭筋部皮下脂肪厚（%TSF）
- ○%上腕筋囲（%AMC：AMC＝AC－π×TSF）
- ○体成分分析（LBM，FMなど）
- ○血清アルブミン
- ○握力

可能であれば行う評価項目
- ○安静時エネルギー消費量（REE）
- ○rapid turnover protein（RTP）
- ○血漿アミノ酸分析（BCAA/AAA）
- ○呼吸筋力
- ○免疫能

IBW：80≦%IBW＜90：軽度低下，70≦%IBW＜80：中等度低下，%IBW＜70：高度低下
BMI：低体重＜18.5，標準体重18.5～24.9，体重過多25.0～29.9
（日本呼吸器学会COPDガイドライン第5版作成委員会（編）．COPD（慢性閉塞性肺疾患）診断と治療のためのガイドライン，第5版，メディカルレビュー社，東京，2018：p100より許諾を得て転載）

体重減少(%IBW<80%)で明確となる[2]．サルコペニアの合併の有無を判断するうえで，体成分とともに握力の評価も重要となる．

D 治療

1. COPDの一般的な治療

COPDの発症・進行を抑制するには危険因子からの回避が重要であり，禁煙は必須となる．また，インフルエンザワクチンに加え肺炎球菌ワクチンの接種が推奨される．安定期のCOPD管理では，閉塞性障害の程度(FEV_1の低下)による病期の進行度だけではなく，症状の程度や増悪の頻度を加味した重症度を総合的に判断したうえで治療法を段階的に増強していく[5]．軽症では症状の軽減を目的として，必要時に短時間作用性吸入気管支拡張薬を使用する．中等症では症状の軽減に加え，QOLの改善や運動耐容能の改善が重要な治療目標となり，長時間作用性気管支拡張薬の定期的な使用や呼吸リハビリテーションの併用が推奨される．重症患者においては複数の長時間作用性気管支拡張薬の併用や配合薬の投与を行う．気管支喘息を合併する場合は重症度にかかわらず吸入グルココルチコイドを使用する．呼吸不全を合併する患者では，在宅酸素療法が予後を改善する．上葉優位の気腫病変があり運動能が低下している患者では肺容量減少術による予後改善効果がみられる．COPD患者は喫煙歴を有する中高年者であることから，全身併存症についての診断・管理も重要である．

2. 栄養管理

a) 栄養管理のエビデンス

栄養管理は呼吸リハビリテーションにおいて重要な構成要素となっている．ASPENのガイドライン[7]では，他の臨床的な病態や合併症がない限り，経口補給あるいは経管経腸栄養によって栄養状態を改善することが可能であるとしている．栄養の過剰投与による炭酸ガス産生の増加は換気系の負荷となりうることを警告しているが，投与総カロリーが適切であれば，主栄養素間の比率を調整しても炭酸ガス産生量には影響がないとしている．また，呼吸筋の収縮力を維持するためにリンの必要性を強調している．ESPENのガイドライン[8]では，経腸栄養のみでの有効性は限定的であり根拠に乏しい，運動療法や蛋白同化因子との併用が栄養状態や身体機能を改善する可能性がある，食後の呼吸困難や腹満感の回避およびコンプライアンスの向上には少量・頻回の栄養剤摂取が望ましい，安定期COPDにおいて低炭水化物・高脂肪の栄養剤が通常の高たんぱく・高エネルギーの栄養剤よりも有用であるとはいえないと記載されている．JSPENのガイドライン[9]では，栄養療法単独の効果については限られたエビデンスしかないが，運動療法との併用により栄養状態と身体機能の改善が期待できるとしている．

最近のメタアナリシスでは経口栄養補給療法による総摂取エネルギー量や体重の増加および握力の改善，さらに除脂肪量の増加や6分間歩行距離，健康関連QOLの改善[10]なども報告されている．GOLD[1]では栄養障害を認める患者に対する栄養補給療法は呼吸筋力や健康状態の改善に寄与する(エビデンスB)と記載しているが，具体的方法論についてはさらなる検討を要する．

b) 栄養療法の原則

重症例や栄養障害が高度な例では栄養療法の効果が低下するため，食事指導を含めた早期の栄養学的介入が考慮されるべきであり，多職種からなる栄養サポートチーム(nutrition support team：NST)による介入が望ましい．体重減少患者(%IBW<90%あるいはBMI<20 kg/m^2)で，食事摂取量を増やすことが困難な場合や進行性の体重減少が認められれば経腸栄養剤による経口栄養補給療法を考慮すべきである．特に，LBMが減少している患者やLBMの減少が予測される中等度以上の体重減少患者(%IBW<80%)では栄養補給療法が必須となる(図2)[3]．運動療法施行時には負のエネルギーバランスの増悪による栄養障害の進行を抑制し，運動療法の効果を高める目的で栄養補給療法を併用する必要がある．

総エネルギー投与量は通常，実測安静時エネルギー消費量の1.5倍に設定される．予測式より求めた基礎エネルギー消費量(basal energy expenditure：BEE)に活動係数1.3とストレス係数1.3を乗じて求める方法もある．BEEの予測式として一般的にはHarris-Benedict式が用いられているが，過小評価する可能性が指摘されており，COPD患者を対象とした予測式も考案されている．

たんぱく質投与量は1.2〜1.5 g/kg(総エネルギー量の15〜20%)とする．炭水化物はエネルギー源として最も利用されやすいが，過剰投与による炭酸ガス産生量の増加が換気系の負荷となる．一方，脂質の呼吸商は0.7と低いため酸化に伴う炭酸ガス産生が少なく，換気系への負担は軽減される．したがって，脂質投与量は総エネルギー量の35〜50%，炭水化物投与量は30〜50%程度が妥当とされているが，換気障害の重症度によって投与比率を調整する．

c) 栄養指導

高たんぱく・高カロリー食を基本として食事指導を行う．食後に腹部膨満感や呼吸困難を訴えることが多いため，食事は4〜6回の分食として1回あたりの食事

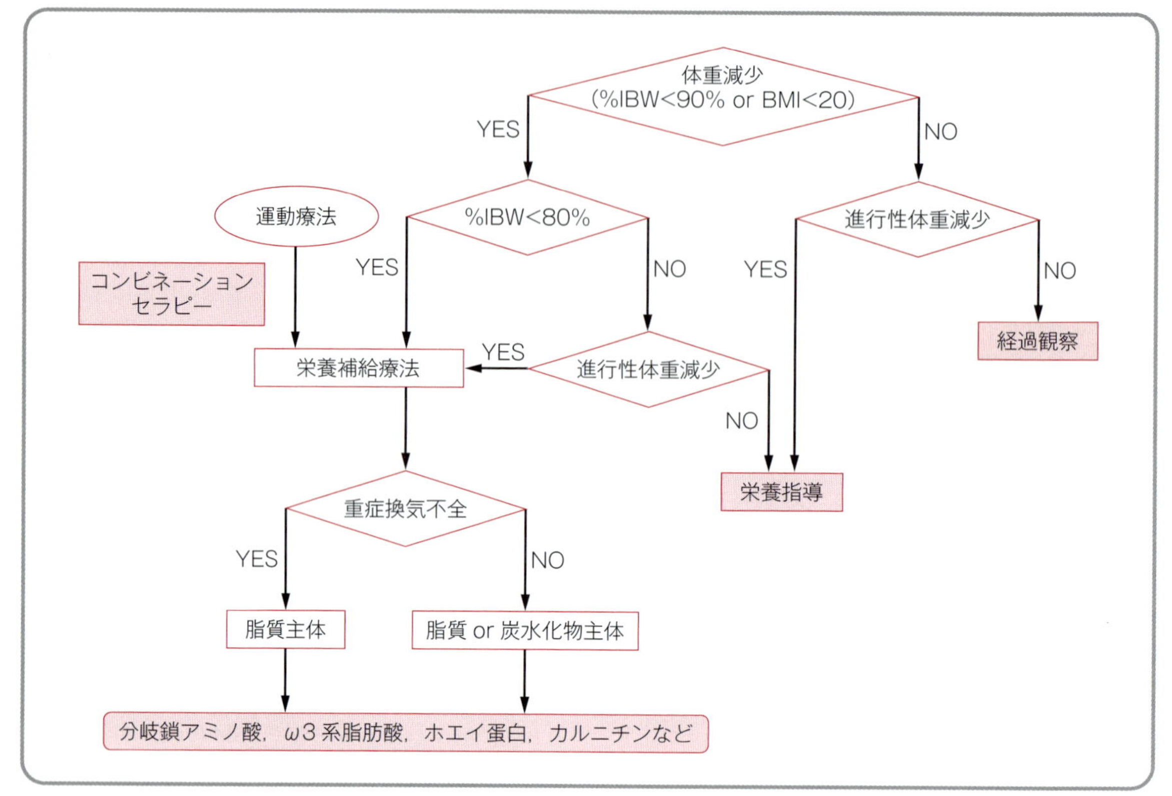

図２　栄養補給療法の適応に関するアルゴリズム
（吉川雅則，木村　弘．呼吸器疾患における栄養管理の実際．呼吸と循環 2007; **55**: 997-1005 より作成）

量を少なくする．消化管でガスを発生しやすい食物や炭酸系飲料水の摂取は避けるように指導する．肺性心の合併による浮腫があれば，塩分は7〜8g/日に制限する．筋蛋白量の保持には，十分なエネルギーに加え，十分なたんぱく源の摂取が必要となる．アミノ酸スコアの高い良質のたんぱく質や，BCAA の含有率が高い食品（牛肉，鶏肉，牛乳，チーズなどの乳製品など）の摂取が勧められる．カリウム，カルシウム，リン，マグネシウム，鉄などの電解質や微量元素は呼吸筋や四肢運動筋の収縮力保持に重要であり十分な摂取を指導する．骨粗鬆症の合併頻度が高いことからもカルシウム摂取が重要である．食事のみで摂取が困難であれば，必要に応じてサプリメントによる補給も考慮する．

d）栄養補給療法

①経腸栄養剤の投与法

十分なエネルギー量の摂取を最優先し，少なくとも3ヵ月以上の継続を目標とする．明らかな栄養状態の改善が得られない場合でも，栄養障害の進行を抑制する目的で可能な限り継続する[3]．また，食事摂取量の維持や腹部膨満感の軽減のために，栄養剤の分割摂取や夕食以降の摂取を指導する．特に，late evening snack（LES）として就寝前の栄養剤摂取が FFM の増加や骨格筋力，身体機能の改善に有効との報告もある．

②経腸栄養剤の選択

エネルギー組成や個別栄養素の含有率など個々に特徴を持った栄養剤のなかから，個々の病態に適したものを選択する．患者の換気能力，抗炎症作用，アミノ酸組成，摂食促進作用などが選択基準としてあげられる（表２）．

ⅰ）換気能からみた選択：換気不全による高炭酸ガス血症を伴う場合は，呼吸商の小さい脂質を主体とする栄養剤が有用と考えられる．一方，脂質は胃内での停留時間が長いため横隔膜運動を低下させる要因となり，腹満と労作時呼吸困難が悪化する可能性も指摘されている．したがって，著しい換気障害がなければ炭水化物，脂質にかかわらず，十分なカロリー補給を最優先する．

ⅱ）抗炎症作用からみた選択：ω3 系脂肪酸は nuclear factor kappa B（NF-κB）を制御して炎症性サイトカインの産生を抑制するとともに炎症性エイコサノイドの産生も低下させる．ω3 系脂肪酸投与による全身性炎症の抑制やω3 系脂肪酸のサプリメントによ

表2 経腸栄養剤の選択と処方例

	選択基準	処方例(/日)
換気能	換気不全では脂質主体の栄養剤	プルモケア®-Ex 375kcal*
抗炎症	ω3系脂肪酸/ホエイ蛋白/カルニチン	ラコール® NF配合経腸用液200〜400kcal メイン® 200〜400kcal* エネーボ® 300kcal
アミノ酸組成	分岐鎖アミノ酸(特にロイシン) HMB	エレンタール® 300〜450kcal+BCAA 8〜16g ヘパス® 200〜400kcal* エネーボ® 300kcal アバンド® 1〜2パック:HMB 1.2〜2.4g*
摂食促進作用	オクタン酸による血中グレリン上昇効果	ラコール® NF配合経腸用液200〜400kcal
高カロリータイプ	少量で高カロリー 脂質のエネルギー比率が高い	エンシュア®・H 375kcal イノラス®配合経腸用液300kcal リピメイン400® 400kcal* テルミールアップリード® 400kcal*

*栄養補助食品

る運動耐容能の改善が報告されている.ω3系脂肪酸およびビタミンAの含有率の高い栄養剤と,在宅での低強度運動療法の併用により,血中の炎症性マーカーの低下が認められている.ホエイペプチドはカゼインと比較して消化吸収に優れ生体内での利用率が高く,抗酸化・抗炎症効果を有する.ホエイペプチドとω3系脂肪酸を配合したメイン®と在宅での低強度運動療法の併用によって栄養学的な改善と運動能の改善,血中炎症性マーカーの低下が報告されている[11].L-カルニチンは抗酸化,抗炎症効果を持ち,蛋白分解を抑制し,蛋白合成を促進する.L-カルニチンの摂取と呼吸リハビリテーションの併用で呼吸筋力と運動能の改善が認められている.同様に,ビタミンC,Eなどの抗酸化ビタミン類と呼吸リハビリテーションの併用効果も報告されている.

ⅲ)アミノ酸組成からみた選択:BCAAには異化抑制や蛋白合成促進作用があり,侵襲下ではエネルギー源として横隔膜での利用が亢進していることが知られている.BCAAは運動時に骨格筋での利用が高まるため,運動療法施行時の投与が有用と考えられる.COPD患者では血漿BCAA濃度の低下がみられることから,BCAAを強化した栄養剤の効果が期待される.BCAAを8〜16g強化したエレンタール®(300〜600kcal/日)を12ヵ月間投与し,体重,LBM,内臓蛋白の増加および呼吸筋力,握力の改善や自覚症状の軽減が認められた[4].また,呼吸リハビリテーションとBCAAの含有率が高いヘパス®(200kcal/日)との併用がリハビリテーション後の栄養状態の維持に有用であることが報告されている.BCAAのなかでもロイシンは筋蛋白合成を促進するmammalian target of rapamycin(mTOR)経路を活性化する作用が強い.FFMの減少を伴う重症COPD患者において,ロイシン含有率の高い必須アミノ酸製剤の投与による,体重やFFMの増加および身体活動性やQOLの改善が認められている[12].ロイシンの中間代謝物であるβ-ヒドロキシ-β-メチル酪酸(β-hydroxy β-methylbutyrate:HMB)はさらに強力なmTORの活性化作用を持つことからHMB含有経腸栄養剤も欧米ではすでに臨床応用されている.現時点ではHBM含有栄養剤としてアバンド®が利用可能である.ビタミンDは骨代謝に対する作用以外に,筋蛋白合成促進作用も認められ身体機能の維持に重要な役割を担っている.

ⅳ)摂食調節からみた選択:グレリンは胃組織より分泌されるペプチドホルモンであり,強力な成長ホルモン分泌作用や摂食亢進作用を示し,抗炎症作用や交感神経抑制作用なども有している.オクタン酸の含有量が多い経腸栄養剤によってグレリンの血中濃度の上昇とともに,BMIや内臓蛋白の増加,食欲の改善が認められている.

ⅴ)エネルギー量からみた選択:1.5〜4kcal/mLの少量高カロリータイプの栄養剤も選択可能となっている.これらは基本的には,脂質のエネルギー比率が高いためエネルギー効率が高い.少量で高エネルギーの摂取が可能であるため一定量以上の栄養剤の飲用が困難な場合に推奨される.

e) 栄養療法と運動療法のコンビネーションセラピー

栄養障害の対策として,経口栄養補給のみの有効性は限定的であり,運動療法や蛋白同化因子との併用が必要とされている.運動に伴い骨格筋から様々な生理活性物質や病態に関与する蛋白質や核酸を含むエクソソームが血中に放出される.これらが諸臓器とのクロストークや持久力トレーニングの全身性影響などに関与すると推定されている．なかでも代表的な蛋白であり炎症性サイトカインであるIL-6は，運動により血中レベルが上昇する．特に，FFMが減少しているCOPD患者では，FFMの減少のない患者よりも運動後の血中IL-6の上昇が大きい．すなわちサルコペニアを合併しているCOPD患者においては，運動により全身性炎症が増悪し，栄養障害の悪化につながる可能性がある．一方，適度な運動は骨格筋におけるperoxisome proliferator-activated receptor γ coactivator 1α（PGC-1α）の発現を誘導して炎症抑制に働く．COPD患者においても歩行を主体とした身体活動性の向上が全身性炎症の抑制につながることが示唆されている．栄養療法と運動療法を併用する場合は，各患者における栄養障害の重症度を勘案しながら，運動強度を慎重に決定する必要がある．

また，集中的な運動・栄養療法の介入の後に，維持期を設定することが長期的な介入を行ううえで有用であることが示唆されている．FFMの減少した患者において，ロイシン，ビタミンD，ω3系脂肪酸強化栄養剤を用いて4ヵ月間の集中的な外来運動療法と栄養療法を行い，その後8ヵ月間の維持期には栄養剤の少量継続と身体活動の指導を行うことによって1年後における体重増加，うつの改善，身体活動性の改善が認められている[13]．

f）経管・経静脈栄養

呼吸器感染症などによる増悪時にはしばしば重症呼吸不全状態となる．このような病態でも経腸栄養が基本となる．経鼻胃管では可能な限り細径のチューブを用いて，先端部を十二指腸以遠に留置することが推奨される．しかし，非侵襲的陽圧換気療法（NPPV）施行例においては，経管栄養が喀痰貯留や誤嚥性肺炎などの気道合併症を増加させることが指摘されており慎重に実施する必要がある．経管栄養が実施困難な場合や厳密な水分・電解質管理，栄養素の組成調整が必要な場合には経静脈栄養を選択する．増悪時においては右心負荷が強いため，過剰輸液による右心不全の誘発に注意する．

一般的に人工呼吸管理を要する高度侵襲下においては，各種のストレスホルモンやサイトカインによる異化亢進状態にあり，脂肪分解や筋蛋白の崩壊によって内因性にエネルギーが供給されている．栄養療法による外因性エネルギー供給も加わった場合，結果的に過剰エネルギー供給（overfeeding）となる可能性がある．overfeedingでは，血糖の上昇，炭酸ガス産生の増加，感染防御能の低下や臓器障害を引き起こし予後の悪化につながる．overfeedingを回避するため，急性期における必要最小限のエネルギー投与量を6～9kcal/kgとして，極期には上限を15kcal/kg，一般的な急性期には20～25kcal/kgを上限とすることが推奨されている．回復期には25～30kcal/kgとして積極的な栄養補給を行う．たんぱく質の投与量は1.2～2.0g/kgとし，脂質投与量は総エネルギー量からたんぱく質によるエネルギー量を差し引いた非蛋白エネルギーの約30%と，高めの比率に設定する．それによりCO_2産生を抑制し換気系への負荷を軽減できる．たんぱく質，脂質以外のエネルギーを糖質で投与する．

❷誤嚥性肺炎

A 疾患の解説

誤嚥を原因として発症する肺炎を誤嚥性肺炎と呼び，主として高齢者に認められる．2019年度，誤嚥性肺炎は死亡原因の6位であり，現在の65歳以上の人口比率が25%を超える超高齢社会においては今後ますます重要な疾患となる．誤嚥は嚥下機能低下や胃食道機能不全が危険因子となるが，誤嚥性肺炎の発症には誤嚥に加えて喀出能の低下，気道クリアランス能の低下，免疫能の低下も関与している．誤嚥は食事中にむせるような顕性誤嚥と，夜間を中心に気づかないうちに鼻腔，咽喉頭，歯周の分泌物を嚥下する不顕性誤嚥に分けられる．多くの誤嚥性肺炎では不顕性誤嚥が原因となっている．誤嚥性肺炎は繰り返し発症する特徴があり，疾患の終末期や老衰と判断した場合，個人の意思やQOLを考慮した治療・ケアを行う[14]．

B 病態栄養

胃食道逆流症（GERD）や胃運動障害の患者では，経鼻胃管による経管栄養を実施したときに誤嚥性肺炎を惹起する場合がある．このような患者では，チューブの先端部分を幽門輪を越えた十二指腸もしくは空腸に留置するほうが望ましい．嚥下機能障害により胃瘻を造設した患者では不顕性誤嚥による肺炎のリスクは高く，胃食道逆流や嘔吐も誤嚥性肺炎の原因となる．最近，胃瘻からの栄養剤投与において，半消化態栄養剤と比較し，成分栄養剤では胃排出時間が短く，誤嚥性肺炎の発症率が低下することが報告されている[15]．COPDや間質性肺炎，睡眠時無呼吸症候群ではGERDの合併がみられ誤嚥性肺炎のリスクも高い．COPDでは吸入β_2刺激薬や吸入抗コリン薬などの治療薬がGERDの危険因子となり，GERDの合併患者では増悪の頻度が高い．

近年，サルコペニアに伴う摂食嚥下障害が注目されており，早期からの栄養管理，リハビリテーションが誤嚥性肺炎の予防や治療に重要と考えられる．一方，誤嚥性肺炎では筋分解が亢進し，呼吸筋，全身の骨格筋，嚥下筋の萎縮を引き起こすことが報告されている．

C 評価と診断

嚥下機能はベッドサイドで実施可能な反復唾液飲み試験や飲水試験などでスクリーニングを行い，さらに造影剤を含む検査食を用いた嚥下造影や嚥下内視鏡検査，アイソトープの肺内への取り込みの確認など詳細な検査を実施して評価する．嚥下障害を生じる病態として，脳血管障害，認知症，GERD，神経筋疾患などが重要であり，睡眠薬や鎮静薬の過量投与などもリスクとなる．誤嚥性肺炎は，嚥下障害の存在と胸部X線写真や胸部CTによる肺炎所見と末梢血白血球数の増加で診断される．つまり嚥下障害を確認した患者に発症した肺炎で，肺炎の原因として嚥下障害以外の明らかなものが考慮されない場合は誤嚥性肺炎と診断してよい．

D 治療

1. 抗菌薬治療

誤嚥性肺炎においても抗菌薬による治療が基本となる．グラム陰性桿菌と嫌気性菌の混合感染を念頭に置いて抗菌薬を選択する．

2. 抗菌薬以外の治療

原則として絶飲食にして，水分およびカロリー投与は補液で行うが，経管栄養も考慮する．低酸素血症がみられれば酸素吸入を行う．胃液の明らかな誤嚥を認めてから短時間の経過であれば，化学的肺損傷の治療を目的にステロイドを使用する．

3. 誤嚥の予防

頭位挙上の保持，口腔ケア，GERDの予防，摂食・嚥下リハビリテーションなどを行うことで繰り返す誤嚥を予防する．栄養状態や身体機能を改善させることも嚥下機能の回復には重要である．また，ACE阻害薬は嚥下反射を改善して，誤嚥性肺炎の発症頻度を低下させる可能性がある．当然ながら誤嚥を増悪させる病態である脳血管障害，意識障害，COPDや肺結核後遺症などの既存の呼吸器疾患などの治療は十分に行う必要がある．

4. advanced care planning

高齢者や寝たきりの患者における誤嚥性肺炎は反復しやすい病態であり，疾患単位ではなく全人的な医療を行う必要があり，advanced care planningの導入が注目されている．

❸肺癌

A 疾患の解説

日本人の死亡原因では悪性新生物が最多であり，そのなかで肺癌は男性では1位，女性では2位となっている．60〜70歳にピークがあり，男女比は約2.5：1である．肺癌は罹患数と死亡数の近接した極めて悪性度の高いがんであり，80％を超える患者が原疾患のために死亡している．喫煙が肺癌発症の最も重要な危険因子であり，喫煙習慣者の肺癌発症リスクは非喫煙者の3〜8倍程度とされている．特異的な初期症状はなく，咳嗽，喀痰，血痰，胸痛，呼吸困難などの呼吸器症状や脳，骨，肝臓，副腎などの転移巣による症状，神経・筋障害，低ナトリウム血症など腫瘍随伴症候群による症状がみられる．通常は腺癌，扁平上皮癌，大細胞癌を一括して非小細胞肺癌と呼び，肺癌全体の約85％程度を占める．その他，小細胞肺癌，低悪性度腫瘍などに分類され，それぞれ治療方針が異なる．

B 病態栄養

進行期の肺癌では診断時すでに食欲不振，体重減少，全身衰弱，倦怠感など悪液質を呈している場合も多い．BMIや血清アルブミン，PNIが肺癌の予後と関連することが知られている．また，栄養状態は腫瘍免疫と密接に関連しており，肺癌患者における血漿BCAAとNK細胞活性との相関や術後の非小細胞肺癌患者において血清プレアルブミンが腫瘍内に浸潤している成熟した樹状細胞やCD8陽性Tリンパ球数と関連し，予後に影響を及ぼすことが報告されている．肺癌の放射線療法を受けた患者で握力とFFMが予後因子となること[16]，栄養療法が肺癌化学療法の副作用軽減に有用であること，栄養状態が術後患者の予後に影響することなども示唆されている．最近，栄養療法と運動療法の併用効果についても検討されている．また，進行非小細胞肺癌の栄養障害に対する薬物療法として，グレリン受容体のアゴニストであるアナモレリンの有効性が報告されており，臨床応用が待たれる．

C 評価と診断

画像検査としては原発巣の評価として胸部X線写真，胸部CT，遠隔転移の評価として腹部CT，脳造影MRI，骨シンチグラフィが行われる．近年では，positron emission tomography（PET）が良性・悪性の鑑別，腫瘍の進行状態の把握に優れていることから繁用されている．また，喀痰細胞診，気管支鏡検査，リンパ節生検，CTガイド下肺生検，胸腔鏡下肺生検などを施行し組織診断を確定する．腫瘍マーカーは組織型との関連がみられ，補助診断として有用である．

D 治療

組織型，臨床病期（TNM分類），全身状態（performance status：PS），各主要臓器の機能，合併症，年齢などから治療方針を決定する．非小細胞肺癌では切除可能症例では手術療法を選択し，局所進行癌では放射線療法と化学療法を併用する．また，遠隔転移を有する進行癌では化学療法を選択するが，病状によってはbest supportive care単独となる場合もある．小細胞肺癌は進行が速く外科的治療の適応となることは少ない．限局型小細胞肺癌では放射線療法と化学療法を併用し，早期症例では手術も検討する．進行型小細胞肺癌では化学療法のみが適応となる．非小細胞肺癌では上皮成長因子受容体（EGFR），未分化リンパ腫キナーゼ（ALK），*ROS1*融合遺伝子などの遺伝子検査を行ったうえで，それぞれの阻害薬である分子標的治療薬が使用される．近年，抗programmed death 1（PD-1）抗体および抗PD ligand 1（PD-L1）抗体などの免疫チェックポイント阻害薬も臨床応用されている．

❹間質性肺炎

A 疾患の解説

間質性肺炎は肺胞壁などの肺の間質に炎症や線維化を生じる疾患群であり，薬剤，粉塵，膠原病などによって発症する例と原因がまったく特定できないものがある．原因が不明の間質性肺炎を特発性間質性肺炎（idiopathic interstitial pneumonias：IIPs）と呼んでいる．IIPsは病理組織パターンに基づいて，①特発性肺線維症，②非特異性間質性肺炎，③特発性器質化肺炎，④急性間質性肺炎，⑤剝離性間質性肺炎，⑥呼吸細気管支炎を伴う間質性肺炎，⑦リンパ球性間質性肺炎，の7つに分類される．なかでも特発性肺線維症（idiopathic pulmonary fibrosis：IPF）が患者数の多さと予後の悪さからIIPsのなかで最も重要な疾患である．IPFは慢性に肺の線維化が進行して呼吸不全をきたすが，その死亡原因の約40％は急性増悪である．

B 病態栄養

間質性肺炎の慢性期における低体重はCOPDと比較して低率とされているが，IPFでは，経年的な体重減少が独立した予後因子として報告されている[17]．さらに，CTで評価した大胸筋や広背筋，傍脊柱筋などの胸郭の筋肉量が予後因子となることも示されている[18]．したがって，間質性肺炎，特にIPFにおいては栄養障害やサルコペニア対策が重要と考えられる．IPFにおける栄養障害の原因として，低酸素血症，全身性炎症，呼吸困難による食思不振，身体活動性の低下などが考えられるが明らかにされていない．治療薬として副腎皮質ステロイドが用いられることもあり，その場合は肥満や耐糖能異常に留意する必要がある．

C 評価と診断

咳嗽や労作時呼吸困難などの自覚症状や胸部X線写真の間質性変化，呼吸機能の拘束性換気障害から間質性肺炎を疑う．詳細な問診や各種血液検査などから原因の明らかな間質性肺疾患を除外する．次に高分解能CTにて，肺底部，胸膜直下の間質性陰影の分布や蜂巣肺などの特徴的陰影がみられるとともに，①50歳以上，②緩徐な発症，③3ヵ月以上の経過，④聴診上両側背部の捻髪音，の4項目中3項目を満たせばIPFと臨床診断できる．典型的なIPF所見でない場合は，補助診断法として経気管支肺生検（TBLB），気管支肺胞洗浄（BAL）を行う．十分な鑑別診断ができない場合は外科的肺生検を行い，特徴的な病理パターンに分類する．

D 治療

IIPsに対する治療薬としては主として副腎皮質ステロイドや免疫抑制薬が用いられるが，治療反応性は組織パターンにより異なる．IPFでは両剤に対する反応性は低く，ピルフェニドンやニンテダニブなどの抗線維化薬の内服に加えてN-アセチルシステインの吸入が行われることもある．間質性肺炎の増悪時には，急性呼吸窮迫症候群（ARDS）と同様の重症呼吸不全に陥り，NPPVや人工呼吸管理を要することもある．このような病態においては栄養管理の優劣が予後に重大な影響を及ぼす．発症後24～48時間以内の早期経腸栄養の開始，過剰なエネルギー投与の回避，たんぱく質の十分な補給，誤嚥のリスクがある症例では幽門後からの経腸栄養が推奨されている．また，ω3系脂肪酸であるエイコサペンタエン酸(EPA)およびγリノレン酸(GLA)，抗酸化物質を強化した栄養剤の有用性が示されているが，ルーチンに高脂肪/低炭水化物の栄養剤を使用することは推奨されない[19]．

❺肺結核

A 疾患の解説

肺結核とは結核菌(*Mycobacterium tuberculosis*)による肺感染症である．患者の咳，くしゃみなどで生じた結核菌を含む飛沫核を吸入することによって感染する(空気感染)．しかし，通常は感染後に結核菌に対する細胞性免疫が成立し，発病にはつながらない．生涯を通じても感染者の10%程度が発病するに過ぎず，90%では感染した結核菌はいわゆる潜在性感染の状態で宿主の体内にとどまるといわれている．感染後そのまま発病に至る一次結核には粟粒結核や結核性胸膜炎，結核性髄膜炎などの病型がある．一方，感染後に宿主内で潜んでいた結核菌が，数年あるいは数十年後に宿主の免疫能が低下した際に再増殖して発病に至る場合を内因性再燃と呼び，通常の成人にみられる二次結核はこの発症様式を呈する．近年，若年者では外国生まれの新規登録患者が著しく増加しており問題視されている．結核菌に対する宿主の免疫能を低下させる要因として，糖尿病，胃切除，慢性腎不全，悪性腫瘍，塵肺，HIV感染症などの基礎疾患とともにストレス，大量喫煙，アルコール依存などの生活要因や低栄養が重視されている．また，ステロイドや抗がん薬，免疫抑制薬の投与による医原性の因子も重要な発症要因となっている．

B 病態栄養

"やせ"は肺結核発病の危険因子として知られており，やせ型の人は肥満型の人と比較して3～5倍発病率が高いとされている．発症要因としての"やせ"には日常生活における食事摂取不規則がかかわっていることも指摘されている．肺結核患者においてはマラスムス型の蛋白エネルギー栄養障害が高率に認められる．栄養障害は細胞性免疫能の低下と密接に関連しており，内臓蛋白の減少やBCAA/AAA比の低下は遅延型皮膚反応の減弱やリンパ球幼若化反応の低下と相関している[20]．一方，結核菌に対する生体防御機構として産生されるTNF-αなどの炎症性サイトカインが代謝系に及ぼす作用も栄養障害の進行に関与しているが，著しい栄養障害ではサイトカイン産生能の低下がみられる．低BMIが初回治療肺結核患者における排菌陰性化の遅延因子となっている．これらのことから，栄養障害は肺結核の発症や病態および重症化に大きな影響を及ぼしていると考えられる．

C 評価と診断

咳，痰，血痰，発熱などの症状が大多数の患者でみられるが，定期検診などで発見される場合もある．胸部X線写真では，上葉を中心とする空洞影とその周辺に散布影や浸潤影を伴う陰影が典型的であるが，極めて多彩な画像所見を呈する．胸部CTでは小葉中心性の粒状影や分岐状陰影を呈し，粒状影とそれを連結する細気管支の樹枝状陰影(tree-in-bud appearance)が特徴的所見である．肺結核の診断は，喀痰の塗抹・培養検査によって結核菌を検出することにより確定される．喀痰以外の検体としては，喉頭粘液や胃液が用いられるが，これらによっても結核菌が検出されない場合は，気管支鏡検査を行い，気管支肺胞洗浄や肺生検を施行する．抗酸菌が検出された場合は，遺伝子増幅法によって同定し，非結核性抗酸菌と鑑別する．

D 治療

抗結核薬の多剤併用による化学療法を一定期間確実に継続することが重要である．最も強力な抗菌作用を示し，治療の中心となる第一選択薬は，リファンピシン(RFP)，イソニアジド(INH)，ピラジナミド(PZA)であり，これらとの併用で効果が期待される薬剤として，ストレプトマイシン(SM)，エタンブトール(EB)が使用される．初回治療患者の標準的治療法は原則としてRFP＋INH＋PZAにEB(またはSM)の4剤併用で初期強化期2ヵ月間治療後，維持期はRFP＋INHを4ヵ月間継続し，全治療期間6ヵ月(180日)とする．再治療例，重症例，排菌陰性化遅延例，免疫能低下例などでは維持期を3ヵ月延長して7ヵ月，全治療期間9ヵ月(270日)とすることができる．これらの薬剤では胃腸障害や肝機能障害を認めることが多く，食思不振や栄養障害の増悪要因となりうる．

栄養障害患者に栄養療法を施行することによって，細胞性免疫能が改善することが知られている．著明な栄養障害を伴う肺結核に栄養補給を支持療法として併用することにより，栄養障害の改善や早期の排菌陰性化が得られる可能性がある．

文献

1) Global Initiative for Chronic Obstructive Lung Disease. Global strategy for the diagnosis, management, and prevention of chronic obstructive pulmonary disease (Update 2020), 2020
2) 吉川雅則，木村　弘．栄養障害．日本内科学会雑誌 2012; **101**: 1562-1570
3) 吉川雅則，木村　弘．呼吸器疾患における栄養管理の実際．呼吸と循環 2007; **55**: 997-1005
4) Itoh T, Nagaya N, Yoshikawa M, et al. Elevated plasma ghrelin levels in patients with chronic obstructive pulmonary disease. Am J Respir Crit Care Med 2004; **170**: 879-882
5) 日本呼吸器学会COPDガイドライン第5版作成委員会(編)．COPD(慢性閉塞性肺疾患)診断と治療のためのガイドライン，第5版，メディカルレビュー社，大阪，2018
6) Yoshikawa M, Fujita Y, Yamamoto Y, et al. The mini nutritional assessment short-form predicts exacerbation frequency in patients with chronic obstructive pulmonary disease. Respirology 2014; **19**: 1198-1203
7) A.S.P.E.N. Board of directors and the clinical guidelines task force: Guidelines for the use of parenteral and enteral nutrition in adult and pediatric patients. JPEN J Parenter Enteral Nutr 2002; **26** (Suppl): 63SA-65SA
8) Anker SD, John M, Pedersen PU, et al. ESPEN Guidelines on enteral nutrition: cardiology and pulmonology. Clin Nutr 2006; **25**: 311-318
9) 日本静脈経腸栄養学会(編)．呼吸不全．静脈経腸栄養ガイドライン，第3版，南江堂，東京，2013
10) Ferreira IM, Brooks D, White J, et al. Nutritional supplementation for stable chronic obstructive pulmonary disease (Review). Cochrane Database Syst Rev 2012
11) Sugawara K, Takahashi H, Kashiwagura T, et al. Effect of anti- inflammatory supplementation with whey peptide and exercise therapy in patients with COPD. Respir Med 2012; **106**: 1526-1534
12) Dal Negro RW, Testa A, Aquilani R, et al: Essential amono acid supplementation in patients with severe COPD: a step towards home rehabilitation. Monaldi Arch Chest Dis 2012; **77**: 67-75
13) van Beers M, Rutten-van Mölken MPMH, van de Bool C, et al: Clinical outcome and cost-effectiveness of a 1-year nutritional intervention programme in COPD patients with low muscle mass: The randomized controlled NUTRAIN trial. Clin Nutr 2020; **39**: 405-413
14) 日本呼吸器学会成人肺炎診療ガイドライン2017作成委員会(編)．成人肺炎診療ガイドライン2017，日本呼吸器学会，東京，2017
15) Horiuchi A, Nakayama Y, Sakai R, et al. Elemental diets may reduce the risk of aspiration pneumonia in bedridden gastrostomy-fed patients. Am J Gastroenterol 2013; **108**: 804-810
16) Burtin C , Bezuidenhout J, Sanders KJC, et al. Handgrip weakness, low fat-free mass, and overall survival in non-small cell lung cancer treated with curative-intent radiotherapy. J Cachexia Sarcopenia Muscle 2020; **11**: 424-431
17) Nakatsuka Y, Handa T, Kokosi M, et al. The clinical significance of body weight loss in idiopathic pulmonary fibrosis patients. Respiration 2018; **96**: 338-347
18) Moon SW, Choi JS, Lee SH, et al. Thoracic skeletal muscle quantification: low muscle mass is related with worse prognosis in idiopathic pulmonary fibrosis patients. Respir Res 2019; **20**: 35
19) 日本集中治療医学会重症患者の栄養管理ガイドライン作成委員会．日本版重症患者の栄養療法ガイドライン．日本集中治療医学会雑誌 2016; **23**: 185-281
20) 吉川雅則，米田尚弘，前川純子，ほか．肺結核症における栄養障害と細胞性免疫能の関連．結核 1994; **69**: 307-316

3 循環器疾患

❶高血圧

A 疾患の解説

本態性高血圧をはじめとした生活習慣病は，食事，運動，飲酒，喫煙といった生活習慣にかかわる環境要因と，体質にかかわる遺伝要因の複合結果として生ずる．高血圧自体は自覚症状がないが，脳・心・腎などの臓器に重大な合併症を発症させる．高血圧の管理の目的は単に血圧を下げることでなく，心血管病の発症とさらにそれによる死亡の抑制にある．

B 病態栄養

糖尿病などと同様，本態性高血圧の発症は複数の遺伝子によって規定されている．また，各遺伝子変異の貢献度も大きくないため，高血圧の発症には，これら遺伝子背景よりも，生活習慣の貢献が大きい．現在では薬物療法の進歩により，有効な降圧が得られるが，食事を中心とした生活習慣の修正により，さらなる有効な効果が得られる．食塩制限が最も注目されているが，肥満の抑制をはじめとするメタボリックシンドロームの抑制も重要である．

C 評価と診断

血圧の値は変動が大きく，診察時の血圧（140/90 mmHg以上が高血圧と診断される）よりも，家庭血圧（135/85 mmHg 以上）が重視されている．さらに，高血圧の重症度は，単に血圧の程度だけでなく，有する危険因子によっても決定される．高血圧症では，心疾患，糖尿病，腎臓病などの合併症を評価し，これらを有する患者は高リスク群となり，厳しい降圧が求められる．

D 治療

「高血圧治療ガイドライン 2019」[1]に示されている生活習慣の修正項目を表 1 に示す．薬物療法が進歩し，血圧のコントロールは可能となったが，合併症を減らすためには生活習慣の改善も必要である．

1．食塩制限

食塩の過剰摂取は血圧上昇と関連がある．多くの介入試験で，有意の降圧のためには食塩摂取量を約6g/日以下まで減らさなければならないことが示されている．このため，ガイドラインでは1日食塩摂取量を6g未満にすることを推奨している．日本での食塩摂取量のうち90%はしょうゆ，みそや塩を多く含んだ加工食品からの摂取である．そのため，減塩は，塩の使用を減らし，塩を含んだ加工食品を減らすことにより達成できる．

他方，厳し過ぎる減塩では，脱水などを生じることもある．高齢者や慢性腎臓病（CKD）患者など腎のNa保持能の低下している例や，夏季などには注意が必要

表 1　高血圧患者の生活習慣修正項目

1．食塩制限：6g/日未満
2．野菜・果物の積極的摂取： ・飽和脂肪酸，コレステロールの摂取を控える ・多価不飽和脂肪酸，低脂肪乳製品の積極的摂取
3．適正体重の維持：BMI（体重[kg]÷身長[m^2]）25 未満
4．運動療法：軽強度の有酸素運動（動的および静的筋肉負荷運動）を毎日 30 分，または 180 分/週以上を行う
5．節酒：エタノールとして男性 20～30mL/日以下，女性 10～20mL/日以下に制限する
6．禁煙

・生活習慣の複合的な修正はより効果的である
・カリウム制限が必要な腎障害患者では，野菜・果物の積極的摂取は推奨しない．
（日本高血圧学会高血圧治療ガイドライン作成委員会（編）．高血圧治療ガイドライン 2019，ライフサイエンス出版，東京，2019 より作成）

である．また，減塩は，食事摂取量が少ない人にとっては，食欲低下が起こり，栄養不良に陥ることがある．食事摂取の少ない患者では，食塩制限食を用いなくとも，食塩摂取量は少ないことが多い．

1日食塩摂取量の推定は，蓄尿により以下の式より求められる．

1日食塩摂取量＝1日Na排泄量(mEq/日)÷17

また，随時尿をクレアチニンで補正する方法もあるが，信頼性が劣る．

2．その他の食品

血圧を低下させる食事としてDASH食が知られている．これは野菜，果物，低脂肪乳製品を豊富にとり，飽和脂肪酸とコレステロールを減らす食事で，冠動脈リスクも軽減する．肥満，特に内臓脂肪型肥満は高血圧の重要な発症要因である．また，肥満はメタボリックシンドロームの原因となり，内臓脂肪が分泌するアディポカインは高血圧，糖・脂質代謝異常をきたす．その他にも，尿酸代謝異常，脂肪肝をきたし，虚血性心疾患や脳卒中の原因となる．肥満はCKDの悪化要因でもあり，腎機能悪化は高血圧をさらに重篤にする．

3．運動

運動は，単に体重の維持だけでなく，QOLの改善，インスリン抵抗性の改善をもたらし，メタボリックシンドロームによい影響を与えるだけでなく，血圧低下の作用もある．

4．薬剤と電解質異常

サイアザイド系利尿薬では低カリウム血症をきたすことが多いため，カリウムを多く含む野菜，果物などの摂取を勧める．他方，レニン-アンジオテンシン-アルドステロン系の薬剤は高カリウム血症をきたすことが多い．これらの薬剤は心疾患の予後の改善などの効果があるため，できるだけ薬を継続するために，まず食事指導でカリウムの上昇を抑制することから始める．

❷虚血性心疾患

A 疾患の解説

冠動脈の狭窄および閉塞により心筋虚血が起こり，狭心痛が生じ，致死的な不整脈や心不全など種々の合併症を発症する．近年，冠動脈のカテーテルによる治療法や薬物療法が進歩し，急性心筋梗塞の梗塞巣の縮小が可能となり，救命率が向上した．しかしながら，急性期を乗り越えた患者では，心機能の低下により心不全を発症したり，新たな冠動脈の動脈硬化の進展により心筋梗塞を再発することも多い．

B 病態栄養

冠動脈硬化は，喫煙，高コレステロール血症，糖尿病，高血圧などにより進展する．近年，薬物により高血圧，糖尿病，高脂血症などの厳格な管理が可能となってきた．しかし，虚血性心疾患の発症には食事を中心とした生活習慣が大きくかかわっており，薬物療法に加えて生活習慣の管理が重要である．

C 評価と診断[2)]

虚血性心疾患の診断は，臨床症状，心電図，肝動脈造影，心エコー法などにより行われる．虚血性心疾患では大部分の症例で，糖尿病，脂質異常症，高血圧，喫煙などの危険因子を有する．急性期の治療が成功しても，これらの管理が重要で，管理が悪いと再発する危険性が高い．

D 治療

栄養指導においても各個人により重点とする内容は異なり，特に素因のある患者，合併症のある患者ではテーラーメイドの栄養指導が必要である．

1．脂質管理[2〜5)]

心筋梗塞の一次および二次予防において，高コレステロール血症に対するHMG-CoA還元酵素阻害薬，フィブラート系薬物は，心筋梗塞の発症率を有意に低下させている．

LDL-Cを上昇させる食物としては，飽和脂肪酸(動物性の脂)，トランス脂肪酸(マーガリンなどに含まれる，加工中に水素が添加されて生じた不飽和脂肪酸)があげられる．コレステロール自体もLDL-Cを上昇させるが，食事からの摂取量が多いときには体内の合成が低下する．血清コレステロールへの影響は個人による差がある．他方，LDL-Cを低下させる食物としては，多価不飽和脂肪酸，一価不飽和脂肪酸などがある．食物繊維，大豆たんぱくなども弱いが効果が認められている．

トリグリセリド値はHDL-Cと反比例して変動する場合が多く，またメタボリックシンドローム，インスリン抵抗性と密接な関係がある．わが国で行われたJLIT試験では，HDL-Cの低下と心筋梗塞の発症に有意な相関が認められている．高トリグリセリド血症は，エネルギーのとり過ぎに関係しているため，肥満，運動不足，単純糖質のとり過ぎ，ビールの飲み過ぎなどに注意する．魚介類に多く含まれるω3系多価不飽和脂肪酸はeicosapentaenoic acid（EPA）などに変換され，トリグリセリドを低下させる作用がある．なお，EPAはこれら血清脂質に対する作用以外に，血栓形成抑制や免疫反応低下作用などにより動脈硬化の進展を抑制する可能性も指摘されている．

2. 抗酸化ビタミン，食物繊維

食物繊維は胆汁酸中のコレステロール再吸収を阻害する作用があるので1日25～30g摂取する．具体的には，野菜の摂取量を1日350g以上に増やす．野菜には食物繊維と抗酸化作用のあるビタミンE，C，Aが多く含まれており，野菜の摂取量の増加により心血管系のリスクが低下するとの疫学的成績がある．

3. アルコール摂取

ワインを適量飲むことにより虚血性心疾患の予防になるという報告がある．その機序は明らかではないが，抗酸化作用，HDLの上昇作用があげられている．その他，血小板機能およびtissue plasminogen activator（TPA）などを変化させ血液凝固を抑制することなどが考えられている．しかしながら，過度の飲酒は，高血圧，肝障害，アルコール中毒などの種々の悪影響もある．節度ある飲酒量は1日アルコールとして20g以下であり，酒1合，ビール中瓶1本（500mL）に相当する．

4. その他

血圧のコントロールも重要である．喫煙は重要な心血管危険因子である．受動的喫煙の影響も報告されており，職場での禁煙を徹底すべきである．

5. ハイリスク患者への指導

すでに動脈硬化疾患がある人，糖尿病，高血圧などがある人については厳重な管理が必要である．これらの疾患が合併しているときには，心筋梗塞発症のリスクがそうでない人に比べて何倍にもなる．ハイリスクの患者では，薬物療法も厳格に行われるが，薬物療法のみに頼ることなく，同時に食事療法も厳格に行う必要がある．糖尿病はわが国で最も重要な心血管危険因子である．食事療法と運動により，ごくわずかの体重減少（あるいは内臓脂肪の減少）でもインスリン抵抗性が改善され，それとともに多くの危険因子の改善が期待される．また，高血圧もわが国に多い疾患であり，血圧の管理による心血管合併症の低下が報告されている．ハイリスク患者では，基礎疾患の管理と厳重な脂質，血糖，および血圧管理が必要である．

❸心不全

A 疾患の解説

心不全は病名を示すものでなく，症状を示すものであり，種々の心疾患の終末像である．心不全の原因として，心筋症や心臓弁膜症もあるが，近年では，虚血性心疾患や高血圧性心疾患が増えてきている．心不全患者では急性増悪を繰り返し，徐々に重症化し，治療困難な状態に陥り，死に至ることもある．

B 病態栄養

心臓のポンプ機能の低下により，心拍出量の低下，および臓器の血液の滞留（うっ血）が生じる．左心不全では肺にうっ血が起こり，呼吸困難が生じ，右心不全では肝臓や腸管など全身の静脈系にうっ血が生じ，これらの臓器障害が起こる．心不全の急性増悪の誘因として特に重要なものは呼吸器感染症である．心不全の患者は肺炎球菌およびインフルエンザの予防接種を受けることが推奨される．その他，食事に関する因子も重要である．他方，重症な症例では，食事摂取による呼吸困難や腹部膨満感などのため食事摂取量が減り，極端な低栄養状態に陥る（心臓悪液質）．

C 評価と診断

心不全の診断は，呼吸困難などの自覚症状，胸部X線，心電図，心エコーなどで行われる．心不全患者の栄養評価は，SGAなどの栄養評価ツールや血液学的な検査では困難である．特に，重要な評価項目である体重の増減が，浮腫などの水分の体内貯留により大きく影響されるため注意が必要である．また血清アルブミン値も，体内水分量により影響されるだけでなく，肝不全による合成低下，腸管からの蛋白質の漏出，炎症などにより低下するため，栄養状態よりも心不全の重症度を表すことが多い．比較的浮腫の影響が少ない，上腕の筋肉量の測定や，握力などの測定が経過をみるのに有用である．

D 治療

心不全の栄養管理については日本心不全学会のステートメント[6]に詳しく述べられている．食事療法の中心となるのは，水分と塩分の制限である．この際，よい指標となるのが体重である．急激な体重の変化は水分の変動によることが多い．心不全の患者では必ず患者に理想時の体重を覚えさせ，体重の変化を記録させておく．心不全がよくなったときの体重を理想体重として，この体重を維持するように努力する．理想体重より重くなると浮腫や肺うっ血が生じ，心不全の悪化を示し，逆に，理想体重より低くなり過ぎる場合には，利尿薬の過剰投与による脱水が考えられる．この場合には，全身倦怠感が強くなり，気力がなくなる．体重の測定については，NYHA のⅡ度以下では週 1 回程度，重症例では毎朝排尿後，朝食前に体重を測るようにする．心不全のコントロールには，体重の変動をできるだけ少なくするようにし，最大でも変動を 1kg 以内に抑える．

わが国の 1 日平均食塩摂取量は 12g 以上で，欧米なみの制限を行うと食欲が低下してしまい，食事制限を長期間続けることが困難となることも多い．軽症では特に水分制限を行わず，食塩を 1 日 6g 以下とすることを目標にする．中等症になると水分と塩分の制限を同時に行い，水分は 1.0～1.2L に，食塩は 6g 以下にする．

最近では，強力な利尿薬が使われることが多くなり，以前より水分の制限は厳格でなくとも心不全のコントロールが可能となっている．急激な水分・塩分の過剰摂取は心不全の重要な悪化因子であり，暴飲暴食後に心不全が悪化する例がある．利尿薬のフロセミドはその作用が強力なため，よく用いられている．フロセミドはナトリウムのみならずカリウムも低下させるので注意が必要である．血清カリウムの低下がみられるときは，カリウム製剤の補給あるいはカリウム保持作用を持つスピロノラクトンを併用する．バゾプレッシンの拮抗薬のトルバプタンは，他の利尿薬と異なり，ナトリウムの排泄は促進せず，水の排泄のみを促進する．心不全など，低ナトリウム血症のみられる疾患には有用である．この際には，高ナトリウム血症，脱水が起こりやすいので，水分摂取は制限しない．

重症例では，利尿薬を高用量にしても利尿が得られなくなることもある(利尿薬抵抗性)．また，厳格な塩分制限と利尿薬の高用量の使用により，腎障害をきたすこともあり注意が必要である．

近年，糖尿病治療薬の SGLT2 阻害薬が心不全の発症リスクを軽減することが報告されている．SGLT2 阻害薬は浸透圧利尿をもたらすだけでなく，内臓脂肪を減らすなどの多様な作用を持っており，心不全患者の治療として期待されている．

肥満例では，エネルギー摂取量を少し減らし，肥満の是正に努める．他方，重症の心不全例では低栄養状態に陥りやすい．極端な低栄養状態のものを心臓悪液質と呼ぶ．この原因としては，心不全による消化管のうっ血，肝臓などの腫脹による消化管の圧迫，あるいは強心薬や抗不整脈薬などによる食欲不振が原因となる．そのため，低栄養があるにもかかわらず食欲が低下している例が少なくない．その他，消化管での吸収障害，栄養素の消化管への漏失なども起こる．また低栄養状態では通常基礎代謝が低下しているが，心不全では心筋，呼吸筋のエネルギー消費量が亢進しているため，逆に心不全患者では基礎代謝が亢進している例が多い．栄養状態を維持するためには多めのエネルギーを投与する必要がある．しかし，過食により，心不全が悪化することもあるので，消化のよいものを少量ずつ，回数を分けて摂るようにする．

心臓悪液質では，エネルギーの低下に加えてたんぱく質の不足もきたす．エネルギーの補給のみならず，たんぱく質の補給にも努める．消化のよい食品を選び，食べやすいかたちに調理する．たんぱく質としては，主に魚の白身，卵，鶏のささみ，牛乳，豆腐などの良質のたんぱく質を用いる．

アルコールは中等度以上の心不全では控える．呼吸機能も低下させるので禁煙を守る．コーヒーなどは交感神経興奮をきたすので過量とならないようにする．

また，利尿薬を投与している患者では水溶性の微量栄養素が喪失しやすいため，マルチビタミン，マルチミネラルなどの補給が必要な場合がある．特にビタミン B_1 は欠乏すると心不全を悪化させるので注意が必要である[7]．

近年，心不全における栄養不良，貧血，腎障害の合併が注目されている．各々の要素は心不全の悪化をきたし，また心不全の悪化によりこれらがさらに悪化するという悪循環をもたらす．心不全に合併する貧血は，末梢への酸素の供給を減らすために，さらに心不全が悪化する．貧血と判断された場合には鉄欠乏であるかどうか診断し，またその原因を究明して，必要な治療を行う．

心不全に伴う鉄欠乏症に対しては，炎症があり鉄の消化管からの吸収が障害されていることが多く，経口鉄剤の投与が無効なことも多い．その場合には静脈投与を考慮する必要がある．

1．心不全の際の輸液

心不全に対して輸液そのものが治療の主役となることは少ない．しかし，循環器疾患患者に合併した他の疾患で輸液の必要が生じることがある．肺うっ血では，NaCl と水分の制限を行うことを念頭に置いて輸液製剤の選択・投与法を考える．

TPN で不足している栄養を補う場合に，水，ナトリウムの過剰にならないように注意する．この場合，高濃度の糖液を使うと高血糖になりやすいので，徐々に濃度を上げる．インスリンは積極的に使用し，血糖の維持を図る．維持輸液，治療薬の点滴などでも，電解質の組成に注意する．抗生物質などはナトリウム塩のことも多く，また，種々の薬剤の溶解剤として生理食塩水を用いると塩分過剰になることに注意する．生理食塩水・乳酸リンゲル液による点滴はナトリウム濃度が高いため，ナトリウムおよび体液の貯留が起こりやすい．

2. 循環不全時の経腸栄養

経腸栄養の禁忌に循環動態が安定していないことがある．血圧低下時には腸管の血流も低下しており，ここに栄養素が入ってくると，代謝が亢進して酸素欠乏が生じ，腸管虚血が生じ，腹痛や腸管穿孔をきたすことがあるので注意が必要である．

血圧を上昇させるカテコラミンなどの薬剤は腸管運動を低下させるため，多量に使用している場合も，経腸栄養は禁忌となる．また，少量であっても注意して経腸栄養剤を少量持続投与することなどにより，腸管の負荷を減ずる工夫が必要である．投与後は，腹部膨満，腸音，場合によっては胃残渣量などをモニターする．少量の栄養素（10～30mL/時）でも，腸管内に入ることにより，腸管機能は維持される．この際，栄養の不足分は静脈栄養を併用することにより補う．

❹動脈硬化

A 疾患の解説

動脈硬化には，比較的大きな動脈にみられるアテローム硬化と，小動脈にみられる細動脈硬化がある．アテローム硬化には発症部位により，それぞれ虚血性心疾患，脳梗塞，閉塞性動脈硬化症などがある．細動脈硬化は，腎および脳動脈にみられ，それぞれ，慢性腎硬化症および脳出血，ラクナ梗塞の原因となる．

B 病態栄養

虚血性心疾患をはじめとする動脈硬化疾患は，基本的には同じ危険因子をもとに発症する．したがって，動脈硬化の予防は虚血性心疾患の予防とほぼ同じである．

C 評価と診断

アテローム硬化による症状は虚血による臓器の機能不全である．2012年の改訂から，LDL-C 120～139mg/dLの場合を境界域高LDL-C血症とすることが加えられた．これは，診察した患者が140mg/dL未満であっても糖尿病や脳梗塞などを罹患している場合があり，こういった高リスクの患者を見逃さないことを目的としている．ここで用いるリスクの評価は，「性別，年齢，喫煙の有無，総コレステロール値，収縮期血圧値」で行う．この絶対リスクに追加のリスク（低HDL-C血症，早発性冠動脈疾患の家族歴，耐糖能異常）を加味して，患者をカテゴリーⅠ～Ⅲ（低リスク群～高リスク群）に層別化し，脂質の管理目標値を決める．虚血性心疾患，喫煙，糖尿病，CKD，脳血管障害・末梢動脈疾患，メタボリックシンドロームなどが合併しているときには，LDL-Cの管理を厳しい上にも厳しくすることが勧められている．

メタボリックシンドロームが注目されており，軽い異常であっても重複することにより，リスクが増大する．メタボリックシンドロームでは，トリグリセリドも危険因子として重要である．

D 治療

「動脈硬化性疾患予防ガイドライン2017年版」における食事指導[8]を表2に示す．この表には含まれないが，家族性高コレステロール血症は頻度の高い遺伝性疾患で冠動脈疾患のリスクが高く，早期診断と厳格な治療が推奨される．

❺不整脈

A 疾患の解説

不整脈には多くの種類があるが，栄養管理の対象となるのは，心房細動と心室頻拍である．心房細動では，最近ではトロンビンやXa因子を選択的に阻害する抗凝固薬（直接経口凝固薬；DOAC）が使用されることが多くなり，ワルファリンの使用が少なくなった．ワルファリンでは食品との相互作用が大きいので注意が必要である．また，心室頻拍などに用いられる抗不整脈薬は，副作用として食欲不振などの消化器症状をきたすことがあり，心臓悪液質の原因のひとつとなる．

表２　動脈硬化性疾患予防のための食事指導

- 総エネルギー摂取量（kcal/日）は，一般に標準体重（kg，（身長 m）^{2}×22）×身体活動量（軽い労作で 25～30，普通の労作で 30～35，重い労作で 35～）とする
- 脂質エネルギー比率を 20～25％，飽和脂肪酸エネルギー比率を 4.5％以上 7％未満，コレステロール摂取量を 200mg/日未満に抑える
- n-3 系多価不飽和脂肪酸の摂取を増やす
- 工業由来のトランス脂肪酸の摂取を控える
- 炭水化物エネルギー比を 50～60％とし，食物繊維の摂取を増やす
- 食塩の摂取は 6g/日未満を目標にする
- アルコールの摂取を 25g/日以下に抑える

（日本動脈硬化学会（編）．動脈硬化性疾患予防ガイドライン 2017 年版，日本動脈硬化学会，東京，2017：p58 より許諾を得て転載）

B 治療

ワルファリンはビタミン K により拮抗されるため，納豆，青汁などは禁止する．ハーブ類でワルファリンの作用を増強するものもあり（セントジョーンズワートなど），注意が必要である．

DOAC は食品や薬剤との相互作用が少ない．

大部分の期外収縮は治療の必要がない．心室頻拍の治療が必要なのは，心筋梗塞後，特に左室機能が悪い重症の心疾患患者である．さらに閉塞性肥大型心筋症を有する若年者も心室頻拍が予後不良因子となる．これ以外の心室頻拍は基本的には問題がない．多くの抗不整脈薬は心機能低下を起こすだけでなく，食欲不振，悪心などの消化器症状を起こすことがある．このため，不必要な抗不整脈薬の投与は再考する必要がある．抗不整脈薬のフレカイニドは牛乳などにより，その吸収が阻害される．したがって，牛乳を飲んでいる人が急に牛乳をやめると，薬が効き過ぎて副作用が出ることがある．また，利尿薬の併用により低カリウム血症が起こり，QT 延長により不整脈が悪化することにも注意が必要である．

文献

1) 日本高血圧学会高血圧治療ガイドライン作成委員会（編）．高血圧治療ガイドライン 2019，ライフサイエンス出版，東京，2019
2) 虚血性心疾患の一次予防ガイドライン（2012 年改訂版）＜http://www.j-circ.or.jp/guideline/pdf/JCS2012_shimamoto_h.pdf＞（最終アクセス：2020 年 10 月 12 日）
3) Krauss RM, Eckel RH, Howard B, et al. AHA Dietary Guidelines: revision 2000: a statement for healthcare professionals from the Nutrition Committee of the American Heart Association. Circulation 2000; **102**: 2284-2299
4) Eckel RH, Jakicic JM, Ard JD, et al. American College of Cardiology/American Heart Association Task Force on Practice Guidelines. 2013 AHA/ACC guideline on lifestyle management to reduce cardiovascular risk: a report of the American College of Cardiology/American Heart Association Task Force on Practice Guidelines. J Am Coll Cardiol 2014; **63**: 2960-2984
5) 慢性冠動脈疾患ガイドライン（2018 年改訂版）＜http://www.j-circ.or.jp/guideline/pdf/JCS2018_yamagishi_tamaki.pdf＞（最終アクセス：2020 年 10 月 12 日）
6) 日本心不全学会ガイドライン委員会：心不全患者における栄養評価・管理に関するステートメント＜http://www.asas.or.jp/jhfs/pdf/statement20181012.pdf＞（最終アクセス：2020 年 10 月 12 日）
7) Soukoulis V,Dihu JB, Sole M, et al. Micronutrient deficiencies: an unmet need in heart failure. J Am Coll Cardiol 2009; **54**: 1660-1673
8) 日本動脈硬化学会（編）．動脈硬化性疾患予防ガイドライン 2017 年版，日本動脈硬化学会，東京，2017

4 腎疾患

❶急性腎不全

A 疾患の解説

急性腎不全(acute renal failure：ARF)とは，急速に進行する腎機能障害を指し，原因とされる病態によって「腎前性」「腎性」「腎後性」の３群に分けられ，治療により回復しうる可逆性の病態と考えられてきた．近年，血清クレアチニン値や尿量における軽度な変化が生命予後や腎機能予後など様々なアウトカムの予測因子になることが明らかになり，急性腎障害(acute kidney injury：AKI)という新たな枠組みとして整理されてきている．本項では以降，AKI の呼称を用いる[1]．

AKI は血清クレアチニン値の変動と短時間における尿量の変化によって定義され(表１)[2]，原因にかかわらずその重症度を明確に分類できるメリットがある．

AKI が単独で生じることはまれであり，原因は重症感染症，敗血症，熱傷，多発外傷，外科手術が多い．AKI 患者が予後不良であるのは，基礎疾患の多くが重篤な病態を含み他臓器障害を伴うためである．AKI は全身炎症症候群であり，酸化ストレス亢進，代謝性アシドーシス，インスリン抵抗性など炎症・代謝変化を伴う．AKI 患者の栄養療法は，これらの複雑な病態に合わせた調整とモニターを必要とする．

B 病態栄養

AKI 患者のエネルギー必要量は，基礎とする病態の重症度に応じて決定される．AKI そのものによるエネルギー必要量の増加はないとされており，多臓器不全を伴う場合でも通常エネルギー必要量の 130％を超えることはない[2]．

AKI では肝臓，骨格筋，脂肪組織などを中心に代謝が変化する．肝臓ではグリコーゲンの分解が促進され，肝臓，骨格筋，脂肪組織では糖の取り込みが低下する．筋蛋白から分解されたアミノ酸(アラニン，ピルビン酸)は腎臓および肝臓での糖新生に使われ，脂肪組織から分解されたグリセリン(グリセロール)も糖新生に使われ，こうした結果，高血糖が惹起される．また，炎症性サイトカイン・コルチゾール・グルカゴン・エピネルフリンなどのメディエーターが増え，骨格筋の蛋白異化が亢進する．分解されたアミノ酸は，糖新生や急性相蛋白の産生に使われるため，窒素バランスは負になり，骨格筋は喪失する．

AKI は脂質代謝にも影響を及ぼす．末梢血のリポ蛋白リパーゼや肝臓での中性脂肪リパーゼが減少し，脂

表１　AKI の定義と病期

定義	1. ΔsCr≧0.3mg/dL(48 時間以内) 2. sCr の基礎値から 1.5 倍上昇(7 日以内) 3. 尿量 0.5mL/kg/時以下が 6 時間以上持続	
	sCr 基準	尿量基準
ステージ 1	ΔsCr≧0.3mg/dL or sCr 1.5～1.9 倍上昇	0.5mL/kg/時未満 6 時間以上
ステージ 2	sCr 2.0～2.9 倍上昇	0.5mL/kg/時未満 12 時間以上
ステージ 3	sCr 3.0 倍上昇 or sCr≧4.0mg/dL までの上昇 or 腎代替療法開始	0.3mL/kg/時未満 24 時間以上 or 12 時間以上の無尿

SCr：血清クレアチニン
注）定義 1～3 の 1 つを満たせば AKI と診断する．
　　sCr と尿量による重症度分類では重症度の高いほうを採用する．
(KDIGO AKI Work Group. KDIGO Clinical Practice Guideline for Acute Kidney Injury. Kidney Int (Suppl) 2012; **2**: 1-138 より引用)

肪分解が低下するため，血中の中性脂肪，very low density lipoprotein（VLDL）は上昇し，HDL および LDL コレステロールは低下する．

AKI では腎代替療法（renal replacement therapy：RRT）の影響は無視できない．血液透析による蛋白異化亢進は透析膜からの蛋白漏出だけでなく血液と透析膜との反応によって白血球から放出される炎症メディエータによって，また一部はエンドトキシンの逆拡散によって促進される．これらの炎症惹起物質による反応は透析終了後少なくとも数時間は持続する．持続的腎代替療法（continuous renal replacement therapy：CRRT）は救命救急領域でよく使用されるが，施行時のアミノ酸総喪失量は1日あたり10～15g（1日アミノ酸摂取量の10～15%）に相当する．治療モードや条件にもよるが，上記に加えて約1～3g程度のアルブミン漏出が起こり，蛋白全体では5～10gの蛋白質が透析膜から漏出する[2]．適切な栄養補給を考えるときには用いられている RRT の特性を考慮する必要がある．

C 評価と診断

2012年に KDIGO（国際腎臓病予後改善委員会）から AKI 診療ガイドラインが公刊され，それまでの AKIN 基準や RIFLE 基準などの AKI 判定基準で集積されたエビデンスをもとに新たな基準を作成している（表1）[2]．

AKI の原因の特定は最も優先されるべき評価項目である．腎性，腎前性，腎後性に腎機能を悪化させる因子を迅速に評価し，治療介入が可能な病態に対して速やかに対処する．血圧，脈拍などのバイタルサインに加えて継時的な尿量計測を行い in-out バランスを測定する．尿量減少による体液貯留，浮腫の増強はうっ血性心不全や感染症のリスクとなり，高カリウム血症などの電解質異常は不整脈や神経学的合併症のリスクを高めるため，内科的管理が困難と判断した場合は速やかに RRT の導入を行うべきである．

主観的包括的栄養評価（subjective global assessment：SGA）は，最も一般的な栄養スクリーニング法であり，SGA で AKI 患者をスクリーニングすると，中等度の栄養障害リスクを16.2%，高度の栄養障害リスクを41.7%に認め，栄養リスクが高い群ほど院内死亡率が高い[3]．

D 治療

AKI 治療の中心は血行動態の維持である．有効循環血液量（effective plasma volume）を維持するために治療初期には晶質液の投与が推奨される．治療や検査に際しては腎毒性物質（アミノグリコシド系抗生物質，バンコマイシン，造影剤など）への曝露を可能な限り避ける[2]．

AKI に対する栄養・代謝への介入において有効性が示されているものはほとんどない．しかし，有害であるもの，あるいは無効であるもののいくつかは判明しており，不適切な栄養による悪影響を避け，治癒能力を妨げないということが AKI の栄養管理の基本方針である．

1．エネルギー必要量とグルコース代謝（表2）

KDIGO ガイドラインでは20～30 kcal/kg/日のカロリー投与が推奨され，重症度および基礎疾患に応じた栄養療法が必要である．近年ではエネルギー必要量の増加に応じた投与カロリー増量は利益がないとされる．血糖管理に関しては，強化インスリン療法は有効ではないという報告を受けて，血糖180 mg/dL 以上でインスリンプロトコールを開始することや144～180 mg/dL を重症な AKI の場合でも目標血糖値とすることが妥当といえる．

2．たんぱく質摂取量

RRT を必要とせず異化亢進を伴わない AKI においては，たんぱく質摂取は0.8～1.0 g/kg/日とする．RRT を必要とする AKI では1.0～1.5 g/kg/日，持続的 RRT が必要で著明な異化亢進のある例でも1.7 g/kg/日を超えるべきではない[1]．AKI における窒素バランスを正にするためにはたんぱく質摂取量を2.0 g/kg/日以上にする必要があるが，このような高蛋白負荷で病態改善を証明した知見はなく，当然のことながら高窒素血症，アシドーシス，必要透析量の増加を招く．

3．栄養補給経路

AKI を伴う重症患者においては腸管蠕動の低下，腸管浮腫による栄養素吸収障害などにより経腸栄養が困難になることがしばしばある．しかし，経腸栄養は腸管粘膜の保持，腸管萎縮の予防，bacterial translocation の予防の効果があり，ストレス性潰瘍や消化管出血のリスクを減らす．そのため AKI では経腸栄養が第一に選択される．経口摂取が不可能な場合は，可能な限り経管栄養が選択されるべきである．

4．中心静脈栄養の構成

経口摂取が不可能で中心静脈栄養を用いる場合には，グルコースを主要なエネルギー栄養要素とする．高血糖や脂質産生を抑えるためにグルコース投与量は3～5 g/kg/日に制限し，インスリンを併用することが必要である．グルコース過剰投与を避けるために脂肪

表 2　急性腎障害時の重症度別必要栄養素

	異化亢進の程度		
	軽症	中等症	重症
摂取窒素を超える尿素窒素排泄量(g/日) 病態(例) 死亡率 透析・持続的腎代替療法 栄養素投与経路	<5g 薬剤性腎障害 20% まれ 経口	5～10g 手術侵襲・感染症 40～60% 必要に応じて 経腸管，中心静脈栄養	>10g 敗血症・ARDS・多臓器不全 >60% 頻繁に必要 経腸管，中心静脈栄養
推奨エネルギー投与量(kcal/kg/日) エネルギーの基質 グルコース(g/kg/日) 脂質(脂肪乳剤)(g/kg/日) アミノ酸/蛋白質(g/kg/日)	20～25 3.0～5.0 0.6～1.2 EAA(+NEAA)	20～30 3.0～5.0 0.6～1.0 1.0～1.4 EAA+NEAA	25～35 3.0～5.0 0.8～1.2 1.2～1.5 EAA+NEAA
経腸管栄養時　摂取形態 中心静脈栄養の構成	固形食，流動食	経管栄養剤 グルコース 50～70% 脂質 10～20% アミノ酸 6.5～10% 微量元素・ビタミン	経管栄養剤 グルコース 50～70% 脂質 10～20% アミノ酸 6.5～10% 微量元素・ビタミン

(Druml W. Nutritional support in acute renal failure. Handbook of Nutrition and the Kidney, 6th Ed, Mitch WE (ed), Lippincott Williams & Wilkins, Philadelphia, 2005, p72-91 より作成)

乳剤でのカロリー補充が併用される．脂肪乳剤の利点として高カロリー，低浸透圧，必須脂肪酸の供給，肝臓における脂肪蓄積の遅延，高血糖予防，ω3 系脂肪酸の抗炎症作用などがあり，必要エネルギー量の 20～30%は脂質で投与するべきである．高脂血症(中性脂肪 350 mg/dL 以上)，過凝固状態，pH 7.2 未満のアシドーシス，循環障害などの患者には脂肪乳剤を投与するべきではない．アミノ酸投与は腎機能障害時に低下する必須アミノ酸に加えて，AKI 発症時に生じるアミノ酸不均衡を緩和するように調整されたアミノ酸組成のものを用いる．具体的には AKI で欠乏しやすい必須アミノ酸の補給，筋肉でのエネルギー利用効率のよい分岐鎖アミノ酸の増量，尿素サイクル不全予防目的でのアルギニン添加などの工夫がなされている「腎臓用」アミノ酸製剤を用いる[1]．また，電解質投与には細心の注意が必要であり，特にカリウムはインスリン作用により細胞内へシフトするため，病態と治療内容に応じた投与量調整が必要である．また，微量元素や水溶性ビタミンはとりわけ中心静脈栄養管理や RRT 施行時に欠乏状態になりやすいため補充を行う．

❷急性腎炎

A 疾患の解説

急性腎炎とは，急性に糸球体障害が生じることにより蛋白尿，血尿，浮腫，高血圧などの症候を急激に発症する症候群である．通常は急性糸球体腎炎あるいは急性腎炎症候群と呼ばれ，溶連菌感染に伴う溶連菌感染後急性糸球体腎炎(post staphylococcus acute glomerulonephritis：PSAGN)の頻度が最も高い．本項では主に PSAGN における栄養管理について述べる．

PSAGN は 5～12 歳の小児に好発する．溶連菌感染から 10～14 日程後に血尿，蛋白尿，高血圧で急速に発症し，多くの場合腎機能低下を伴う．先行する溶連菌感染は咽頭炎や皮膚の感染が多い．腎炎惹起性の A 群溶血性連鎖球菌感染により生じた免疫複合体が糸球体基底膜に沈着し，補体活性化が惹起され腎炎が生じる．多核球の遊走により糸球体血管内は炎症細胞浸潤が強く生じ，管内増殖性腎炎の像を呈する．通常 1 週間の経過で臨床症状と腎機能の回復がみられ，腎代替療法を必要とすることはまれである．多くの場合は安静，食事療法などの保存的な治療で軽快する[4]．

B 病態栄養

本疾患では急速に生じる体液貯留に特徴がある．特にネフローゼ症候群をきたすような多量の蛋白尿を認める例では，遠位尿細管から集合管にかけての尿細管においてナトリウム再吸収が亢進するためにナトリウム貯留が起こり，浮腫，高血圧の一因となる．体液貯留を助長しないようにするため食塩制限と水分制限が行われ，必要に応じてループ利尿薬を併用する．PSAGN においては，管内増殖性腎炎による糸球体濾過量の減少から急速に進行する腎機能障害が生じうる．その結果として AKI を呈する場合の栄養管理については前述のとおりである．

C 評価と診断

診断は急性腎炎の臨床経過と A 群溶連菌感染の証明によって行われる．しかし，実際に培養が陽性になる例は 25%に過ぎないため，anti-streptolysin O（ASO）などの血清学的検査を同時に用いることが多い．腎生検は必須ではないが，成人例の場合や先行感染の証明が困難な場合，臨床経過が遷延する場合で考慮される．急性期の血清補体値の低下は診断的価値が高い．通常の経過であれば 1 週間程度で体液貯留は改善傾向を示し，血清クレアチニン値も 3〜4 週で基礎値に戻る．血尿は通常半年以内に消失するが，蛋白尿は数年にわたって遷延する場合がある．

D 治療

通常，保存的治療のみで 2〜6 ヵ月以内に治癒するとされ，安静と食事指導が治療の基本である．経過を通じて総エネルギー量 35 kcal/kg/日と比較的高カロリーを投与し，急性期はたんぱく質制限 0.5 g/kg/日，食塩制限 0〜3 g/日，回復期および治癒期にはたんぱく質制限 1.0 g/kg/日，食塩制限 3〜5 g/日が目安となる．また，水分は不感蒸泄に前日尿量を加えた量に制限する[4]．しかしながら，これらの基準には明確なエビデンスがない．感染症に伴う腎炎であるために抗生物質投与による治療が試みられてきたが，腎炎重症度，予後改善効果は認められていない．

❸急速進行性腎炎

A 疾患の解説

急速進行性糸球体腎炎（rapid progressive glomerulonephritis：RPGN）とは，数週から数ヵ月の経過で急性に発症し，血尿，蛋白尿を伴って急速に腎機能が低下する予後不良の腎炎症候群である．病理学的には，糸球体における半月体形成性壊死性糸球体腎炎の組織像が典型的である．半月体形成は可逆的であるが，炎症が遷延し線維性半月体となると腎機能障害は不可逆的となる．原因疾患は血管炎や膠原病などの全身性炎症性疾患であり，多臓器に障害が及ぶことがある．

B 病態栄養

RPGN では基礎疾患による全身性の炎症に加えて，AKI と同様に急速な腎機能低下に伴う代謝環境の変化を生じる．また，副腎皮質ステロイドが頻用されるため治療による耐糖能障害を誘発し，多くはインスリン治療を必要とする．腎機能障害に伴う病態栄養については AKI の項で述べたとおりである．

C 評価と診断

RPGN は，血尿，蛋白尿を伴い急速に進行する腎機能障害で疑われる．膠原病・血管炎などの全身性疾患の有無を精査する必要がある．血清学的検査に加えて腎生検，肺生検，皮膚生検などの組織診断を行う．腎生検所見では半月体形成性腎炎を呈することが多い．原疾患には多臓器障害をきたすものが多く，集学的な評価が必要になる．

D 治療

副腎皮質ホルモン投与などの免疫抑制療法が治療の中心となる．その他，RRT，血漿交換療法が併用されることも多い．急速な腎機能障害に伴う栄養管理を必要とし，AKI に準じて栄養管理を行う．

❹ネフローゼ症候群

A 疾患の解説

ネフローゼ症候群とは，大量の蛋白尿とその結果生じる低蛋白血症，脂質異常症，浮腫から構成される臨床症候群である．成人の場合，1 日尿蛋白量 3.5 g/日（随時尿において 3.5 g/g Cr）以上が持続，血清アルブミン値 3.0 g/dL 以下の両所見を認めることが本症候群の必須条件である．ネフローゼ症候群の病態は，原因疾患に起因する糸球体障害により大量の蛋白尿が出現することから始まる．そのため，血清蛋白，とりわけ血清アルブミンが減少し，血漿膠質浸透圧が減少する結果，間質へ水・ナトリウムが拡散して全身の浮腫をきたす．また，血清アルブミンの減少は肝臓でのアルブミン合成を促進するとともに，リポ蛋白合成を亢進させ，脂質異常症をきたす．さらに血液の濃縮や糸球体からの凝固・線溶因子の喪失により凝固能亢進が生じるため，合併症として深部静脈血栓症などがある．

原発性糸球体疾患に基づくものを一次性ネフローゼ症候群と称し，続発性糸球体疾患によるものを二次性ネフローゼ症候群と称している．小児から高齢者まで広い年齢層において起こり，一次性のなかで小児に多いのは微小変化型ネフローゼ症候群であり，中年以降では膜性腎症が最も多い．二次性ネフローゼ症候群は全身性疾患に伴うもので，糖尿病性腎症，ループス腎炎などが多い(表3)．

表3　ネフローゼ症候群をきたす疾患

1. 一次性ネフローゼ症候群 ○微小変化型ネフローゼ症候群 ○巣状糸球体硬化症 ○膜性腎症 ○増殖性糸球体腎炎(メサンギウム増殖性糸球体腎炎，膜性増殖性糸球体腎炎，半月体形成性糸球体腎炎)
2. 二次性ネフローゼ症候群 ○全身性疾患：糖尿病，全身性エリテマトーデス(SLE)，アミロイドーシス，Henoch-Schönlein紫斑病，クリオグロブリン血症など ○慢性感染症：溶連菌，B型・C型肝炎ウイルス，梅毒，マラリア，寄生虫など ○悪性腫瘍：がん，Hodgkin病，その他の悪性リンパ腫など ○薬物・化学物質・毒物：金，水銀，D-ペニシラミンなど

B 病態栄養

1. たんぱく質

a) 蛋白質代謝の異常

低蛋白血症は，腎糸球体基底膜障害により蛋白透過性亢進をきたし，アルブミン尿を主体とする大量の蛋白尿によって起こる．また，アルブミンの異化の不適切な亢進も加担している．著明なアルブミンの低下により，肝においてアルブミンの産生が亢進するが，その程度は喪失アルブミン量を補足するには不十分である．こうした要因が複合して，低アルブミン血症をきたす．腸管からのアルブミン喪失や体内のアルブミン分布の変化も関与している．

b) 蛋白質負荷による蛋白代謝への影響

たんぱく質摂取の増加は肝のアルブミン産生を亢進させるが，ネフローゼ症候群では24時間以内にそのほとんどが糸球体から濾過されてしまうため，血清アルブミン値の上昇に寄与しない．さらにこの濾過したアルブミンが近位尿細管に取り込まれ，ここでの異化が亢進する．この異化量は，肝における合成量を上回る．したがって，蛋白質負荷は尿蛋白排泄量を増加させ，異化を進め，低アルブミン血症を増悪させてしまう可能性がある．

c) 摂取たんぱく質による腎障害

従来，慢性腎不全に対する腎保護効果を期待して，たんぱく質制限が広く行われてきた．ネフローゼ症候群では主に摂取たんぱく質の負荷によって増加した尿蛋白，および低アルブミン血症に伴う脂質異常症が腎機能の増悪に関与する．低たんぱく食は，アルブミンの合成を低下させるが，これを上回って異化を抑制し，蛋白尿減少と血清アルブミン値の上昇がみられ，糸球体障害抑制にも働くと考えられている．

2. エネルギー

ネフローゼ症候群においては，0.8g/kg体重のたんぱく質制限と35kcal/kg体重のエネルギー摂取により窒素バランスが保たれる．低蛋白血症がすでにあるため，栄養障害となりやすく，浮腫によって食欲低下や消化吸収低下をきたし，エネルギー不足を起こしやすい．蛋白異化を抑えるために十分なエネルギー摂取が推奨される．一方で，成人ネフローゼ症候群では糖尿病性腎症が二次性ネフローゼ症候群の1位を占めており，その原疾患である糖尿病では，肥満やメタボリックシンドロームを呈している場合にはエネルギー制限が考慮される．

3. 脂質異常症

低アルブミン血症に起因して血漿浸透圧の低下をきたし，肝におけるアルブミン合成能が上がるとともに浸透圧活性を持つアポリポ蛋白BやVLDL合成が亢進し，それに伴ってコレステロールや中性脂肪の上昇が認められる．血漿浸透圧の低下が脂質異常の程度と密接に関連することが報告されている．

4. 食塩

体重増加を伴う浮腫の存在は，細胞外液(血管内＋間質)中の総ナトリウム量が過剰となっていることを示す．そのため治療はナトリウムバランスの是正であり，ナトリウム摂取を減らすこととナトリウム排泄を促進することである．食塩制限は浮腫を軽減するだけでなく，腎尿細管の負荷を軽減し，RAS阻害薬の効果を増強することなどから，腎保護作用が期待される．

5．ビタミンD

ネフローゼ症候群では血漿ビタミンD値が低下する傾向にあり，その程度が尿蛋白量と逆相関することから，アルブミン再吸収亢進を背景とした近位尿細管のビタミンD産生低下が原因であると考えられる．ビタミンD結合蛋白の尿中喪失による可能性も考えられている．

6．微量元素(鉄・亜鉛)

ネフローゼ症候群ではトランスフェリンが尿中に大量に喪失し，低トランスフェリン血症を呈する．濾過されたトランスフェリンは尿細管において鉄を放出し，この鉄が再吸収され，尿細管間質障害の一因となる．したがって，明らかな鉄欠乏が存在しなければ，鉄補充は行わない．アルブミンは亜鉛運搬蛋白であり，亜鉛が大量に尿中に喪失するとされている．亜鉛欠乏があれば補充を行う．

C　評価と診断

1．病態の評価と診断

a）腎機能

慢性腎臓病(CKD)における重症度分類において血清クレアチニン(Cr)から計算される推算糸球体濾過量(estimated glomerular filtration rate：eGFR)を用いることにより，CKD評価を行うことができる(第Ⅵ章-Ⅰ-2参照)．また，蓄尿から尿中クレアチニンと血中クレアチニンを測定することによって計算される内因性クレアチニンクリアランス(Ccr)(第Ⅶ章-4-⑤-C-1参照)は臨床上より正確なGFR評価法として用いられる．

b）尿蛋白

ネフローゼ症候群の診断基準として，成人では蓄尿により1日の尿蛋白量は3.5g以上が持続，もしくは随時尿において尿蛋白/尿Cr比が3.5g/gCr以上の場合もこれに準ずる．尿蛋白選択性の評価は随時尿から得られ，0.2未満であれば選択性が高く，ステロイドに対する反応性はよいことが予想される．

尿蛋白選択性(selectivity index：SI)＝(尿中IgG/血清IgG)/(尿中トランスフェリン/血清トランスフェリン)

c）浮腫

浮腫はpitting edemaであり，全身性にきたす．定量的な評価は体重測定によって行い，胸水，腹水の評価はX線写真，超音波，CTなどで画像的に評価する．腹囲測定は腹水の経過をみるうえで簡便である．

d）腎生検

原疾患の診断や今後の治療方針を決定するうえで腎生検を行うことは非常に重要である．施行するうえでは，適応を十分に考える必要がある．臨床経過や症状から明らかに糖尿病性腎症によるネフローゼ症候群と診断されれば，腎生検を行うことは少ない．

2．食事摂取量の評価

a）エネルギー摂取量

エネルギー摂取量は血液や尿などからは算出できず，食事記録から算出する．記録からの計算値では実際とズレが生じるので，栄養状態の指標となる身体所見と血液生化学データなどから総合的に判断する．

b）たんぱく質摂取量

24時間蓄尿による尿中尿素窒素産出量から蛋白質推定量を算出する．Maroniの式(第Ⅳ章-C-1参照)が広く用いられ，浮腫などにより体重変動がある場合にはこれを補正しなければならない．ネフローゼ症候群の患者では，Maroniの式で得られた結果に1日尿蛋白量排泄量を加算する考え方もある．

c）食塩摂取量

CKD患者の早朝第1尿から1日食塩摂取量の推算式，24時間蓄尿を用いた評価がある．24時間蓄尿での評価はより精度が高い(第Ⅶ章-3-①-D-1参照)．

D　治療

ネフローゼ症候群の治療においては，①原疾患の治療，②高度蛋白尿の減少，③低蛋白血症の改善，④浮腫に対する治療，⑤脂質異常症の改善，⑥腎機能障害の進展抑制，などが主な治療目標となる．

1．薬物療法

基本となるのは副腎皮質ステロイドである．微小変化型ネフローゼ症候群では特に有効であり，数週間で尿蛋白，浮腫は消失する．ステロイドが奏効しない場合には免疫抑制薬が併用される．高度な浮腫に対しては利尿薬，脂質異常症に対しては脂質異常症治療薬などが用いられる．蛋白尿減少効果や腎保護作用を期待してRAS阻害薬なども用いられる．

2．食事療法

ネフローゼ症候群における栄養管理は，浮腫などの症状の軽減のみならず，尿中へ漏出した栄養素の補給，不適切な高たんぱく質食により生じる腎機能障害進展の防止，脂質異常症に関する動脈硬化促進の防止の観点から重要な意味を持つ．治療抵抗性ネフローゼ症候群ではたんぱく質制限が蛋白尿を減少することが報告されている[5]．従来の日本腎臓学会「腎疾患患者の生活指導・食事療法に関するガイドライン」を考慮し，

表４　ネフローゼ症候群の食事療法

	総エネルギー (kcal/kg*/日)	たんぱく質 (g/kg*/日)	食塩 (g/日)	カリウム	水分
微小変化型ネフローゼ症候群以外	35	0.8	5	血清カリウム値により増減	制限せず**
治療反応性良好な微小変化型ネフローゼ症候群	35	1.0～1.1	0～7	血清カリウム値により増減	制限せず**

*：標準体重
**：高度の難治性浮腫の場合には水分制限を要する場合もある．
（長澤俊彦，石田尚志，小山哲夫，ほか．腎疾患患者の生活指導・食事療法に関するガイドライン．日本腎臓学会誌 1997; **39**: 1-37 より許諾を得て転載）

表５　CKD ステージによる食事療法基準

ステージ (GFR)	エネルギー (kcal/kgBW/日)	たんぱく質 (g/kgBW/日)	食塩 (g/日)	カリウム (mg/日)
ステージ１ (GFR≧90)	25～35	過剰な摂取をしない	3≦　＜6	制限なし
ステージ２ (GFR 60～89)		過剰な摂取をしない		制限なし
ステージ 3a (GFR 45～59)		0.8～1.0		制限なし
ステージ 3b (GFR 30～44)		0.6～0.8		≦2,000
ステージ４ (GFR 15～29)		0.6～0.8		≦1,500
ステージ５ (GFR＜15)		0.6～0.8		≦1,500
5D（透析療法中）	別表			

注）エネルギーや栄養素は，適正な量を設定するために，合併する疾患（糖尿病・肥満など）のガイドラインなどを参照して病態に応じて調整する．性別・年齢・身体活動度などにより異なる．
注）体重は基本的に標準体重（BMI＝22）を用いる．
（日本腎臓学会．慢性腎臓病に対する食事療法基準 2014 年版．日本腎臓学会誌 2014; **56**: 553-599 より許諾を得て転載）

食事療法を治療反応良好な微小変化型ネフローゼ症候群と他のネフローゼ症候群を分けて考えることを推奨している（表 4）[4]．このガイドラインおよび CKD ステージによる食事療法基準[6]（表 5）などを参考にして行うことが望ましい．

a）たんぱく質制限食

ステロイドに反応がよい微小変化型ネフローゼ症候群に対しては，たんぱく質制限を積極的に行う必要はない．たんぱく質制限食は，血漿フィブリノゲン値を低下し，合併症の血栓防止の観点からは望ましいという報告もある[7]．また，0.3 g/kg/日の超低たんぱく食と 10～20 g の必須アミノ酸補給により，治療開始時 GFR 32～39 mL/分の患者において蛋白尿，血清アルブミンがともに改善したことから，GFR の低下が高度でなければ，長期寛解をもたらすと報告しており[5]，エネルギーやアミノ酸を考慮すれば，さらなるたんぱく質制限が有効な可能性がある．摂取たんぱく質の異化を抑制し，合成を進める方法として，アミノ酸スコアを高く保つことは重要である．その他にもたんぱく質制限が TGF-β を減少させ，間質の線維化を抑制することが報告され[8]，RAS 阻害薬のみでは TGF-β を完全に阻止できないが，低たんぱく食を加えることで相乗効果が得られることも報告されている[9]．低たんぱく食によって IgG 合成が低下し，易感染性をきたすことが懸念されてきたが，ネフローゼ患者では IgG 合成は増加しており，0.6 g/kg/日の低たんぱく食と 1.2 g/kg/日とでは IgG 合成に差がないことも報告されている[10]．このようにネフローゼ症候群での低たんぱく食の有用性が報告されているが，低栄養が懸念され，対象とした RCT は極めて少なく，少人数で短期間の研究となっている．現時点では有効性と長期的な安全性の両面において不明な点が多く，たんぱく質制限を適用する場合にも 0.8g/kg/日程度にとどめておいたほうが無難である．

b) エネルギー

蛋白の異化を予防するためには十分なエネルギー補給が重要であり，ネフローゼ症候群では通常 35kcal/kg/日は必要となる．十分なエネルギー補給とともにアミノ酸補給も考える必要がある．一方，ステロイド使用に伴う合併症で糖尿病が発症することもあり，食欲が促進される患者においては体重増加をきたさないように適切なエネルギー制限が必要である．

c) 脂質

ネフローゼ症候群では血清コレステロール，中性脂肪，LDL，intermediate density lipoprotein（IDL）の増加による脂質異常症が特徴的である．脂質制限（全熱量の 30％以下，多価不飽和脂肪酸が豊富）・低コレステロール（200mg/日以下）を含む食事療法がネフローゼ症候群における脂質異常症を改善させ，尿蛋白を減少させる報告がある[11]．日本腎臓学会の「慢性腎臓病 生活・食事指導マニュアル」において，脂質摂取量は全エネルギー比の 20〜25％が望ましいとされている．米国では脂肪制限（<総エネルギーの 30％），コレステロール制限（200mg/日），多価不飽和脂肪酸・リノレイン酸（>総エネルギーの 10％）に富んだ食事が勧められている．

d) 食塩・水分

ネフローゼ症候群患者のナトリウム摂取量の制限は国際的には塩分 3g/日未満とすることが推奨されている．日本腎臓学会では，CKD 患者における食塩の目標摂取量を 6g/日未満に推奨し[6]，病態に応じて塩分 6g/日までの制限とするのが現実的である．水分制限の有用性に関しては明確ではない．十分な食塩制限下では厳密な水分制限は不要であるが，浮腫が高度の場合には水分摂取量の制限が行われることもある．ネフローゼ症候群が軽快し，利尿が得られたあとに高度の食塩制限のため低ナトリウム血症をきたすこともあるので注意を要する．

e) ミネラル，ビタミン

カルシウムは 300〜400mg/日の補給が必要であるとしている．鉄欠乏があれば鉄剤投与を行う．米国ではビタミン D 欠乏があれば 1,25-$(OH)_2$-D_3 投与を勧めている．

❺慢性腎不全（保存期）

A 疾患の解説

1．慢性腎臓病（chronic kidney disease：CKD）

透析や移植を必要とする末期腎不全（end-stage kidney disease：ESKD）患者は世界中で増加し続け，ESKD 予備軍としての CKD 患者は日本の成人人口の約 13％，1,330 万人に達していることが明らかになり，今や国民病といえる．CKD は心血管疾患（cardiovascular disease：CVD）発症のリスクも高く，CKD 対策が急務となっている．CKD は日本腎臓学会の「CKD 診療ガイド 2012」から表 6 のように定義される．そして CKD の重症度は，表 7 のように，原因（cause：C），腎機能（glomerular filtration rate：GFR：G）と蛋白尿（アルブミン尿：A）による CGA 分類で評価する（たとえば，糖尿病 G2A3）．ステージが進むほど，また蛋白尿が多いほど死亡，ESKD，心血管死亡発症のリスクが上昇する．

2．慢性腎不全

表 7 に示されているように，GFR が 15 未満に低下した G5 が狭義の腎不全である．しかしながら，G1〜G5 を含む，透析療法を行っていない CKD を広義で慢性腎不全保存期と考える．

B 病態栄養

1．病態生理

a) CKD への進行

腎不全の原疾患にかかわらず，病態がある一定の閾値を超えるとその進行は不可逆となり，糸球体硬化，尿細管間質の線維化が進行して ESKD に至る．これらの病理学的変化には高血圧（特に糸球体高血圧），糸球体過剰濾過，蛋白尿，炎症，酸化ストレス，間質の虚血など様々な因子が関与している．なかでも蛋白尿が多い患者ほど腎機能低下の進行が速いことが証明されており，できる限り蛋白尿を減少させることが重要である．

表 6　CKD の定義

1．尿異常，画像診断，血液，病理で腎障害の存在が明らか．特に 0.15g/gCr 以上の蛋白尿（30mg/gCr 以上のアルブミン尿）の存在が重要
2．GFR<60mL/分/1.73m^2
1，2 のいずれか，または両方が 3 ヵ月以上持続する

表7 CKDの重症度分類

原疾患	尿蛋白区分	A1	A2	A3
糖尿病	尿アルブミン定量 (mg/日) 尿アルブミン/Cr比 (mg/gCr)	正常	微量アルブミン尿	顕性アルブミン尿
		30未満	30〜299	300以上
高血圧,腎炎, 多発性囊胞腎, 移植腎,不明, その他	尿蛋白定量 (g/日) 尿蛋白/Cr比 (g/gCr)	正常	軽度蛋白尿	高度蛋白尿
		0.15未満	0.15〜0.49	0.50以上

GFR区分			A1	A2	A3
GFR区分	G1	正常または高値 ≧90			
	G2	正常または軽度低下 60〜89			
	G3a	軽度〜中等度低下 45〜59			
	G3b	中等度〜高度低下 30〜44			
	G4	高度低下 15〜29			
	G5	末期腎不全(ESKD) <15			

重症度は原疾患・GFR区分・蛋白尿区分を合わせたステージにより評価する.CKDの重症度は,死亡,末期腎不全,心血管死亡発症のリスクを□のステージを基準に,□□■の順にステージが上昇するほどリスクは上昇する.

(日本腎臓学会(編).CKD診療ガイド2012,東京医学社,東京,2012: p3より許諾を得て転載)

b) CKDの臨床徴候

ほとんどの患者は検査値で異常値を示しても無症状のことが多い.しかし,ステージG5に進むと様々な臨床徴候が現れてくる.糖尿病性腎症では早い段階で体液貯留が出現することが多い.筋力低下,貧血,浮腫,意識障害,末梢神経障害,食欲不振,嘔吐,下痢,皮膚瘙痒など実質的にすべての臓器が障害されうるもので,尿毒症と総称される.以下の3つが尿毒症の主要な病因である.

①電解質および水の排泄低下:浮腫,高血圧,低ナトリウム血症,高カリウム血症,高リン血症を呈する.

②有機物の排泄低下:高窒素血症,高尿酸血症,高β_2ミクログロブリン血症,代謝性アシドーシスを呈する.

③腎臓でのホルモン合成低下:エリスロポエチン合成低下による腎性貧血,ビタミンDの活性化障害による低カルシウム血症を呈する.

c) CKDの病態に応じた食事療法

CKDの食事療法で制限すべき成分は,食塩,カリウム,リン,などのミネラルおよびたんぱく質である.表8にCKDで食事療法が必要な病態と治療の要点を示す.

C 評価と診断

1. 腎機能の評価

a) 推算糸球体濾過量(eGFR)

18歳以上では,血清クレアチニン(Cr)(mg/dL)値に基づくGFR推算式を用いてGFRを推定する.

血清Cr値は筋肉量の影響を受けるので,eGFR creatで評価が困難な場合(たとえば,四肢切断,長期臥床患者)に,18歳以上では,血清シスタチンC(Cys-C)(mg/L)値をもとにしたeGFR cysも利用できる(第Ⅵ章-Ⅰ-2参照).

b) クレアチニンクリアランス(Ccr)

GFR推算式はあくまで簡易法であり,蓄尿ができるのであれば,日常の臨床の場では24時間内因性Ccrから腎機能を評価するほうが望ましい.

Ccr(mL/分)=[Ucr(mg/dL)×V(mL/日)]÷[Scr(mg/dL)×1440(min/日)]

Ucr:尿Cr濃度,V:1日尿量,Scr:血清Cr濃度

24時間法によるCcrでは,不完全な蓄尿により正確な評価ができなくなる欠点がある.蓄尿が完全に行われたかどうかは1日のCrの排泄量で評価できる.Crの排泄量は一定であり,この値の変動が大きいときは

表８　腎疾患の病態と食事療法の基本

病態	食事療法	効果
糸球体過剰濾過	食塩摂取制限（3g/日以上 6g/日未満） たんぱく質制限（0.6～0.8g/kg 体重/日）	尿蛋白量減少 腎代替療法導入の延長
細胞外液量増大	食塩摂取制限（3g/日以上 6g/日未満）	浮腫軽減
高血圧	食塩摂取制限（3g/日以上 6g/日未満）	降圧，腎障害進展の遅延
高窒素血症	たんぱく質制限（0.6～0.8g/kg 体重/日）	血清尿素窒素低下 尿毒症症状の抑制
高カリウム血症	カリウム制限	血清カリウム低下

（日本腎臓学会（編）．CKD 診療ガイド 2012，東京医学社，東京，2012: p52 より許諾を得て転載）

蓄尿の信頼性を考慮する必要がある．

c）イヌリンクリアランス

イヌリンは血中で蛋白と結合せず，自由に糸球体を通過し，尿細管で分泌や再吸収を受けない物質であり，GFR 測定の gold standard である．しかし，測定手技が煩雑であり日常の臨床の場ではルーチンに用いられない．腎移植ドナーなど正確な腎機能評価が必要な場合に実施する．

2．食事摂取量の評価

a）エネルギー摂取量

食事記録，詳細な面談による調査から算出する以外に方法がない．

b）食塩摂取量

食塩摂取量は，ナトリウム排泄量＝食塩摂取量の考えから，蓄尿により推定できる（第Ⅶ章-3-①-D-1 参照）．包装食品の栄養表示は食塩（NaCl）量ではなく，ナトリウム（Na）量とするよう義務づけられている．実際の塩分量を知るためには，ナトリウム量（g）を 2.5 倍して食塩量に換算する必要がある．

c）たんぱく質摂取量

たんぱく質摂取量は，体内での蛋白質代謝量＝たんぱく質摂取量の考えのもとに，終末代謝産物である尿素窒素（urea nitrogen：UN）の産出量から，蓄尿による Maroni の式で推定する（第Ⅳ章-C-1 参照）．

Maroni の式は，窒素出納が平衡状態であることを前提としているため，ステロイド治療中や熱傷など体蛋白質の異化亢進が進んでいる場合には，実際の摂取量を過大評価していることに注意が必要である．

D 治療

CKD の治療の目的は，ESKD と CVD の発症・進展抑制にある．図１のように，CKD，ESKD および CVD の間には密接な関係がある．悪循環を断ち切るために集学的治療介入が必要である．

1．慢性腎不全の一般的な治療

a）CKD の原因に対する治療

CKD の原疾患が明らかであればその治療を行う．腎炎・ネフローゼ症候群ではステロイドや免疫抑制薬が必要な場合がある．

b）生活習慣の改善

肥満の是正，禁煙は CKD・CVD の進行予防になる．過度の飲酒，過激な運動も避けたほうがよい．

c）CKD 増悪因子の排除

造影剤，非ステロイド抗炎症薬（NSAIDs），抗生物質を含む腎毒性物質の曝露をなるべく避ける．各種治療薬は腎機能に応じた用量調節を行う．脱水，溢水，高血圧，低血圧などの循環動態異常，高カルシウム血症，低カリウム血症などの電解質異常は CKD 増悪をきたすので速やかに是正する．

d）薬物療法

血圧管理，血糖値管理，脂質管理，貧血管理，骨・ミネラル対策，カリウム・アシドーシス対策，尿毒素対策として薬物療法および食事療法が行われる．ここでは割愛するが，「CKD 診療ガイド 2012」では，CKD ステージに応じた薬物療法がまとめられている．

2．食事療法

「慢性腎臓病に対する食事療法基準 2014 年版」における CKD ステージ G1 から G5 の食事療法基準を表５に示す．ステージ G5D（透析期）は別に基準が設けられているが，ここでは省略する．エネルギーや各種栄養素は，表５をもとに，合併する疾患（糖尿病，肥満など），性別，年齢，身体活動度なども考慮して適正な量を設定するべきである．

a）エネルギー

糖尿病や肥満が増加している現在の CKD において，糖尿病，肥満，高血圧など生活習慣病に対する食事療法が考慮されている．日本糖尿病学会では１日摂取エネルギーを年齢や病態などを考慮し，目標体重［身長 $(m)^2$ ×（65 歳未満 22，65 歳から 74 歳 22～25，75 歳

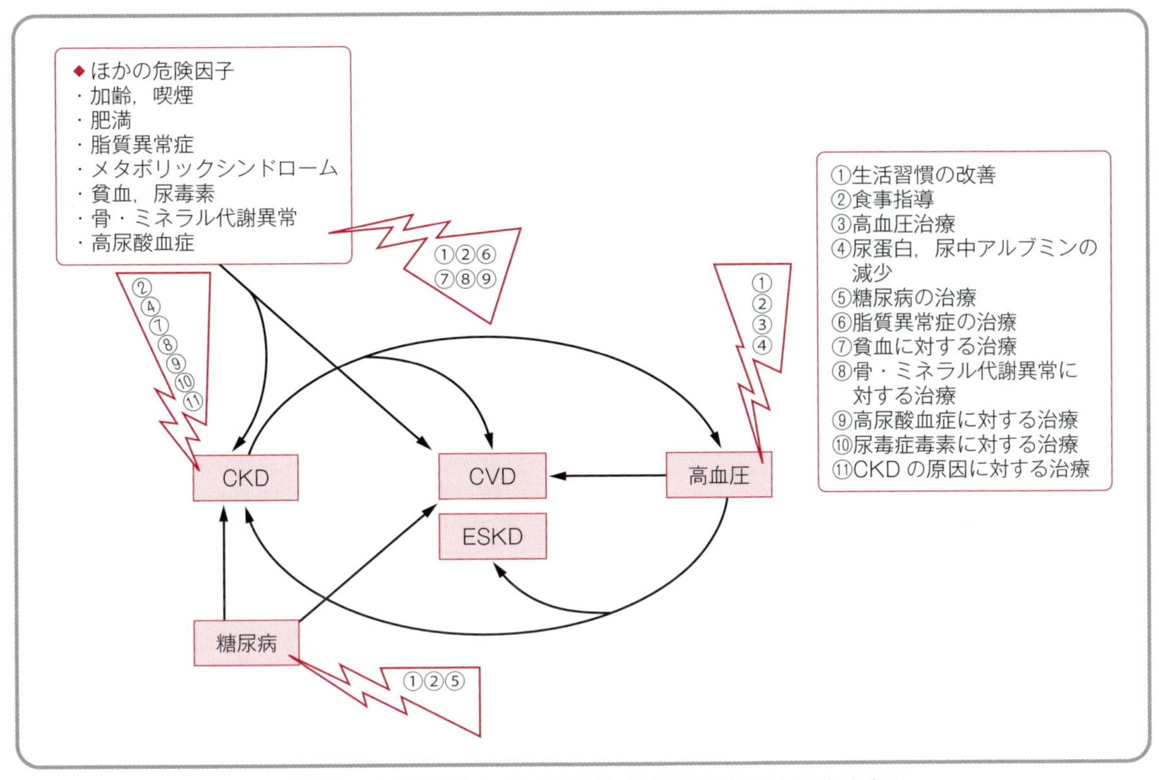

図 1　CKD の 2 つのエンドポイント(ESKD と CVD)をめぐる病態の連鎖と治療的介入
(日本腎臓学会(編)．CKD 診療ガイド 2012，東京医学社，東京，2012: p50 より許諾を得て転載)

以上 22〜25*，*：後期高齢者では現体重に基づき適宜判断)](kg)×身体活動量(軽労作 25〜30, 普通労作 30〜35, 重労作 35〜kcal/kg)で算出している．腎疾患の摂取エネルギー量の設定に際して，摂取たんぱく質量との関係が重要である．腎疾患ではたんぱく質制限が行われるが，摂取エネルギーを十分に確保しなければ負の窒素バランス(異化亢進)になりたんぱく質・エネルギー低栄養状態(protein-energy wasting：PEW)(表 9)と呼ばれる栄養障害を引き起こすからである．窒素平衡試験から 0.6g/kg 実測体重/日以下のたんぱく質制限を行う場合には, 35kcal/kg 実測体重/日以上の摂取エネルギーが必要であることが示されている[12]．実際の臨床では，体重などの身体所見や検査所見などの推移から摂取エネルギー量を適宜変更していくことが重要である．

b) 食塩

食塩摂取量は高血圧と関連し，一般に食塩制限により血圧は低下する. 食塩摂取量が多いと脳卒中と CVD のリスクが増加すること，食塩制限により CVD のリスクが抑制されることがすでに報告されている．一方 CKD においては, 食塩摂取量の増加により腎機能低下と ESKD へのリスクが増加すること，食塩制限により尿蛋白が減少することが報告されている[13, 14]．食塩摂取量はステージにかかわらず，6g/日未満とする．ステージ G1〜G2 で高血圧や体液過剰を伴わない場合は食塩制限の緩和も可能であるが，それでも過剰摂取を避けるようにする．ステージ G4〜G5 で，体液過剰があれば，より少ない食塩摂取量に制限しなくてはならない場合があるが，1 型糖尿病患者で食塩換算 2.9g/日より少ないと死亡率が上昇するという報告がある[15] ことからも，3g/日未満の過度の食塩制限は推奨されない．

c) たんぱく質

CKD に対する腎保護効果，CKD 進行遅延を期待して，従来たんぱく質制限が広く行われている．標準的治療としてのたんぱく質制限はステージ G3a では 0.8〜1.0g/kg 標準体重/日，ステージ G3b 以降では 0.6〜0.8g/kg 標準体重/日で指導することが推奨される. ステージ G1〜G2 では過剰なたんぱく質摂取を避けるよう推奨され，進行するリスクのある CKD において 1.3g/kg 標準体重/日を超えないことがひとつの目安である[16]．特殊低たんぱく食品を使用した，0.5g/kg 標準体重/日以下の厳格なたんぱく質制限により，ステージ G5 における腎機能が安定したという報告があ

表 9　PEW の診断基準

項目	条件
①生化学検査	・血清アルブミン値<3.8g/dL ・血清プレアルブミン値<30mg/dL ・血清コレステロール値<100mg/dL
②体格	・BMI が 23kg/m² 未満 ・意図しない体重の減少(3 ヵ月間で 5%ないし 6 ヵ月間で 10%以上) ・体脂肪率が 10%未満
③筋肉量	・筋肉量の減少(3 ヵ月間で 5%ないし 6 ヵ月間で 10%以上) ・上腕筋周囲面積の減少(基準値の 50 パーセンタイル以内で 10%以上の減少) ・クレアチニン産生速度の低下
④食事摂取量	・意図しないたんぱく質摂取量の減少(0.80g/kg/日未満が少なくとも 2 ヵ月間続く) ・意図しないエネルギー摂取量の減少(25kcal/kg/日未満が少なくとも 2 ヵ月間続く)

診断基準には 4 つの項目があり，各項目にはそれぞれ条件がある．条件を 1 つ以上満たす項目が 3 つ以上存在した場合，PEW と診断される．
(Fouque D, Kalantar-Zadeh K, Kopple J, et al. Aproposed nomenclature and diagnostic criteria for protein-energy wasting in acute and chronic kidney disease. Kidney Int 2008; **73**: 391-398 より作成)

表 10　サルコペニアを合併した CKD の食事療法におけるたんぱく質の考え方と目安

CKD ステージ (GFR)	たんぱく質 (g/kg/BW/日)	サルコペニアを合併した CKD におけるたんぱく質の考え方 (上限の目安)
G1(GFR≧90)	過剰な摂取を避ける	過剰な摂取を避ける (1.5g/kgBW/日)
G2(GFR 60～89)		
G3a(GFR 45～59)	0.8～1.0	G3 には，たんぱく質制限を緩和する CKD と，優先する CKD が混在する (緩和する CKD：1.3g/kgBW/日，優先する CKD：該当ステージ推奨量の上限)
G3b(GFR 30～44)	0.6～0.8	
G4(GFR 15～29)		たんぱく質制限を優先するが病態により緩和する (緩和する場合：0.8g/kgBW/日)
G5(GFR<15)		

注）緩和する CKD は，GFR と尿蛋白量だけではなく，腎機能低下速度や末期腎不全の絶対リスク，死亡リスクやサルコペニアの程度から総合的に判断する．
(慢性腎臓病に対する食事療法基準 2014 年版の補足)
(日本腎臓学会．サルコペニア・フレイルを合併した保存期 CKD の食事療法の提言．日本腎臓学会誌 2019; **61**: 525-556 より許諾を得て転載)

るが[17]，たんぱく質制限が栄養障害なく安全に実行されているか否かを体重，血液生化学検査(アルブミン，トランスサイレチン，トランスフェリン，コレステロールなど)を用いて常に評価することが重要である．より厳格なたんぱく質制限には，特殊食品の使用経験が豊富な腎臓専門医と管理栄養士による継続的な患者指導のための整備された診療システムが不可欠である．

近年の報告において，赤身肉・加工肉は腎臓病の発症リスクが高まり，白身肉，魚，卵，乳製品，植物性たんぱく質ではリスクを軽減させることが示唆され，たんぱく質の種類に注視する必要がある[18,19]．

サルコペニアを合併した CKD では，たんぱく質制限を優先するか緩和するかの判断には，GFR と尿蛋白だけではなく，腎機能の低下速度や末期腎不全の絶対リスク，死亡リスクやサルコペニアの程度を考慮する必要がある．CKD ステージ G1～2 では過剰なたんぱく質摂取を避けるのが原則で，サルコペニアを合併した場合でも心血管疾患を避ける点から 1.5g/kgBW/日が上限の目安となる．CKD ステージ G3 では 1.3g/kgBW/日が上限の目安となり，たんぱく質制限を優先する場合には各 CKD ステージの推奨量の上限，たとえば CKD ステージ G3a では 1.0g/kgBW/日，CKD ステージ G4～5 では 0.8g/kgBW/日が目安となる(表 10)[20]．効果判定にはサルコペニア指標，栄養学的指標，腎関連指標の 3 つの指標と実際のたんぱく質摂取量を総合的に判断し，それに基づいてたんぱく質摂取量およびエネルギー摂取量を適性に調整する必要がある(表 11)[20]．

d) カリウム

高カリウム血症は致死的不整脈のリスクを高めるため，基準値内におさめることが CKD 患者では重要である．eGFR 40mL/分 /1.73m² 以下で著明に高カリウム血症の頻度が上昇すること[21]，および低カリウム血症が逆に死亡のリスクと関連していること[22]を考慮し

表11 サルコペニアを合併したCKDの食事療法の主要モニタリング項目

サルコペニア指標
・握力 ・歩行速度 ・四肢筋量(BIA，DEXA) ・膝伸展筋力 など
腎関連指標
・eGFR(シスタチンCが望ましい) ・Ccr ・尿蛋白(アルブミン) ・血清K値，P値 ・血中 HCO_3 濃度 など
栄養学的指標
・体重 ・体脂肪率 ・栄養アセスメント(SGA，MNA，GNRIなど) ・血清アルブミン値 ・血清コレステロール値 など

(日本腎臓学会．サルコペニア・フレイルを合併した保存期CKDの食事療法の提言．日本腎臓学会誌 2019; **61**: 525-556より作成)

て，ステージG3aまでは制限せず，G3bで2,000mg/日以下，G4〜G5で1,500mg/日以下に制限する．高カリウム血症の原因として，腎機能障害の進行に加えて，RAS阻害薬や心不全，糖尿病の合併など様々な要因が関与するため，注意する必要がある．たんぱく質制限はカリウム制限にもなるので，野菜や果物の摂取制限を画一的に指導するのではなく，患者ごとの対応が必要である．

e) カルシウムとリン

CKDの進行に伴い，低カルシウム血症，高リン血症，二次性副甲状腺機能亢進症などの骨・ミネラル代謝異常(CKD-mineral bone disease：CKD-MBD)が必発する．特に高リン血症は，CKDの進行，死亡，およびCVD発症の独立した危険因子であり[23]，至適範囲内におさめることが必要である．リンの摂取量はたんぱく質の摂取量に大きく影響されるので，摂取たんぱく質制限を行うことがリン制限にもなる．缶詰め，ハム，ソーセージなどの獣肉・魚肉の加工食品やファストフード，レトルト食品，スナック菓子，コンビニ弁当や清涼飲料などに含まれる食品添加物には，リン酸塩として非常に吸収効率の高く，摂取リン量とは認識されない隠れた無機リンが多く含まれており，極力摂取を避ける必要がある．低カルシウム血症については，食事でカルシウム摂取量を増やそうとするとたんぱく質摂取量も増加してしまうので薬剤で補給し，高カルシウム血症にならないように注意する．なお，血清アルブミン濃度が4g/dL未満では以下の補正式による補正カルシウム値を目安とする．

補正カルシウム濃度(mg/dL)＝実測カルシウム濃度(mg/dL)＋[4－血清アルブミン濃度(g/dL)]

❻慢性腎不全(透析療法)

日本の透析患者は年々増加傾向にあり，2018年末時点の維持透析患者数は33万人に達し，そのうち97.1%が血液透析(HD)患者であり，2.9%が腹膜透析(PD)患者となっている[24]．透析導入に至る腎不全の原疾患は，2018年度の日本透析医学会統計調査では，糖尿病性腎症(42.3%)，慢性糸球体腎炎(15.6%)，腎硬化症(15.6%)が上位3つを占める[24]．透析療法下においても，合併症を予防し，良好な状態を維持するためには，病態に合わせた栄養と食事管理が重要である．本項では，透析方法と透析療法下における病態の把握，適切な治療，栄養管理について解説する．

A 透析患者の病態と栄養状態の特徴

一般的に末期腎不全に対する透析療法開始時は，残存腎機能(RKF)と呼ばれる腎機能が存在し，500〜1,000cc/日程度の尿量が保持されているが，RKFは徐々に低下し，数年後に無尿状態となることが多い．このため，透析療法で尿毒素と余分な水分除去(除水)を行わなければならない．高血圧症を呈しやすく，体液量をコントロールするために飲水量，食事摂取量の調節が必要となる．また，エリスロポエチン産生低下に伴う腎性貧血，免疫機能低下による易感染状態，酸化ストレスや最終ブドウ糖化産物の増加，非生態適合性の透析液中のエンドトキシンや人工透析膜(ダイアライザー)との血液を介した接触による慢性炎症からの炎症性サイトカイン産生などにより，非腎不全下と比較し，消耗性の栄養障害が発症しやすい病態と考えられる．さらに，ビタミンD_3活性低下による腸管からのカルシウム吸収低下による低カルシウム血症や尿中へのリン排出低下に伴う高リン血症の刺激により，副甲状腺ホルモン(PTH)が過剰分泌され，二次性副甲状腺機能亢進症となる．その結果，PTHの作用により骨から血中にカルシウムが誘導され，骨ミネラル代謝異常による骨粗鬆症や血管や心臓弁，関節などの骨以外の体内にカルシウムが沈着する異所性石灰化が起こり，心血管病変や関節症などが発症する．このような

表 12　慢性腎臓病に対する食事療法基準

血液透析(週 3 回)					
エネルギー(kcal/kg/日)	たんぱく質(kcal/kg/日)	食塩(g/日)	水分	カリウム(mg/日)	リン(mg/日)
30〜35[注1,2)]	0.9〜1.2[注1)]	<6[注3)]	できるだけ少なく	≦2,000	≦たんぱく質(g)×15
腹膜透析					
エネルギー(kcal/kg/日)	たんぱく質(kcal/kg/日)	食塩(g/日)	水分	カリウム(mg/日)	リン(mg/日)
30〜35[注1,2)]	0.9〜1.2[注1)]	PD 除水量(L)×7.5＋尿量(L)×5	PD 除水量＋尿量	制限なし[注5)]	≦たんぱく質(g)×15

注1)：体重は基本的に標準体重(BMI＝22)を用いる.
注2)：性別，年齢，合併症，身体活動度により異なる.
注3)：尿量，身体活動度，体格，栄養状態，透析間体重増加を考慮して適宜調整する.
注4)：腹膜吸収ブドウ糖からのエネルギー分を差し引く.
注5)：高カリウム血症を認める場合には血液透析同様に制限する.
(中尾俊之，菅野義彦，長澤康行，ほか．慢性透析患者の食事療法基準．日本透析医学会雑誌 2014; **47**: 287-291 より作成)

病態は，慢性腎臓病に伴う骨・ミネラル代謝異常(CKD-MBD)と呼ばれる．高齢化が進み，サルコペニア・フレイルを合併した透析患者が増加しており，アジアサルコペニアワーキンググループの基準で評価したサルコペニアの有病率は，わが国では血液透析患者では 40%[25]，腹膜透析患者では 8.4%[26] と報告されている．体蛋白質とエネルギー源(筋肉量・脂肪量)の減少を原因とする PEW(表 9)[27] が全透析患者の 1/4〜1/3 に達するといわれ，栄養管理の重要性が再認識されている．

B 透析療法下での栄養指標と管理

透析療法には HD と PD があるが，異なる療法形態と食事療法基準項目が存在する．HD 療法下と PD 療法下における栄養指標と食事管理について区別して述べる．

1．HD 療法患者の栄養管理

HD 療法とは，前腕〜上腕部の動静脈吻合にて作製される内シャント血管を穿刺して脱血し，ダイアライザーを通して余分な水分と老廃物を除去し，再び血液を返す方法で，通常，1 回 4 時間，週 3 回の間欠的な透析療法である．HD 開始後に数年で RKF はほぼ消失することもあり，透析間の食事管理(水分，食塩，たんぱく質，カリウム，リンなどの摂取量)は，極めて重要で合併症予防や予後に影響を及ぼす．過剰な食塩摂取は飲水量の増加を招き，血圧上昇やうっ血性心不全を併発する．また，生野菜や果物などに多く含まれているカリウムも，尿からの排泄ルートが断たれている状態では，容易に高カリウム血症が誘発され，心室細動などの致死的な不整脈が出現するため特に注意を要する．前述した CKD-MBD に対する治療としての最大のポイントは，リンのコントロールである．たんぱく質とリンには強い相関があり，たんぱく含有量が多い食品にリンが多く含まれる傾向があるため，たんぱく質の摂取調整にてリン制限の効果が期待できる．通常，たんぱく質はおよそ 1%のリンを含んでいると考えられている．

表 12 に慢性透析患者の食事摂取基準[28] を示すが，表 13 に示す管理目標である血清リン値 6.0 mg/dL 未満[29] を維持するためには，表 14 に示すようなリン/たんぱく質比の高い食品に注意する必要がある[6]．しかしながら，高リン血症を危惧するあまり，十分なカロリーやたんぱく質などが不足しないように，個々の病態を把握し栄養指導しなければならない．HD 患者の 6 年生存に与えるリスクは，透析前リン濃度が 4.0 mg/dL 以上 5.0 mg/dL 未満の患者を対象として比較すると，5.0 mg/dL 以上の場合と 4.0 mg/dL 未満の患者で高く，低リン血症にも注意が必要である．たとえば感染症を合併した場合，消耗性の低栄養状態となる可能性を考慮して十分な食事摂取を優先し，結果としてリン上昇が認められた場合は，透析条件の再検討やリン吸着薬増量などで可能な限り対応するなどの状況に合わせた柔軟な対応が必要である．

2．PD 療法患者の栄養管理

PD とは，腹膜を透析膜として利用し，ブドウ糖が中心にできている PD 液をカテーテルを通じて腹腔内に出し入れすることで，体中の老廃物や余分な水分を体

表 13　各検査項目の管理目標値

検査項目	透析療法下の目標とする基準値
透析間の体重増加(HD の場合)	3%以内(中 1 日)，5%以内(中 2 日)
アルブミン	3.5〜5.0g/dL
カリウム	3.6〜5.0mEq/L
ナトリウム	136〜147mEq/L
カルシウム	8.4〜10.0mg/dL
リン	3.5〜6.0mg/dL
インタクト PTH	60〜240pg/mL
尿素窒素	70〜90mg/dL
クレアチニン	男性 12〜14mg/dL，女性 10〜12mg/dL
ヘモグロビン	10〜12g/dL 11〜12g/dL(動脈硬化の進んでいない若い人)

HD の場合は HD 前の検査値
(黒川　清(監)．透析患者の検査値の読み方，第 2 版，日本メディカルセンター，東京，2007 より引用)

表 14　食品別リン/たんぱく質比率(mg/g)

<5	5〜10	10〜15	15〜25	25<
卵白 鶏ひき肉	鶏もも肉 鶏むね肉 鶏ささみ 牛もも肉 牛肩ロース 豚ロース 豚もも肉 中華めん ハンバーグ	まぐろ(赤身) かつお 鮭 納豆 油揚げ 全卵 ウインナー 米飯 豆乳	そば 木綿豆腐 魚肉ソーセージ ロースハム ヨーグルト(加糖)	ヨーグルト(無糖) 牛乳 プロセスチーズ

(文部科学省科学技術・学術審議会資源調査分科会報告「日本食品基準成分表 2010」より算出)
(日本腎臓学会．慢性腎臓病に対する食事療法基準 2014 年版．日本腎臓学会誌 2014; **56**: 553-599 より許諾を得て転載)

の外に除去する方法である．具体的には，通常 1.5〜2L/回の PD 液を腹腔内に注入し，各自の生活パターンに合わせて 3〜12 時間貯留後，患者自身または患者家族が 1 日 3〜4 回の交換を行う．月に 1 回程度の通院で外来管理が可能であり，HD と比較して通院回数が少ないことがメリットである．PD 療法は，PD 液を排液する際に，5〜10g/日のアルブミンを中心とした蛋白漏出があり[30]，低蛋白血症の一因と考えられることからたんぱく摂取量は HD と比較して多く設定されていたが，2014 年の日本透析学会による食事療法基準[28]では，同等となっている．糖尿病を合併している場合，PD 液は高濃度のブドウ糖液を使用しているため，腹腔からのブドウ糖が吸収されることから 100〜200kcal/日が体内に取り込まれることを考慮した血糖管理が必要となる．PD 療法は，間欠的療法ではなく常に排液中へのカリウムの排出が持続しているため HD 療法と異なり，表 12 に示されるように摂取カリウムを制限する必要はない．水分も，尿量が保持されている場合は PD 除水量＋尿量に相当する飲水が可能で，食塩も除水量と尿量によって決定される．RKF が比較的保持されている期間は，HD と比較して食事管理が有利な面もあるが，RKF 消失後は PD による除水のみでは体液管理が困難となることが多く，PD 離脱を余儀なくされることが多い．また，7〜8 年以上の PD 継続症例において，腹膜劣化に起因した重篤な合併症である披嚢性腹膜硬化症を発症する確率が急増[31]するため，PD 療法の 5 年以上の継続は，これらの認識と慎重な管理が必要である．PD 患者のリン管理に限っては，目標管理基準値が HD 療法と同じ設定になっているが，HD 療法の場合は透析前と透析後のリン値は異なり，基準値は透析前のリン値を使用しているので，実際の平均値は低いと考えられる．一方，PD 療法は継続的な治療法なので，リン値はほぼ一定であることから，実際のリン負荷が大きいとも考えられ，高リン血症に伴う合併症の発症を考慮した場合には5.5mg/dL以下の目標設定が望ましい．

3．サルコペニア・フレイル合併透析期CKDの食事療法

エビデンスが少なく，今後検証が行われていく状況である．現在の透析患者のたんぱく質基準(0.9〜1.2g/kgBW/日)で，非糖尿病血液透析患者では十分なエネルギー量を摂取していれば骨格筋量は減少しない[32]との報告例があるが，その他の糖尿病または高齢の透析患者における食事摂取量と骨格筋量の関連は明らかではない．海外では標準化蛋白異化率(normalized protein nitrogen appearance：PNA)が1.3g/kgBW/日以上の患者では全死亡に対するリスクも上昇すると報告されている[33,34]が，わが国において1.3g/kgBW/日以上の透析患者は5%未満であり，現状ではnPNA推奨量である0.9〜1.2g/kgBW/日を大きく下回っている．たんぱく質をまずしっかり摂取し，この推奨量まで底上げすることが大切である．

⑦糖尿病性腎症

A 疾患の解説

糖尿病性腎症は，糖尿病に合併する細小血管障害である．糖尿病は，インスリン作用不足により慢性の高血糖状態を引き起こす代謝疾患群であり，長期間持続する高血糖と代謝異常により全身の動脈硬化が進展する．網膜や腎の細小血管では，血管壁細胞の変性や基底膜の肥厚による血流障害が生じ，機能障害へ進展する．

2014年に改訂された糖尿病性腎症の病期分類(表15)とCKD重症度分類との関係(表16)を示す[35]．病期はアルブミン尿とGFRによって分類され，尿アルブミン量が多いほど，またはGFRが低いほど，死亡・末期腎不全・心血管死亡発症のリスクは高くなる．また，糖尿病患者のなかには，顕性蛋白尿を伴わずに腎機能が低下する症例が存在し，その有病率が年々増加していること，この病態も高い死亡率と関連することが報告されている．このような臨床背景もあり，アルブミン尿の程度で規定される古典的な糖尿病性腎症に，アルブミン尿の増加を伴わない腎機能低下も含めた大きな疾患概念として糖尿病性腎臓病(diabetic kidney disease：DKD)が提唱され，アルブミン尿と独立した早期腎機能低下を予測可能な診断指標の開発が必要との意見も出てきている．糖尿病性腎症による新規透析導入患者の割合は，1998年以降1位であり，糖尿病発症早期から厳格な血糖コントロールを行い，腎症の発症・進展を抑制することが重要である．2型糖尿病による腎症患者の心血管イベント発症の相対危険率は，CKDの重症度と相関することが報告されており(図2)，心腎連関を念頭に置いた診療も重要である．

B 病態栄養

1．血糖コントロールと腎症の発症進展

糖尿病患者の血糖コントロールは腎症の発症進展にどのように影響するのであろうか．

1型糖尿病を対象としたDCCT研究[36]，2型糖尿病を対象としたKumamoto研究[37]などにおいて，HbA1c 9.0%前後よりHbA1c 7.0%前後の血糖コント

表15　糖尿病性腎症の病期分類2014

病期	尿アルブミン値(mg/gCr)あるいは尿蛋白値(g/gCr)	GFR(eGFR)(mL/分/1.73m^2)
第1期(腎症前期)	正常アルブミン尿(30未満)	30以上
第2期(早期腎症期)	微量アルブミン尿(30〜299)	30以上
第3期(顕性腎症期)	顕性アルブミン尿(300以上)あるいは持続性蛋白尿(0.5以上)	30以上
第4期(腎不全期)	問わない	30未満
第5期(透析療法期)	透析療法中	

(糖尿病性腎症合同委員会．糖尿病性腎症病期分類2014の策定(糖尿病性腎症病期分類改訂)について．日本腎臓学会誌 2014; **56**: 547-552より許諾を得て改変して転載)

表 16　糖尿病性腎症病期分類 2014 と CKD 重症度分類との関係

	アルブミン尿区分	A1	A2	A3
	尿アルブミン定量 尿アルブミン/Cr 比 (mg/gCr) (尿蛋白定量) (尿蛋白/Cr 比) (g/gCr)	正常アルブミン尿 30 未満	微量アルブミン 30～299	顕性アルブミン尿 300 以上 (もしくは高度蛋白尿) (0.50 以上)
GFR 区分 (mL/分/1.73m^2)	≧90 60～89 45～59 30～44	第 1 期 (腎症前期)	第 2 期 (早期腎症期)	第 3 期 (顕性腎症期)
	15～29 <15	第 4 期 (腎不全期)		
	(透析療法中)	第 5 期 (透析療法期)		

(糖尿病性腎症合同委員会．糖尿病性腎症病期分類 2014 の策定(糖尿病性腎症病期分類改訂)について．日本腎臓学会誌 2014; **56**: 547-552 より許諾を得て転載)

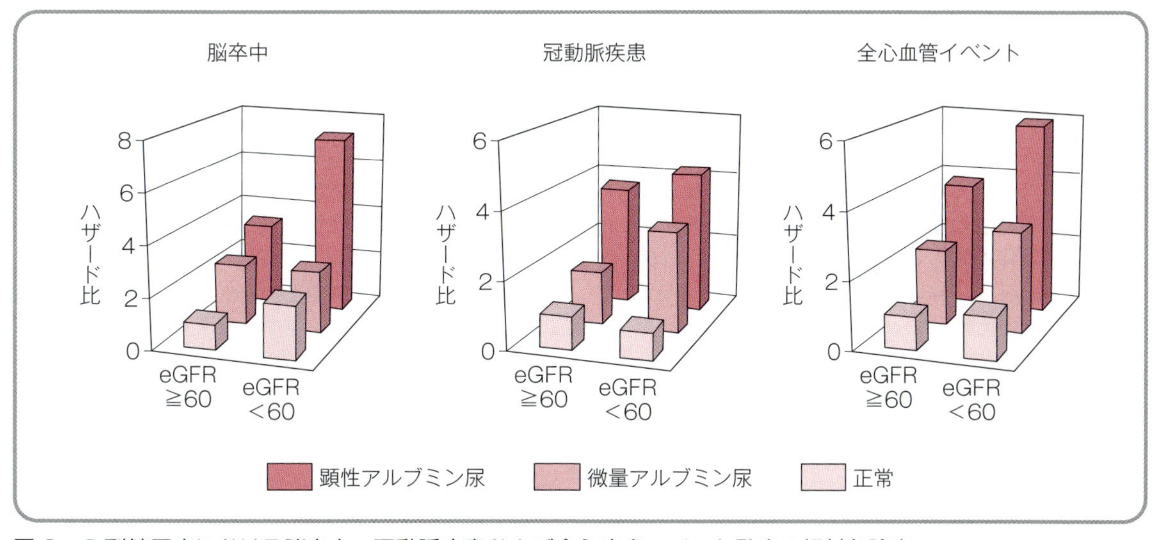

図 2　2 型糖尿病における脳卒中，冠動脈疾患および全心疾患イベント発症の相対危険率

(Bouchi R, Babazono T, Yoshida N, et al. Association of albuminuria and reduced estimated glomerular filtration rate with incident stroke and coronary artery disease in patients with type 2 diabetes. Hypertens Res 2010; **33**: 1298-1304 より作成)

ロールが微量アルブミン尿(早期腎症)の発症阻止あるいは微量アルブミン尿(早期腎症)から顕性アルブミン尿(顕性腎症)への進行阻止に対して有効であることが示された．糖尿病性腎症の発症は糖尿病発症から 5～10 年程度かかるとされており，年単位の長期的な血糖コントロールを行うことにより，腎症の発症リスクを低下させることができることを示している．

血糖コントロールの末期腎不全への進行に対する抑制効果に関しては，ADVANCE のサブ解析[38]においてその有効性が示されているが，いくつかの RCT に対するメタ解析においてはその有効性は明らかでないと報告されている[39]．これらの結果より，厳格な血糖コントロールには早期腎症の発症・進展を抑制する効果があると考えられるが，腎不全進行に対する抑制効果については現在のところ明らかでない．

また，日本人 2 型糖尿病患者を対象に，厳格な血糖コントロールだけでなく血圧，脂質コントロールの有効性を検証した J-DOIT3 試験では，より厳格な血圧，脂質コントロールを含めた強化療法の有意な腎イベント(二次エンドポイント)抑制効果が確認された[40].

以上のとおり，厳格な血糖コントロールは，早期腎症の発症・進展を抑制させる.

2. たんぱく質制限食の有用性

たんぱく質制限食は，糖尿病性腎症においてはアルブミン尿を減少させるとの報告があるが，腎機能低下速度の抑制効果は明らかではない.

1型または2型糖尿病による腎症患者に対し低たんぱく食(0.6〜0.8g/kg/日)を行った8研究のメタアナリシス[41]では，低たんぱく食群でアルブミン尿の減少を認めたが，糸球体濾過量(GFR)は対照群と比較し有意な変化は認めなかった．1型糖尿病に限定すると，たんぱく質制限食により末期腎不全(透析導入または腎移植)への進展または死亡のリスクが低下するといういくつかの報告はあるが，2型糖尿病に関しては明らかな有効性を示す報告はない.

国内の2型糖尿病による顕性腎症112例を対象に行ったRCT[42]は，低たんぱく食群0.8g/kg/日，対照群1.2g/kg/日の条件で5年間の追跡調査を行っているが，実際，たんぱく質摂取量は両群とも1.0±0.2g/kg/日と差がなかった．このことは，たんぱく質制限食を実際に行うことの難しさを示している．腎症に対するたんぱく質制限の効果を検証したメタ解析の結果，たんぱく質制限のアドヒアランスの確保ができれば，たんぱく質制限(0.6〜0.8g/kg/日)は標準食(1.0〜1.6g/kg/日)に比較してeGFRの改善効果があった[43]ことから，その実施が可能である場合には，尿毒素の蓄積や代謝性アシドーシス，ミネラル代謝異常を軽減することで尿毒症の出現を抑制し，腎代替療法導入までの期間を遅らせることが期待できる可能性がある.

3. 食塩制限の効果

糖尿病性腎症の患者は高血圧の合併が多く，食塩感受性が亢進していることが多いため，食塩制限による降圧効果があることを様々な研究が示している．13研究のメタアナリシス[44]では，254例(1型糖尿病または2型糖尿病)に対し，1型は11.9g/日，2型は7.3g/日の食塩制限を行ったところ，1型は収縮期7.1/3.1mmHgの血圧低下，2型は収縮期6.9/2.9mmHgの血圧低下を認めた．腎症を伴う症例の67%に食塩感受性を認めたという報告もあり[45]，食塩制限は降圧効果が期待できる．しかし，心血管疾患による死亡が，食塩摂取量過多だけでなく過少な場合も増加するという報告もあり，3g/日未満の過剰な食塩制限は推奨されていない.

また，糖尿病性腎症に合併した高血圧の第一選択薬であるRAS阻害薬は，食塩制限下でより効果を発揮し，降圧効果だけでなく尿中アルブミン量減少効果も認められ，食塩制限は降圧効果以外にも重要な役割を果たしていると考えられる．RAS阻害薬使用時での食塩制限指導の場合には，脱水予防やKも含めた指導が必要である.

C 評価と診断

1. 血糖コントロール

「糖尿病診療ガイドライン2019」では，糖尿病による合併症予防のための血糖コントロールの目標はHbA1c 7%未満である．CKDステージG3以降では，薬物投与による重症低血糖リスクが高く，個々の症例に応じた目標値を設定する．特に高齢者やCVDの既往がある場合，厳格な血糖管理を目指すと低血糖リスクと死亡リスクが高まることがあるため注意する．また，HbA1cは貧血，グリコアルブミンは低アルブミン血症の状態において，実際より低値を示すことがあるためその評価に注意を要する.

2. エネルギー摂取量

目標体重は，患者の年齢や病態などによって異なることを考慮する．身体活動量については，高齢者フレイル予防では大きい係数を設定し，肥満では低い係数を設定できる．「慢性腎臓病に対する食事療法基準2014年版」(表5)では，CKD各ステージ共通で25〜35kcal/kg BW/日で指導し，性，年齢，身体活動レベルなどを考慮して身体所見や検査所見などの推移により適時変更するとされている．各国のガイドラインと比較しても大きな相違はなく，摂食状況や代謝状態の評価を踏まえ，適宜判断する.

3. たんぱく質制限

日本糖尿病学会の「糖尿病治療ガイド2020-2021」において，腎症の発症や進展予防の観点からたんぱく質摂取量の上限をエネルギー摂取量の20%未満とすることが望ましいとされている．ただし，栄養障害/サルコペニア・フレイルのリスクを有する症例(特に高齢者)では，重度の腎機能障害がなければ十分なたんぱく質をとる．顕性腎症：第3期の場合，たんぱく質制限を0.8〜1.0g/kg目標体重/日を考慮してもよい．たんぱく質制限を実施する際には，エネルギー摂取量の十分な確保が必要であり，より大きいエネルギー係数を考慮すると記載されている．この治療ガイドおよび「慢性腎臓病に対する食事療法基準2014年版」(表5)などを参考にして行うことが望ましい.

4. 食塩

「糖尿病治療ガイド 2020-2021」では，高血圧合併や顕性腎症の場合は 1 日 6g 未満とされ，「慢性腎臓病に対する食事療法基準 2014 年版」(表 5)では，すべてのステージで 3g 以上 6g 未満を推奨している．

D 治療

上記のガイドラインなどを参考に，血糖コントロール・年齢・生活習慣・合併症などを考慮し，患者一人一人に合わせたテーラーメイドの食事療法を行うことが望ましい．

文献

1) Druml W. Nutritional support in acute renal failure. Handbook of Nutrition and the Kidney, 6th Ed, Mitch WE (ed), Lippincott Williams & Wilkins, Philadelphia, 2005, p72-91
2) KDIGO AKI Work Group. KDIGO Clinical Practice Guideline for Acute Kidney Injury. Kidney Int (Suppl) 2012; **2**: 1-138
3) Fiaccadori E, Lombardi M, Leonardi S, et al. Prevalence and clinical outcome associated with preexisting malnutrition in acute renal failure: a prospective cohort study. J Am Soc Nephrol 1999; **10**: 581-593
4) 長澤俊彦，石田尚志，小山哲夫，ほか．腎疾患患者の生活指導・食事療法に関するガイドライン．日本腎臓学会誌 1997; **39**: 1-37
5) Walser M, Hill S, Tomalis EA. Treatment of nephrotic adults with a supplemented, very low-protein diet. Am J Kidney Dis 1996; **28**: 354-364
6) 日本腎臓学会．慢性腎臓病に対する食事療法基準 2014 年版．日本腎臓学会誌 2014; **56**: 553-599
7) Giordano M, De Feo P, Lucidi P, et al. Effect of dietary protein restriction on fibrinogen and albumin metabolism in nephritic patients. Kidney Int 2001; **60**: 235-242
8) Eddy AA. Protein restriction reduces transforming growth factor-beta and interstitial fibrosis in nephrotic syndrome. Am J Physiol 1994; **266**: F884-F893
9) Peters H, Border WA, Nobel NA. Angiotensin II blockade and low-protein diet produce additive therapeutic effects in experimental glomerulonephritis. Kidney Int 2000; **57**: 1493-1501
10) Giordano M, Lucidi P, De Feo P, et al. Dietary protein intake dose not affect IgG synthesis in patients with nephrotic syndrome. Nephrol Dial Transplant 2004; **19**: 2494-2498
11) D'Amico Gl, Remuzzi G, Maschio GD, et al. Effect of dietary proteins and lipids in patients with membranous nephropathy and nephrotic syndrome. Clin Nephrol 1991; **35**: 237-242
12) Kopple JD, Monteon FJ, Shaib JK. Effect of energy intake on nitrogen metabolism in non dialyzed patients with chronic renal failure. Kidney Int 1986; **29**: 734-742
13) Vegter S, Perna A, Postma MJ, et al. Sodium intake, ACE inhibition, and progression to ESRD. J Am Soc Nephrol 2012; **23**: 165-173
14) Swift PA, Markandu ND, Sagnella GA, et al. Modest salt reduction reduces blood pressure and urine protein excretion in black hypertensives: a randomized control trial. Hypertension 2005; **46**: 308-312
15) Thomas MC, Moran J, Forsblom C, et al. The association between dietary sodium intake, ESRD, and all-cause mortality in patients with type 1 diabetes. Diabetes Care 2011; **34**: 861-866
16) KDIGO 2012 Clinical practice guideline for the evaluation and management of chronic kidney disease. Kidney Int Suppl 2013; **3**: 1-150
17) Ideura T, Shimazui M, Morita H, et al. Protein intake of more than 0.5g/kg BW/ day is not effective in suppressing in the progression of chronic renal failure. Contrib Nephrol 2007; **155**: 40-49
18) Lew QJ, Jafar TH, Koh HW, et al. Red meat intake and risk of ESRD. J Am Soc Nephrol 2017; **28**: 304-312
19) Bach KE, Kelly JT, Palmer SC, et al. Healthy dietary patterns and incidence of CKD: A meta-analysis of cohort studies. Clin J Am Nephrol 2019; **14**: 1441-1449
20) 日本腎臓学会．サルコペニア・フレイルを合併した保存期 CKD の食事療法の提言．日本腎臓学会誌 2019; **61**: 525-556
21) Weinberg JM, Appel LJ, Bakris G, et al. Risk of hyperkalemia in non diabetic patients with chronic kidney disease receiving antihypertensive therapy. Arch Intern Med 2009; **169**: 1587-1594
22) Korgaonkar S, Tilea A, Gillespie BW, et al. Serum potassium and outcomes in CKD: insights from the RRI-CKD cohort study. Clin J Am Soc Nephrol 2010; **5**: 762-769
23) Palmer SC, Hayen A, Macaskill P, et al. Serum levels of phosphorus, parathyroid hormone, and calcium and risks of death and cardiovascular disease in individuals with chronic kidney disease: a systematic review and meta-analysis. JAMA 2011; **305**: 1119-1127
24) 日本透析医学会統計調査委員会．わが国の慢性透析療法の現況(2018 年 12 月 31 日現在)．日本透析医学会雑誌 2019; **52**: 679-754
25) Mori K, Nishidade K, Okuno S, et al. Impact of diabetes on sarcopenia and mortality in patients undergoing hemodialysis. MMC Nephrol 2019; **20**:105

26）Kamijo Y, Kanda E, Ishibashi Y, et al. Sarcopenia and frailty in PD: Impact on mortality, malnutrition, and inflammation. Perit Dial Int 2018; **38**: 447-454

27）Fouque D, Kalantar-Zadeh K, Kopple J, et al. Aproposed nomenclature and diagnostic criteria for protein-energy wasting in acute and chronic kidney disease. Kideny Int 2008; **73**: 391-398

28）中尾俊之，菅野義彦，長澤康行，ほか．慢性透析患者の食事療法基準．日本透析医学会雑誌 2014; **47**: 287-291

29）黒川　清(監)．透析患者の検査値の読み方，第2版，日本メディカルセンター，東京，2007

30）Westra WM, Kopple JD, Krediet RT, et al. Dietary protein requirements and dialysate protein losses in chronic peritoneal dialysis patients. Perit Dial Int 2007; **27**: 192-195

31）Kawanishi H, et al. Epidemiology of encapsulating peritoneal screrosis in japan. Perit Dial Int 2005; **25** (Suppl 4): 14-18

32）Ohkawa S, Kaizu Y, Odamaki M, et al. Optimum dietary protein requirement in nondiabetic maintenance hemodialysis patients. Am J Kidney Dis 2004; **43**: 454-463

33）Ravel VA, Molnar MZ, Streja E, et al. Low protein nitrogen appearance as a surrogate of low dietary protein intake is associated with higher all-cause mortality in maintenance hemodialysis patients. J Nutr 2013; **143**: 1082-1092

34）Sinaberger CS, Kilpatrick RD, Regidor DL, et al. Longitudinal associations between dietary protein intake and survival in hemodialysis patients. Am J Kidney Dis 2006; **48**: 37-39

35）糖尿病性腎症合同委員会．糖尿病性腎症病期分類2014の策定(糖尿病性腎症病期分類改訂)について．日本腎臓学会誌 2014; **56**: 547-552

36）Diabetes C, Complications Trial Research G, Nathan DM et al. The effect of intensive treatment of diabetes on the development and progression of long-term complications in insulin-dependent diabetes melitus. N Eng J Med 1993; **329**: 977-986

37）Ohkubo Y, Kishikawa H, Araki E et al. Intensive insulin therapy prevents the progression of diabetic microvascular complications in Japanese patients with non-insulin- dependent diabetes mellitus: a randomized prospective 6-year study. Diabetes Res Clin Pract 1995; **28**: 103-117

38）Perkovic V, Heerspink HL, Chalmers J et al. Intensive glucose control improves kidney outcomes in patients with type 2 diabetes. Kidney Int 2013; **83**: 517-523

39）Boussageon R, Bejan-Angoulvant T, Saadatian-Elahi M, et al. Effect of intensive glucose lowering treatment on all cause mortality, cardiovascular death, and microvascular events in type 2 diabetes: meta-analysis of randomised controlled trials. BMJ 2011; **343**: d4169

40）Ueki K, Sasako T, Okazaki Y, et al. Effect of an intensified multifactorial intervention on cardiovascular outcomes and mortality in type 2 diabetes (J-DOIT3): an open-label, randomized controlled trial. Lancet Diabetes Endocrinol 2017; **5**: 951-964

41）Pan Y, Guo LL, Jin HM, et al. Low protein diet for diabetic nephropathy: a meta-analysis of randomized controlled trials. Am J Clin Nutr 2008; **88**: 660-666

42）Koya D, Haneda M, Inomata S, et al. Long-term effect of modification of dietary protein intake on the progression of diabetic nephropathy: a randomized controlled trial. Diabetologia 2009; **52**: 2037-2045

43）Nezu U, Kamiyama H. Kondo Y, et al. Effect of low-protein diet on kidney function in diabetic nephropathy: meta-analysis of randomized controlled trials. BMJ Open 2013; **3**: e002934

44）Suckling RJ, He FJ, Macgregor GA. Altered dietary salt intake for preventing and treating diabetic kidney disease. Cochrane Database Syst Rev 2010: CD006763

45）Strojek K, Nicod J, Ferrari P, et al. Salt-sensitive blood pressure: an intermediate phenotype predisposing to diabetic nephropathy? Nephrol Dial Transplant 2005; **20**: 2113-2119

5 消化器疾患 — A 上部消化管

❶胃食道逆流症

A 疾患の解説

胃食道逆流症(gastroesophageal reflux disease：GERD)は，胃内容物の食道内への逆流により胸やけや胸痛などの慢性症状や食道粘膜傷害を引き起こす疾患である．GERDは，内視鏡的にびらんや潰瘍など食道粘膜傷害を認めるびらん性胃食道逆流症(逆流性食道炎)と，食道粘膜傷害を認めず逆流症状のみを認める非びらん性胃食道逆流症(non-erosive reflux disease：NERD)に大別される．GERDの定型症状は胸やけおよび呑酸(酸っぱい胃液が咽頭部まで上がってくる感覚)である．非定型症状(食道外症状)としては，非心臓性胸痛や咽喉頭部不快感，慢性咳漱，喘息様症状，睡眠障害などがある．GERDの合併症には，食道狭窄や食道出血，Barrett食道がある．治療は，胃酸分泌抑制薬を用いた薬物療法が中心であり，プロトンポンプ阻害薬(PPI)が第一選択である．肥満や過食などの生活習慣はGERDの発症および増悪の要因と考えられ，生活習慣を評価して生活指導が行われる．

B 病態栄養

GERDの原因として，食道裂孔ヘルニアおよび下部食道括約筋(lower esophageal sphincter：LES)の機能異常などがある．GERDの症状と食道粘膜傷害は胃酸など胃内容物の食道への逆流(gastroesophageal reflux：GER)や逆流物の排出遅延により起こるが，症状の程度と食道粘膜傷害の程度は必ずしも相関しない．GERDの有病率は過体重と関連することが示されており，肥満や過食などの生活習慣はGERDの発症および増悪の要因と考えられている．日本人女性においては脊椎後彎がGERDの危険因子となることが示されている．LES圧を低下させる要因としては，タバコやチョコレート，炭酸飲料，右側臥位があり，食道粘膜の酸被曝時間を延長させるものとしては，タバコやアルコール，チョコレート，脂肪食，臥位，右側臥位がある[1,2]．また，亜硝酸薬やカルシウム拮抗薬などの薬剤はLES圧を低下させることが知られている．

GERD患者では，*Helicobacter pylori*(*H. pylori*)感染率が低いことが示されている．この理由として，*H. pylori*感染による酸分泌の低下などが考えられている．

GERDの合併症に食道狭窄や食道出血，Barrett食道がある．日本ではGERDに合併する食道狭窄および食道出血の頻度は低い．Barrett食道は，胃から連続性に食道に及ぶ円柱上皮(Barrett粘膜)が存在する食道を呼び，食道腺癌の発生母地となる．

C 評価と診断

GERDの診断は，問診票を用いた自覚症状の評価や上部消化管内視鏡検査，24時間食道内pHモニタリングなどを組み合わせて行う．自覚症状の評価には，QUEST問診票やFスケール問診票(FSSG)が用いられる．内視鏡検査は逆流性食道炎の診断に有用であり，下部食道内のびらんや潰瘍の有無を観察する．24時間pHモニタリング検査は，NERDおよび非定型的症状を訴える患者の食道内酸逆流の評価に有用である．

また，PPIを用いて胸やけなどのGER症状消失の有無を判定するPPIテストも治療的診断法として有用とされている[1]．

D 治療

治療は，生活指導と薬物療法，手術療法に分けられる．

GERD患者に対する生活指導項目を表1に示す[1,2]．これらの生活指導項目の有効性は，LES圧の上昇や酸曝露時間の減少を評価指標として検討されているもの

表1　GERD患者に対する生活指導

1. 肥満あるいは最近体重が増えた患者は体重を減らす
2. 夜間GERD症状がある患者は睡眠時に頭側を挙上する
3. 就寝前2〜3時間以内の夕食を避ける
4. チョコレートやカフェイン，辛い食べ物，柑橘類，炭酸飲料については，摂取を中止してみてGERD症状が改善する場合は控える

(Katz PO, Gerson LB, Vela MF. Guidelines for the diagnosis and management of gastroesophageal reflux disease. Am J Gastroenterol 2013; **108**: 308-328より引用)

が多い．有効性が明確に示されているものは少ないが，体重減少と，睡眠時の上半身の挙上の指導が症状の改善に有効であることが明らかになっている．肥満あるいは最近体重が増加した患者では，体重を減らすことによりGERD症状および食道pHが改善することが示されていることから．肥満が原因と考えられる場合には，肥満症に対する栄養・運動療法を行う．また，夜間GERD症状のある患者では，睡眠時に頭側を挙上することによりGERD症状および食道pHが改善することが示されている．就寝前2〜3時間以内の夕食を避けることは，夜間のGERD症状の改善はみられなかったものの夜間の胃内酸度が改善することが示されている．タバコおよびアルコールは食道粘膜の酸曝露時間を延長させるが，禁煙および禁酒による症状と食道pHの改善はみられていない．チョコレートやカフェイン，辛い食べ物，柑橘類，炭酸飲料は，LES圧の低下あるいは食道粘膜酸曝露時間の延長を起こす．これらを中止することによる症状改善効果については臨床研究がほとんど行われていない．全例には推奨されないが，これらの摂取を中止してみてGERD症状が改善される症例では摂取を控えることが推奨される．生活習慣の改善単独で症状改善につながるというエビデンスは少ないが，後述する薬物療法の併用により症状改善をもたらすことが明らかとなっている．

薬物療法では胃酸分泌抑制薬であるPPIまたはカリウムイオン競合型胃酸分泌抑制薬(P-CAB)が第一選択である．そのほか，ヒスタミンH_2受容体拮抗薬，アルギン酸塩，消化管運動機能改善薬(モサプリド)，漢方薬(六君子湯)などが併用薬として用いられる．重症の逆流性食道炎ではPPIで症状や食道粘膜傷害が軽快しても，薬剤を中止すると再発する例が多いため，PPI維持療法などによる長期管理が必要である．一方，軽症の逆流性食道炎やNERDでは，自覚症状に合わせてPPIやP-CABを服薬するオンデマンド療法が行われる．

手術療法は内視鏡あるいは外科的に，胃酸の食道内への逆流防止を目的に行われる．内視鏡的治療には縫合法や焼灼法があり，外科的治療には腹腔鏡下の噴門形成術(Nissen法，Toupet法)がある．これらは，生活習慣の改善や薬物療法の効果が得られない難治症例において考慮される．

❷食道癌

A 疾患の解説

日本における食道癌は，男性が女性の約6倍と多く，年齢は60歳代〜70歳代に多い．組織型は扁平上皮癌が90%以上と最も多く，腺癌は数%程度である．欧米では腺癌が増加傾向にあり，全体の2/3を占めている．扁平上皮癌は胸部中部食道に多く発生し，主な危険因子は飲酒と喫煙である[1]．アルコール代謝産物であるアセトアルデヒドを分解するALDH2の不活性型遺伝子が関連していることが注目されており，flusher(飲酒すると顔が赤くなる)はリスクが大きい．一方，腺癌は，GERDに伴うBarrett食道が発生母地として知られており，肥満や過食が関与していると考えられている．食道癌の症状には，嚥下時つかえ感や嚥下時痛，灼熱感，嚥下困難，体重減少，胸部痛，背部痛，嗄声などがある．治療法は臨床病期に応じて選択され，内視鏡的治療や外科的治療，化学療法，放射線療法，緩和医療などによる集学的治療が行われる．嚥下障害や悪液質などによる栄養障害などにより患者のQOLは著しく低下している場合が少なくないため，治療初期から症状緩和やQOL改善のための治療を併せて行うことが重要である[3]．

B 病態栄養

表在癌の多くは自覚症状がほとんどないが，腫瘍が増大し進行するにつれて，嚥下障害やがん悪液質が生じ，飲酒習慣も加わって診断時にすでに低栄養状態であることが少なくない．進行食道患者の場合は全体の食事摂取量が減少するため，マラスムス型の蛋白-エネルギー低栄養(protein-energy malnutrition：PEM)であることが多い．また，外科的治療や化学放射線療法より栄養状態のさらなる悪化を招くことから，治療前に栄養状態の評価と改善を図ることが極めて重要である．

C 評価と診断

診断は，上部消化管内視鏡検査による病変の確認と生検病理診断により行われる．食道癌の進行度は，壁深達度およびリンパ節転移，遠隔臓器転移を評価して診断される．深達度診断は上部消化管内視鏡検査や食道造影検査，超音波内視鏡検査などにより行われ，リンパ節転移および遠隔臓器転移の診断は，CTやFDG-PET検査などにより行われる．全身状態の評価はperformance status(PS)や肺機能検査，心機能検査などにより行われる．

栄養評価は，主観的包括的アセスメント(subjective global assessment：SGA)をはじめ，体重，BMI，上腕三頭筋皮下厚など身体計測データ，アルブミンやトランスサイレチンなどの生化学検査データなどにより行われる．

D 治療

食道癌の臨床病期診断に加え，病巣特性(悪性度)の把握および全身状態の評価を行い，総合的に治療方針を決定する[3]．栄養状態が低下している場合の栄養管理は，経腸栄養が第一選択である．固形物の嚥下困難がある場合でも液体が通過可能であれば，半消化態栄養剤や濃厚流動食を用いた経口的栄養補充(oral nutritional supplements：ONS)を行い，十分量の経口摂取が困難な場合は末梢静脈栄養(PPN)を併用して栄養状態の改善に努める．水分も摂取不能であれば，経鼻チューブを挿入し経腸栄養を行うが，チューブ挿入不能の場合には胃瘻や腸瘻からの経腸栄養や静脈栄養を検討する．静脈栄養を行う場合，末梢静脈栄養では必要栄養量の充足は困難なことが多いため，中心静脈栄養経腸栄養(TPN)が必要となる．近年，免疫栄養(immunonutrition)が注目され，グルタミンやアルギニン，ω3系多価不飽和脂肪酸などの栄養素を強化した経腸栄養剤の術前投与が術後感染性合併症の予防に有効との報告がある[4]．

1. 内視鏡的治療

内視鏡的治療は，粘膜層に限局してリンパ節転移のない早期癌が適応になり，手技として内視鏡的粘膜切除術(EMR)や内視鏡的粘膜下層剥離術(ESD)がある．早期癌では栄養障害はほとんどみられず，通常は，術前には栄養療法は必要ないが，高齢や併存疾患のために栄養状態が不良の場合には，ONSをはじめとする栄養管理を行う．治療後は，出血がないことを確認して静脈栄養を行い，その後は切除後潰瘍に応じた食形態による経口栄養を行う．全周性切除や瘢痕狭窄により通過障害をきたした場合には拡張術が必要となる．

2. 外科的治療

進行した胸部食道癌は，頸部と胸部，腹部の3領域にリンパ節転移がみられることが多く，開胸して3領域のリンパ節郭清とともに胸腹部食道を全摘することが一般的である[3]．再建は，主に胃管や空腸を用いた胸腔内吻合が行われる．再建経路には胸壁前，胸骨後，後縦隔の3経路があり，進行度や安全性，術後の嚥下機能などを考慮し個々に判断されている．最近は，胸腔鏡や腹腔鏡を用いた内視鏡手術が急速に普及しつつある．

食道癌の手術は消化器外科手術のなかでも最も侵襲の大きい手術であり，栄養管理が重要である．中等度以上の栄養障害がみられる場合には術前2週間程度，経腸栄養あるいは静脈栄養を行う．欧州静脈経腸栄養学会(ESPEN)のガイドラインにおける術前栄養管理を要する基準を表2に示す[4]．術前栄養管理では，Harris-Benedictの式を用いて算出した基礎代謝量に活動係数とストレス係数を乗じた推定エネルギー必要量を投与の目安とする(第Ⅳ章参照)．術後のエネルギー投与量は，基礎代謝量に，手術侵襲を考慮したストレス係数1.2～1.5と活動係数を乗じた推定エネルギー必要量を投与の目安にする．また，術後はたんぱく質必要量が増加するため，たんぱく質量は1.2～1.5g/kg/日程度を目安に投与する．術後は，嚥下障害やそれに伴う誤嚥のリスクが高いため，早期経口摂取は困難となる．しかし，十二指腸以下の下部消化管機能は保たれていることから，術中に作製した空腸瘻から術後早期(術翌日あるいは3日目)に経腸栄養を開始し，静脈栄養を併用しながら経腸栄養を徐々に増量する．経口摂取再開は術後5～7日目ころとし，飲水訓練を開始して異常がなければゼリー食などより開始する．胃管再建術後は，逆流性食道炎や胃管からの排出障害に注意する．残食道には酸のみならずアルカリ性の十二指腸液の逆流が生じるため，プロトンポンプ阻害薬(PPI)や蛋白分解阻害薬も併用する．また，術後は食物を貯留する容積が減少するため，1回の食事摂取量を減らし，分割食とする．逆流がみられる場合には，食後の臥位は避け，頭側を高くして睡眠をとるように指導する．呼吸器系を中心とした術後合併症の予防は重要で，術前からの禁煙や呼吸器リハビリテーション，口腔ケア，血糖管理などの対策が推奨されている[3]．

表2 術前に栄養療法を行う基準(ESPENのガイドライン)

1. 6ヵ月以内の体重減少率10～15%以上
2. BMI $18.5kg/m^2$ 以下
3. 主観的包括的アセスメント(SGA) grade C(高度栄養障害)
4. 血清アルブミン値3.0g/dL以下(肝機能障害や腎機能障害によるものではない)

1～4のいずれか1項目がある場合に栄養療法を行う．
(Weimann A, Braga M, Carli F, et al. ESPEN guideline: clinical nutrition in surgery. Clin Nutr 2017; **36**: 623-650より引用)

3. 化学療法および放射線療法

食道扁平上皮癌における抗がん薬療法は，術前化学療法のほか，切除不能進行・再発食道癌などに対して行われる[3]．日本では，5-FUとCDDPの併用療法が標準療法とされており，不応の場合にはタキサン系薬剤や免疫チェックポイント阻害薬(抗PD-1モノクローナル抗体であるニボルマブやペムブロリズマブ)などが用いられる．根治的放射線療法は化学療法との併用が推奨されており，多門照射による50～60Gyの放射線療法が同時に行われることが多い．放射線療法は，耐術能がない例や化学放射線療法不能例に対する治療のほか，通過障害例における緩和的治療としても行われる．化学放射線療法では，口内炎や嘔吐・下痢などの副作用により食事摂取量が減少することが多いため，治療中に経腸栄養あるいは静脈栄養が行われる．

4．緩和医療

食道癌においては，嚥下障害や栄養障害，瘻孔による咳嗽などによりQOLが著しく低下する場合が多く，症状緩和やQOLの保持が重要である[3]．食道狭窄症状や気道狭窄症状，瘻孔に起因する症状の改善のため，放射線療法や化学放射線療法，食道ステント挿入，気管ステント挿入，食道バイパス手術などが状況に応じて行われる．

❸食道・胃静脈瘤

A 疾患の解説

食道・胃静脈瘤は，門脈圧亢進症により生じた門脈-大循環側副血行路の一つで，食道および胃上部の粘膜下層の静脈が腫瘤状に拡張したものである．食道・胃静脈瘤は胃・食道から奇静脈への短絡路であり，胃静脈瘤の多くは胃-腎短絡路の一部として形成される．原因疾患は，肝硬変，特発性門脈圧亢進症，肝外門脈閉塞症，Budd-Chiari症候群などがあり，肝硬変が最も多い．静脈瘤が破裂しない限り症状はないが，破裂すると突然の吐血や下血がみられ，出血量が多いとショック状態に陥る．静脈瘤が破裂した場合あるいは破裂のリスクが高い場合には，内視鏡的静脈瘤結紮術(EVL)あるいは内視鏡的硬化術(EIS)による治療が行われる．肝硬変に合併した食道・胃静脈瘤は再発を繰り返す例が多く，治療継続の可否は肝予備能に左右される．治療にあたっては，静脈瘤の治療と並行して，肝性脳症などの肝機能不全に基づく病態を念頭に置いた栄養アセスメントと栄養管理が極めて重要である．

B 病態栄養

肝硬変では，PEMが特徴的である．エネルギー消費量が亢進する機序として，呼吸・循環系がhyperdynamic stateにあることやホルモン，サイトカインなどの関与が考えられており，食道・胃静脈瘤破裂例では顕著となる．門脈-大循環短絡を有する肝硬変では蛋白の過剰摂取により容易に肝性脳症を発症する病態(蛋白不耐症)にあり，静脈瘤破裂時には腸管に貯留した血液が分解され細菌性ウレアーゼによりアンモニアが産生するため，肝性脳症の誘因となる．

C 評価と診断

門脈圧亢進症の診断や門脈血行動態の把握には，腹部超音波検査や腹部造影CT，腹部MRIなどが用いられる[5]．静脈瘤の診断は上部消化管内視鏡検査が第一選択であり，出血リスクの評価にも有用である．連珠状静脈瘤(F2)あるいは結節状静脈瘤(F3)，発赤所見(RC sign)がある場合は出血のリスクが高いと評価される．肝性脳症は，見当識障害をはじめとする意識障害や羽ばたき振戦，血中アンモニア値上昇，脳波検査における徐波や3相波などの所見により診断される．

D 治療

1．静脈瘤破裂時の治療

静脈瘤の出血時は循環血漿量低下により肝不全が進行することから，速やかに細胞外液補充液，濃厚赤血球，新鮮凍結血漿，低張アルブミンなどを投与して循環動態の安定化を図る．バイタルサインを安定させたのち緊急内視鏡検査を施行し，出血源を確認したうえでEVLあるいはEISによる止血術を行う．一時的な緊急処置もしくは内視鏡的治療が困難な例では，バルーンタンポナーデ法(S-Bチューブ)や血管作動性薬であるバソプレシンの点滴静注を行う．オクトレオチドや一硝酸イソソルビドなどにも門脈圧を低下させるエビデンスはあるが，日本では保険収載されていない[5]．

肝性脳症(II度以上)発現時や高アンモニア血症を予防する目的で，合成二糖類(ラクツロース)や難吸収性抗菌薬(リファキシミン)の内服，分岐鎖アミノ酸輸液製剤の投与を行う．脳症が覚醒して経口摂取が可能になった場合には，肝不全用経腸栄養剤に切り換え，徐々に低たんぱく質食を上乗せする．総エネルギー量を25～30 kcal/標準体重kg/日の範囲で開始し，低たんぱく質食(0.5～0.7 g/標準体重kg/日)と肝不全用経腸栄養剤を併用しながら体構成成分の維持に努める．

2．予防的治療

待機的EVLおよびEISは，食道静脈瘤からの出血予防に有用であり，出血既往例，F2以上またはRC sign陽性の静脈瘤が適応となる[5]．内視鏡治療の周術期は絶食を余儀なくされ，PEMのいっそうの増悪をきたす可能性があるため，治療後はなるべく早期に経口摂取を開始し，肝不全用経腸栄養剤を併用しながら窒素バランス改善や血清アルブミン値の維持に努める．欧米では出血予防の第一選択としてプロプラノロールなどのβ遮断薬が用いられており，肝予備能良好な食道静脈瘤の初回出血あるいは再出血の予防に有用である(日本では保険未収載)．胃静脈瘤では，バルーン下逆行性経静脈的塞栓術(B-RTO)が行われる．外科的治療は内視鏡や interventional radiology (IVR)が困難な例に適応があり，食道離断術や Hassab 手術などがある．

❹胃・十二指腸潰瘍

A 疾患の解説

胃潰瘍と十二指腸潰瘍は，胃酸やペプシンなどの消化作用により胃あるいは十二指腸の内腔表面から粘膜下層以深まで組織が欠損する疾患で，一括して消化性潰瘍と呼ばれる．*H. pylori* 感染と非ステロイド抗炎症薬(NSAIDs)が二大原因である．*H. pylori* 感染率低下や除菌療法の普及により有病率は年々低下しているが，高齢化や NSAIDs 服用患者の増加を背景に，薬剤性潰瘍の割合が増加している．症状としては，心窩部痛が特徴的であるが，高齢者では食欲不振のみで発症することがある．治療は，*H. pylori* 除菌療法，プロトンポンプ阻害薬(PPI)やカリウムイオン競合型胃酸分泌抑制薬(P-CAB)，ヒスタミン H_2 受容体拮抗薬などを用いた潰瘍治療が基本である．潰瘍からの多量出血や潰瘍が穿孔した場合には，緊急対応が必要になる．また，幽門や十二指腸球部の潰瘍により狭窄が起こると，通過障害により栄養状態が低下する．

B 病態栄養

消化性潰瘍は，胃酸やペプシンなどの攻撃因子に対する粘膜防御機構の破綻により起こると考えられている．消化性潰瘍の大多数は，*H. pylori* 感染に起因する．胃粘膜に *H. pylori* が慢性感染することにより，酸分泌の異常や粘膜の脆弱性を招く．

以前は，発症要因としてストレスや喫煙，食事など生活習慣因子が重要と考えられていたが，*H. pylori* 除菌後の潰瘍再発率が1～2%と非常に低いことが報告され，*H. pylori* 感染が最も重要な発症要因であることが明らかになった．

NSAIDs は，シクロオキシゲナーゼの阻害によりプロスタグランジン産生を抑制し，粘膜防御機構を低下させる．NSAIDs 潰瘍は，胃，特に胃前庭部に好発するが，十二指腸や空腸に起こることもある．NSAIDs 以外の薬物として，骨粗鬆症治療薬であるアンドロン酸や抗がん薬が消化性潰瘍のリスクを高めることが示されている．また，非 *H. pylori*・非 NSAIDs 潰瘍の原因として，Crohn 病，Zollinger-Ellison 症候群(ガストリン産生腫瘍)などがある．

消化性潰瘍の合併症には，出血や穿孔，狭窄などがあり，栄養状態悪化の原因となる．

C 評価と診断

消化性潰瘍は，通常，上部消化管内視鏡検査により診断される．潰瘍を認めた場合は，迅速ウレアーゼ試験や尿素呼気試験，便中 *H. pylori* 抗原測定などにより *H. pylori* 感染の有無を検索する．出血性潰瘍では，急激な血液喪失と血清蛋白の喪失を伴うため，高度の鉄欠乏性貧血や低蛋白血症を呈する．

D 治療

1．出血や穿孔，狭窄を認めない消化性潰瘍

出血や穿孔を合併しない場合には薬物療法が基本である．NSAIDs 非投与症例で *H. pylori* 陽性の場合には除菌療法が第一選択として推奨される[6]．*H. pylori* 陰性例あるいは除菌療法が適応にならない例では，PPI または P-CAB が第一選択となる．PPI を使用できない場合には，H_2 受容体拮抗薬や抗ムスカリン受容体拮抗薬，防御因子増強薬などが用いられる．

NSAIDs 投与症例では，可能であれば NSAIDs を中止し，通常の消化性潰瘍の治療が行われる．NSAIDs の中止が困難な場合には，PPI による治療が行われる．

食事療法の有効性に関するエビデンスは乏しいが，薬物療法の効果を十分引き出すためにも栄養状態の維持は大切である．推定エネルギー消費量を満たす目標エネルギー量を設定し，たんぱく質などの栄養素は食事摂取基準を参考に十分量とする．食事療法では，胃運動や胃酸分泌を促進する食品(アルコール，コーヒー，炭酸飲料，香辛料，高脂質食品など)を避けるように指導する．なかでも，脂質は胃滞留時間が長いため，過剰摂取は避ける．また，創傷治癒の観点から亜鉛を付加し，鉄欠乏性貧血をきたしている場合には鉄分を補給する．喫煙は胃酸分泌を促進することから，禁煙を指導する．

2．出血性消化性潰瘍

吐血や下血がみられる場合には，血液検査で貧血の有無を確認して，必要に応じて血液製剤を投与する．バイタルサインを安定させたのちに緊急内視鏡検査を行い，内視鏡的止血術を行う．止血術後は絶食とし，1日後に再出血がないことを確認してから速やかに食事

を再開する．通常，止血術後の絶食期間は2日以内であり，その間，PPIの静脈投与と末梢静脈栄養を行う[6]．内視鏡で止血が困難な場合にはIVRや外科的治療の適応となる．長期にわたる絶食は低栄養を招き，創傷治癒の遷延や術後合併症のリスクになることから，静脈栄養などを行い，栄養状態の維持・改善に努める．胃切除術を行った場合には，胃切除術後障害に対する対応が必要となる．

3．消化性潰瘍穿孔

十二指腸潰瘍の穿孔例が多く，胃潰瘍の穿孔例は少ない．穿孔の治療には，保存的治療と外科的治療がある．保存的治療では，絶食で静脈栄養を行い，経鼻胃管留置，抗菌薬およびH_2受容体拮抗薬あるいはPPIの静脈投与を行う[6]．外科的治療では，以前は胃切除術が標準術式とされていたが，近年は穿孔部閉鎖・大網被覆術が推奨されている．手術後は静脈栄養を行い，排ガス確認後の術後4日目ころから食事を開始する．

4．狭窄を伴う消化性潰瘍

潰瘍の瘢痕狭窄により，嘔吐や体重減少など通過障害に伴う症状が認められる場合には，内視鏡的バルーン拡張術や外科的治療が行われる．通過障害が軽度で液体が通過可能であれば，半消化態栄養剤や天然濃厚流動食のONSを試み，末梢静脈栄養（PPN）を併用しながら栄養状態の維持・改善に努める．通過障害が強く高度の栄養障害がみられる場合には，中心静脈栄養を施行して栄養を改善させたのち，通過障害に対する治療を行う．エネルギー投与量は，Harris-Benedictの式を用いて算出した基礎代謝量に活動係数とストレス係数を乗じた推定エネルギー必要量を投与の目安とする（第Ⅳ章参照）．

❺胃癌

A 疾患の解説

胃癌は，日本において罹患率の高いがんであり，加齢とともに増加し，男性が女性の約2倍罹患する．主な危険因子は，*H. pylori*感染や高食塩食，喫煙などである．進行例では，上腹部痛や食欲不振，体重減少，腫瘍からの出血に伴う貧血や下血などの症状を呈する．治療には内視鏡的治療や外科的治療，薬物療法，緩和医療などがあり，進行度により治療法が選択される．治療前および治療経過中に栄養評価を行い，栄養状態の低下がみられた場合には栄養治療が行われる．

B 病態栄養

萎縮性胃炎を基盤に胃癌が発生することが多く，胃酸分泌が低下している例が多い．早期胃癌では栄養障害はほとんどみられないが，がんの進行に伴って体重減少やサルコペニアを認める．幽門部や噴門部の胃癌では，狭窄が起こりやすく，食物の通過障害により栄養状態が低下する．腹膜転移による腹水の貯留や腸管への浸潤による腸管閉塞によっても摂食が制限されて栄養状態が低下する．外科的治療で胃の一部あるいは全部を切除すると，食事摂取量の減少や消化吸収障害をきたし，栄養状態が低下する（「⑥胃切除後障害」参照）．化学療法の副作用には個人差があり，消化管毒性が高度な症例では摂食が困難になる．

C 評価と診断

胃癌の進行度は，壁深達度およびリンパ節転移の程度，遠隔転移の有無などで診断される．上部消化管内視鏡検査や上部消化管造影検査，超音波内視鏡検査などは壁深達度診断に用いられ，CTやFDG-PET検査などは他臓器への浸潤やリンパ節転移，遠隔転移の有無の評価に用いられる．

栄養評価は，SGAをはじめ，体重，BMI，上腕三頭筋皮下厚など身体計測データ，アルブミンやトランスサイレチンなどの生化学検査データなどにより行われる．

D 治療

胃癌の治療法には，内視鏡的治療や外科的治療，化学療法，緩和医療などがあり，進行度および全身状態の評価を行い，総合的に治療方針を決定する．栄養状態が低下している場合の栄養管理は，経腸栄養が第一選択であり，消化管が利用できない場合には静脈栄養が選択される[4]．

1．内視鏡的治療

内視鏡的治療は，粘膜内に限局した分化型癌が適応になり，未分化型癌でも2cm以下の粘膜内癌かつ潰瘍形成がない例も適応拡大病変として治療が行われることがある．通常，術前には栄養療法は必要ないが，高齢や併存疾患のために栄養状態が不良の場合には，ONSや静脈栄養による栄養管理を行う．治療後は，出血がないことを確認して静脈栄養を行い，その後は切除後潰瘍に応じた食形態による経口栄養を行う．内視鏡的治療を受けた患者でも，異時性多発胃癌が発生する場合があることから，定期的な内視鏡検査に加え，

H. pylori 陽性者では除菌を行うことが推奨されている[7].

2. 外科的治療

外科的治療には，治癒手術と非治癒手術がある．治癒切除には，定型手術と非定型手術がある．定型手術は，3 分の 2 以上の胃切除と D2 リンパ節郭清を行うものである．非定型手術は，縮小手術と拡大切除手術がある．非治癒切除は，手術により治癒が望めない症例に対して行う手術で，出血や狭窄などの改善目的に行う姑息的胃切除や胃空腸吻合術などがある[7].

術前に栄養評価を行い，中等度以上の栄養障害がみられた場合には経腸栄養あるいは静脈栄養を行う(表 2 参照)．術後の栄養管理は，手術侵襲を考慮してエネルギー投与量を決定する(「②食道癌」参照)．通常，術後 1 日目から飲水，術後 2 日目からは流動食を開始して段階的に全粥食まで移行するが[7]，必ずしも流動食から開始する必要はなく，患者の状態に合わせて粥食などの食事から提供されることもある．その後，食事の 1 回摂取量を少なくして食事回数を 1 日 6 回程度に増やす分割食を実施する．必要カロリー量が摂取できるようになるまで，通常，数日間静脈栄養を併用する．縫合不全などの合併症により摂食が開始できない場合には，摂食が可能になるまで，静脈栄養あるいは経腸栄養を実施する．嚥下障害を有する患者や縫合不全のリスクが高い場合には，術中に腸瘻を作製して術後早期から経腸栄養を行うことも可能である．

術後遠隔期も栄養障害を起こしやすく(「⑥胃切除後障害」参照)，補助化学療法の副作用も加わるため，栄養障害が助長されることがある．体重減少がみられる場合には，化学療法の完遂率にも影響するため，経腸栄養剤などを用いて栄養改善を図る．

3. 化学療法

胃癌における化学療法には，治癒切除後の微小遺残腫瘍による再発予防を目的として行われる術後補助化学療法と切除不能進行・再発胃癌に対する化学療法がある．切除不能進行・再発胃癌に対する化学療法は，PS が 0〜2 の全身状態が比較的良好かつ主要臓器機能が保たれている症例が適応となる[7]．一次化学療法では，フッ化ピリミジン系薬剤とプラチナ系薬剤の併用療法を基本とし，HER2 陽性胃癌の場合には分子標的治療薬であるトラスツズマブを加えたレジメンが用いられる．また，これら治療後の再発例には免疫チェックポイント阻害薬(抗 PD-1 モノクロナール抗体であるニボルマブ)も選択可能である．薬物療法の副作用により悪心や食欲不振，下痢などの症状が著しく，経口摂取や経腸栄養による栄養療法が困難な場合に静脈栄養の適応となる．

4. 緩和医療

外科的治療や化学療法などが困難な進行した胃癌患者では，がん悪液質による「がん誘発性栄養障害」や，がんの進行に伴う消化管閉塞や不安などに起因する「がん関連性栄養障害」をきたすことが知られている．後者は適切な栄養管理により改善が期待できることから，栄養状態の悪化を防ぎ，患者の生活の質(QOL)を保つことが必要である．終末期であっても栄養療法の基本は経口摂取が基本であり，経口的な補助栄養食品での介入を試みる．消化管閉塞がみられる場合には，静脈栄養を行いながら経鼻胃管を用いた胃減圧治療(ドレナージ)，内視鏡によるバルーン拡張，ステント留置などが行われる．

⑥胃切除後障害

A 疾患の解説

胃は，食物の貯留，胃液との混和，殺菌，消化，十二指腸への排出などの機能があり，小腸での消化吸収が適切に行われるように調節している．胃の一部あるいはすべてを切除すると，これらの機能が低下あるいは欠落し，切除範囲や再建術式に応じた様々な臓器欠損症状が起こる．胃切除後障害は，これら胃切除後に生じる障害の総称であり，小胃(無胃)症状，ダンピング症候群や消化吸収障害，貧血，骨代謝障害などの機能障害と，逆流性食道炎や輸入脚症候群などの器質的障害に大別される．ここでは，機能異常について概説する．

B 病態栄養

1. ダンピング症候群

食物が小腸に急速に流入することで生じる様々な臨床症状のことで，食後 30 分以内に発症する早期ダンピングと食後 2〜4 時間で発症する後期ダンピングに分類される．早期ダンピングでは，高張な食物が小腸に急速に運ばれることにより，水分が腸管内腔に移動し，循環血漿量が低下し，動悸やめまいなどの症状が出現する．また，セロトニンなどの血管作動性因子の放出により，腹痛や下痢などの消化器症状もきたす．一方，後期ダンピングでは，糖質が小腸で急速に吸収されて高血糖になり，反応性にインスリンが過剰分泌されるために生じる後発性低血糖症候群であり，冷汗や動悸，めまい，失神などの交感神経刺激症状が出現する．

2．消化吸収障害

胃切除後は，食物が急速に十二指腸や小腸に移動するため，セクレチンやコレシストキニンなどの消化管ホルモンの減少，胆汁排泄や膵外分泌機能の低下などにより，下痢や体重減少，貧血，全身倦怠感，脂肪便などの症状が出現する．消化吸収障害は脂質において顕著であり，脂溶性ビタミンの吸収障害も引き起こす．Billroth II 法や Roux-en Y 法のように食物が十二指腸を通過しない術式では，脂質の吸収障害がさらに促進される．

3．胃切除後貧血

胃切除後の貧血には，鉄欠乏性貧血とビタミン B_{12} 吸収障害による巨赤芽球性貧血がある．食事から摂取した鉄は，胃酸によるイオン化と腸内細菌やビタミンCによる還元を経て十二指腸を中心とした上部小腸から吸収されるが，胃切除により胃酸分泌が低下した状態では鉄吸収が低下する．一方，ビタミン B_{12} は，胃の壁細胞から分泌される内因子と結合して回腸から吸収されるため，胃全摘後に内因子が分泌されなくなるとビタミン B_{12} が欠乏する．ビタミン B_{12} は肝臓内に貯蔵されているため，ビタミン B_{12} が枯渇する術後 3〜5 年以降に欠乏症状が出現することが多い．

4．骨代謝障害

胃切除術後はカルシウムやビタミンDの吸収不全をきたしやすいため，続発性骨粗鬆症や骨折の原因病態として重要である[8]．カルシウム吸収低下の原因として，①経口摂取の低下によるカルシウム摂取量の減少，②胃酸によるカルシウムのイオン化の低下と上部小腸からの吸収の低下，③食物が十二指腸を通過しない術式では十二指腸からのカルシウム吸収の低下，④脂肪吸収障害に伴うビタミンD・ビタミンKの吸収低下，などがあげられる．カルシウム吸収の低下により，骨中のカルシウムが血中に放出され，骨軟化症や骨粗鬆症が起こる．

C 評価と診断

1．ダンピング症候群

早期ダンピングは，食後 30 分以内に起こる動悸やめまい，冷汗，失神，腹痛，下痢，悪心，顔面紅潮などの自覚症状により診断される．後期ダンピングは，食後 2〜4 時間で起こる冷汗や動悸，めまい，脱力感，失神などの低血糖症状に加え，血糖値の測定や糖分摂取による症状の改善などにより診断する．

2．消化吸収障害

通常，下痢などの症状から診断されるが，脂肪便の定性検査として，便塗抹標本のスダンⅢ染色がある．便中脂肪の定量検査としては，1 日 60 g の食事脂肪を与え，便を 3 日間採取して総脂肪量を測定する脂肪バランステストがある．健常者では 6 g/日以下であるが，10 g/日以上あれば明らかな脂肪吸収障害と診断される．

3．胃切除後貧血

鉄欠欠乏性貧血では，血清鉄およびフェリチンの低下，総鉄結合能および不飽和鉄結合能の上昇を認め，舌炎や匙状爪などの特徴的な徴候がみられることがある．ビタミン B_{12} 欠乏では血中ビタミン B_{12} 濃度の低下，好中球減少や血小板減少を認めるほか，Hunter 舌炎や末梢神経障害などを併発する．両者とも無症候性に経過することが多いため，定期的な血液検査が必要である．

4．骨代謝障害

多くは無症状であるが，腰背部痛や関節痛を訴えることがある．閉経後女性や高齢者では原発性骨粗鬆症の併存に留意する必要があり，既往歴や使用薬物，嗜好品（喫煙・飲酒）などを詳細に聴取する．日常診療での骨折リスク評価手段として WHO の骨折リスク評価ツール（FRAX）が有用である．骨塩量定量には，二重エネルギー X 線吸収測定法（DXA 法）などが用いられる[8]．

D 治療

1．ダンピング症候群

治療の主体は食事療法であり，多くは少量の食物を 1 日 5〜6 回に分けてゆっくり摂取するよう指導することで予防可能である．また，糖質を多く含む食品を控え，胃からの排出が遅いたんぱく質・脂質を中心とした食事とし，液体成分の摂取を避けることも有効である．後期ダンピングは低血糖症状であるため，間食を勧め，症状出現時には糖分を摂取するよう指導する．

2．消化吸収障害

高たんぱく食を 1 日 5〜6 回に分けて少しずつ摂取するよう指導する．必要に応じて経口栄養剤を併用する．脂質の吸収障害には，十分量の消化酵素剤を投与することも必要である．

3．胃切除後貧血

鉄欠欠乏性貧血では，たんぱく質や鉄，鉄吸収を促

表3 骨粗鬆症の予防と治療のための生活指導

1. 適正体重の維持とやせの防止
2. 適切な運動
3. カルシウムおよびビタミンD，ビタミンKの摂取
4. 喫煙や過度の飲酒を避ける

進するビタミンCの多い食品の摂取を勧め，薬物療法として鉄剤を経口投与する．ビタミンB_{12}欠乏にはビタミンB_{12}を月に1回程度筋注投与する．

4. 骨代謝障害

「骨粗鬆症の予防と治療ガイドライン」[8]で推奨されている骨粗鬆症の予防と治療のための生活指導項目を表3に示す．体重減少は，骨粗鬆症性骨折の危険因子であることが示されている．胃切除後は，消化吸収障害により体重減少をきたす例が多いことから，上述した食事指導を行って適正体重の維持に努めることが重要である．栄養素の摂取では，特にカルシウムやビタミンなどの摂取量減少に注意し，1日にカルシウムを食品から700～800mg，ビタミンDを400～800IU（10～20μg），ビタミンKを250～300μg摂取することが推奨されている[8]．その他の栄養素では，ビタミンB_6およびビタミンB_{12}，葉酸は骨質の維持に重要であり，食事摂取量が少ない場合にはビタミン剤などの使用も考慮する必要がある．喫煙および飲酒も骨折の危険因子であることが示されており，喫煙と過度の飲酒を避けることが推奨される．

骨粗鬆症の薬物療法には，ビスホスホネート製剤や活性型ビタミンD_3，ビタミンK_2，カルシウム製剤などが用いられる．

7 胃巨大皺襞症（Ménétrier病）

A 疾患の解説

胃巨大皺襞症は，過形成や炎症により胃粘膜が肥厚して胃粘膜皺襞が著明に肥大する状態をいい，hypertrophic gastropathyとも呼ばれる．しばしば胃酸分泌低下と，胃からの蛋白漏出による低蛋白血症を呈する．Ménétrier病とも呼称されるが，胃の巨大皺襞と蛋白漏出をきたす症例には異なる病態があることが明らかになり，胃底腺粘膜における腺窩上皮の著明な過形成を伴うMénétrier病（狭義）のほか，*H. pylori*感染やサイトメガロウイルス感染の関与が報告されている．症状として，上腹部痛や悪心・嘔吐，食欲不振，体重減少，浮腫などがみられる．本症は，胃内視鏡検査や胃生検などにより診断される．治療法は確立されていないが，*H. pylori*除菌あるいはプロトンポンプ阻害薬（PPI）を試み，難治例では胃切除術あるいは，分子標的治療薬である抗上皮成長因子受容体（EGFR）抗体による治療を考慮する．低蛋白血症あるいは低アルブミン血症が認められる場合には栄養療法が必要となる．

B 病態栄養

Ménétrier病では，胃体部粘膜の腺窩上皮過形成と胃腺細胞の減少がみられる．壁細胞数の減少および壁細胞機能の低下により酸分泌が低下する．胃粘膜から胃内腔に蛋白の漏出がみられ，それにより低蛋白血症を呈する．約20～80％で低蛋白血症および低アルブミン血症，低γグロブリン血症を認め，低蛋白血症の程度は症例によって異なっている．蛋白漏出の機序はいまだ明らかになっていないが，Ménétrier病ではTGF-αの受容体であるEGFRシグナル伝達の亢進が胃上皮細胞増殖にかかわっていることが報告されている[9]．

C 評価と診断

原因不明の浮腫や低蛋白血症がみられた場合，ネフローゼ症候群や吸収不良症候群，蛋白漏出性胃腸症，慢性消耗性疾患などについて鑑別する必要がある．本症は蛋白漏出性胃腸症の原因疾患のひとつであり，上部消化管内視鏡検査や胃X線造影検査，CTなどが行われる．胃体部大弯の巨大皺襞がみられた場合には，胃癌や胃悪性リンパ腫，Zollinger-Ellison症候群，Cronkhite-Canada症候群などとの鑑別が必要である．鑑別診断のために，内視鏡的粘膜切除などで採取された広範囲で下層まで評価可能な標本による病理診断や*H. pylori*やサイトメガロウイルスの感染診断，血清ガストリン測定などが行われる．蛋白漏出の診断には，便中および胃液中のα_1アンチトリプシンクリアランス試験や蛋白漏出シンチグラフィが有用である．なお，α_1アンチトリプシンは酸性環境では分解され，胃内への蛋白漏出は評価できないことから，PPI投与などで胃酸分泌を抑制してから検査する必要がある．

D 治療

本症において高たんぱく食の有効性についてのエビデンスはないが，胃から蛋白質の漏出があるため，たんぱく質量1.5～3g/kg/日程度の高たんぱく食が考慮される．食欲不振などにより摂食が困難な症例や栄養障害が高度な症例には，経腸栄養や完全静脈栄養など

の栄養療法が行われる．浮腫あるいは低蛋白血症が著明な場合にはアルブミン製剤の投与も考慮する．

本疾患の治療法はいまだ確立されていないが，*H. pylori* 感染に起因する場合は *H. pylori* 除菌療法により完全寛解が得られるため，*H. pylori* 感染がみられる場合にはまず除菌療法を行う[10]．除菌後，胃からの蛋白漏出が改善するまで数ヵ月要する場合もある．プロトンポンプ阻害薬は巨大皺襞や低蛋白血症，自覚症状に対して有効であることが報告されているが，完全寛解はまれである．Ménétrier 病では，抗 EGFR 抗体（セツキシマブ）が有効であることが報告され[9]，米国では Ménétrier 病の治療薬として承認されているが，日本では本症の治療薬としては承認されていない．*H. pylori* 除菌や PPI 投与により蛋白漏出が改善しない難治例に対しては，胃部分切除術あるいは胃全摘術，セツキシマブによる治療を考慮する．

文献

1） 日本消化器病学会（編）．胃食道逆流症（GERD）診療ガイドライン 2015（改訂第 2 版），南江堂，東京，2015
2） Katz PO, Gerson LB, Vela MF. Guidelines for the diagnosis and management of gastroesophageal reflux disease. Am J Gastroenterol 2013; **108**: 308-328
3） 日本食道学会（編）．食道癌診療ガイドライン 2017 年版，金原出版，東京，2017
4） Weimann A, Braga M, Carli F, et al. ESPEN guideline: clinical nutrition in surgery. Clin Nutr 2017; **36**: 623-650
5） 日本消化器病学会・日本肝臓学会（編）．肝硬変診療ガイドライン 2020（改訂第 3 版），南江堂，東京，2020
6） 日本消化器病学会（編）．消化性潰瘍診療ガイドライン 2020（改訂第 3 版），南江堂，東京，2020
7） 日本胃癌学会（編）．胃癌治療ガイドライン 2018 年 1 月改訂（第 5 版），金原出版，東京，2018
8） 骨粗鬆症の予防と治療ガイドライン作成委員会（編）．骨粗鬆症の予防と治療ガイドライン 2015 年版，ライフサイエンス出版，東京，2015
9） Settle SH, Washington K, Lind C, et al. Chronic treatment of Ménétrier's disease with Erbitux: clinical efficacy and insight into pathophysiology. Clin Gastroenterol Hepatol 2005; **3**: 654-659
10） Yasunaga Y, Shinomura Y, Kanayama S, et al. Improved fold width and increased acid secretion after eradication of the organism in Helicobacter pylori associated enlarged fold gastritis. Gut 1994; **35**: 1571-1574

5 消化器疾患 ― B 小腸・大腸

❶吸収不良症候群

A 疾患の解説

消化吸収障害による栄養素欠乏のため発生する病態を吸収不良症候群という．主な症状は下痢，脂肪便，るい痩，貧血，倦怠感，腹部膨満，浮腫などである．原因としては小腸疾患のほか，肝胆膵疾患や胃・十二指腸疾患，全身性疾患など多岐に及ぶ(表 1)．原発性は小腸粘膜障害が原因の疾患群で，続発性には小腸粘膜障害以外の腸疾患や胆膵外分泌異常に伴う疾患群が含まれる．

B 病態栄養

吸収不良症候群は，吸収障害が起こる部位と，欠乏する栄養素によって多彩な病態を呈する．栄養素の消化吸収は①管腔内消化相(管腔内で酵素による加水分解)，②腸管相(腸管粘膜上皮細胞での吸収)，③転送相(血行性・リンパ行性での栄養素転送)，の 3 段階があり，このどこかが障害された場合に吸収不良症候群が発生する．

1．管腔内消化相の障害

膵の消化酵素合成障害や外分泌不全，または重炭酸塩分泌低下により管腔内 pH が低下し吸収不良が起こる．慢性膵炎や膵嚢胞性線維症ではリパーゼの分泌低下に加え重炭酸塩分泌も低下し，十二指腸内 pH が低下する．Zollinger-Ellison 症候群では胃酸分泌亢進に伴い小腸内 pH が 3.5 以下になり，リパーゼ活性は失活し胆汁酸は沈降する．胆汁酸の合成低下，流入障害，腸肝循環途絶，管腔内での変化などがあると吸収不良が出現する．

肝硬変や先天的なコレステロール代謝異常による胆汁酸の合成低下，短腸症候群や Crohn 病・腸結核など

表 1　吸収障害をきたす疾患

1．原発性吸収不良症
- a）全栄養素の吸収障害(スプルー症候群)
  - ○セリアックスプルー，熱帯性スプルー
- b）部分的栄養素の吸収障害
  - ○先天性 β リポ蛋白欠損症，二糖類分解酵素欠乏症(原発性乳糖不耐症など)，グルコース・ガラクトース吸収不全症，Hartnup 病など

2．続発性吸収不良症
- a）小腸疾患
  - ○炎症性：Crohn 病，腸管感染症，GVHD，自己免疫性腸炎，好酸球性腸炎，虚血性腸炎，放射線性腸炎など
  - ○外科手術：広範囲小腸切除，バイパス術，腸瘻，盲管症候群など
  - ○その他：食物アレルギー，bacterial overgrowth，小腸リンパ腫など
- b）胃疾患
  - ○自己免疫性胃炎，萎縮性胃炎，胃切除後など
- c）膵疾患
  - ○慢性膵炎，膵嚢胞状線維症，先天性膵酵素欠損症，膵腫瘍，膵切除後など
- d）肝胆道系疾患
  - ○肝硬変，門脈圧亢進症，胆汁性肝硬変，硬化性胆管炎，胆道腫瘍，胆汁酸合成障害，胆道閉塞など
- e）全身性疾患
  - ○アミロイドーシス，SLE，強皮症，MCTD，α 鎖病，Cronkhite-Canada 症候群など
- f）その他
  - ○腸管リンパ管拡張症，うっ血性心不全，副腎・下垂体機能不全，甲状腺機能亢進症，神経内分泌腫瘍，リンパ腫，薬剤性など

の広範囲腸管障害で惹起される腸肝循環途絶などでも吸収不良は出現する．胆汁酸に親和性を持つ薬剤（コレスチラミン，クロフィブレート，ネオマイシンなど）や，腸内細菌の異常増殖をきたす疾患群でも胆汁酸脱抱合を誘発し吸収不良が起こる．

2．腸管相の障害

小腸大量切除や空腸人工肛門，空腸結腸バイパスなど，消化吸収の主座である小腸を摂取物が有効に通過しない場合に吸収不良症候群が発生する．

セリアックスプルー（グルテン起因性腸炎）は，小麦に含まれるグルテンの成分のグリアジンに対して感受性を持つ遺伝疾患である．白色人種に多く日本人ではまれで，ヒト白血球型抗原（HLA）との関連性が示されている．グルテン摂取で小腸粘膜での免疫応答が起こり，小腸絨毛上皮が萎縮し全栄養素の吸収障害をきたす．

熱帯性スプルーは熱帯～亜熱帯地方でみられる吸収不良症候群である．セリアックスプルーに酷似するが，特に脂質吸収障害やビタミン B_{12}・葉酸欠乏による巨赤芽球性貧血が特徴的である．何らかの細菌感染が原因と考えられている．

原発性乳糖不耐症は，先天性ラクターゼ欠損のため乳糖が分解されず，高浸透圧の腸液が大腸に流入し発症する．大腸の蠕動促進や腸内細菌の異常発酵を助長し，下痢や腹痛を呈する．

その他，リンパ腫やアミロイドーシス，膠原病などに続発する小腸粘膜のびまん性浸潤性病変でも吸収障害が起こる．同様に小腸の虚血性変化や放射線障害，寄生虫，薬剤，皮膚疾患，甲状腺疾患などでも吸収障害を起こすことがある．

3．転送相の障害

リンパ管の異常や転送リポ蛋白の異常で吸収不良が起こる．またフィラリアや Whipple 病，熱帯性スプルーでもリンパ管拡張がみられる．転送リポ蛋白異常では先天性 β リポ蛋白欠損症である Bassen-Kornzweig 症候群（常染色体性劣性遺伝）があり，脂肪便を呈する．

C 評価と診断

本疾患を疑う場合，定性検査としてズダンIIIを用いた糞便脂肪染色検査，定量検査としては ^{131}I-トリオレイン試験や van de Kamer 変法による滴定法などで脂肪便を確認する．次に管腔内消化相・腸管相・転送相のうちどの障害かを判別する．管腔内消化相の判別には膵外分泌試験（PFD テスト），胆汁酸定量，胆汁酸負荷試験，空腸内細菌数定量などを行う．腸管相の判別には D-キシロース試験，乳糖負荷試験，小腸粘膜生検，小腸粘膜の二糖類分解酵素活性測定，ビタミン B_{12} 吸収試験，尿 17-KS・17-OHCS 測定などを行う．転送相の判別にはリンパ管造影，蛋白漏出の証明，α_1-アンチトリプシン試験，リポ蛋白定量を行う．

D 治療

上記の諸検査で吸収不良の原因部位および原因疾患を同定する．原疾患の治療と同時に，病態を理解したうえで主要な栄養素の補充を行い，他の栄養素も必要に応じて補充していく．

❷蛋白漏出性胃腸症

A 疾患の解説

蛋白漏出性胃腸症は，消化管内に蛋白質が漏出し惹起される病態の総称である．多くは顔面や下肢の浮腫で発症するが，下痢や腹部膨満感，電解質異常や胸腹水貯留などの重症例もある．小児では成長障害が問題となる．

原因としては炎症性疾患や悪性疾患，全身性疾患の一症状などが多い（表 2）．

B 病態栄養

蛋白漏出の機序として，腸間膜リンパ節障害によりリンパ管のうっ滞や拡張をきたすものと，粘膜上皮の異常から毛細血管の透過性が亢進し血漿蛋白が管腔内に漏出するものがある．

消化管での蛋白喪失は選択性が低く，アルブミン以外にも，γ グロブリン，トランスフェリン，セルロプラスミン，フィブリノーゲンなど様々な蛋白質が低下する．コレステロールやカルシウムの低下，脂溶性ビタミン（A,D,E,K）低下を伴うこともある．また免疫グロブリンやリンパ球も喪失し，種々の免疫異常が起こる．

C 評価と診断

蛋白漏出の証明には，糞便中でも安定な蛋白質である α_1-アンチトリプシン（α_1-AT）の糞便中へのクリアランスを測定する．3 日間の蓄便を行い，糞便量（mL／日）×糞便中 α_1-AT（mg／dL）÷血清中 α_1-AT（mg／dL）＝クリアランスで求められ，13mL／日以上で蛋白漏出を疑

表 2 蛋白漏出性胃腸症をきたす疾患

臓器	疾患
食道	食道癌
胃	Ménétrier 病，胃癌，胃悪性リンパ腫，胃ポリポーシス，萎縮性胃炎，びらん性胃炎，巨大胃潰瘍，好酸球性胃腸炎，胃切除後症候群
小腸	腸リンパ管拡張症，セリアックスプルー，熱帯性スプルー，Crohn 病，腸結核，Whipple 病，感染性腸炎，赤痢アメーバ，偽膜性腸炎，小腸寄生虫症，アレルギー性胃腸炎，悪性リンパ腫，Hodgkin 病，盲係蹄症候群，小腸憩室症，小腸狭窄，血管閉塞性疾患，小腸血管腫，放射線腸炎など
大腸	潰瘍性大腸炎，Cronkhite-Canada 症候群，大腸癌，大腸ポリポーシス，巨大結腸症，大腸限局性リンパ管拡張症，直腸絨毛腺腫，放射線性腸炎など
心臓	うっ血性心不全，収縮性心外膜炎，心房中隔欠損症，三尖弁閉鎖不全，特発性心筋症，肺動脈狭窄症など
全身性疾患	ネフローゼ症候群，肝硬変，Budd-Chiari 症候群，慢性膵炎，胆道癌，強皮症，SLE，Sjögren 症候群，関節リウマチ，サルコイドーシス，アミロイドーシス，Henoch-Schönlein 紫斑病，嚢胞性線維症，Zollinger-Ellison 症候群，妊娠中毒症，無 γ グロブリン血症，選択性 IgA 欠損症，Wiskott-Aldrich 症候群，AIDS，Letterer-Siwe 病，マクログロブリン血症，α 鎖病，メトトレキサート療法など

う．毛細血管透過性亢進に伴うものは 50 mL/日以下，リンパ系異常に伴うものは 150 mL/日以上をきたすものが多い．

標識されたアルブミン（^{99m}Tc ヒト血清アルブミン，^{99m}Tc-DTPA 結合ヒト血清アルブミン）を静脈投与しシンチグラフィで確認する方法もある．簡便で部位診断には有用であるが，定量化は難しく治療効果判定には不向きである．

カプセル内視鏡や小腸内視鏡も診断に有用である．白色絨毛，散布性白点，白色小隆起といった所見は粘膜内のリンパ管拡張を反映し，粘膜下腫瘍様隆起は粘膜下層のリンパ管拡張を反映する．白色絨毛は絨毛粘膜におけるリンパ管への脂肪の吸収転送障害を示すとされる．

D 治療

続発性の場合は原疾患の治療が優先となるが，原発性疾患群の確立された治療はなく対症療法が主となる．高たんぱく食を基本とし，リンパ管内圧軽減のため低脂肪食（5〜10 g/日以下）とする．長鎖脂肪酸はリンパ管内圧を上昇させるため避け，リンパ管を介さず吸収される中鎖脂肪酸が主体の栄養剤も考慮する．自己免疫関連疾患においてステロイド投与で改善をみる例もあるが，長期投与は感染症を誘発する可能性があり注意を要する．低カルシウム血症に対してはカルシウムやビタミン D の投与，その他脂溶性ビタミンや微量元素の投与も行う．

❸短腸症候群

A 疾患の解説

短腸症候群（short bowel syndrome：SBS）は，腸管大量切除に伴う水・電解質，栄養素の吸収障害のため静脈栄養を要する腸管機能不全と定義される．主な原因は成人では上腸間膜血管閉塞症，絞扼性腸閉塞，外傷，腫瘍，Crohn 病など，小児では腹壁破裂，小腸多発閉鎖，中腸軸捻転，広汎腸管無神経節症などの先天性疾患が多い．残存腸管長が SBS の予後を規定し，75％以上の腸管切除では重度の消化吸収障害をきたす．日本では成人で 1 m 未満，小児では 75 cm 未満の短腸を基準とする障害者認定が行われている．腸管大量切除後には残存腸管が延伸し，粘膜の肥厚・増生が促され段階的に残存腸管機能が回復する「腸管順応」という反応が起こる．また腸管粘膜での酵素や輸送蛋白質量も増加し，消化吸収が効果的に行われるようになる．腸管順応は大量腸切除後の 24 時間以内に始まり，成人で腸切除後 12〜18 ヵ月間，乳児では 5 歳ころまで継続する[1]．

B 病態栄養

SBS の病態栄養は残存腸管の部位と長さに左右される．成人において HPN を回避できる小腸長は，大腸全摘の場合 100 cm，大腸が残存していれば 60 cm，回盲弁を含む全大腸残存なら 35 cm との報告[2]があるが，残存小腸に不具合があればさらに長さが必要となる．

残存腸管の部位によって吸収障害の病態も異なる(表3)．空腸が切除されるとセクレチンやコレシストキニンの分泌が減少し，膵外分泌不全や脂肪吸収障害を起こす．

回腸末端に未吸収の消化物，特に脂肪が到達すると腸管機能と蠕動を内分泌的に抑制する「回腸ブレーキ効果」が発動する[3]ため，回腸末端温存が重要となる．

回腸末端切除例では胆汁酸の腸肝循環に破綻をきたし，胆汁酸再吸収低下から脂質と脂溶性ビタミンの吸収障害を起こす．また，ビタミンB_{12}も吸収が障害され大球性貧血や末梢神経障害を起こす．回腸末端や結腸のL細胞から分泌されるglucagon-like peptide-2 (GLP-2)が減少すると，ガストリン分泌抑制が低下し蠕動亢進による下痢や胃酸分泌亢進による消化性潰瘍を誘発する．また，カリウム・カルシウム・マグネシウム・リン酸の欠乏や，水喪失に伴う腎前性腎不全にも注意が必要である．

C 評価と診断

切除手術時に残存腸管長を必ず測定する．成人で150cm，小児で75cm以下の場合は術後SBSに対する治療を検討する．しかし残存腸管長が十分でも，空腸に人工肛門を造設され実質的な有効長が短い場合や，Crohn病のように残存腸管に病的粘膜が混在している場合は術後SBSを発症する可能性がある．小腸造影検査や小腸内視鏡検査で残存腸管の評価を行う．

D 治療

1．腸管順応促進

腸管大量切除術後の早期経腸栄養が腸管順応を最も促進する．早期経腸栄養が残存腸管の血流や消化管ホルモンの分泌，腸管蠕動や胆囊収縮を促し，腸内細菌叢の早期安定化や胆汁うっ滞性肝障害の予防につながる．

GLP-2は消化・吸収能を増加させ腸管順応を促進する．GLP-2低下を伴うSBSについては，近年GLP-2の遺伝子組み換えアナログであるテデュグルチドによる治療が期待されている．他の促進因子としては，成長ホルモン，血管内皮増殖因子，グルタミン，インスリン，insulin-like growth factor-1 (IGF-1)，hepatocyte growth factor (HGF)などがある．

2．腸管大量切除後の時期による栄養療法の使い分け

腸管大量切除後は以下の3期に分類される(表4)．

a) Ⅰ期(術直後期)

術直後の腸管麻痺期～腸蠕動回復期の約1ヵ月が相当する．頻回の下痢に伴い水・電解質・蛋白質を喪失するため，TPNが主となる．必要カロリーは40kcal/kg/日，アミノ酸1～2g/kg/日を投与する．in-outバランスと電解質を随時補正していく．腸管順応促進のための経腸栄養を早期から少量ずつ開始する．経腸での脂質投与は下痢を惹起するため，脂肪乳剤の点滴とする．

b) Ⅱ期(回復適応期)

術後1ヵ月以降～術後1年が相当する．腸管順応に

表3　小腸切除部位ごとの主な吸収障害

切除部位	主な吸収障害
十二指腸～上部空腸	鉄，カルシウム，糖質の吸収障害
空腸	エンテロガストロン・VIP減少→ガストリン増加→胃酸分泌亢進→膵リパーゼ不活化・胆汁酸重合障害→脂質・脂溶性ビタミン吸収障害
回腸末端	胆汁酸の再吸収障害，ビタミンB_{12}の吸収障害
回盲弁	大腸内細菌の小腸内侵入による小腸内細菌異常増殖→栄養吸収の競合 腸内通過時間の短縮→糞便量と脂肪，蛋白の排泄量が3～6倍に増加

表4　小腸広範囲切除後の臨床経過分類

病期	臨床経過分類		術後期間	病態
Ⅰ期	術直後期	腸管麻痺期	2～7日	腸管麻痺
		腸管蠕動亢進期	3～4週間	水溶性下痢，電解質・水分喪失
Ⅱ期	回復適応期		2～12ヵ月	水溶性下痢の減少，蛋白・脂質の吸収障害
Ⅲ期	安定期		Ⅱ期以降	残存小腸の腸管順応が完了

よる残存腸管の代償機能が回復する時期で，静脈栄養から腸管栄養へ徐々に移行する．成分栄養剤～消化態栄養剤～半消化態栄養剤へ，また低残渣食から脂質制限食へとシフトする．腸管栄養とともに整腸薬，制酸薬や腸管蠕動抑制薬(ロペラミド)の投与を行う．制酸薬などによる腸内細菌叢の変化が D-lactic acidosis や bacterial translocation を併発することに注意する．

脂肪乳剤点滴は継続する．必要栄養量の 30%以上を安定的に経腸栄養で補える場合，高カロリー輸液の休止時間を設けた Cyclic PN (10～14 時間)を検討する．Cyclic PN は肝障害のリスクを下げ，QOL の改善をもたらす．在宅静脈栄養法(home parenteral nutrition：HPN)移行に向け中心静脈ポート留置も検討する．

c) Ⅲ期(安定期)

腸管順応が完了する時期で，HPN に移行する症例が多い．小腸で産生されるシトルリンは腸管量と相関するため，HPN 離脱の指標となる．SBS では血中シトルリン値が低下し，成人で 20 μmol/L，小児では 15 μmol/L 未満は HPN から離脱困難とされる[4]．

HPN 依存例では，肝障害や必須脂肪酸・微量元素(特にセレン)欠乏に留意する．逆に微量元素長期投与に伴う鉄過剰にも注意する．低マグネシウム血症が副甲状腺ホルモン分泌低下を引き起こして低カルシウム血症を併発するため，カルシウム 800～1500 mg/日も投与する．また，低カルシウム血症下では遊離非結合型のままシュウ酸が大腸から吸収され腎尿管結石の原因になるため，大腸が残存していれば低シュウ酸食を勧める．

HPN に伴うカテーテル関連血流感染(CRBSI)に備え，在宅医療スタッフと感染対策チームでの協働が大切である．

3. 外科的治療

腸管順応の後で合併症がなく，3 cm 以上の腸管拡張があれば，さらに腸管順応を促す腸管延長術も検討する．腸管延長術には，残存腸管を長軸方向に 2 分割し，それぞれを蠕動方向に縦に吻合し腸管を延長する longitudinal intestinal lengthening and tailoring (LILT)手術[5]と，拡張腸管を短軸方向に両側から自動縫合器を用いジグザクに切開縫合し，腸管を細く延長する serial transverse enteroplasty procedure (STEP)手術[6]がある．ともに残存長の約 70%延長が期待でき，消化吸収能改善や腸内細菌叢の安定化が期待できる．静脈栄養からの完全離脱率はともに 50～55%とされるが，死亡率や移植移行率の点で STEP 法が優るとされる．

残存腸管不全，肝不全，静脈アクセス困難，難治性 CRBSI などでは小腸移植(日本では 2018 年から保険適用)も検討する．小腸移植後の生存率は 1 年目 76%，5 年目 53%，10 年目 43%とされるが，多職種腸管不全対策チームによる腸管リハビリテーションの予後(70～85%)を凌駕するには至っておらず，現時点では最終治療選択肢といえる．

❹炎症性腸疾患：CD

炎症性腸疾患は，Crohn 病(Crohn disease：CD)と潰瘍性大腸炎(ulcerative colitis：UC)の総称で，消化管に炎症や潰瘍を生じ消化器症状を起こす．近年増加傾向にあり，特に若年発症例が増加している．原因は腸管免疫機構の異常とされるが，疾患関連遺伝子や腸内細菌叢の異常，環境要因が複雑に関係していると考えられ明確な病態解明には至っていない．根本的治療も確立されておらず，長い経過ののち重症化する例もあり，ともに難病指定となっている．

A 疾患の解説

CD はあらゆる消化管に発現する肉芽腫性炎症性疾患と定義されるが，粘膜主体の潰瘍性大腸炎と異なり全層性炎症を呈する．病変は非連続的(skip lesion)で，初期には粘膜のびらん・不整型潰瘍などの非特異的な所見から，進行すると縦走潰瘍や粘膜の敷石状変化などの特徴的な所見を呈する．長期的には腸管の線維化・壁肥厚・狭窄が起こり，腸穿孔・穿通を併発し瘻孔形成に至る．

10 歳代～20 歳代に多く，腹痛，下痢，体重減少，発熱，肛門病変などを呈する．腸閉塞，腸瘻，腸穿孔，大出血などで発症する例もある．また腸管外症状としては貧血，関節炎，強直性脊椎炎，虹彩炎，結節性紅斑や壊疽性膿皮症など多彩である．再発・再燃を繰り返し徐々に QOL が低下する．狭窄・瘻孔などで手術適応となる例もある．

B 病態栄養

下痢や腹痛のための経口摂取減少，また腸管炎症や外科的治療後の消化吸収障害，腸管粘膜からの蛋白漏出や炎症に伴う代謝亢進などにより蛋白エネルギー低栄養状態(protein-energy malnutrition：PEM)に陥る．さらにビタミン・微量元素欠乏，骨代謝異常などの栄養障害が起こる．

CD では脂質欠乏が時々みられるが，小腸粘膜からの吸収障害に加え，好発部位である回腸末端での胆汁酸再吸収障害による胆汁酸欠乏も原因となる．また，長期の脂質制限食自体も脂質欠乏の一因となる．

脂質欠乏は脂溶性ビタミン(ビタミンA・D・E・K)の吸収障害を引き起こす．また，サラゾスルファピリジンやアザチオプリンの長期投与に伴う葉酸欠乏や，手術での回腸末端切除によってビタミンB_{12}欠乏も生じる．

重篤な下痢はカリウム・マグネシウム・リンの欠乏をきたし，痙攣や意識障害，不整脈を誘発する．鉄は吸収障害のほかに出血に伴う喪失，慢性炎症による利用障害，PPIの胃酸分泌低下による吸収低下などにより欠乏しやすい．その他，長期の経腸栄養や中心静脈栄養によりカルニチンやセレンも欠乏する．

CDの活動期では脂質，とくにω6系脂肪酸が炎症を惹起する．脂質は腸管蠕動を亢進させ，膵外分泌を刺激し下痢を誘発するとともに，腸内細菌によって有害な有機酸に代謝され病態を増悪させる．また，食餌中の抗原蛋白も同様に炎症を惹起するとともに，障害粘膜を容易に透過し粘膜免疫応答を高める．

寛解期は活動期に比べ栄養障害は少ない．しかし，炎症や腸切除に伴う有効腸管長の減少，終末回腸機能不全に伴う胆汁酸再吸収減少，小腸狭窄口側で発生するbacterial overgrowth，長期の単一的な栄養剤や中心静脈栄養，薬剤の副作用，過度の食事制限などで慢性的な栄養障害に陥りやすい．ビタミンD・Kの吸収障害は骨塩減少を招き，また炎症性サイトカインやステロイドの副作用により骨吸収も促進され骨粗鬆症を併発する．特に小児CDでは成長障害を引き起こす．

C 評価と診断

CDの病勢把握のため上・下部消化管内視鏡検査，バルーン小腸内視鏡検査，小腸・大腸X線造影検査などを行う．また，腸瘻や腸管皮膚瘻の評価にCTやMRI検査を行う．

蛋白質代謝の評価には総蛋白・アルブミン・コリンエステラーゼ・尿素窒素などを測定する．即時的栄養評価のためrapid turnover protein (プレアルブミン，レチノール結合蛋白，トランスフェリン)の測定も随時行う．全身の皮膚観察も行い，必須脂肪酸の欠乏による皮膚乾燥や脱毛に注意する．また，必須脂肪酸欠乏は肝障害や脂肪肝の原因となるため肝機能検査や超音波検査・CT検査などを定期的に行う．重篤な下痢から腎前性腎不全に陥ることがあるため，in-outバランスに留意し電解質と腎機能検査を随時行う．鉄欠乏に伴う小球性低色素性貧血やビタミンB_{12}・葉酸欠乏に伴う大球性貧血，またはその両者が混在する場合があり，血清鉄，総鉄結合能，不飽和鉄結合能，フェリチン，ビタミンB_{12}，葉酸を測定する．その他，微量元素(亜鉛・セレン)やカルニチンの測定も適宜行う．栄養介入後はリフィーディング症候群の併発に注意し血糖値，血清カリウム，リンを適宜測定する．

D 治療

CD治療指針[7]を図1に示す．治療の根幹は薬物療法と栄養療法である．

1．薬物療法

活動期の軽症例には，小腸型に対しブデソニド(ステロイド製剤)または5-アミノサリチル酸(5-ASA)製剤を，大腸型にはサラゾスルファピリジン投与が行われる．中等症以上はステロイド投与を基本とし，ステロイド依存症例には免疫調整薬(アザチオプリン，6MP)を，ステロイド抵抗例には抗tumor necrosis factor (TNF)-α製剤(インフリキシマブ，アダリムマブ，ウステキヌマブ)を投与する．

2．栄養療法

栄養療法は受容性が重要となる．近年，抗TNF-α抗体製剤下のCD患者の寛解導入と寛解維持について経腸栄養療法を併用する効果が多数報告[8,9]されている．経腸栄養はエネルギーを付与する以外に，抗原蛋白や長鎖脂肪酸・多価不飽和脂肪酸などを遮断し，ヒスチジン・グリシン・グルタミンによるサイトカイン抑制効果を通して抗炎症作用を発揮する．また，経腸栄養剤に含まれる亜鉛やアルギニンは粘膜再生促進に働き，腸内環境や便性状を安定させる．これらが寛解導入・維持につながる要因であり，CD治療において栄養療法マネジメントは重要な意味を持つ．

a）活動期の栄養療法

必要エネルギー量は間接熱量計で測定，またはHarris-Benedictの式で推定，あるいは簡易式から算出する．Harris-Benedictの式では病状に応じて活動係数1.2～1.3，ストレス係数1.1～1.3を乗じて算出する．簡易式では，炎症が軽度～中等度の場合は30～35kcal/kg/日，高度の場合は35～40kcal/kg/日で算出する．活動期のBEEはinterleukin-6 (IL-6)と相関があるとされるが，TNF-αやCDの活動指数を示すCrohn's disease activity index (CDAI)，また血清CRP値との間には相関を認めないとされる．したがって，重症例ではCDAIなどの評価に左右されてoverfeedingにならないよう留意する．蛋白・アミノ酸は腸管からの喪失を考慮し1.5～2.0g/kg/日で算出し，エネルギー/窒素比が150～200になるように調整して総エネルギーの約15%をアミノ酸で投与する．必須脂肪酸欠乏に備え，総エネルギーの10～30%を脂肪乳剤で投与する．

活動期の治療（病状や受容性により，栄養療法・薬物療法・あるいは両者の組み合わせを行う）		
軽症～中等症	中等症～重症	重症（病勢が重篤，高度な合併症を有する場合）
薬物療法 ・ブデソニド ・5-ASA 製剤 ペンタサ®顆粒/錠， サラゾピリン®錠（大腸病変） **栄養療法（経腸栄養療法）** 許容性があれば栄養療法 経腸栄養剤としては， ・成分栄養剤（エレンタール®） ・消化態栄養剤（ツインライン®など） を第一選択として用いる ※受容性が低い場合は半消化態栄養剤を用いてもよい ※効果不十分の場合は中等症～重症に準じる	**薬物療法** ・経口ステロイド（プレドニゾロン） ・抗菌薬（メトロニダゾール*，シプロフロキサシン*など） ※ステロイド減量・離脱が困難な場合：アザチオプリン，6-MP* ※ステロイド・栄養療法などの通常治療が無効/不耐な場合：インフリキシマブ・アダリムマブ・ウステキヌマブ・ベドリズマブ **栄養療法（経腸栄養療法）** ・成分栄養剤（エレンタール®） ・消化態栄養剤（ツインライン®など） を第一選択として用いる ※受容性が低い場合は半消化態栄養剤を用いてもよい **血球成分除去療法の併用** ・顆粒球吸着療法（アダカラム®） ※通常治療で効果不十分・不耐で大腸病変に起因する症状が残る症例に適応	外科治療の適応を検討した上で以下の内科治療を行う **薬物療法** ・ステロイド経口または静注 ・インフリキシマブ・アダリムマブ・ウステキヌマブ・ベドリズマブ（通常治療抵抗例） **栄養療法** ・経腸栄養療法 ・絶食の上，完全静脈栄養療法 （合併症や重症度が特に高い場合） ※合併症が改善すれば経腸栄養療法へ ※通過障害や膿瘍がない場合はインフリキシマブ・アダリムマブ・ウステキヌマブ・ベドリズマブを併用してもよい

寛解維持療法	肛門病変の治療	狭窄 / 瘻孔の治療	術後の再発予防
薬物療法 ・5-ASA 製剤 ペンタサ®顆粒/錠 サラゾピリン®錠(大腸病変) ・アザチオプリン ・6-MP* ・インフリキシマブ・アダリムマブ・ウステキヌマブ・ベドリズマブ（インフリキシマブ・アダリムマブ・ウステキヌマブ・ベドリズマブにより寛解導入例では選択可） **在宅経腸栄養療法** ・エレンタール®，ツインライン®等を第一選択として用いる ※受容性が低い場合は半消化態栄養剤を用いてもよい ※短腸症候群など，栄養管理困難例では在宅中心静脈栄養法を考慮する	まず外科治療の適応を検討する ドレナージやシートン法など **内科的治療を行う場合** ・痔瘻・肛門周囲膿瘍 メトロニダゾール*，抗菌剤・抗生物質 インフリキシマブ・アダリムマブ・ウステキヌマブ ・裂肛，肛門潰瘍： 腸管病変に準じた内科的治療 ・肛門狭窄：経肛門的拡張術	**【狭窄】** ・まず外科治療の適応を検討する ・内科的治療により炎症を沈静化し，潰瘍が消失・縮小した時点で，内視鏡的バルーン拡張術 **【瘻孔】** ・まず外科治療の適応を検討する ・内科的治療（外瘻）としては インフリキシマブ アダリムマブ アザチオプリン	**寛解維持療法に準ずる** **薬物治療** ・5-ASA 製剤 ペンタサ®顆粒/錠 サラゾピリン®錠(大腸病変) ・アザチオプリン ・6-MP* **栄養療法** ・経腸栄養療法 ※薬物療法との併用も可

*：現在保険適応には含まれていない．

※(治療原則) 内科治療への反応性や薬物による副作用あるいは合併症などに注意し，必要に応じて専門家の意見を聞き，外科治療のタイミングなどを誤らないようにする．薬用量や治療の使い分け，小児や外科治療など詳細は本文を参照のこと．

図 1　令和元度 Crohn 病治療指針(内科)

(潰瘍性大腸炎・クローン病 診断基準・治療指針，厚生労働科学研究費補助金 難治性疾患等政策研究事業「難治性炎症性腸管障害に関する調査研究」(鈴木班)令和元年度分担研究報告書．2020; p29-36 より引用)

軽症～中等症には成分栄養剤か消化態栄養剤を選択する．CD に対する保険適用は成分栄養剤のエレンタール®のみであるが，受容性が低い場合は半消化態栄養剤も考慮する．経鼻チューブを用いて十二指腸以遠に投与することが望ましいが，困難な場合は経口投与を行う．成分栄養剤は浸透圧性下痢をきたしやすいため，低濃度少量(0.5 kcal/mL，1 日必要量の 1/3～1/2)から開始し，数日～数週間で維持投与量(30 kcal/kg IBW 以上)まで漸増する．成分栄養剤は脂質含有率が低く，10～20%脂肪乳剤 200～500 mL を 1～2 回/週で静脈投与する．微量元素不足に備え鉄剤や亜鉛製剤，カルニチン製剤，補助食品での補充を行う．

病勢や合併症が重篤な場合は腸管安静が必要で，絶食＋中心静脈栄養という形で食餌中の抗原や脂質から隔絶し抗炎症を促す場合もある．リフィーディング症候群を避けるため緩徐な栄養補給に留意する．

b）寛解期の栄養療法

寛解維持には薬物療法（5-ASA 製剤，アザチオプリンなど）と在宅栄養療法が主となる．

1日の必要エネルギーをすべて経腸栄養でまかなう完全経腸栄養療法（exclusive enteral nutrition：EEN）の寛解導入率は約70％で薬物療法と同等である．しかしEEN の継続期間を定めた基準はなく，通常食に移行してしまう例も多いため寛解後の再燃率は2年で58～60％とされる．そこで，寛解後も部分的な経腸栄養（partial enteral nutrition：PEN）と脂質を抑えたCD食で寛解維持を図る．PEN は必要エネルギーの3～7割を担う量と定義され，高い寛解維持と内視鏡的粘膜治癒率が報告されている．抗TNF-α抗体製剤とPEN併用は，抗TNF-α抗体製剤の寛解導入効果増強や寛解維持効果延長を示すとの報告もある．

栄養剤の受容性が低い場合には各種フレーバー添加やゼリー化などの工夫を行う．それでも受容困難であれば半消化態栄養剤も検討する．

短腸症候群など在宅経腸栄養が困難な症例に対しては在宅中心静脈栄養が検討されるが，カテーテル関連血流感染症，血栓症，肝機能障害，微量元素欠乏・過剰症の発生などに注意する．CD の主座が回腸末端の場合や，同部の切除例，空腸人工肛門造設例では葉酸・ビタミンB_{12}欠乏症をきたす可能性があるため補充を行う．

CD 食は低脂肪，高炭水化物，高たんぱく質が基本となる．脂質はω3系多価不飽和脂肪酸が豊富な魚類系脂肪を中心とし，ω3/ω6比が0.5程度を目標とする．不溶性食物繊維は狭窄合併例では投与を控えるが，バナナやイチゴ，オレンジなどの果実に含まれる水溶性食物繊維は短鎖脂肪酸の産生を促し抗炎症効果が期待できるため制限しない．CD 対応レトルト食品やレシピ本，あるいは専用アプリなども普及しており，ビタミンや微量元素などのサプリメントも市販されている．これらの活用も長期の栄養療法を維持する工夫といえる．

❺炎症性腸疾患：UC

A 疾患の解説

日本でのUC 患者数は世界第2位となり，また若年例も増加傾向にある．UC は直腸から連続性・びまん性にびらんや潰瘍を形成するが，炎症の主座は大腸粘膜であり，全消化管・全層性炎症を呈するCrohn 病とは異なる．原因は不明で，免疫病理学的機序や心理的要因の関与が考えられている．病変の広がりや活動性，重症度，臨床経過，内視鏡所見，治療反応性などで様々に分類される[10]．主症状は腹痛，持続性または反復性の粘血便・血便であるが，腸管外合併症として結節性紅斑や壊疽性膿皮症，強直性脊椎炎，虹彩炎など多彩な臨床像も呈する．長期経過例や全大腸型，慢性持続型，治療抵抗例などはがん化の危険因子とされる．

B 病態栄養

腹部症状のため摂食量が減少し，炎症により異化が亢進する．大腸粘膜びらんや潰瘍からの出血で鉄欠乏性貧血を呈し，蛋白漏出から低蛋白血症，さらには蛋白エネルギー低栄養状態（PEM）へと増悪する例もある．しかし小腸機能は保たれ，必須脂肪酸やビタミン欠乏症，微量元素欠乏などの消化吸収障害はまれである．ステロイド長期投与により蛋白異化亢進や耐糖能異常，骨粗鬆症を併発することがある．サラゾスルファピリジンやアザチオプリン投与で葉酸欠乏をきたす例もある．

C 評価と診断

身体所見，病歴聴取（放射線照射・抗菌薬服用・海外渡航歴などが除外される），血液検査，他疾患除外（細菌・寄生虫検査）を行ったうえで，大腸内視鏡検査を行い診断する．内視鏡所見で粘膜はびまん性に粗糙または細顆粒状を呈する．血管透見像は消失し易出血性となり，粘血膿性の分泌物，多発性びらんや潰瘍，偽ポリポーシスを呈する例もある．注腸検査ではハウストラの消失（鉛管像）や腸管の狭小・短縮を認める．病理検査で粘膜全層にびまん性炎症性細胞浸潤，陰窩膿瘍，高度な杯細胞減少を認める．

下痢が重篤な場合は電解質と腎機能評価を随時行う．貧血例では血清鉄，総鉄結合能，不飽和鉄結合能，フェリチンを測定する．ステロイド長期投与例では二重エネルギーX線吸収測定法（DXA 法）で骨密度検査を行い，骨粗鬆症に注意する．サラゾスルファピリジンやアザチオプリン投与例では大球性貧血に注意し葉酸やMCV・MCHC の測定を行う．

D 治療

1．薬物療法

軽症では5-アミノサリチル酸（5-ASA）製剤を投与し，中等症以上でステロイド剤を併用する．重症～劇症型では外科的治療(大腸全摘)も検討する. ステロイド依存例や抵抗例は難治例とされ, そのなかの軽症例では免疫調節薬(アザチオプリン, 6-MP)の投与, 中等症以上では血球成分除去療法や免疫抑制薬(タクロリムス, シクロスポリン), 抗TNF-α抗体製剤(インフリキシマブ, アダリムマブ, ゴリムマブ, トファシチニブ, ベドリズマブ)の投与が行われる. 寛解維持療法では5-ASA製剤, 免疫調節薬, 抗TNF-α抗体製剤を適宜投与する.

2. 栄養療法

栄養療法は薬物療法に対する支持療法的な役割を担う. 中等症以上で静脈栄養の適応となるが, 重症例では絶食+TPNも検討する. 軽症〜中等症例は末梢静脈栄養(peripheral parenteral nutrition:PPN)を行う. アミノ酸・ビタミンB_1加総合電解質液に脂肪乳剤を併用する. 食事再開が遅延する例はTPNへ移行する. 安静時エネルギー消費量(resting energy expenditure:REE)はUCの活動指数との相関があり, 重症度に応じてエネルギー消費量は高まる. 中等症〜重症例の寛解導入時にはREEに活動係数1.2〜1.3, ストレス係数1.1〜1.3を乗じて必要エネルギー量を32〜40kcal/kg/日と算出する. 必要エネルギーの12〜15%はアミノ酸で, 10〜30%は脂肪乳剤で補充する. 重症例では耐糖能異常に注意し血糖コントロールを行う. 水電解質の補正, 鉄欠乏性貧血に対する鉄剤投与も行う.

寛解導入後にはREEが低下するため, エネルギー必要量は約30kcal/kg/日程度に調整する. 寛解期には刺激物や脂質の過度な摂取は避けるべきであるが, 厳格な食事制限は不要である. ステロイド長期投与例では骨粗鬆症予防のためにビタミンD・Kやカルシウムを投与する.

❻大腸癌

A 疾患の解説

日本では大腸癌は増加傾向で, 2017年の日本人のがん死亡率のうち男性で第3位, 女性で第1位, 男女計で第2位となった. 組織型では95%が腺癌である. 深達度で粘膜下層までにとどまる早期癌は, 症状に乏しく検診などで発見される. 固有筋層以深に浸潤する進行癌は便秘や下痢, 腹部膨満, 腹痛, 血便などを呈し, 通過障害, 閉塞性腸炎, 貧血, 体重減少に進展する例もある. 肝や肺などの他臓器転移では転移巣増大に伴い黄疸や肝不全, 呼吸器症状などを併発する. 腹膜播種では癌性腹水貯留から悪液質へと進行し致死的な状態に至る.

B 病態栄養

大腸癌の危険因子については, 国立がん研究センターのJPHC study[11]では動物性脂肪(飽和脂肪酸)と赤肉(動物性たんぱく質)の高摂取が重要視されている. 動物性脂肪の消化における二次胆汁酸, ヘム鉄による酸化作用, 内因性ニトロソ化合物の腸内における生成, 調理過程で生じる焦げに含まれるヘテロサイクリックアミン(発がん物質)などの作用が考えられている. 大腸癌患者の世界分布と肉の消費量は正の相関があり, 食の欧米化, 特に脂質割合の増加が大腸癌増加の一因と考えられる. またこの研究では, 抗炎症作用を持つω3系多価不飽和脂肪酸は結腸の発癌リスクを軽減させることが示された一方で, 炎症を惹起するω6系多価不飽和脂肪酸およびω3/ω6比は大腸癌リスクとは関連がないと報告されている.

C 評価と診断

癌の部位, 程度, 症状, 病期, 治療内容によって栄養状態は様々で, 主観的包括的栄養評価(subjective global assessment:SGA)や客観的栄養評価(objective data assessment:ODA)を適宜行う. 術後の予後予測としては, 血清アルブミン値とリンパ球数から算出する小野寺式栄養指標(prognostic nutritional index:PNI)や, 血清アルブミン値とCRP値から評価するGlasgow prognostic score(GPS), 血清アルブミン値・総リンパ球数・総コレステロール値から評価するcontrolling nutritional status(CONUT score)などがある.

D 治療

粘膜下層浅層までの大腸癌は内視鏡的切除術の適応で, 粘膜下層深層以深の浸潤癌は手術の適応となる. 根治的切除不能例や再発例に対しては化学療法や放射線療法を行う. 2018年に免疫チェックポイント阻害薬を用いる免疫療法も適応承認となった.

腸閉塞や出血がない限り, 経口摂取は原則継続する. 腸閉塞や腸切除周術期, 抗がん薬による消化管毒性や食欲不振, 全身状態不良などで経口摂取が困難な場合には経静脈栄養を行う. 癌性腸閉塞の場合, 閉塞部位の口側に人工肛門を造設して経口摂取が可能となる症例がある. 栄養状態改善後に根治手術を行ったり, 切除不能でも化学療法導入が可能になる例もあり, 集学的治療の一翼として栄養療法は重要である.

文献

1) Squires RH, Duggan C, Teitelbaum DH, et al; Pediatric Intestinal Failure Consortium. Natural history of pediatric intestinal failure: initial report from the Pediatric Intestinal Failure Consortium. J Pediatr 2012; **161**: 723-728
2) Messing B, Crenn P, Beau P, et al. Long-term survival and parenteral nutrition dependence in adult patients with the short bowel syndrome. Gastroenterology 1999; **117**: 1043-1050
3) Mayer O, Kerner JA. Management of short bowel syndrome in postoperative very low birth weight infants. Semin Fetal Neonatal Med 2017; **22**: 49-56
4) Fitzgibbons S, Ching YA, Valim C, et al. Relationship between serum citrulline levels and progression to parenteral nutrition independence in children with short bowel syndrome. J Pediatr Surg 2009; **44**: 928-932
5) Bianchi A. Intestinal loop lengthening--a technique for increasing small intestinal length. J Pediatr Surg 1980; **15**: 145-151
6) Kim HB, Lee PW, Garza J, et al. Serial transverse enteroplasty for short bowel syndrome: a case report. J Pediatr Surg 2003; **38**: 881-885
7) 潰瘍性大腸炎・クローン病 診断基準・治療指針，厚生労働科学研究費補助金 難治性疾患等政策研究事業「難治性炎症性腸管障害に関する調査研究」(鈴木班)令和元年度分担研究報告書．2020; p29-36
8) Tanaka T, Takahama K, Kimura T, et al. Effect of concurrent elemental diet on infliximab treatment for Crohn's disease. J Gastroenterol Hepatol 2006; **21**: 1143- 1149
9) Hisamatsu T, Kunisaki R, Nakamura S, et al. Effect of elemental diet combined with infliximab dose escalation in patients with Crohn's disease with loss of response to infliximab: CERISIER trial. Intest Res 2018; **16**: 494-498
10) 潰瘍性大腸炎・クローン病 診断基準・治療指針，厚生労働科学研究費補助金 難治性疾患等政策研究事業「難治性炎症性腸管障害に関する調査研究」(鈴木班)令和元年度分担研究報告書．2020: p2-4
11) JPHC Study <http://epi.ncc.go.jp/jphc/>(最終アクセス：2020年10月28日)

5 消化器疾患 — C 肝

肝疾患は発症様式や病態により急性肝疾患と慢性肝疾患に分類され，その原因にはウイルス性（肝炎ウイルス，肝炎ウイルス以外のウイルスなど），自己免疫性，薬剤性（健康食品も含む），アルコール性，その他（代謝性，循環障害など）がある．

❶急性肝疾患

A 疾患の解説

急性肝炎（acute hepatitis）は主に肝炎ウイルスが原因で肝臓にびまん性の炎症が生じた状態であり，血清トランスアミナーゼ値の急激な上昇や黄疸をきたす．多くは自然治癒する疾患であるが時に食欲不振，悪心，全身倦怠感などの症状を呈することがある．原因ウイルスとしてはA型肝炎ウイルス（hepatitis A virus：HAV），B型肝炎ウイルス（hepatitis B virus：HBV），C型肝炎ウイルス（hepatitis C virus：HCV）などがある．ほとんどの症例は自然治癒するがHCVの多くや一部のHBVでは慢性肝炎へ移行することがある．

劇症肝炎（fulminant hepatitis）は肝臓に広範な壊死が生じ，進行性の黄疸，出血傾向や精神神経症状（肝性脳症）などの肝不全症状が出現する病態である．診断は「初発症状出現後8週以内に昏睡Ⅱ度以上の肝性脳症をきたし，プロトロンビン時間が40％以下に低下するもの」と定義される．さらに劇症肝炎は初発症状出現後，Ⅱ度以上の肝性脳症が10日以内に出現する“急性型”と11日以降に出現する“亜急性型”に分類される．また劇症肝炎に類似した病態として脳症出現までの期間が8～24週の遅発性肝不全（late onset hepatic failure：LOHF）がある．

B 病態栄養

急激な肝細胞障害がみられると種々の代謝異常が生じるが，急性肝炎では自然治癒するため一時的である．しかし，この肝細胞の破壊が肝予備能と肝再生能を超えると急性肝不全となり①エネルギー消費量の亢進，②蛋白・アミノ酸代謝異常，などの代謝異常が顕著となり栄養療法が必要となる．

1．エネルギー代謝状態

急性肝炎におけるエネルギー代謝状態は安静時エネルギー消費量（resting energy expenditure：REE），非蛋白呼吸商（nonprotein respiratory quotient：npRQ）は健常者と有意な差がみられなかったという報告がある一方で，エネルギー代謝は亢進状態にある症例が大半であるという報告もあり，急性肝炎では代謝亢進状態にあると考えるのが妥当であると考えられる．

2．蛋白・アミノ酸代謝

急性肝炎では血清アルブミン値には有意な変化はみられないことが多いが血清トランスサイレチン値，血清コリンエステラーゼ値は健常者に比較して有意に低下している．また，Fischer比（BCAA/AAAモル比）は劇症肝炎ほどではないが急性肝炎においても有意に低下していることから潜在的な蛋白栄養障害の状態にあると考えられる．

C 評価と診断

急性肝炎や劇症肝炎の診断は血液生化学検査や腹部画像診断にて総合的に行い，さらに輸血歴，飲酒歴，薬剤服用歴（サプリメントを含む），家族歴，海外渡航歴などについても聴取し，肝炎ウイルスマーカーなどの結果から原因を明らかにする．血液生化学検査は日本消化器病学会肝機能研究班の「肝機能検査法の選択基準（第7版）」[1]に準じて血清トランスアミナーゼ値以外に総ビリルビン，アルブミン，コリンエステラーゼ，総コレステロール，プロトロンビン時間などで肝機能障害の重症度を評価することが重要である．

D 治療

1．急性肝炎

日本における急性肝炎の原因の大半が肝炎ウイルスであり，予後良好な疾患であるため特に薬物療法や栄養療法は必要ではないが食欲不振や全身倦怠感などの自覚症状が強い場合には入院加療を行う．経口摂取が不良の場合には糖質を中心とした輸液を行う．急性

表１　急性肝不全に対する栄養療法

一般的事項
○高アンモニア血症などの蛋白異化だけではなく炭水化物，たんぱく質，脂質などの代謝異常がみられる． ○安静時エネルギー消費量は増加している． ○肥満は死亡率や肝移植後の死亡率を上昇させる． ○重度の栄養障害を合併した急性肝不全は，予後不良である．
栄養療法の開始時期
○栄養状態が不良の急性肝不全では速やかに経腸栄養，静脈栄養を始める． ○5～7日以内に経口から必要な栄養量を摂取できない場合には栄養サポート（経腸栄養を優先）を開始する． ○肝性脳症，高アンモニア血症を合併している場合には脳浮腫のリスクがあるので，高アンモニア血症が改善するまで24～48時間たんぱく質の投与は避ける．
栄養療法の手段
○軽度の肝性脳症の患者では咳反射，嚥下反射に問題がない限り経口摂取を行う． ○軽度の肝性脳症で経口摂取のみで必要量の栄養が摂取できない場合には経口的栄養補助を行う． ○急性肝不全では経腸栄養は安全であり実施可能である． ○経口的に栄養摂取ができない場合は経鼻胃管，経鼻空腸管栄養法を実施する． ○肝性脳症の程度に関わらず少量から経腸栄養を開始する． ○静脈栄養は経口的，経腸栄養で十分な栄養量を確保できない場合に用いる． ○経口栄養剤としては一般的な組成の栄養剤を用いる．

（Plaugh M, Bernal W, Dasarathy S, et al. ESPEN guidelines on clinical nutrition in liver disease. Clin Nutr 2019; **38**: 485-521 より作成）

肝炎は代謝亢進状態にあるが，極期には機能的肝細胞の減少により安静時エネルギー消費量は低下しているため投与エネルギー量は25～30kcal/kg/日，たんぱく質は1.2g/kg/日を目安とするが，徐々に経口摂取量を増加させ回復期にはエネルギー量を35kcal/kg/日，たんぱく質は1.5g/kg/日を目安とする．

2．劇症肝炎

劇症肝炎に対する内科的治療としては，血漿交換や血液濾過透析などの血液浄化療法や肝再生を促す目的でグルコース・グルカゴン・インスリン療法などが行われる．広範な肝細胞壊死の原因として肝類洞内の微小循環障害があることからアンチトロンビンⅢや蛋白合成阻害薬を併用することもある．肝炎ウイルスが劇症肝炎の原因の場合には核酸アナログ製剤やインターフェロンなどの抗ウイルス療法が行われ，自己免疫性や薬剤性が原因の場合には副腎皮質ステロイドの投与が行われる．

急性肝不全に対する栄養療法を表１に示す[2]．劇症肝炎では代謝亢進状態にあるため必要エネルギー量は安静時エネルギー消費量の1.3倍の熱量を投与するが，肝臓での糖の利用能が低下しているため血糖値のモニタリングを行いながら徐々に投与エネルギー量を増加する．アミノ酸の投与は尿素回路が障害されているため高アンモニア血症の悪化や脳浮腫の防止のため発症当初は原則として投与しないが，肝再生にアミノ酸が必要なため脳症から覚醒すればアンモニア値をモニタリングしながらたんぱく質の投与を開始する．

❷慢性肝炎

A 疾患の解説

慢性肝炎（chronic hepatitis）とは，臨床的には6ヵ月以上の肝機能検査値の異常とウイルス感染が持続している病態と定義される．原因としてはHBV，HCVが代表的であるが，日本においては自己免疫肝炎も慢性肝炎の原因に含まれる．日本においてはHCVによるものが約70%，HBVによるものが約20%，自己免疫性が約10%であり，HCVによるものが大半を占める．

B 病態栄養

慢性肝炎では肝硬変にみられるような代謝異常を呈することは少ないが，C型慢性肝炎では病態の進行や発癌に肥満，脂肪肝や糖尿病の合併[3～5]との関連が指摘されており，これらの代謝異常に対する栄養療法が重要である．さらにC型慢性肝炎では肝臓で合成され，鉄代謝制御の中心的役割を担っているペプチドのヘプシジン（hepcidin）の産生低下により肝細胞内に過剰な鉄沈着がみられ，過剰に蓄積した鉄が2価から3価の陽イオンに変換する際にフリーラジカルを産生し肝細胞障害を惹起する．また，鉄過剰が肝線維化に関与する伊東細胞を刺激し肝線維化を促進し，またフリーラジカルがDNAを傷害することにより肝発癌を誘発するため鉄過剰に対する治療も重要である．

C 評価と診断

慢性肝炎の確定診断は肝組織所見で行われるが，臨床の現場では血液生化学検査と腹部画像診断で診断する．血清AST値や血清ALT値の上昇でまず慢性肝炎を疑い，腹部画像診断にて脂肪肝や肝硬変を否定する．次に肝炎ウイルスマーカー，免疫グロブリンや抗核抗体などの自己抗体の測定を行い，原因を確定する．血清ALT値は各施設での基準値ではなく31IU/L以上を異常と判断する．

D 治療

肝炎ウイルスによる慢性肝炎では抗ウイルス治療が原則であり，B型慢性肝炎では核酸アナログ製剤やインターフェロンなどの抗ウイルス治療を行い，C型慢性肝炎では直接作用型抗ウイルス薬を投与して肝炎ウイルスの排除ないし鎮静化を目指す．抗ウイルス治療が行えない場合にはウルソデオキシコール酸などの肝庇護薬を用いて肝機能検査値の正常化を目指す．

慢性肝炎は肝硬変にみられるような代謝異常を呈することは少ないため，慢性肝炎に対する栄養療法は基本的に「日本人の食事摂取基準」に準じた食事療法であり，エネルギー量は30〜35kcal/kg/日，たんぱく質量は1.2g/kg/日程度，脂質エネルギー比は20〜25%を目標とする．C型慢性肝炎では肥満，脂肪肝，糖尿病などの生活習慣病の合併が病態の進行や肝発癌に影響を及ぼすことから，これらの生活習慣病に対する栄養療法も併せて行う．鉄過剰状態(男性：血清フェリチン値≧300ng/mL，女性：血清フェリチン値≧200ng/mL)がみられ，鉄過剰が慢性肝炎の病態に影響を及ぼしていると考えられる場合には除鉄療法(鉄制限食や瀉血療法)を行う．鉄制限食は一般的に鉄摂取量を6mg/日以下を目標とし，たんぱく質の摂取不足にならないように管理栄養士の指導のもとに行うことが必要である．健康食品やサプリメントには鉄含有量が多いものもあるので原則禁止とする．

❸肝硬変

A 疾患の解説

肝硬変(liver cirrhosis)とは肝の慢性炎症であり，持続性の炎症により肝細胞の壊死と再生，ならびに結合組織のびまん性の増殖の結果，肝の小葉と脈管系の改築がみられる状態である．肝硬変は臨床的に代償性肝硬変と非代償性肝硬変に分類され，代償性肝硬変は肝機能が維持されており多くは無症状であるが，非代償性肝硬変では黄疸，腹水，肝性脳症，出血傾向，消化管出血などの症状がみられる．肝硬変では治療方針や外科的治療方針を決定するうえで重症度は重要であり，肝硬変の重症度にはChild-Pugh分類が用いられる．肝硬変の成因はHCVが60.9%，HBVが13.9%，HBV+HCVが1.2%であり，後述する非アルコール性脂肪肝炎(nonalcoholic steatohepatitis：NASH)によるものは2.1%である．

B 病態栄養

肝臓は栄養代謝の中心的臓器であることから，肝硬変では様々な代謝異常がみられる．肝硬変における代謝異常は，蛋白・エネルギー栄養障害(protein-energy malnutrition：PEM)が主であるが，アンモニア，アミノ酸，糖質，脂質，亜鉛をはじめとする代謝異常もみられる．

本項ではPEM，アンモニア代謝，糖代謝について論じる．

1．エネルギー代謝

肝硬変では代謝亢進状態にあり，その結果エネルギー基質として脂質の燃焼比率が上昇し，糖質の利用低下に基づくnpRQの低下がみられる．肝硬変患者の1晩の絶食は健康人の2〜3日間の絶食に相当することが指摘され，npRQの0.85未満の症例は予後が不良であることが指摘されており，肝硬変における栄養療法はこのエネルギー代謝異常の改善である．

2．蛋白・アミノ酸代謝

肝硬変における蛋白・アミノ酸代謝異常は，低アルブミン血症と血漿遊離アミノ酸のインバランスである．肝硬変では肝臓におけるアルブミン合成能の低下により低アルブミン血症がみられ，低アルブミン血症を呈する肝硬変の予後は不良である[6)]．また，肝硬変ではアミノ酸インバランスがみられる．アミノ酸インバランスとは分岐鎖アミノ酸(Val, Leu, Ile：branched-chain amino acids：BCAA)濃度の低下と芳香族アミノ酸(Phe, Tyr：aromatic amino acids：AAA)濃度の増加であり，その結果，Fischer 比や BTR(BCAA/Tyr)は低値となる．肝硬変では BCAA はエネルギー源として利用されること，また末梢骨格筋におけるアンモニア処理に利用されることから BCAA 濃度は比較的早期の段階で低下する．一方，AAA 濃度は肝臓で代謝されるため肝硬変の重症度が進行するに伴って高値となる．アミノ酸インバランスを呈する肝硬変では食事摂取量が適切であっても血清アルブミン値は低下する[7]．したがって，肝硬変における栄養療法は低アルブミン血症とアミノ酸インバランスを改善することである．

3. 糖代謝

肝臓はグルコースの取り込みと血中への放出を行っているが，グルコースは glucose transporter(GLUT)2 を介して肝細胞内へ取り込まれ，グルコキナーゼによりグルコース-6-リン酸(G-6-P)に変換され，グリコーゲン合成系とグルコースをピルビン酸まで代謝する解糖系に入る．肝硬変ではグリコーゲン合成能が低下しグリコーゲン蓄積量が減少している．臨床的には肝硬変における糖代謝は肝臓への糖の取り込み障害と考えられていたが，最近では肝臓への糖の取り込み障害ではなく，糖の取り込みは亢進しているが遅延していることが明らかとなった[8]．肝硬変に限らず慢性肝炎においても糖尿病やインスリン抵抗性と肝発がんとの関連性が指摘されているため糖代謝異常に対する栄養療法は重要であり，今後の課題である．

4. アンモニア代謝

アンモニアは主に消化管内で産生され，門脈を介して全身へ分布する．健常者では門脈内のアンモニアは肝細胞の尿素回路で代謝されるが肝細胞障害により尿素回路が障害されると血中アンモニア値は上昇する．また，門脈–大循環短絡路が形成されると門脈血は直接大循環に流入するためアンモニアは高値となる．しかし骨格筋においてもアンモニアは処理されており，グルタミン酸とアンモニアからグルタミンを合成する反応でアンモニアは処理されているため肝硬変では筋肉は第二の肝臓ともいわれている．最近注目されているサルコペニアも潜在性肝性脳症に関連しているという報告[9]もあり，骨格筋量の維持は肝硬変において重要であるといえる．

C 評価と診断

肝硬変の診断は，従来は針生検や腹腔鏡で採取された肝組織の病理組織学的検査で行われていたが，最近では血液生化学検査と腹部画像診断で行われている．腹部超音波検査や腹部 CT 検査では肝表面の凹凸不整や肝辺縁の鈍化，脾腫，側副血行路などがみられるが，これら肝硬変に特徴的な形態学的変化は機能的変化に遅れて出現するため，血液生化学検査と合わせて診断することが重要である．血液生化学検査では汎血球減少，特に血小板数の減少がみられ，AST 優位の軽度のトランスアミナーゼ値の上昇やコリンエステラーゼ，アルブミン，コレステロール，プロトロンビン時間などの肝予備能を反映する検査値の異常やアミノ酸インバランスがみられる．以上より，肝硬変では栄養療法を行ううえで表2に示すような栄養評価を行うことが重要である．

表2　栄養評価

1. 身長，体重
2. %上腕周囲径(非優位側)
3. 骨格筋肉量*
4. 握力**
5. 末梢血リンパ球総数
6. 血清アルブミン値
7. 血清コリンエステラーゼ値
8. 血清 BTR 値
9. 随時血糖値，HbA1c***
10. 血中アンモニア値
11. 血清亜鉛値

*：日本肝臓学会「肝疾患におけるサルコペニア判定基準(第1版)」に準じる．
**：栄養状態の評価では一般的に非優位側で測定するが，サルコペニアの診断では左右交互に測定し，左右それぞれのよいほうの結果を平均する．
***：肝硬変では HbA1c は低値となるので評価には注意が必要である．

D 治療

肝硬変に対する治療は慢性肝炎と同様に抗ウイルス療法が基本ではあるが，肝硬変に合併した代謝異常に対する栄養療法も併せて行う．

1. 薬物療法

高アンモニア血症による肝性脳症がみられる場合には腸管におけるアンモニア産生抑制のため，たんぱく質の摂取制限を行ったうえで合成二糖類(経口，浣腸)や難吸収性抗菌薬の投与を行い，特殊組成アミノ酸輸液や L-アルギニン L-グルタミン酸塩水和物の投与も行って脳症の改善を図る．たんぱく質の摂取制限は肝性脳症の急性期のみに適用し，長期的にはサルコペニアを悪化させ，予後不良となるため実施すべきではない．

表 3　肝硬変の食事摂取基準

エネルギー必要量	栄養必要量(生活活動強度別)*を目安 耐糖能障害がある場合：25～30kcal/kg(標準体重)/日
たんぱく質必要量	蛋白不耐がない場合**：1.0～1.5g/kg(標準体重)/日 蛋白不耐がある場合：低たんぱく食(0.5～0.7g/kg/日) ＋ 肝不全用栄養剤
脂質必要量	エネルギー比：20～25%
食塩	腹水・浮腫(既往歴を含む)がある場合：5～7g/日
分割食(4～6 回)あるいは 夜食(約 200kcal 相当***)	

*　：第六次改訂：日本人の栄養所要量(厚生労働省 2000 年)
**　：低アルブミン 3.5g/dL 以下，Fischer 比 1.8 以下，BTR3.0 以下の場合には BCAA 顆粒を投与することがある．
***：肥満例では夜食を給与する場合には，1 日の食事総量を変化させないが減量する必要がある．また，やせ例では夜食を含めて 1 日の食事総量の増加を検討する．夜食などはバランス食であることが望ましい．
(渡辺明治，森脇久隆，加藤章信，ほか．第 7 回日本病態栄養学会年次総会コンセンサス(2003)．栄養-評価と治療 2003；**20**：181-196 より作成)

浮腫・腹水に対する治療は，まず塩分制限(5.2g/日以下)を行うが，塩分制限により食事摂取量が減少する場合には塩分制限を中止し食事摂取量を確保することが重要である．塩分制限で効果がみられない場合には利尿薬の投与を行うが，利尿薬としてはスピロノラクトンを第一選択とし，効果がみられない場合にはフロセミドの併用を行う．利尿薬で十分な効果がみられない場合や再発性の腹水に対しては腹水穿刺排液などが行われる．

2．栄養療法

a) 食事療法

肝硬変に対する栄養療法のガイドラインには，欧州静脈経腸栄養学会，米国静脈経腸栄養学会のガイドラインなどがあるが，日本人の体格などを考慮し日本病態栄養学会のコンセンサス(表 3)に準じて食事療法を行う．

肝硬変ではエネルギー代謝亢進状態にあり，その結果として早朝飢餓状態に陥っている．そのため必要なエネルギー量，たんぱく質量の食事療法を開始し，それでもエネルギー代謝状態を改善できない場合には就寝前夜食(late evening snack：LES)を併用した食事療法を行う．LES は総エネルギー量を変更せずに約 200kcal の炭水化物を中心にした補食を一般的には就寝前に提供するが，個々の食生活のなかで最も長い食間に補食を行い絶食時間の短縮を目指す．また，肝不全用栄養剤などを LES として用いることもある．

蛋白栄養障害に対してはまず必要なエネルギー量とたんぱく質量の食事療法を行う．LES はエネルギー代謝に対してだけではなくアルブミン代謝も改善することが指摘されている．これらの食事療法で効果がない場合には分岐鎖アミノ酸製剤(リーバクト®配合顆粒，リーバクト®配合ゼリー，アミノレバン®EN 配合散，ヘパン ED®配合内用剤)を併用した栄養療法を行うが，エネルギー量やたんぱく質量が過不足とならないように管理栄養士による指導のもとで投与する．

b) 分岐鎖アミノ酸併用栄養療法

適切な食事療法を行っても十分な効果が得られない場合には分岐鎖アミノ酸を併用した栄養療法を行うが，分岐鎖アミノ酸製剤には食品としての分岐鎖アミノ酸製剤と医薬品としての分岐鎖アミノ酸製剤がある．医薬品には分岐鎖アミノ酸顆粒製剤のリーバクト®配合顆粒とリーバクト®配合経口ゼリーと肝不全用栄養剤のアミノレバン®EN 配合散，ヘパン ED®配合内用剤がある．リーバクト®配合顆粒とリーバクト®配合経口ゼリーは「食事摂取量が十分にもかかわらず低アルブミン血症を呈する非代償性肝硬変患者の低アルブミン血症の改善」に用いられる．したがって管理栄養士による栄養指導を行い，食事摂取量を適正としても低アルブミン血症が改善されない非代償性肝硬変に用いる．アミノ酸インバランスの改善が目的であることから BTR 値が 4.0 以上を目標する．一方，肝不全用経口栄養剤(アミノレバン®EN 配合散，ヘパン ED®配合内用剤)は「肝性脳症を伴う慢性肝不全患者の栄養状態の改善」に用いられる．まず，肝性脳症の程度に応じたたんぱく質摂取制限(0.5～0.7g/kg/日)を行い，たんぱく質の制限で不足したたんぱく質量を補えるだけのアミノ酸を含有した肝不全用経口栄養剤を選択し投与する．用法用量に準じた投与で効果がみられない場合には日本消化器病学会と日本肝臓学会が作成した「肝硬変診療ガイドライン 2020（改訂第 3 版）」[10]を参考として栄養療法を進める（図 1）．

❹脂肪肝

A 疾患の解説

脂肪肝（fatty liver）とは，多量の脂質，特に中性脂肪が肝臓に沈着した状態であり，脂肪滴を含んだ肝細胞

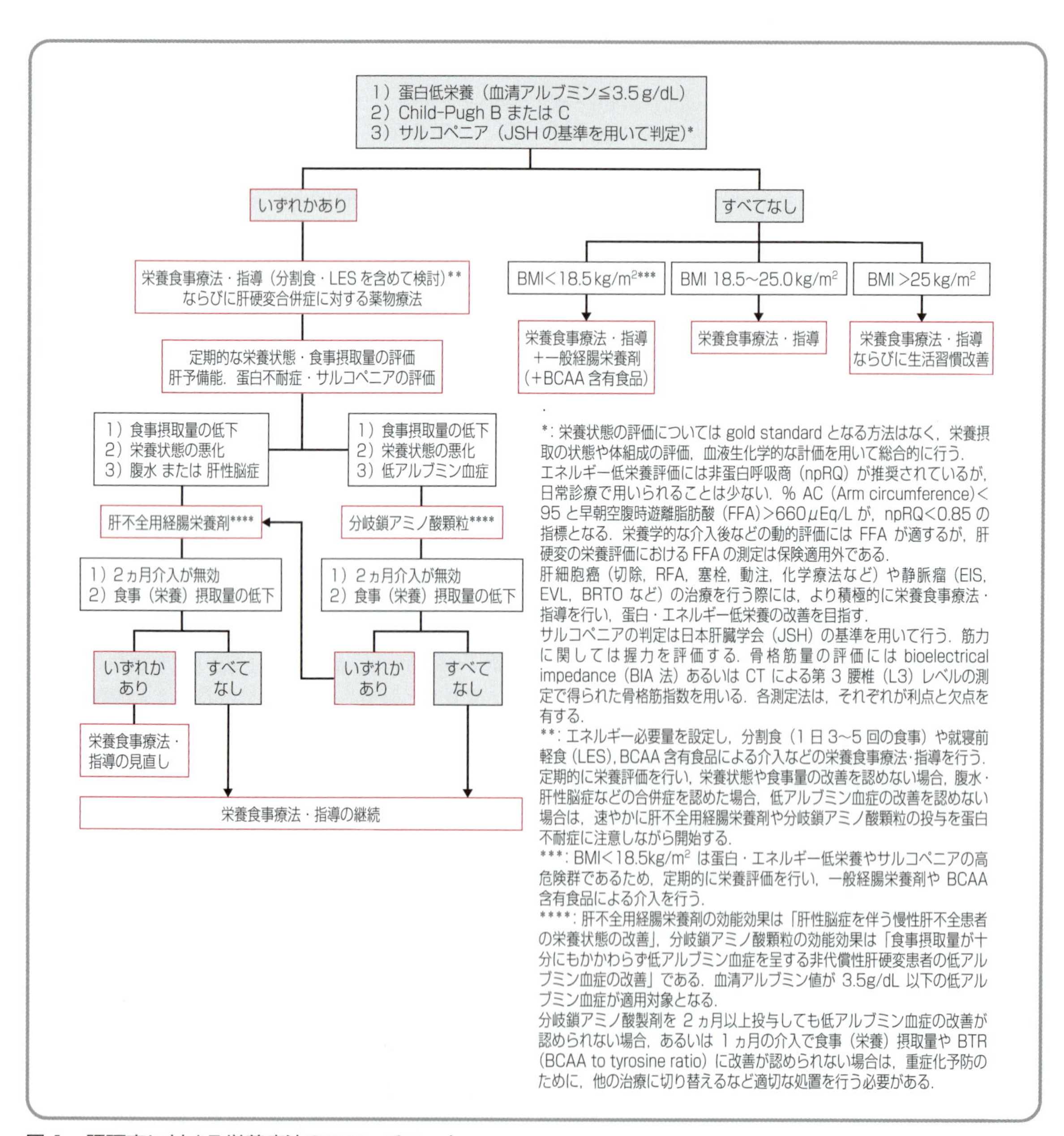

図 1　肝硬変に対する栄養療法のフローチャート

参照先の必要な記述（CQ/BQ）を一部省略．実際に使用する際には，必ず原版を参照すること．

（日本消化器病学会・日本肝臓学会（編）．肝硬変診療ガイドライン 2020（改訂第 3 版），南江堂，東京，2020：p xix より許諾を得て転載）

が肝小葉面積の30%以上を占める場合を脂肪肝とするのが一般的であるが，最近では5%以上認められれば脂肪肝とする考え方もある．脂肪肝の成因として以前はアルコールによるものが多かったが，糖尿病や肥満によっても同様な肝障害が生じることが明らかとなり，現在では飲酒歴はないがアルコール性肝障害に類似した脂肪性肝障害を認める症例をまとめて非アルコール性脂肪性肝疾患(nonalcoholic fatty liver disease：NAFLD)と呼び，肥満人口の増加に伴いNAFLDは増加している．

本項ではNAFLDについて論ずる．NAFLDはウイルス性(HBV，HCV)，自己免疫性肝疾患などの慢性肝疾患などを除外した病態であり，飲酒歴はエタノール換算で男性30g/日(210g/週)未満，女性では20g/日(140g/週)未満であり，NAFLDの多くは肥満，糖尿病，脂質異常症，高血圧などを基盤に発症し，メタボリックシンドロームの肝病変と考えられている．NAFLDは病態がほとんど進行しない非アルコール性脂肪肝(nonalcoholic fatty liver：NAFL)と進行性で肝硬変や肝癌の母地となるNASHに分類される．NAFLD発症の最も重要な因子は肥満であり，内臓脂肪と肝細胞内脂肪との関連性が指摘されている．NAFLDは2型糖尿病との関連も指摘され，インスリン抵抗性を伴っていることが多い．

B 病態栄養

肝臓に流入する中性脂肪や脂肪酸が増加したり，過食の結果，肝臓で生成される脂肪酸量が増加すると肝細胞内の脂肪酸プールが増加する．脂肪酸はβ酸化により肝臓のエネルギー源として利用されるが，また中性脂肪に変換されvery low density lipoprotein (VLDL)として血中へ放出され，筋肉のエネルギー源として利用される．余剰の中性脂肪は肝臓に還流するほか内臓脂肪や皮下脂肪として蓄積する．

C 評価と診断

NAFLDの診断は，血液生化学検査と腹部画像診断で行われるが，腹部超音波検査では肝臓の輝度が上昇し，腎臓との間のコントラスト(肝腎コントラスト)がみられる．腹部CT検査では肝脾CT値比(肝臓のCT値/脾臓のCT値)の低下などで肝臓の脂肪沈着の有無を確認し，他の肝疾患の合併の有無，飲酒歴などからNAFLDを診断する．NASHとNAFLを鑑別できる臨床検査は現在のところ存在しないが線維化の進行したNASHを疑う所見として高齢，高度肥満，糖尿病，AAR (AST/ALT ratio)高値，血小板数低値，肝線維化マーカー高値などがある．その他，日本人に有効なスコアリングシステムとしてFIB-4 indexやNAFIC scoreなどがあり，FIB-4 indexは年齢(歳)xAST (IU/L)/血小板数(10^9/L) x $\sqrt{\text{ALT (IU/L)}}$で算出される．NAFIC scoreは血清フェリチン値，インスリン，Ⅳ型コラーゲン7Sからなるスコアリングシステムであるが確定診断は肝組織の病理診断である．

D 治療

NASHの食事療法はカロリー制限が重要であり，低カロリー食による体重の減少は肝脂肪化を改善し，栄養素比率では脂質を制限することが推奨されている．総エネルギー量としては25〜30kcal/kg標準体重/日とし，たんぱく質量は1.0〜1.5g/kg標準体重/日，脂質エネルギー比は20〜25%とする．NAFLD発症には飽和脂肪酸，ω6系脂肪酸およびコレステロールの過剰摂取と関連性が報告されていることから脂肪は飽和脂肪酸を抑え，精製された糖質は控えめにし，精製されていない穀類などから炭水化物を摂取する．これらの食事療法に運動療法を併用することは有用であり，肥満を合併したNAFLDでは1回30〜60分，週3〜4回の有酸素運動を4〜12週間継続することで，体重減少を伴わなくても肝脂肪化が改善する．減量の目標としては，7%以上の体重減少とする．NASH患者では図2[11]に示すように肥満例では減量を目標として食事療法と運動療法を施行し，非肥満例で基礎疾患がある場合や減量が不十分な場合にはビタミンEの投与や基礎疾患に関連した薬物療法を併用する．

❺肝癌

A 疾患の解説

肝癌は肝細胞癌と胆管細胞癌に分けられ，日本においては肝細胞癌が肝を原発とする悪性腫瘍の約95%を占める．肝細胞癌は慢性肝炎，肝硬変などの慢性肝疾患を背景として発症することが多い．日本の肝細胞癌は肝炎ウイルスによるものが大部分であり，約70%がHCV，15%がHBV，10〜20%が非B非C型である．発癌率は慢性肝疾患の進行度によるが，B型肝癌では過半数で肝硬変を合併しているがその頻度はC型肝癌に比較すると低く，発症年齢はC型肝癌に比較して約10歳若いという特徴がある．

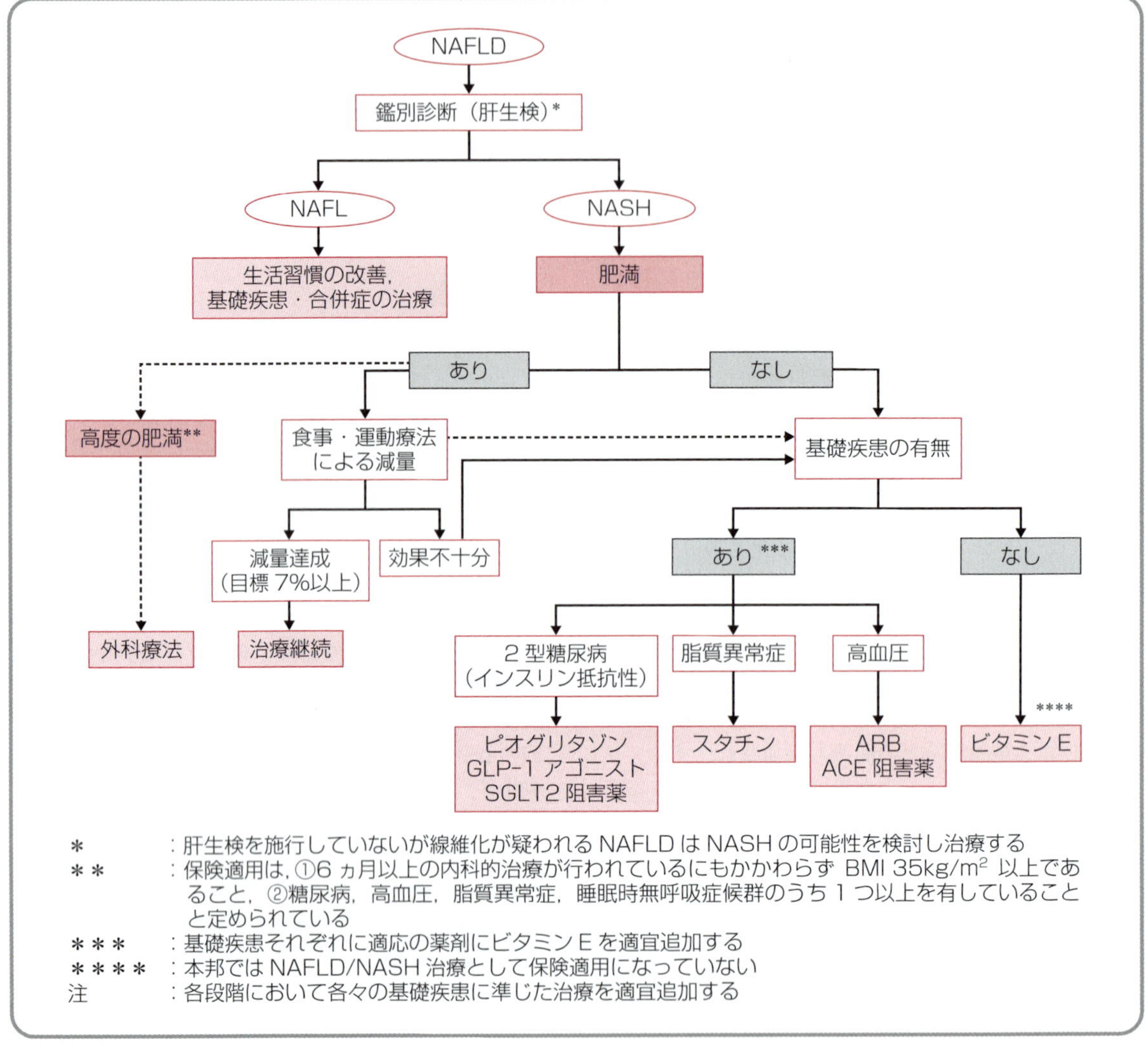

図 2　NAFLD/NASH 治療フローチャート
（日本消化器病学会・日本肝臓学会（編）．NAFLD/NASH 診療ガイドライン 2020（改訂第 2 版），南江堂，東京，2020：p xviii より許諾を得て転載）

B 病態栄養

肝癌に特徴的な代謝異常はなく，基礎肝疾患の程度に応じた代謝異常がみられる．

C 診断

B 型慢性肝炎，C 型慢性肝炎，肝硬変のいずれかが存在すれば肝細胞癌の高危険群であり，B 型・C 型肝硬変は超高危険群である．高危険群に男性，高齢，アルコール多飲の因子が加わるごとに発癌の危険性が増す．超高危険群では 3〜4 ヵ月に 1 回の超音波検査，高危険群には 6 ヵ月に 1 回の超音波検査を行い，AFP などの腫瘍マーカーの測定が推奨される．肝癌における栄養評価は基本的には併存肝疾患と同じである．

D 治療

肝細胞癌患者の大半が背景に慢性肝疾患を合併しているため，治療法の選択には腫瘍条件と同時に肝機能条件も考慮しなければならない．肝機能・肝予備能の指標としては「原発性肝癌取扱い規約」の肝障害度を用い，「肝癌診療ガイドライン」の治療アルゴリズムなどを参考に治療法を選択する．周術期の栄養管理（表 4）は術前は併存肝疾患に対する栄養療法を中心に行い，肝予備能を維持することで治療法の選択肢が増え，根

表４　肝癌周術期の栄養管理

適応	術前：肝硬変の栄養療法に準ずる 術後：通常の食事または経腸栄養を術後 12～24 時間以内に開始
処方	術前：肝硬変の治療に準ずる 術後：投与エネルギー量 35～40kcal/kg/日，投与たんぱく質量 1.2～1.5g/kg/日
経路	術後：経鼻胃管またはカテーテル空腸瘻
組成	一般的な組成 （腹水貯留患者では水バランスを考慮して高エネルギーの組成，通常の食事で肝性脳症を合併する場合は BCAA を多くした組成）

治的治療が可能となる．周術期に関しては周術期の栄養療法を行う．

文献

1) 日本消化器病学会肝機能研究班．肝機能検査法の選択基準(7 版)．日本消化器病学会誌 2006; **103**: 1413-1419
2) Plaugh M, Bernal W, Dasarathy S, et al. ESPEN guidelines on clinical nutrition in liver disease. Clin Nutr 2019; **38**: 485-521
3) Ohta K, Hamasaki K, Toriyama K, et al. Hepatic syeatosis is a risk factor for Hepatocellular carcinoma in patients with chronic hepatitis C virus infection. Cancer 2003; **97**: 3036-3043
4) Tazawa J, Maeda M, Nakagawa M, et al. Diabetes mellitus may be associated with hepatocarcinogenesis in patients with chronic hepatitis C. Digest Dis Sci 2002; **47**: 710-715
5) Younossi ZM, McCullough AJ, Ong JP, et al. Obesity and non-alcoholic fatty liver disease in chronic hepatitis C. J Clin Gastroenterol 2004; **38**: 705-709
6) 黒木哲夫，西口修平，仲島信也，ほか．肝硬変での栄養管理の実際　一般食事療法．日本臨床 1983; **52**: 1197-1202
7) Suzuki K, Suzuki K, Koizumi K, et al. Measurement of serum branched-chain amino acids to tyrosine ration level is useful in a prediction of a change of serum albumin level in chronic liver disease. Hepatol Res 2008; **38**: 267-272
8) 山下智省，鈴木千衣子，谷川幸治，ほか．肝硬変患者における糖負荷後のグルコース利用能の評価．肝臓 1999; **40**: 636-644
9) Hanai T, Shiraki M, Watanabe S, et al. Sarcopenia predicts minimal hepatic encephalopathy in patients with liver cirrhosis. Hepatol Res 2017; **47**: 1359-1367
10) 日本消化器病学会・日本肝臓学会(編)．フローチャート 2：栄養療法．肝硬変診療ガイドライン 2020(改訂第 3 版)，南江堂，東京，2020：p.xix
11) 日本消化器病学会・日本肝臓学会(編)．NAFLD/NASH 治療フローチャート．NAFLD/NASH 診療ガイドライン 2020(改訂第 2 版)，南江堂，東京，2020：p.xviii

5 消化器疾患 — D 胆膵

本項では，膵疾患のなかでも急性膵炎，慢性膵炎および膵癌の疾患概念，病態栄養，評価と診断，治療を中心に解説する．最後に，胆道系疾患に関して触れる．

膵疾患を理解するにあたり，まずは膵外分泌機能および膵内分泌機能について理解する必要がある．膵外分泌機能には，たんぱく質，脂質，炭水化物の消化を助ける膵液を産生し，①成人では1日2L程度が十二指腸へ分泌され，②膵液に含まれる消化酵素がたんぱく質，脂質，炭水化物を小腸が吸収できる小さな単位まで分解し，③膵液中に含まれる重炭酸塩により消化酵素が働くのに理想的なpH環境を整える，という役割がある．一方，膵内分泌機能には，Langerhans島（膵島）と呼ばれる内分泌細胞の集合体にあるβ細胞からインスリンを，α細胞からグルカゴンを分泌し，血糖調節をする役割がある．

膵臓は上述のとおり，食物の消化，血糖調節の主役を担う臓器であり，その機能低下は深刻な栄養障害を招くため，適切な栄養管理を行っていくことが重要である[1,2]．

❶急性膵炎

A 疾患の解説

急性膵炎（acute pancreatitis）とは膵臓の急性炎症であり，膵酵素が何らかの原因により活性化された状態である．成因としてはアルコール性，胆石性，薬剤性，特発性（原因不明），内視鏡的逆行性胆管膵管造影（endoscopic retrograde cholangio-pancreatography：ERCP）後などがあげられ，男性ではアルコール性（46.2%），女性では胆石性（40.3%）が最多である．最近では，膵癌の初発症状としての急性膵炎も注目されている．多くの症例は膵の浮腫でとどまる軽症であり，保存的治療により軽快する．しかし，約20%が重症例（死亡率は約10%）である．なお，慢性膵炎の急性増悪についてはそれぞれの成因別の急性膵炎として取り扱う[3]．

B 病態栄養

1．病態生理

重症例では，トリプシンの活性化による膵の過剰な自己融解によりサイトカインが大量に放出される．その結果，膵実質は出血や壊死をきたし（重症度判定の膵壊死に該当），隣接する臓器や遠隔臓器は全身性炎症反応症候群（systemic inflammatory response syndrome：SIRS）により多臓器不全に陥る（重症度判定の膵外進展に該当）．発症早期より血管透過性亢進や膠質浸透圧低下がみられ，体液が腹腔内などのthird spaceへ移動する．それに伴い循環血漿量が顕著に減少し，血圧低下（ショック）および尿量減少（急性腎不全）をきたす．この高度の血管内脱水が重症膵炎早期の最も懸念すべき病態である．一方，重症例では後期合併症としてbacterial translocation（発症早期から腸管バリア機構が破綻し，腸管内の細菌や細菌性産物が腸管外へ滲出すること）に伴う感染性膵壊死，全身性感染症（特に肺炎）が懸念される．

2．栄養生理

栄養学的には代謝の亢進している状態であり，特に重症膵炎では安静時エネルギー消費量は基礎エネルギー代謝量の1.5倍以上となっており，蛋白異化が亢進している．骨格筋の異化も亢進状態（骨格筋量は正常の15%まで低下）にあり，蛋白融解による芳香族アミノ酸の増加，必須アミノ酸の減少（血中遊離アミノ酸プールは正常の40%）がみられる．

C 評価と診断

急性膵炎の診断は，臨床症状（上腹部痛と圧痛），血中・尿中の膵酵素の上昇，画像所見（超音波，CT，MRI）からなされる．腹痛以外の症状では，背部痛，悪心・嘔吐の頻度が高い．重症度によりその予後が大きく左右するため，診断の際に最も重要なことは，厚生労働省急性膵炎の重症度判定基準（図1）を用い，重症急性膵炎を的確に診断することである．なお，発症初期には軽症であっても短時間で重症化することもあるため，48時間以内に繰り返し評価することも重要である．重症と診断された場合，早急に高次医療施設へ搬

A. 予後因子（各項目 1 点）

1. Base excess≦−3 mEq/L,
   またはショック
2. PaO_2≦60 mmHg（room air）
   または呼吸不全
3. BUN≧40 mg/dL
   （Cr≧2.0 mg/dL）または乏尿
4. LDH≧基準値上限 2 倍
5. 血小板数≦10 万 /mm^3
6. 総 Ca≦7.5 mg/dL
7. CRP≧15 mg/dL
8. SIRS 診断基準で陽性項目数≧3
9. 年齢≧70 歳

B. 造影 CT Grade

膵造影不良域* ＼ 炎症の膵外進展度	前腎傍腔	結腸間膜根部	腎下極以遠
膵周囲のみあるいは各区域に限局	0 点	1 点	2 点
二つの区域にかかる	1 点	2 点	3 点
二つの区域全体あるいはそれ以上	2 点	3 点	4 点

CT Grade 1 □（0〜1 点）　2 □（2 点）　3 ■（3〜4 点）

原則として発症後 48 時間以内に判定

C. 重症度判定

予後因子 3 点以上，または造影 CT Grade 2 以上を重症，
いずれでもないものを軽症とする．

*膵臓を便宜的に膵頭部，膵体部，膵尾部の 3 区域に分ける．

図 1　急性膵炎重症度判定基準

（武田和憲，大槻　眞，北川元二，ほか．急性膵炎の診断基準・重症度判定基準最終改訂案の検証．厚生労働科学研究補助金 難治性疾患克服研究事業 難治性膵疾患に関する調査研究．平成 17 年度〜19 年度総合研究報告書 2008：43-47 より作成）

送する．また，血中アミラーゼ値は診断には重要であるが，重症度とは相関しない．

D 治療

フローチャート（図 2）に準じて，重症度に応じた一般的な管理および栄養管理に関して述べる．なお，胆石性では速やかに内視鏡的に採石を行う．

1．病態生理からみた基本的な管理

a）膵の安静化（絶飲食）

さらなる膵外分泌刺激を回避する．軽症例では数日間の絶飲食のみで軽快するため，栄養状態や代謝に与える影響は少なく，末梢静脈栄養の際に特別な栄養療法の介入は不要である．ただし，絶食期間が 1 週間以上になる場合には中心静脈栄養や経腸栄養による栄養療法を考慮する．

b）脱水の補正（輸液）

軽症であっても初期治療において細胞外液輸液を中心とした十分量の補液（少なくとも 3,000 mL/日）は重要である．重症例では健常者（30〜40 mL/kg/日）の 2〜4 倍量（60〜160 mL/kg/日）が必要である（4,000〜6,000 mL/日程度）．特に，最初の 6 時間に 1 日量の半量程度の輸液を行い，最低限 1 mL/kg/時の尿量を確保する．なお，大量の輸液は呼吸不全を惹起することもあるため，循環動態をモニターできるよう，中心静脈路の確保が必要である．

c）急性腎不全対策（持続的血液濾過透析）

高度の脱水による急性腎不全のため乏尿〜無尿が続く場合には，躊躇することなく持続的血液濾過透析（continuous hemodiafiltration：CHDF）を行う．

d）疼痛対策（鎮痛薬）

疼痛は持続的であり，精神的な苦痛を与え，呼吸および循環動態に影響を及ぼすことがある．Oddi 括約筋収縮作用のないブプレノルフィン（レペタン®）が有効である．

e）感染予防（抗生物質）

軽症例では致死的な合併症の発生頻度が低いため，抗生物質の予防的投与は必要ではない．ただし，胆石性膵炎では胆管炎を併発していることが多く，軽症であっても抗生物質の投与を考慮する．一方，重症例では致死的な感染症を合併することがあり，早期よりメロペネムなどの抗生物質を投与する．後期合併症としてみられる感染性膵壊死や膵膿瘍に対しては，経皮的

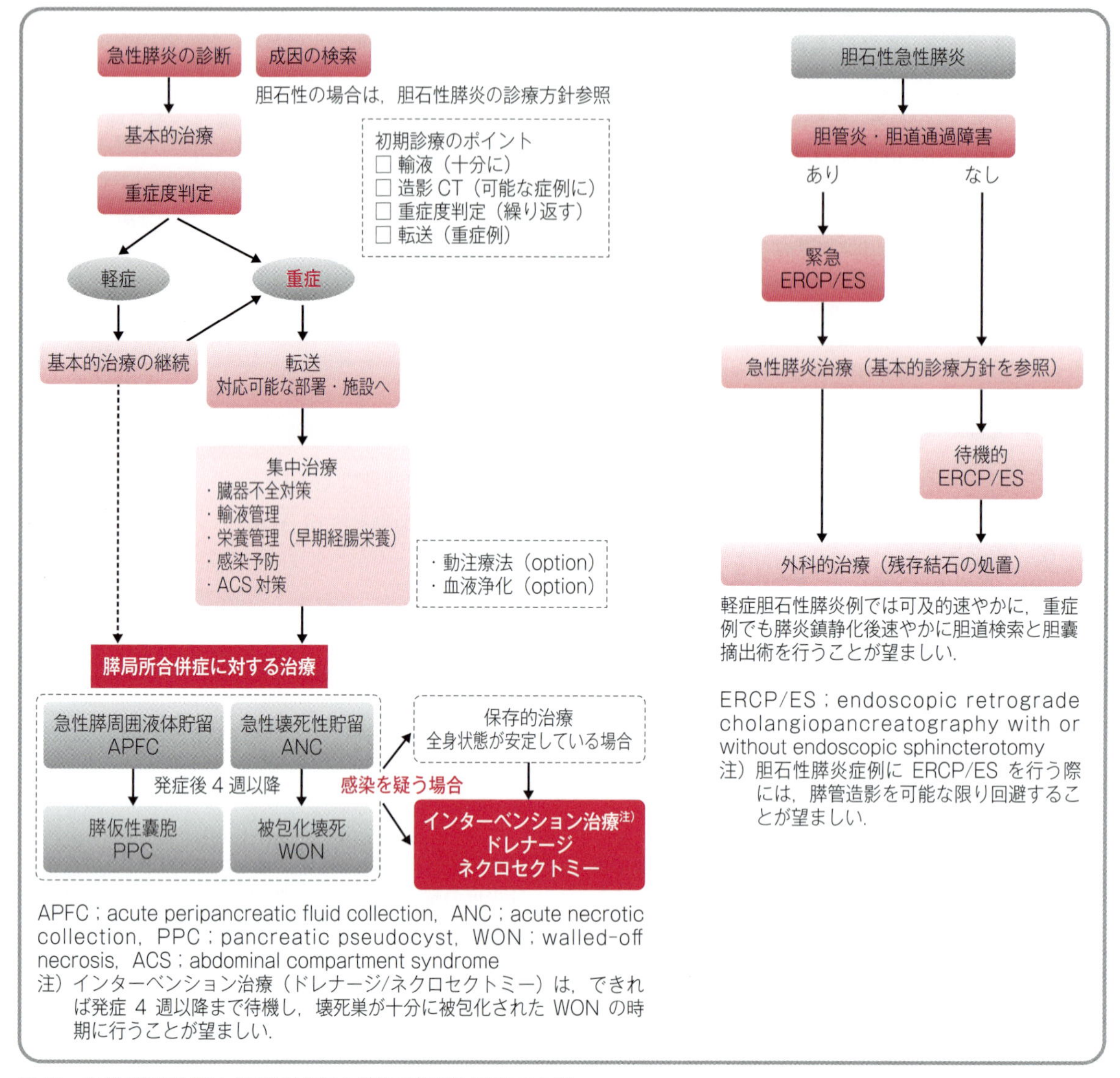

図 2　急性膵炎の基本的診療方針と胆石性膵炎の診療方針

（急性膵炎診療ガイドライン 2015 改訂出版委員会(編). 急性膵炎診療ガイドライン 2015, 第 4 版, 金原出版, 東京, 2015 : p48-49 より許諾を得て転載）

ドレナージ術や外科手術が行われてきたが，最近では内視鏡下ドレナージ術が主流となっている.

f）病状進展阻止(蛋白質分解酵素阻害薬)

膵酵素の活性化が病状の発症・進展に関与しているため，蛋白質分解酵素阻害薬を投与する．投与は 24 時間持続投与とし，重症例では播種性血管内凝固症候群(disseminated intravascular coagulation : DIC)に準じた大量投与を行う．なお，膵壊死範囲が広範にわたる急性壊死性膵炎では，発症早期から膵の虚血，膵微小循環障害がみられるため，膵を灌流する動脈から直接的にカテーテルを介し，蛋白質分解酵素阻害薬および抗生物質を投与する膵局所動注を行う.

g）糖代謝異常の是正

インスリン分泌低下(膵 β 細胞機能障害)のため，耐糖能異常が高率にみられるため，血糖値のモニターが重要である．血糖が 200 mg/dL 前後となるよう，必要に応じてインスリン治療を行う.

2．栄養生理からみた栄養管理

急性期における栄養管理の目的は，蛋白アミノ酸代謝の改善，免疫防御機能の維持，低栄養状態の改善である.

a）経腸栄養

経腸栄養は中心静脈栄養と比較し，救命率は改善させないが，感染症の発生率を低下させることから，重症例では経腸栄養が栄養管理の中心となる．かつては炎症がおさまるまで絶飲食が基本とされていた．しかし，現在では bacterial translocation 予防の観点から腸管を休めることはよくないと考えられ，腸管蠕動が確認されれば，早期より経腸栄養を積極的に導入することが推奨されている．具体的には，胃前庭部の拡張による迷走神経刺激および十二指腸からのセクレチン分泌・コレシストキニン分泌を回避して膵外分泌を抑制する目的で，経鼻的に挿入したチューブの先端を空腸に留置する．まずは GFO（グルタミン，食物繊維，オリゴ糖）から開始する．これらが問題なく投与できれば，脂肪含有が少なくアミノ酸と炭水化物が主体の成分栄養剤（elemental diet：ED）（エレンタール®）や消化態低トリグリセリド経腸栄養剤に切り替える．その際，30mL/時程度から開始し，はじめは 300mL/日にとどめる．そして，膵炎の再燃のないことを確認しながら 2〜3 日ごとに増量し，1 日 1,200kcal 程度を最終目標とするが，不足分は経静脈的に補う．なお，グルタミン酸は腸管上皮細胞の必須栄養素であり，プレバイオティクスである食物繊維は腸管内細菌により短鎖脂肪酸に分解されて利用される．プレバイオティクスであるオリゴ糖はプロバイオティクスであるビフィズス菌の栄養となり，いずれも腸内細菌の overgrowth 対策として有効とされている．

b）中心静脈栄養

重症急性膵炎では腹腔内への炎症の波及により，麻痺性イレウスの合併が珍しくない．その場合には経腸栄養ではなく中心静脈栄養の適応となる．重症例では代謝は亢進状態にあるため，高張糖質とアミノ酸を中心に安静時エネルギー消費量の 1.5 倍を目標に栄養管理する（濃度は 15％程度，非蛋白カロリー/窒素比の目標は 110〜130）．カロリー計算には，間接カロリーメータを用いて安静時エネルギー消費量を実測して決めるのがよいが，重症例ではその測定が困難なことがあるため，Harris-Benedict 式や日本人向けの簡易式（男性＝14.1×体重＋620，女性＝10.8×体重＋620）から基礎エネルギー消費量を算出してもよい．なお，重症例では膵内分泌機能が低下しているため，高血糖だけではなく低血糖にも注意を要する．アミノ酸製剤では，分岐鎖アミノ酸（branched-chain amino acid：BCAA）が豊富なものを選ぶ必要がある．かつて膵炎を増悪させると考えられていた脂肪乳剤は，最近では必須脂肪酸の低下を防止する観点から，上限 1.0〜1.5g/kg/日として週 1〜2 回投与されている．ただし，血清トリグリセリド値を 400mg/dL 以下に維持し，腺房細胞障害を予防する．

c）経口摂取

疼痛が消失し，腸管蠕動も正常化した時点で水分摂取から開始し，経口摂取へ移行する．食事による膵外分泌に対する刺激作用の強さは，糖質を 1 とするとたんぱく質が 4，脂肪が 9 に相当するため，最も刺激の弱い糖質を中心とした重湯（脂肪制限 10g/日）より開始し，膵炎の再燃のないことを確認しながら 2〜3 日ごとに三分粥，五分粥，七分粥，全粥（脂肪制限 30〜40g/日）へと段階的に慎重に上げ，徐々に総カロリー数を上げる．なお，脂質は動物性を避け，なるべく乳化したもの（バター，マーガリン，マヨネーズなど）を使用する．たんぱく質も植物性を中心にすることが重要である．

❷慢性膵炎

A 疾患の解説

慢性膵炎（chronic pancreatitis）とは膵の持続的な炎症により膵実質への炎症細胞浸潤と線維化が起こり，膵機能の荒廃をきたした病態である．その結果，膵内分泌機能および膵外分泌機能に障害をきたす．日本における成因は，男性ではアルコール性が多く，女性では特発性（原因不明）が多いがアルコール性が増加している．慢性膵炎の死因の多くは糖尿病や膵を含む悪性腫瘍によるものであるが，そのいずれにも低栄養状態が関与する．なお，早期慢性膵炎（慢性膵炎の潜在期に該当）という新しい概念が提唱されているが，その臨床像に関してはまだ明らかになっていない点が多い[4]．

B 病態栄養

1．病態生理

慢性膵炎では診断とともに臨床病期の評価が重要である（図 3）．代償期では上腹部痛や背部痛が誘因（飲酒や高脂肪食）により間欠的にみられる．疼痛の原因は，膵実質の炎症，膵管狭窄や膵石形成に伴う膵管内圧の上昇（閉塞性膵炎）や合併する仮性嚢胞などがあげられる．病期の進行とともに膵内分泌機能および膵外分泌機能は低下し，膵性糖尿病を発症する．そして，非代償期では膵の線維化に伴い，炎症が軽減するため疼痛は軽快・消失するが，脂肪の消化吸収障害により栄養障害がみられるようになり，体重減少がみられる．

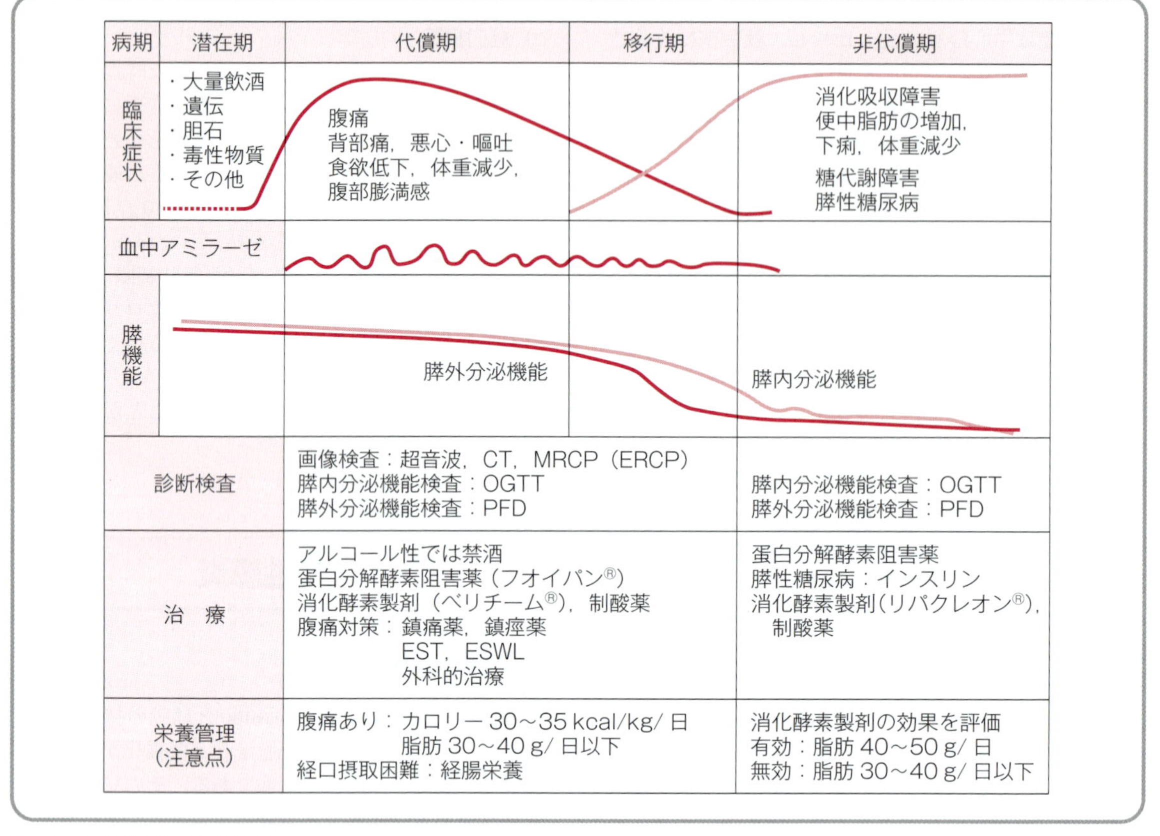

図３　慢性膵炎の臨床経過

2．栄養生理

慢性膵炎では，疼痛に伴う摂食低下やアルコール常飲によってしばしば蛋白質エネルギーが低下した状態になっている．また，慢性膵炎患者の40％程度は安静時エネルギー消費が亢進しており，エネルギー必要量はHarris-Benedictの式で算出される予測式を15～30％超えるとされている．

C 評価と診断

慢性膵炎の診断は，日本膵臓学会による慢性膵炎臨床診断基準（表１）によって行われており，画像検査が中心である．慢性膵炎では診断とともに臨床病期の評価が重要である（図３）．

D 治療

1．病態生理からみた基本的な管理

禁酒および疼痛コントロールが治療の主体である．

①原因の除去：アルコール性では禁酒する．

②腹痛対策：食後の疼痛をおそれ，食事摂取を控える場合があり，鎮痛薬を用いる場合には食前に投与する．

③蛋白分解酵素阻害薬

④消化酵素製剤：代償期では低力価消化酵素製剤（ベリチーム®）の通常量投与でよいが，非代償期では高力価消化酵素製剤（リパクレオン®）を投与する．なお，消化酵素製剤投与の際には胃内での酵素失活を避けるために，制酸薬（PPI，H_2受容体拮抗薬）を併用することが望ましい．

⑤膵性糖尿病に対する血糖管理：代償期のごく初期でインスリン分泌能も残っていれば，内服薬（あるいは無投薬）でも血糖コントロールは可能である．しかし，非代償期ではインスリンによる血糖管理を行う．

2．栄養生理からみた栄養管理

a）代償期

脂肪摂取が腹痛の原因となることが多く，脂肪摂取量は30～40g/日とする．一度の脂肪摂取量が20g以

表 1　慢性膵炎臨床診断基準 2019

慢性膵炎の診断項目
①特徴的な画像所見
②特徴的な組織所見
③反復する上腹部痛または背部痛
④血中または尿中膵酵素値の異常
⑤膵外分泌障害
⑥ 1 日 60g 以上(純エタノール換算)の持続する飲酒歴または膵炎関連遺伝子異常
⑦急性膵炎の既往

慢性膵炎確診：a，b のいずれかが認められる.
　a. ①または②の確診所見
　b. ①または②の準確診所見と，③④⑤のうち 2 項目以上
慢性膵炎準確診：①または②の準確診所見が認められる.
早期慢性膵炎：③〜⑦のいずれか 3 項目以上と早期慢性膵炎の画像所見が認められる.

注 1. 他の膵疾患，特に膵癌，膵管内乳頭粘液性腫瘍(IPMN)との鑑別が重要である.
注 2. ①，②のいずれも認めず，③〜⑦のいずれかのみ 3 項目以上有する症例のうち，早期慢性膵炎に合致する画像所見が確認されず，他の疾患が否定されるものを慢性膵炎疑診例とする．疑診例には EUS を含む画像診断を行うことが望ましい.
注 3. ③〜⑦のいずれか 2 項目のみ有し早期慢性膵炎の画像所見を示す症例のうち，他の疾患が否定されるものは早期慢性膵炎疑診例として，注意深い経過観察が必要である.
付記. 早期慢性膵炎の実態については，長期予後を追跡する必要がある.

慢性膵炎の診断項目
①特徴的な画像所見
　確診所見：以下のいずれかが認められる.
　a. 膵管内の結石
　b. 膵全体に分布する複数ないしびまん性の石灰化
　c. MRCP または ERCP 像において，主膵管の不規則な*1 拡張と共に膵全体に不均等に分布する分枝膵管の不規則な拡張
　d. ERCP 像において，主膵管が膵石や蛋白栓などで閉塞または狭窄している場合，乳頭側の主膵管と分枝膵管の不規則な拡張
　準確診所見：以下のいずれかが認められる.
　a. MRCP または ERCP 像において，膵全体に不均等に分布する分枝膵管の不規則な拡張，主膵管のみの不規則な拡張，蛋白栓のいずれか
　b. CT において，主膵管の不規則なびまん性の拡張と共に膵の変形や萎縮
　c. US(EUS)において，膵内の結石または蛋白栓と思われる高エコー，または主膵管の不規則な拡張を伴う膵の変形や萎縮
②特徴的な組織所見
　確診所見：膵実質の脱落と線維化が観察される．膵線維化は主に小葉間に観察され，小葉が結節状，いわゆる硬変様をなす.
　準確診所見：膵実質が脱落し，線維化が小葉間または小葉間・小葉内に観察される.
④血中または尿中膵酵素値の異常
　以下のいずれかが認められる.
　a. 血中膵酵素*2 が連続して複数回にわたり正常範囲を超えて上昇あるいは低下
　b. 尿中膵酵素が連続して複数回にわたり正常範囲を超えて上昇
⑤膵外分泌障害
　BT-PABA 試験(PFD 試験)で尿中 PABA 排泄率の明らかな低下*3 を認める.
⑥ 1 日 60g 以上(純エタノール換算)の持続する飲酒歴または膵炎関連遺伝子異常*4

早期慢性膵炎の画像所見
　a，b のいずれかが認められる.
　a. 以下に示す EUS 所見 4 項目のうち，1）または 2）を含む 2 項目以上が認められる.
　　1）点状または索状高エコー(Hyperechoic foci [non-shadowing] or Strands)
　　2）分葉エコー(Lobularity)
　　3）主膵管境界高エコー(Hyperechoic MPD margin)
　　4）分枝膵管拡張(Dilated side branches)
　b. MRCP または ERCP 像で，3 本以上の分枝膵管に不規則な拡張が認められる.

解説 1. US または CT によって描出される膵嚢胞，膵腫瘤ないし腫大，および不規則でない膵管拡張は膵病変の検出指標として重要である．しかし，慢性膵炎の診断指標としては特異性が劣る．従って，これらの所見を認めた場合には画像検査を中心とした各種検査にて確定診断に努める．
解説 2. *1 "不規則" とは，膵管径や膵管壁の平滑な連続性が失われていることをいう．
*2 "血中膵酵素" の測定には膵アミラーゼ，リパーゼ，トリプシン，エラスターゼ 1 など膵特異性の高いものを用いる．
*3 "BT-PABA 試験(PFD 試験)における尿中 PABA 排泄率の低下" とは，6 時間排泄率 70%以下をいい，複数回確認することが望ましい．
*4 "膵炎関連遺伝子異常" とは，カチオニックトリプシノーゲン(*PRSS1*)遺伝子の p.R122H 変異や p.N29I 変異，膵分泌性トリプシンインヒビター(*SPINK1*)遺伝子の p.N34S 変異や c.194+2T>C 変異など，膵炎との関連が確立されているものを指す．
解説 3. MRCP については，可能な限り背景信号を経口陰性造影剤の服用で抑制し，以下の撮像を行う．
1) 磁場強度 1.5 テスラ(T)以上で，シングルショット高速 SE 法で 2D 撮像を行う．
2) より詳細な情報を得たい場合は，息止めまたは呼吸同期の 3D 高速 SE 法を追加する．
3) 早期慢性膵炎の診断に際しては，分枝膵管像を詳細に評価するに耐えうる画像を撮像することが必要であり，磁場強度 3.0 テスラ(T)での撮像が望ましい．
解説 4. 早期慢性膵炎の EUS 所見は以下のように定義する．
1) 点状高エコー：陰影を伴わない縦横 3mm 以上の点状に描出される高エコー．3 つ以上認めた場合に陽性とする．
2) 索状エコー：3mm 以上の線状に描出される高エコー．3 つ以上認めた場合に陽性とする．
3) 分葉エコー：大きさは 5mm 以上の，線状の高エコーで囲まれた分葉状に描出される所見．3 つ以上認めた場合に陽性とし，各分葉エコーの連続性は問わない．
4) 主膵管境界高エコー：膵管壁の高エコー所見．膵体尾部で観察される主膵管の半分以上の範囲で認めた場合に陽性とする．
5) 分枝膵管拡張：主膵管と交通のある 1mm 以上の径を持つ拡張した分枝膵管拡張とし，3 つ以上認めた場合に陽性とする．分枝型 IPMN との鑑別は時に困難である．

(日本膵臓学会．慢性膵炎臨床診断基準 2019．膵臓 2019; **34**: 279-281 より許諾を得て転載)

上になるとコレシストキニンの分泌が刺激され，膵外分泌が促され疼痛をきたす原因となる．したがって，疼痛発作を繰り返す例では，4〜5 回の分割食として一度あたりの脂肪摂取量を少なくして発作を予防する．脂肪のなかでは中鎖脂肪酸がリパーゼに依存することなく吸収され，膵に対する刺激が少ないため推奨される．総摂取カロリーは標準体重換算で 30〜35 kcal/kg/日とし，脂肪制限のある分を十分なたんぱく質(60 g/日以上)および膵外分泌刺激の少ない糖質で補う．十分な経口摂取のできない場合には，成分栄養で補充する．なお，経口摂取できる場合であっても成分栄養剤(ED)(エレンタール®)が栄養障害を改善し，疼痛対策としても有効であると報告され注目されている．また，一見よいと思われる食物繊維は栄養素の吸収を遅延させるため，避けるようにする．

b) 非代償期

すでに膵は線維化をきたし，炎症は起こりにくく，疼痛も起こさない時期である．非代償期では膵外分泌機能の低下により，経口摂取した脂肪は脂肪便として排泄され，体重減少がみられるため，脂肪制限を緩めて栄養状態を保つようにする．十分量の脂肪摂取(40〜50 g/日)と高力価消化酵素製剤(リパクレオン®)の投与が勧められる．また，脂溶性ビタミン(A，D，E，K)やミネラル(Ca，Fe，Mg，Zn)も欠乏しやすく，それぞれを補充する．さらにアルコール性ではビタミン B やビタミン C も欠乏しており，適宜補充する．

c) 栄養状態の評価

指標としては身体測定(体重，BMI)のみならず便の性状および放屁の臭いの問診が有用である．血液検査ではヘモグロビン，血清鉄，生化学(総蛋白，アルブミン，コリンエステラーゼ，コレステロール)，ミネラル(Cu，Mg，Zn)，脂溶性ビタミン，rapid turnover protein(プレアルブミン，レチノール結合蛋白，トランスフェリン)の測定が有用である．

❸膵癌

A 疾患の解説

膵癌は膵臓にできる悪性腫瘍である．早期発見が難しく，最も治療が難しいがんのひとつとして知られている．近年，日本における膵癌の死亡数は増加しており，2017 年のがんの死亡部位別にみると男性で第 5 位，女性で第 3 位である．死亡率は高いが，画像診断の進歩で早期に発見される症例が増えつつあり，治療法も進歩してきている．

膵癌のほとんどのものが「浸潤性膵管癌」である．膵癌は周囲に広がりやすいという特徴を持ち，発見された時点でほとんどが進行癌となっている．膵癌発生の危険因子とされるのは，予防のできない膵癌の家族歴，遺伝性膵癌症候群，遺伝性膵炎，膵管内乳頭粘液性腺腫，および予防のできる糖尿病，肥満，慢性膵炎(飲酒)，喫煙などである．

膵癌と診断された患者の自覚症状はがんのできる部位によってやや異なるが，腹痛(約 40%)，黄疸(約 15%)が多く，次いで腰痛や背部痛，体重減少などがある．膵癌と診断される前に糖尿病を発症していることが多い．また，糖尿病の発症や悪化は膵癌を発見する

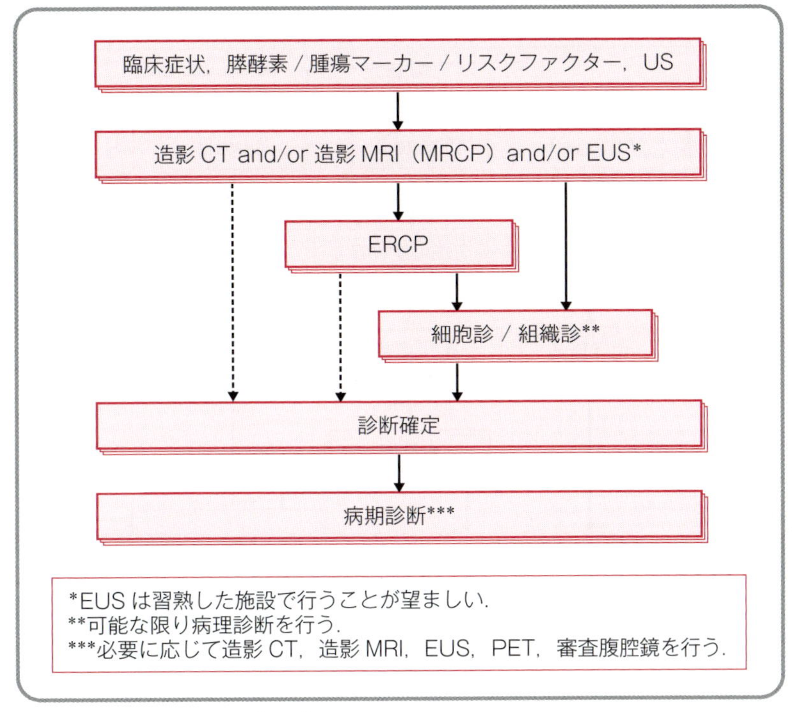

図４　膵癌診断のアルゴリズム
（日本膵臓学会膵癌診療ガイドライン改訂委員会（編）．膵癌診療ガイドライン 2019 年版，金原出版，東京，2019：p92 より許諾を得て転載）

契機となりうる．最近では，膵癌の初発症状としての急性膵炎も注目されている[5]．

B 病態栄養

診断時にすでに糖尿病または閉塞性膵炎に伴う膵外分泌機能障害をきたしていることがある（「②慢性膵炎」参照）．手術が不可能な場合では，がんの進行によるるい痩，疼痛や化学療法による食欲低下などの栄養障害に陥りやすい．十二指腸浸潤による通過障害がみられる場合，さらに栄養障害に陥りやすい．

C 評価と診断（図 4）

膵癌が疑われるとき，まず行われる検査は，膵酵素と腫瘍マーカーの測定である．腫瘍マーカーとしては，CEA，CA19-9，Span-1，DUPAN-2 などがあるが，膵癌があるからといって必ず上昇するとは限らない．腫瘍マーカーは，治療効果や術後再発の「マーカー」として役には立つが，早期発見としての役割はまったく果たさない．画像診断および病期分類は，腹部超音波検査（US），造影 CT，超音波内視鏡（EUS），MR 胆管膵管撮影（MRCP），内視鏡的逆行性胆管膵管造影（ERCP），陽電子放射断層撮影（PET）などにより行われる．

D 治療（図 5）

1．原疾患に対する治療

治療法の選択や予後の予測には，正確な病期診断が不可欠である．一般に CT を中心に，US や EUS を用いて総合的に判断されている．膵癌は診断時に進行していることが多く，切除可能な症例は限られる．切除以外の膵癌の治療法としては化学療法や放射線療法がある．

a）手術

根治術を目指した術式としては，がんが膵頭部にあるときは，膵頭部だけではなく十二指腸，胃の一部，胆嚢，胆管などを取り除く「膵頭十二指腸切除術」を行う．癌の浸潤具合により胃を切除しない「幽門輪温存膵頭十二指腸切除術」も行われる．膵体部や膵尾部にがんがあるときは，「尾側膵切除術」が行われる．

切除が望めない場合でも，QOL（生活の質）を向上させるために行う手術もある．膵癌の進行によって黄疸や消化管閉塞などが起こっているとき，内視鏡的ステント留置術やバイパス手術（胆管-空腸吻合術や胃-空腸吻合術など）が行われる．

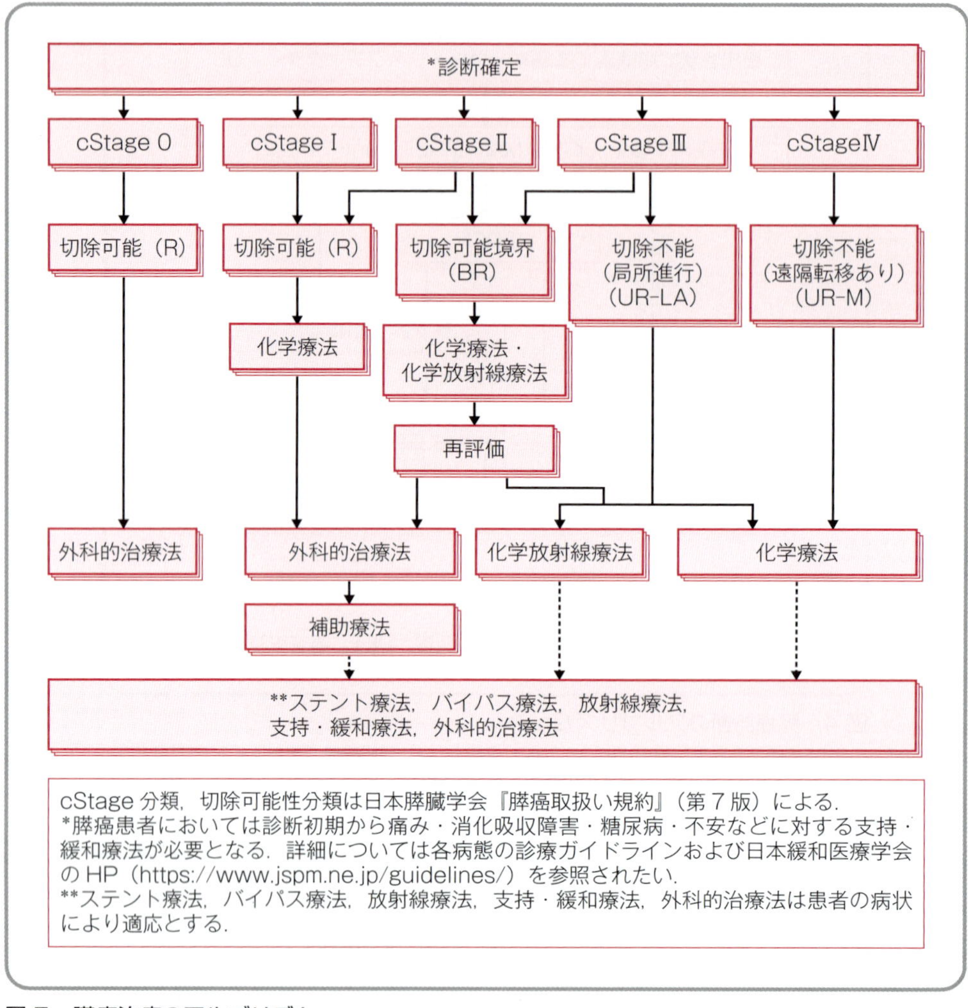

図 5　膵癌治療のアルゴリズム

cStage：clinical stage（臨床病期），R：resectable，BR：borderline resectable，UR：unresectable，LA：locally advanced，M：metastasis

（http://www.suizou.org/pdf/guide2019_P93.pdf より許諾を得て転載）

b）化学療法

2001 年にゲムシタビンが認可され，膵癌化学療法は大きく前進した．切除不能例や術後再発例に有効である．2006 年からは内服の抗がん薬である S-1 も認可され，術後補助療法（再発予防）として S-1 の有効性も示されている．ゲムシタビン，S-1 以外に FOLFIRINOX 併用療法（オキサリプラチン，イリノテカン，フルオロウラシル，レボホリナートカルシウム）やパクリタキセルの使用が認可され，放射線療法併用を含めた化学療法，特に術前化学療法の新たな展開が期待されている．

2．栄養生理からみた栄養管理

手術が可能な場合，術後できる限り早期に経腸栄養を再開することが消化吸収能の改善，消化管免疫の維持，それによる bacterial translocation の予防などにつながる（「①急性膵炎」参照）．

経口摂取が不能な場合にはやむを得ず静脈栄養を併用した栄養管理となるが，訪問看護を利用した在宅静脈栄養療法（HPN）とし，少しでも自宅での療養期間を長くするべきである．

食事療法で注意すべき点は，悪心や疼痛などによる摂取量の減少が全身状態の悪化につながるため，積極的に症状の緩和に努め摂取量を維持することが重要である．食事量が少ない場合には，栄養剤などで適宜補正する．

❹胆道系疾患

A 疾患の解説

胆道系疾患には，急性胆嚢炎の原因となりうる胆嚢系疾患(胆嚢癌，胆嚢結石，胆嚢ポリープなど)と，急性胆管炎や閉塞性黄疸などの原因となりうる胆管系疾患(胆管癌，総胆管結石など)がある．胆嚢結石は女性(female)，40 歳代(forty)，肥満(fatty)，多産(fertile)，白人(fair)，いわゆる 5F が危険因子とされている．

B 病態栄養

閉塞性黄疸では脂肪の吸収障害がみられるため注意を要する．

C 評価と診断

CT などの画像検査で診断するが，胆嚢系疾患はエコー，胆管系疾患は MRCP が特に有用である．診断が困難な場合には，侵襲的な検査である EUS および ERCP をさらに行うことがある．胆嚢結石症では過栄養を伴っていることが多く，身体測定のみならず食事の摂取内容を詳しく聴取する．閉塞性黄疸などに対してドレナージを目的とした胆汁外瘻術後では，脂肪の吸収障害を伴うことがあるため脂溶性ビタミンやミネラルの評価を行う．

D 治療

1．原疾患に対する治療

a）手術および内視鏡的治療

胆嚢癌および胆管癌では，手術の適応があれば胆嚢摘出術，胆管切除術を行う．周辺の肝臓，十二指腸などに浸潤のある場合には合併切除が行われることがある．急性胆嚢炎では腹腔鏡下胆嚢摘出術が第一選択である．閉塞性黄疸を合併している場合には，その原因(総胆管結石，胆管癌，膵癌など)が何であれ，まずは内視鏡的ドレナージ術が行われる．

b）化学療法

最近，胆道癌に対する GC 療法(ゲムシタビン，シスプラチン)が認可され，その予後が改善されつつある．膵癌と同様に新たな展開が期待されている．

2．栄養生理からみた栄養管理

有症状時は絶食とし，末梢静脈栄養とする．炎症および自覚症状が落ち着けば，脂肪制限食より開始する．

胆汁外瘻術後は電解質異常をきたしやすいため，ドレナージされた胆汁量と同量の細胞外液の補液が必要である．

ビタミン K 欠乏は出血傾向を招くため，閉塞性黄疸では脂溶性ビタミンのなかでもビタミン K を経静脈的に補充する必要がある．特に，観血的な治療(総胆管結石に対する内視鏡的乳頭切開術，閉塞性黄疸に対する経皮経肝胆管ドレナージ術など)を行う前には留意する．

文献

1) Druyan ME, Compher C, Boullata JI, et al; American Society for Parenteral and Enteral Nutrition Board of Directors. Clinical guidelines for the use of parenteral and enteral nutrition in adult and pediatric patients: applying the GRADE system to development of A.S.P.E.N. clinical guidelines. JPEN J Parenter Enteral Nutr 2012; **36**: 77-80
2) Arvanitakis M, Ockenga J, Bezmarevic M, et al. ESPEN guideline on clinical nutrition in acute and chronic pancreatitis. Clin Nutr 2020; **39**: 612-631
3) 急性膵炎診療ガイドライン 2015 改訂出版委員会(編)．急性膵炎診療ガイドライン 2015，第 4 版，金原出版，東京，2015
4) 日本膵臓学会．慢性膵炎臨床診断基準 2019．膵臓 2019; **34**: 279-281
5) 日本膵臓学会膵癌診療ガイドライン改訂委員会(編)．膵癌診療ガイドライン 2019 年版，金原出版，東京，2019

6 血液疾患，アレルギー疾患，膠原病

❶貧血

A 疾患の解説

貧血は赤血球の大きさや数，ヘモグロビン量が不足し，血液から組織への酸素の運搬が制限された状態である．通常はヘモグロビン(Hb)量が年齢により，表1のように定められている[1]．赤血球の指数には，表2のようにMCV，MCH，MCHCがあり，貧血は赤血球の大きさにより小球性・正球性・大球性に，ヘモグロビン量により低色素性，正色素性に分け，表3のように①小球性低色素性貧血，②正球性正色素性貧血，③大球性正色素性貧血，の3つのタイプに分類される．

表1　貧血の判定基準

	Hb(g/dL)
幼児(6ヵ月～4歳)	<11.0
小児(6～11歳)	<11.5
小児(12～14歳)	<12.0
成人女性(15歳以上)	<12.0
妊婦	<11.0
成人男性(15歳以上)	<13.0

(WHO. Haemoglobin concentrations for the diagnosis of anaemia and assessment of severity. Vitamin and Mineral Nutrition Information System, WHO, Geneva, 2011より引用)

表2　赤血球指数

指数	計算方法	基準範囲
MCV	Ht/RBC×10^3	81～100fl
MCH	Hb/RBC×10^3	29～35pg
MCHC	Hb/HT×100	31～35%

Ht：%，Hb：g/dL，RBC：×10^4/μL

B 病態栄養

貧血の病態は様々であるが，栄養摂取の不足で起きるものを栄養性貧血と呼び，最も頻度が高いのが鉄欠乏性貧血である．ほかに葉酸，ビタミンB_{12}の欠乏で起きる，巨赤芽球性貧血がある．まれではあるがその他のビタミンや微量元素の欠乏でも貧血になりうる．栄養性貧血では，欠乏した栄養素を補うことが治療となる．

C 評価と診断

評価のためにはまず問診により，発熱，異常出血の有無，下血の有無，便の色，食欲・偏食の有無，月経の状態・量・期間，子宮筋腫の有無，飲酒状況，消化器症状，手術歴，服用薬の種類・量を確認する．診察は皮膚，眼瞼結膜，爪，口腔粘膜を観察する．さらに舌，頭髪の性状，聴診による心雑音の有無を確認する．検査は一般的な血算のほかに，網状赤血球，血清鉄，不飽和鉄結合能，フェリチンを確認する．貧血の診断はHb(表1)とMCV・MCHC(表2，表3)により行い，貧血をきたす疾患を鑑別する．

D 治療

鉄欠乏性貧血の場合は，鉄剤を経口投与する．鉄の吸収は空腹時がよいが，副作用としてしばしば吐き気，胸やけ，下痢や便秘などの症状があり，食事と一緒に内服することで軽減するので，吸収率が悪くても食事

表3　貧血の分類

	小球性低色素性貧血	正球性正色素性貧血	大球性正色素性貧血
MCV	低下	正常	上昇
MCHC	低下	正常	正常
主な疾患	鉄欠乏性貧血，鉄芽球性貧血，サラセミア	再生不良性貧血，溶血性貧血，症候性貧血	巨赤芽球性貧血

中に内服するのもよい．また，副作用は鉄の量が多いほど出やすく，内服を続けることで改善するので，少量からの投与もよい．鉄の吸収はアスコルビン酸と肉の存在で増加し，茶・ミルクの存在で減少する．鉄欠乏性貧血では鉄貯蔵を十分に保つために，少なくとも6ヵ月の鉄剤投与が勧められる．胃腸障害や胃切除後で鉄の吸収が不十分な場合，鉄剤の静脈投与を行う．鉄欠乏性貧血の予防には，鉄を多く含む食事を摂ることも勧められる．

巨赤芽球性貧血の場合は，不足するビタミンの補充となるが，ビタミン B_{12} の場合はまず静脈注射または筋肉注射で急速に補充し，1〜2ヵ月ごとに続けるか毎日内服に切り替えて補充を続ける．葉酸は経口投与とし，血液学的なデータが改善するまで続ける．

❷血液がん

A 疾患の解説

血液がんは，白血病，悪性リンパ腫，多発性骨髄腫である．治療は化学療法と造血幹細胞移植が中心になる．ここでは小児の白血病を中心に化学療法を行ううえで必要となる，栄養に関連する支持療法について述べ，次の項で造血幹細胞移植について述べる．

B 病態栄養

がんに関連する栄養を考えるうえで，必須の概念が悪液質（cachexia）とサルコペニア（sarcopenia）である．European Palliative Care Research Collaborative（EPCRC）のがん悪液質の定義は，「栄養療法で改善困難な著しい筋肉量の減少が脂肪量の減少の有無にかかわらずみられ，進行性に機能障害をもたらす複合的な栄養不良の症候群で，病態生理学的には栄養摂取量の減少と代謝異常によってもたらされる蛋白およびエネルギーの喪失状態である」とされる．サルコペニアは筋量と筋機能の低下である．これらはがん自体による代謝の変化によっても，治療薬の副作用としても，治療に伴う環境の変化によっても起こりうる．

種々の抗がん薬はそれぞれ副作用として固有の消化器症状を呈する．栄養に関する副作用としては，悪心・嘔吐，下痢，便秘，口内炎，口腔乾燥，味覚障害，食欲不振がある．主に小児の白血病に用いる抗がん薬による，消化器系の副作用とその程度について表4に示す．

悪心・嘔吐は，抗がん薬治療中に経験する最も頻度の高い副作用のひとつである．投薬開始24時間以内にみられる「急性」，それ以降の「遅発性」，経験により投与前にみられる「予測性」がある．

下痢は副交感神経の刺激による「急性」と，抗がん薬の腸粘膜障害による「遅発性」がある．

便秘は抗がん薬投与後数日で，腸蠕動運動を低下させるために起きる．長期間の臥床による運動量の低下や一部の制吐薬も便秘の要因となる．

口内炎は痛みを伴い，食欲の低下を招く．口腔乾燥は唾液腺が萎縮し，唾液が減少することによって起きる．

味覚障害は，薬剤による舌の味蕾細胞の障害により起きる場合と，味覚神経の障害による場合がある．

食欲不振は，消化器系副作用としても，ストレスによっても起きる．

表4　抗がん薬による消化器系の副作用とその程度

	悪心・嘔吐	下痢	便秘	口内炎
メトトレキサート		○		◎
シタラビン	○	○		○
ビンクリスチン			◎	○
シクロホスファミド	◎			○
イホスファミド	○			○
ドキソルビシン	○			◎
イリノテカン	○	◎		
エトポシド		○		
シスプラチン	◎			

◎：非常に強い，○：強い，印がないものも多少の症状があるものが多い

C 評価と診断

体重の時間経過が最も重要な指標となるが，その他の身体計測も併せて行う．

悪液質の診断は体重減少とサルコペニアの存在で行う．サルコペニアは歩行速度，握力，筋肉量で診断するが，日本における明確な診断基準はまだない．

血液生化学検査としては，アルブミン，トランスサイレチン，亜鉛などを確認する．

D 治療

それぞれの症状に対する薬物療法がある．

悪心・嘔吐に対しては，5-HT_3 拮抗薬，デキサメタゾン，抗不安薬が用いられる．

下痢に対しては，症状が強い場合には止痢薬を用いることもある．

便秘に対しては，症状が強い場合には酸化マグネシウムや腸蠕動促進薬を使うことがある．

口内炎，口腔乾燥に対しては，口腔ケア，うがい薬を用いたうがいなどがある．

味覚障害に対しては，亜鉛や鉄の不足によって生じている場合にはこれらを補充する．

それぞれの症状に対する食事上の注意点を以下にあげる[2]．

①悪心・嘔吐：少しずつ回数を増やして食べる，冷たく口あたりもよく，飲み込みやすいものを食べる，油っこい食事は控える，シンプルな食事を食べてみる，同じものを続けて食べない，脱水に気をつけて水分と電解質をとる．

②下痢：香辛料や脂肪を多く含む食品，甘みの強い食品，濃い味つけを控える，不溶性食物繊維を多く含む食品を避け，消化吸収のよい食品をとる，低脂肪で高たんぱく質な食事とする，発酵しやすい食品を控える，水分と電解質を補う，ひどいときには絶飲食にして水分の補給のみにする．

③便秘：穀類と野菜を毎食取り入れ，食物繊維を適度にとる，水分を十分にとる，よく噛む食事を習慣化する，朝食をできるだけ同じ時間に食べ，腸への刺激を与える．

④口内炎：主食は軟らかいご飯やお粥などにする，フライを避けて焼き物や煮物にする，人肌程度または冷まして食べる，味つけはだしをしっかりとって薄味にする，りんごはすりおろして食べる，固形の食べ物はマヨネーズなどをつけて食べる，口内を常に湿らせておく．

⑤口腔乾燥：主食を軟らかいご飯やお粥にする，調理方法は煮る・蒸すようにする，あんかけにしてとろみをつける，硬い食べ物は肉汁，ソースなどを加える，のど越しのよい食品を取り入れる，飲み物や汁物を添えて食事をする．

⑥味覚障害：表5に示した．

⑦食欲不振：悪心などがないときに食べられそうなものを食べてみる，自分にあった味つけや温度を探す，少量ずつ盛りつけて品数を増やしてみる，主食を変えてみる，箸休めや汁物を取り入れる，栄養補助食品を利用する．

治療経過中に悪液質やサルコペニアに陥らないようにするためには，治療開始と同時にこれらの食事指導が行えるようにしておくことのほか，歯科による専門の口腔ケア，適度な運動が継続できるようなリハビリテーションの処方，心理的なサポートが同時に行われる必要がある．多職種によるチーム医療が重要である．

表5　味覚障害への対策

塩味や醤油味を苦く感じたり，金属のような味がする場合
○柑橘類やフルーツで味覚を刺激して，唾液分泌を促進する ○塩の使用を控えめにする ○だし，ゴマ，酢を利用する ○甘いソースで漬ける ○肉をチキン，卵，乳製品に替える
甘みが過剰になり，何を食べても甘く感じる場合
○砂糖やみりんは使わないようにする ○塩，醤油，味噌を少し濃いめの味つけにする ○汁物を試してみる ○酢の物，ゆずやレモンの酸味，スパイスを利用する
まったく味を感じない場合
○味つけは濃いめにし，甘味，酸味，塩味などを試す ○酢の物，汁物，果物を利用してみる ○温度を人肌程度に下げる
食べ物を苦く感じる場合
○苦みが我慢できない場合，あめやキャラメルなどで口直し ○だしを利かせた汁物を試す ○卵豆腐や茶碗蒸しを試す ○好みに応じて，薬味や香辛料を取り入れる

（がん研究振興財団．食事に困った時のヒント，2009より引用）

付）造血幹細胞移植

A 解説

造血幹細胞移植（hematopoietic stem cell transplantation：HSCT）とは，骨髄の幹細胞を根絶させて，新たに自己あるいは他者の造血幹細胞を輸注する治療である．血液がん（白血病，悪性リンパ腫），一部の固形癌といくつかの血液・免疫系の疾患に対して行われる．

まず多量の抗がん薬や放射線により骨髄の造血幹細胞を破壊（前処置）し，その後に造血幹細胞を輸注する．輸注する細胞の種類により，骨髄移植（bone marrow transplantation：BMT），末梢血幹細胞移植（peripheral blood stem cell transplantation：PBSCT），臍帯血移植（umbilical cord blood transplantation：UCBT）に分類される．

B 病態栄養

前処置と幹細胞移植後に，好中球減少と免疫抑制の状態が，骨髄生着まで 2～3 週間続く．多岐にわたる口腔，胃腸障害，感染症，主要臓器障害と移植片対宿主病（graft-versus-host disease：GVHD）がしばしばみられ，経口摂取と栄養状態にも影響を及ぼす[3]．

1．合併症

a）口腔，胃腸合併症

口内炎，食道炎，口腔乾燥症，味覚障害，食欲不振，悪心・嘔吐，下痢，便秘がある．

b）類洞閉塞症候群

類洞閉塞症候群（sinusoidal obstruction syndrome：SOS）（従来，肝中心静脈閉塞症（veno-occlusive disease：VOD）と呼ばれていた）は，移植後最初の 1 ヵ月に起こりうる合併症である．肝静脈の線維性閉塞を特徴とし，化学放射線療法と関連する．臨床的特徴としては，腹水を伴った突然の体重増加，腹痛，肝腫大，高ビリルビン血症（血清ビリルビン＞2 mg/dL），黄疸などがあり，重症では脳症がみられる．

c）腎合併症

腎不全は溶血症候群，類洞閉塞症候群，血管内脱水，薬物投与，敗血症に関係している可能性がある．

d）GVHD

GVHD は，移植されたリンパ球が起こす免疫反応である．影響を受ける主要な標的臓器は，皮膚，肝臓と胃腸管である．臨床症状は，悪心・嘔吐，食欲不振，下痢，腹痛が含まれる．多量の粘液性下痢と腸管出血は進行期に出現する．吸収不良や腸管蛋白喪失は，腸管 GVHD に関連した粘膜変性に特徴的である．

e）感染症

感染症は死亡の主要な因子である．治療としての抗生物質，抗真菌薬により口腔，消化管症状が出ることもあるため，経口摂取や栄養状態に影響することがある．

2．長期的な合併症

a）慢性 GVHD

慢性 GVHD は移植後 70 日以降に出現して，HLA が完全一致していない血縁者と非血縁者のドナーによる移植で頻度が増加する．慢性 GVHD の患者で移植 1 年後に報告されている栄養学的な問題は，体重増加，体重減少，口腔過敏症，口腔乾燥症，口内炎，食欲不振，胃酸逆流，下痢である．

b）移植関連微小血管障害

移植関連微小血管障害（transplantation-associated microangiopathy：TAM）が下痢，血便の原因となり，蛋白および塩類喪失を引き起こすことがある．

c）骨粗鬆症

GVHD の治療として普通に使われる長期作用性コルチコステロイドの合併症として，骨粗鬆症があげられる．

d）発育障害

二次性徴と発育の障害が小児ではかなりの頻度で認められる．成長速度の低下，成長ホルモンの欠乏，思春期開始の遅れなどがある．

C 評価と診断

造血幹細胞移植に関連した合併症は患者の栄養状態と密接に関係することもあり，栄養評価は移植前から移植期間全体を通して続ける必要がある．

栄養評価には，病歴，治療歴，栄養歴，身体計測，血液生化学検査などがある．

血液検査としては，腎機能（クレアチニン，血液尿素窒素），電解質（ナトリウム，カリウム，マグネシウム，カルシウム，リン），肝酵素（ビリルビン，AST，ALP），アルブミン，トランスサイレチン，脂質（コレステロール，中性脂肪）などがある．

D 治療

栄養必要量は，前処置，発熱，感染症，代謝異常などによるストレスのため，造血幹細胞移植後早期にエネルギー量も蛋白量も増加する．静脈内脂肪乳剤投与により免疫抑制作用があると考えられているが，実際には造血幹細胞移植時に脂肪乳剤の投与で細菌や真菌の感染率が増加するというエビデンスはない．脂肪はむしろ効率のよいエネルギー源であり，必須脂肪酸の供給源にもなるため，投与速度を 0.1 g/kg/時以内になるように注意のうえで投与する．電解質，微量元素，ビタミンについて不足しないように注意する．必要があれば，サプリメントで補充する．

消化器症状については血液がんの項に譲るが，特に

表6　胃腸 GVHD の栄養サポート

病期	臨床症状	食事	栄養サポート
1. 休腸期	消化管痙性痛，大量水様便，活動性消化管出血，低アルブミン，腸通過障害，小腸閉塞，腸音微弱，悪心・嘔吐	絶食	高カロリー輸液，ビタミン，微量元素
2. 経口投与開始期	軽度腹痛，軽度下痢，腸通過改善，断続性悪心，嘔吐	経口を少量ずつ開始（等張性，低残渣，低乳糖飲料）	高カロリー輸液，食べられなければ経腸栄養剤
3. 固形物の開始期	腹痛わずか，固形便	固形物開始（低食物繊維，低乳糖，低脂肪），酸味や刺激の強いものは避ける	高カロリー輸液を減量，食べられなければ経腸栄養剤の注入
4. 食事の展開期	腹痛わずか，固形便	便の性状から脂肪の吸収障害が疑われれば低脂肪	消化管症状に合わせて経腸．高カロリー輸液は補助的に
5. 普通食の再開期	腹痛なし，正常便	ゆっくりと制限を解除していく	高カロリー輸液中止．経腸栄養剤は補助的に

表7　免疫反応の種類を他者で分類

他者	具体例	免疫の種類	有利か不利か
敵（侵略者）	ウイルス，細菌，真菌，寄生虫	感染免疫	○
無害な他者	ダニ，動物のフケ，花粉，食物	アレルギー	×
移植片		移植免疫	×
胎児		生殖免疫	×
自己の一部			
無法者	がん細胞	腫瘍免疫	○
正常な細胞		自己免疫	×

（高増哲也．かゆいかゆい―アトピー性皮膚炎．小児疾患のとらえかた，別所文雄ほか（編），文光堂，東京，2003: p368-378 より引用）

口内炎に対しては治療前からの歯科専門家による口腔ケアが非常に重要となる．

感染予防については，生ものや発酵食品の菌を含むものを食べないなどの対応をする[3]．日本造血細胞移植学会のガイドラインも参考にする[4]．

類洞閉塞症候群に対しては，静脈栄養とナトリウムの負荷を減らす．継続的に高ビリルビン血症（血清ビリルビン>10 mg/dL）のある患者には静脈栄養剤から銅とマグネシウムを除くこと，血清中性脂肪をモニタリングすることが行われる．

腎不全については，補液が許される範囲で最大限の栄養サポートを行う．電解質の補正，透析中はビタミンの補充を行う．

胃腸 GVHD の栄養サポートについて，表6に示す[3]．

骨粗鬆症の予防や治療として，カルシウムやビタミンDの補充を行う．

❸アレルギー疾患

A 疾患の解説

免疫は他者から自己を守るための細胞レベルでの仕組みである[5]．免疫を他者で分類すると表7のようになる．アレルギーとは，本来無害な相手（アレルゲン）に対する免疫反応である．アレルゲンは生体内に侵入する意図がないため，アレルギーは体の内と外を分ける面，すなわち皮膚と粘膜の表面上で起きる．アレルギー反応の場による分類は表8のようになる．アレルギー疾患は主にアレルギーによって引き起こされる疾患群であり，気管支喘息，アレルギー性鼻炎，アレルギー性結膜炎，アトピー性皮膚炎，蕁麻疹，接触皮膚炎，食物アレルギーなどがある．

表8　アレルギー反応の場による分類

アレルギー反応の場	主な疾患	主なアレルゲン
皮膚	アトピー性皮膚炎	?
眼	アレルギー性結膜炎	吸入性アレルゲン（ダニ，花粉，カビ，動物のフケ）
鼻腔	アレルギー性鼻炎	
気道	気管支喘息	
口腔	oral allergy syndrome	果物，野菜
消化管	食物アレルギー	食餌性アレルゲン
皮内・皮下	虫刺症，医療行為の副作用	ハチ，予防接種，減感作のエキス

（高増哲也．かゆいかゆい―アトピー性皮膚炎．小児疾患のとらえかた，別所文雄ほか（編），文光堂，東京，2003: p368-378 より引用）

B 病態栄養

アレルギー疾患の病態は，皮膚・粘膜の炎症と過敏性にある．炎症は主に免疫反応によって引き起こされる．抗原提示細胞では，主にマクロファージ，樹状細胞が関与する．リンパ球では，Th1 に比して Th2 の活性が高くなっており，Th2 タイプのサイトカインが優位となっている．エフェクター細胞としては主に好酸球，抗体としては主に IgE が関与している．ケミカルメディエータとしては，ヒスタミン，ロイコトリエンが関与している．炎症と過敏性は相互に関与している．気管支喘息の診断では気道過敏性検査が行われる．

アレルギー疾患における栄養の関与についての全容は明確ではないが，いくつかの説は注目されている．不飽和脂肪酸の $\omega 3/\omega 6$ 比を高くするとアレルギー性炎症が起きにくくなるとする説があり，ロイコトリエンとの関与が示唆される．また，腸内細菌叢のバランスについての検討もあり，妊婦と乳児期早期のこどもにある種の乳酸菌を投与することにより，アトピー性皮膚炎の発症率を低下させたとする報告がある．

C 評価と診断

アレルギー疾患の評価と診断にとって，最も重要な情報は問診による病歴聴取にある．皮膚・粘膜の炎症と過敏性を示すエピソードがあるかどうか，またそれが特定の抗原の曝露によって引き起こされているか，病歴より検討する．

検査としては，血清中の総 IgE 値，特異的 IgE 値を測定したり，皮膚テスト（プリックテスト，スクラッチテスト）を行ったりするが，いずれも検査の結果だけによって判断するのではなく，病歴との関連性があるかどうかで判断するべきである．

D 治療

アレルギー疾患の治療は，起きている症状に対する対症療法と，症状が起きないようにする予防治療に二分される．

症状に対する対症療法は，気管支喘息の場合，気管支拡張薬と去痰が中心となる．アトピー性皮膚炎の場合は，瘙痒を緩和させるための外用薬や抗ヒスタミン薬の内服などである．

一方，予防治療は炎症を抑制することを目的として，局所ステロイド療法が中心となっている．気管支喘息では吸入ステロイド，アトピー性皮膚炎では外用ステロイド，アレルギー性鼻炎では点鼻ステロイドである．その他には，気管支喘息では抗ロイコトリエン薬，長時間作動性 β_2 刺激薬，アトピー性皮膚炎ではタクロリムス外用薬，保湿薬，抗アレルギー薬などがある．根本的な治療は，抗原に対する免疫反応によって症状が起きることを解決するのを目的とした免疫療法である．皮下，舌下，経口的に抗原を投与する方法が試みられている．

生体に有益な作用を及ぼす腸内細菌（乳酸菌，ビフィズス菌など）をプロバイオティクス，有益な菌の増殖を促して，生体に有益な生理効果を発揮する物質（水溶性食物繊維やオリゴ糖など）をプレバイオティクスといい，両者を同時に投与する方法をシンバイオティクスという．これらをアレルギー疾患の予防に対して用いることも注目されているが，現時点ではエビデンスが十分とはいえない．

表 9　新規発症の原因食物

n=2764

	0 歳 (1356)	1，2 歳 (676)	3〜6 歳 (369)	7〜17 歳 (246)	≧18 歳 (117)
1	鶏卵 55.6%	鶏卵 34.5%	木の実類 32.5%	果物類 21.5%	甲殻類 17.1%
2	牛乳 27.3%	魚卵類 14.5%	魚卵類 14.9%	甲殻類 15.9%	小麦 16.2%
3	小麦 12.2%	木の実類 13.8%	落花生 12.7%	木の実類 14.6%	魚類 14.5%
4		牛乳 8.7%	果物類 9.8%	小麦 8.9%	果物類 12.8%
5		果物類 6.7%	鶏卵 6.0%	鶏卵 5.3%	大豆 9.4%

各年齢群毎に 5%以上を占めるものを上位 5 位表記

（今井孝成，杉崎千鶴子，海老澤元宏．消費者庁「食物アレルギーに関連する食品表示に関する調査研究事業」平成 29（2017）年即時型食物アレルギー全国モニタリング調査結果報告．アレルギー 2020；**69**：701-705 より引用）

表 10　食物アレルギーと栄養問題

除去食物	注意すべき栄養素	代替品	他の注意点
鶏卵	たんぱく質	肉・魚	卵白＞卵黄，生＞加熱で症状が起きやすい
牛乳	カルシウム・たんぱく質，ビタミン B_2	小魚・青菜・アレルギー用ミルク	抗原性は加熱してもあまりかわらない
小麦	炭水化物	米	発酵食品は大丈夫なことが多い
魚	たんぱく質・ビタミン D	肉・卵	魚に共通の成分に反応していることが多い
果物	ビタミン C など	他の果物・野菜	ビタミン C はジャガイモに多い

（高増哲也．食物アレルギー．チームで実践!!　小児臨床栄養マニュアル，高増哲也，深津章子（編），文光堂，東京，2012：p152-154 より作成）

❹食物アレルギー

A 疾患の解説

食物アレルギーは，本来は敵ではない食物に対する免疫反応によって症状が起きることである．食物は通常，経口摂取されて消化管を通過するが，皮膚や気道粘膜に接触することもあり，それによる反応も含まれる．症状は，皮膚（蕁麻疹・湿疹），のどの違和感，呼吸器（咳，喘鳴），消化器（腹痛・下痢・嘔吐），神経（眠気など），血圧低下などがある．

日本の食物アレルギーの有病率は，乳児で 5〜10%，幼児で約 5%，学童期以降で 2〜5%程度といわれている．

即時型食物アレルギーの原因食品は，鶏卵，牛乳，小麦の順に頻度が高い[6]．年齢別（表 9）にみると，0 歳では鶏卵，牛乳，小麦で 9 割以上を占めるが，1 歳以降は鶏卵と牛乳の占める割合は減少し，年齢とともに木の実類，魚類，さらに甲殻類，果物類の割合が増加する．

B 病態栄養

食物アレルギーでは原因となる食物を摂取することができないため，原因となる食物の種類と内容により，栄養面での考慮が必要となることがある（表 10）[7]．鶏卵を除去する必要がある場合，たんぱく質の摂取不足とならないように，代替品として肉や魚を摂取するようにする．牛乳の場合はカルシウムやビタミン B_2 が不足しないよう，牛乳アレルギー用の加水分解乳を用いることがある．小麦は主食の原料であるので，除去を必要とする場合，主食は米が中心となる．魚と鶏卵の両者の除去を必要とする場合には，ビタミン D 欠乏に注意が必要となる．

C 評価と診断

食物アレルギーの診断にとって最も重要なのは，病歴である．すなわち，何を食べてどれくらい経って何が起きたかという情報である．検査としては，血清中の総IgE値，特異的IgE値を測定すること，皮膚テスト（プリックテスト，スクラッチテスト）を行うことがあるが，いずれも検査の結果だけではなく，病歴との整合性を確認する必要がある．食物を実際に食べてみる検査である食物経口負荷試験を行うのが最も確実な診断法であるが，症状が起きる可能性があるため，医療機関で慎重に行う．

D 治療

食物アレルギーの対処法としては，原因となっている食物を特定し，必要最小限の食物除去を行えば，症状を防ぐことができる．安全に食べることができる条件が明確であれば，その範囲内で食べることは通常の食事療法の範囲内といえる．さらに食べる量を増量することで耐性を獲得することを目指す，経口免疫療法（oral immunotherapy）が試みられており，一定の成果をあげている．ただし，現行の食物アレルギー診療ガイドラインでは経口免疫療法を一般診療で行うことは推奨しない，とされている．

食物アレルギーの発症を予防するために，妊娠中・授乳期・離乳食の母親と乳児の食事については，以前は発症前から除去食とすることが勧められたが，現在では根拠がないとされている[8]．したがって，アレルギー疾患発症予防を目的として，妊娠中・授乳中に母親が食物除去を行うこと，離乳食で食物除去を行うことは勧められない．

❺自己免疫疾患

A 疾患の解説

自己免疫疾患とは，自己抗原に対する免疫反応によって引き起こされる疾患群であり，厳密には全身に影響する全身性自己免疫疾患と特定の臓器だけに影響する臓器特異的自己免疫疾患に分けられる．ここでは全身性のものについて論じる．自己免疫疾患は，膠原病，リウマチ性疾患と概念が重複する．免疫の異常と，それに伴う結合組織の慢性炎症を特徴とする全身性疾患の総称であり，組織学的には結合組織のフィブリノイド変性を特徴とし，多彩な自己抗体の産生を認める．疾患として最も頻度が高いのは関節リウマチ（rheumatoid arthritis：RA）で，次いで全身性エリテマトーデス（systemic lupus erythematosus：SLE），Sjögren症候群，全身性強皮症，多発性筋炎/皮膚筋炎，抗リン脂質抗体症候群，血管炎症候群と続く．臨床症状は多彩で，関節炎，発熱，朝のこわばり，全身倦怠感，体重減少，貧血，Raynaud現象，リンパ節腫大，皮膚粘膜症状，眼症状，筋症状などがある．

B 病態栄養

自己免疫疾患の病因は不明であるが，免疫の異常，遺伝的素因，環境因子（感染，ストレスなど）など多因子が関与し発症するといわれている．免疫異常と慢性炎症に対して，免疫抑制作用や抗炎症作用のある薬物療法を行う．一部の疾患では免疫のどの部分が病態に主にかかわっているのか解明されつつあり，より特異的な生物学的製剤による治療の可能性が注目されている．栄養が病態に直接かかわっているという証拠はないが，症状により，また薬物療法の副作用により，栄養状態に影響しうるので，栄養療法を行う．SLEでは蛋白漏出性胃腸症をきたすことがある．

C 評価と診断

評価と診断は個々の疾患の診断基準によって行う．診断は主に特徴的な臨床症状の存在と，血液検査による炎症所見，自己抗体の存在を確認することなどにより行う．

D 治療

自己免疫疾患の治療は個々の疾患のガイドラインに沿った薬物療法を中心として，栄養療法，食事指導，リハビリテーション，患者および家族の教育とサポートが行われる．

1．薬物療法

薬物療法には副腎皮質ステロイド，免疫抑制薬，抗リウマチ薬，非ステロイド抗炎症薬，生物学的製剤などがある．副腎皮質ステロイドは強力な抗炎症作用と免疫抑制作用があり，特に初期治療の中心的役割をする．免疫抑制薬はステロイド療法のみでは効果が不十分な場合や，ステロイドの減量が困難な場合に併用で用いられる．抗リウマチ薬は関節破壊の進行を防止または抑制するため，診断早期から用いることが勧められている．非ステロイド抗炎症薬はシクロオキシゲナーゼの阻害によりプロスタグランジンの産生を抑制し，抗炎症作用，鎮痛・解熱作用を有する．生物学的製剤は新たな治療薬で，抗TNF-α抗体や抗IL-6受容体抗体，抗T細胞抗体，抗B細胞抗体などが用いられつつある．

2．栄養療法

自己免疫性疾患は全身消耗性の疾患であるので，総エネルギー量，各栄養素のバランスを考慮し，ビタミン，ミネラルが不足しないように配慮が必要である．総エネルギー量の設定は通常の方法を用いるが，ステロイドの投与により，中心性肥満，筋萎縮，高血圧，高脂血症，糖尿病，骨粗鬆症などが引き起こされることに注意が必要である．また，関節症状により日常生活が制限されて，低栄養による体重減少がみられると，日常生活の制限が高度に進行するため，注意が必要である．逆に体重増加により荷重関節への負担が増え，関節症状の悪化を引き起こすこともあるため，肥満にも注意が必要である．

不飽和脂肪酸のω3/ω6比を高くすると慢性炎症が起きにくくなるとする説がある．メトトレキサート（MTX）は葉酸代謝阻害薬であり，これを使用する場合は葉酸不足にならないように野菜を十分にとる，サプリメントで補充するなどする．慢性炎症に伴い貧血がしばしばみられるので，鉄分の十分な摂取に心がける．骨粗鬆症予防のために，カルシウム，ビタミンD，ビタミンKの十分な摂取に心がける．腎障害がみられる場合はその程度に合わせて塩分，たんぱく質，水分の制限を行う．

RAの栄養療法として，絶食療法，菜食療法が有効という説があったが，現在では勧められないとされている[9,10]．

3．食事指導

RAでは関節の破壊や変形により，様々な身体的障害（肢体不自由，筋力低下）をきたす．このため食事摂取が困難となる場合には，適切な食事摂取のために補助器具や調理器具を紹介する必要がある．

強皮症では消化管病変として食道下部の硬化や逆流による症状や，小腸以下の下部消化管の蠕動機能低下による便秘，吸収不良による下痢がみられることがある．これらの症状に対して軟らかく消化のよい食事にしたり，一度に大量摂取をしない，食事中や食後しばらくの間は坐位ないし半坐位を保つ，繊維の多いものは避け，低残渣食とする，脂肪分や肉類を避けるといった注意が必要である．

皮膚筋炎では嚥下困難，特に固形物の嚥下困難を訴えることが多い．このような場合は固形物を小さくしたり，流動に近い状態にするなど注意を払う必要がある．

自己免疫疾患の全身状態は食生活と互いに深くかかわっており，その栄養状態はその病期・病態によって大きく差があるため，個々の患者の栄養状態を評価したうえで栄養管理を行っていく．

❻免疫不全症候群

A 疾患の解説

免疫不全症候群は，免疫系のいずれかの部分に欠陥があるために，感染などから生体を防御することができなくなる疾患群である．先天性免疫不全は主に遺伝子の異常により引き起こされ，免疫のどの部分が働かないかによって多彩な病態を示す．後天性免疫不全症候群（acquired immunodeficiency syndrome：AIDS）はヒト免疫不全ウイルス（human immunodeficiency virus：HIV）の感染によって引き起こされ，WHOの2020年の推計では，世界で3,800万人がHIVに感染しており，2019年には1年で170万人が新たに感染し，69万人が関連死している．HIV感染からAIDSの発症やその予後には栄養のかかわりが大きいことが知られており，ここではHIV感染とAIDSの栄養療法について述べる．

HIVはレトロウイルスで内部にRNAのコア，その周辺にカプシド，外側にエンベロープを有し，エンベロープのgp120が宿主のCD4抗原に結合することにより宿主の細胞内に侵入し，細胞質内でDNAに逆転写されて核に移行し染色体DNAへ組み込まれて増殖し，発芽するように細胞から分離していく．感染する$CD4^+$細胞は主にヘルパーT細胞であるが，一部は$CD4^+$マクロファージである．$CD4^+$細胞が減少して免疫不全が起こり，各種感染症が発生する．感染経路は血液，体液で，性的接触，輸血や注射器の共用，母子感染がある．

B 病態栄養

HIV感染症には4病期があり，①急性HIV感染症，②無症候性HIV感染症，③症候性HIV感染症，④AIDS，である．

急性HIV感染症はウイルス感染後2～4週間の，抗体がみられる前の時期で，半数の感染者に発熱，倦怠感，頭痛，咽頭炎，リンパ節腫脹などの症状がみられる．

無症候性HIV感染症は，症状に気づきにくい時期で，数ヵ月から長ければ10年続くこともある．この時

表 11　HIV 感染症の ART 開始の指標

臨床カテゴリー	CD4 数(/mm^3)	推奨
無症候性 AIDS	<350	治療
無症候性	350～500	治療推奨
無症候性	>500	推奨と経過観察の意見がある
症候性(AIDS，重度の症状)	いずれも	治療
妊娠，HIV 関連腎症，HBV 治療の適応	いずれも	治療

(Dong KR, Imai CM. Medical nutrition therapy for HIV and AIDS. Krause's Food and the Nutrition Care Process, 14th Ed, 2017: p757-774 より引用)

点で体重減少のない除脂肪体重の減少や，ビタミン B_{12} 欠乏症，食品や飲料水を介する感染性などがみられることがある．

症候性 HIV 感染症は症状が現れていることをいう．症状には発熱，発汗，皮膚の病変，疲労感など，AIDS にあてはまらない症状であり，栄養状態は悪化し，体組成の変化が起きている．

AIDS はひとつ以上の，生命を脅かす明確な臨床症状がある状態であり，それは HIV 感染による免疫抑制に起因するものである．ニューモシスチスカリニ，トキソプラズマ，カンジダ，クリプトコッカス，結核菌など通常は健常な人にみられない病原体による日和見感染がみられるようになる．

HIV 感染は摂食，吸収，消化，代謝に影響を及ぼし，栄養不良が重要な合併症である．HIV 関連リポジストロフィー症候群(HIV-associated lipodystrophy syndrome：HALS)は HIV 感染者にみられる代謝異常と体型の変化で，メタボリックシンドロームに似た所見を示す．内臓脂肪が蓄積して腹囲が増大し，一方で皮下脂肪組織の枯渇により，四肢，臀部，顔面はやせ，代謝異常としては高脂血症もみられる．

C 評価と診断

HIV に感染すると 2～3 週間でウイルスが増殖し，血中のウイルスが検出できるようになる．その後 IgM 抗体が，そして IgG 抗体が検出できるようになり，スクリーニングにはこれを用いる．

HIV 感染者の免疫機能の指標として最も有用なのは CD4 数であり，抗レトロウイルス療法(antiretroviral therapy：ART)開始の指標とする(表 11)[11]．治療効果の指標には，HIV RNA がモニタリングされる．

D 治療

HIV 感染に対する ART は，ヌクレオシド系逆転写酵素阻害薬(nucleoside reverse transcriptase inhibitors：NRTI)，非ヌクレオシド系逆転写酵素阻害薬(non-nucleoside reverse transcriptase inhibitors：NNRTI)，プロテアーゼ阻害薬(protease inhibitors)の三大治療薬に，新しいクラスの fusion inhibitors, entry inhibitors，integrase inhibitors もあり，2 つ以上のカテゴリーから少なくとも 3 者を併用する．効果を十分に発揮するためには，アドヒアランスを維持することが特に必要とされる．

栄養不良は HIV 感染により，また治療の副作用によっても起こりうることで，発症，予後に影響を及ぼすので，栄養療法は極めて重要である．身体計測，身体所見，検査結果を参考にして栄養状態を把握し，エネルギー量，たんぱく質，脂質が十分に摂取できるよう助言する．ω3 系脂肪酸が免疫機能にとって，また高脂血症に対しても有用であるといわれている．下痢，悪心・嘔吐，発熱などがみられるときには，水と電解質の補給にも注意を払う．ビタミン，微量元素も欠乏しないように十分摂取する必要があるが，食事からの摂取だけでは必要量を満たすことが難しい場合は，サプリメントの使用が勧められる．

易感染性がある状態では，食品衛生面の注意も特に必要であり，生の肉・魚・卵を摂らない，調理での接触を避ける，手洗いを励行するなどに心がける．

ART のなかった時代には，HIV 感染者には各種のビタミン，微量元素の欠乏が報告され，補充療法による AIDS 発症や予後への効果が多数報告されたが，1990 年代後半からは ART の使用が可能となり，新たな検討が必要とされている[12]．

文献

1) WHO. Haemoglobin concentrations for the diagnosis of anaemia and assessment of severity. Vitamin and Mineral Nutrition Information System, WHO, Geneva, 2011
2) がん研究振興財団．食事に困った時のヒント，2009
3) 柳原一広．造血幹細胞移植における栄養療法．がん栄養療法ガイドブック 2019，改訂第 2 版，南江堂，

東京，2019: p60-67
4） 日本造血細胞移植学会．造血細胞移植ガイドライン—造血細胞移植後の感染管理，第4版，2017 <https://www.jshct.com/uploads/files/guideline/01_01_kansenkanri_ver04.pdf>（最終アクセス：2020年11月17日）
5） 高増哲也．かゆいかゆい—アトピー性皮膚炎．小児疾患のとらえかた，別所文雄ほか（編），文光堂，東京，2003: p368-378
6） 日本小児アレルギー学会食物アレルギー委員会．食物アレルギー診療ガイドライン2016，協和企画，東京，2016
7） 高増哲也．食物アレルギー．チームで実践!! 小児臨床栄養マニュアル，高増哲也，深津章子（編），文光堂，東京，2012: p152-154
8） Greer FR, Sicherer SH, Burks AW. Effects of early nutritional interventions on the development of atopic disease in infants and children. Pediatrics 2008; **121**: 183-191
9） Morgan SL, Baggott JE. Nutrition and diet in rheumatic and arthritic diseases. Modern Nutrition in Health and Disease, 11th Ed, 2014: p1245-1260
10） Gomez FE, Kaufer-Horwitz M, Mancera-Chavez, GE. Medical nutrition therapy for rheumatic disease. Krause's Food and the Nutrition Care Process, 14th Ed, 2017: p790-812
11） Dong KR, Imai CM. Medical nutrition therapy for HIV and AIDS. Krause's Food and the Nutrition Care Process, 14th Ed, 2017: p757-774
12） Tang AM, Smit E, Semba RD. Nutrition and infectious diseases. Modern Nutrition in Health and Diseases, 11th Ed, 2014: p1396-1406

7 脳血管疾患

A 疾患の解説

日本における脳血管疾患の死亡要因は2018年厚生労働省人口動態統計によると悪性疾患，心疾患，老衰に次いで4位(7.9%)であり，加えて合併症や基礎疾患が病態に大きな影響を与えている．脳血管疾患は寝たきりになる疾患の第1位であり心筋梗塞に比べて3〜10倍の発症率であるため，日本における予防と治療は重要である．2018年国民健康・栄養調査[1]によると日本人の食塩摂取量は1日男性11g，女性9.3g程度であり，米国と比べて多い．食塩過剰摂取と高血圧は関係が深く高血圧は脳卒中の最大の危険因子とされ，脂質異常や肥満などの栄養異常も脳血管疾患と関係する．脳卒中発症直後の高血圧管理は厳重に行う必要があるが高血圧性脳症，くも膜下出血が強く疑われる場合以外は病型診断が確定してから行い，一方，著しい低血圧(ショック)は輸液，昇圧薬などで速やかに是正するなど繊細な対応が行われている．

脳血管疾患の主な原因は，加齢，男性，高血圧，脂質異常症，糖尿病，非弁膜性心房細動，高尿酸血症，血液異常(DIC，血小板増多症など)，喫煙，大量飲酒，肥満などがある．予防や再発予防にはこれらの原因のコントロールが重要である．

症状は運動障害，知覚障害，構音障害，意識障害，嘔気・嘔吐，視野障害，失語や失認などの高次脳機能障害など多岐にわたるが慢性期になるとフレイルや認知症が現れることが多い．これらの多岐にわたる症状は脳卒中の治療や生活支援において大きな課題となる．脳卒中の特殊性は，脳卒中による症状，基礎疾患の存在，治療・支援体制の問題が大きく関係する．

1．分類

米国国立神経疾患・脳卒中研究所(National Institute of Neurological Disorders and Stroke：NINDS)の脳血管障害分類(1990)では①無症候性，②局所性脳機能障害(a. 一過性脳虚血発作，b. 脳卒中：脳梗塞，脳出血，くも膜下出血，動静脈奇形からの頭蓋内出血)，③血管性認知症，④高血圧性脳症，が示されている．

a）脳梗塞

臨床病型によりアテローム血栓性脳梗塞(31%)，心原性脳血栓(26%)，ラクナ梗塞(29%)に分類される(表1)[2]．脳梗塞の二次的病態として出血性梗塞がある．梗塞壊死部の再灌流に伴い血管破綻をきたし出血する．また，壊死部は血管透過性が上昇し脳浮腫の増悪を起こす．脳梗塞と脳出血の発症の最大の危険因子は高血圧である[3]．糖尿病も脳梗塞発症の独立因子であるが，高血圧合併症例においてさらにリスクが高まる．日本の研究では収縮期血圧160mmHg以上で3.46倍，拡張期血圧95mmHg以上で3.18倍の発症リスクがあるとされている[3]．脳梗塞急性期では，収縮期血圧>220mmHgまたは拡張期血圧>120mmHgの高血圧が持続する場合や，大動脈解離・急性心筋梗塞・心不全・腎不全などを合併している場合に限り，慎重な降圧療法が推奨される．急性期脳梗塞の低血糖に注意して，血糖150〜200mg/dL程度を維持して原則2週間の降圧薬治療は控える．血栓溶解療法を予定する患者では，収縮期血圧>185mmHgまたは拡張期血圧>110mmHg以上の場合に，静脈投与による降圧療法が推奨される．

b）脳出血

脳卒中の約15%を占め，脳内の動脈が破裂し，脳実質内出血が脳細胞を圧迫する．高血圧性出血が約50〜70%で認められ，ほかには嚢状動脈瘤破裂，脳動静脈奇形破裂，もやもや病，硬膜動静瘻が原因となる．高齢化に伴いアミロイドアンギオパチー由来の皮質下出血の割合が増加している．出血部位は被殻出血が最も多く約30%を占め，視床出血25%，脳幹出血10%，小脳8%，皮質下20%である．早期，慢性期ともに血圧管理が重要である．近年，高齢化による動脈硬化疾患のため抗血小板薬や抗凝固薬の使用頻度が増加しているが，脳出血の予防のために血圧コントロールを厳重に行う必要がある．

c）くも膜下出血

脳卒中の約5%を占め，主にくも膜下腔内血管の破綻によりくも膜下腔へ出血した状態である．日本人の人口10万人に20人程度の発病があり，女性に多い．また，死亡率や重度後遺症の発生率が高い．原因は脳動脈瘤破裂が80%以上と最も多く，次いで男性に多い脳動静脈奇形5〜10%，もやもや病数%，外傷性，出血性素因などがあり，危険因子は高血圧，喫煙，大量飲酒，家族歴である．症状はハンマーで殴られたような突然の激しい頭痛で“人生最悪の痛み”と表現され

表1　脳梗塞病型と特徴

	アテローム性血栓性脳梗塞	心原性脳血栓症	ラクナ脳梗塞
頻度[2]	31%	26%	29%
危険因子	高血圧，糖尿病，脂質異常症，喫煙，大量飲酒，メタボリックシンドローム	心房細動，弁膜症	高血圧，糖尿病，脂質異常症
血管病変	比較的大きな脳動脈のアテローム硬化による狭窄・閉塞	心臓内血栓や塞栓子による脳動脈閉塞	細い穿通枝閉塞
TIA の前駆	約 30～40%	約 10%	20～25%
発症状況	安静時，睡眠時	日中活動時	安静時，睡眠時
発症様式	緩徐，段階的	突発性，短時間で症状完成	突発から緩徐
意識障害	時にあり	多い	通常はない
治療超急性期	血栓溶解療法 4.5 時間以内：rt-PA 6 時間以内：ウロキナーゼ 8 時間以内：血管内治療[18]	血栓溶解療法 4.5 時間以内：rt-PA 6 時間以内：ウロキナーゼ 8 時間以内：血管内治療[18]	なし
超急性期～急性期	脳保護療法，抗血小板療法		脳保護療法，抗血小板療法

TIA：一過性虚血性発作(transient ischemic attack)
rt-PA：アルテプラーゼ
血管内治療：機械的血栓回収術

る．急性期治療は血圧をコントロールし，血管攣縮前の 72 時間以内に再出血を防ぐために開頭動脈瘤クリッピング術や血管内治療による動脈瘤塞栓術が行われる．

脳卒中の急性期の続発症頻度は 59～95%とされ[4]，続発症には，転倒，尿路感染症，呼吸器感染症，褥瘡，肩関節痛，静脈血栓症および肺塞栓症，消化管出血，心不全，冠虚血症候群がある．入院時の低栄養は，肺炎などの合併症を有意に増加させ，また入院 1 週間後の低栄養も独立した予後不良因子となる．続発症の発生は入院期間延長，QOL 低下，予後の悪化を引き起こし，栄養状態の悪化も起きるため早期栄養治療は重要となる．

B 病態栄養

a) 脳卒中

日本脳卒中学会による「脳卒中治療ガイドライン 2015［追補 2019］」では「脳卒中超急性期の呼吸・循環・代謝管理」のはじめに栄養管理が提言され脳血管障害急性期において重要であることが示されており，以下の 5 項目が推奨されている[5]．

(推奨グレード A：行うよう強く勧められる，B：行うよう勧められる，C1：行うことを考慮してもよいが，十分な科学的根拠がない，C2：科学的根拠がないので勧められない，D：行わないよう勧められる)

1. 脳卒中発作で入院したすべての患者で，栄養状態を評価するよう勧められる(グレード B)．
2. 低栄養状態にある患者，低栄養状態に陥るリスクのある患者，あるいは褥瘡のリスクがある脳卒中患者は，十分なカロリーや蛋白質の補給をするよう勧められる(グレード B)．しかし，栄養状態良好な患者への栄養補給剤のルーチン補給は十分な科学的根拠がないので，勧められない(グレード C2)．
3. 脳卒中発症後 7 日以上十分な経口摂取が困難と判断された患者では，発症早期から経腸栄養を開始するよう勧められる(グレード B)．
4. 脳卒中発症数週間は経鼻胃管(NGT)を行うよう勧められるが(グレード B)，発症 28 日以上経腸栄養が必要な患者では経皮的内視鏡的胃瘻(PEG)を考慮しても良い(グレード C1)．
5. 脳卒中発作急性期には 60 mg/dL 以下の低血糖は直ちに補正するよう勧められる(グレード A)．脳卒中発作急性期には高血糖を是正し，低血糖を予防しながら 140～180 mg/dL の範囲に血糖を保つことを考慮しても良い(グレード C1)．

脳卒中の急性期栄養治療においては，6～60%に低栄養状態が認められる[6]．低栄養の回避，栄養治療を早期に行うことが皮膚感染症，呼吸器感染症，尿路感染症，消化管出血，静脈血栓症など続発症の重症化など予後に影響するため，嚥下評価だけでなく脳卒中患者

表 2　球麻痺と偽性球麻痺の比較

	球麻痺	偽性球麻痺
責任病巣	延髄嚥下中枢 延髄外側，片側もあり	両側皮質延髄路 大脳皮質，深部白質，内包，中脳，橋，両側性
嚥下口腔期障害	軽度～高度	高度
咽頭反射，軟口蓋反射	低下することあり	低下
嚥下反射	ない	遅延，分解
喉頭挙上	不十分	十分
構音	弛緩性，気息性，嗄声	痙性，努力性
その他	舌萎縮，カーテン徴候あり 脳梗塞であれば Wallenberg 症候群，その他の脳神経症候を伴うことあり	化学反射亢進 意識障害，高次脳機能障害を伴うことあり

表 3　CONUT スコア

アルブミン(g/dL) ポイント	≧3.50 0	3.00～3.49 2	2.50～2.99 4	<2.5 6
末梢リンパ球数(μL) ポイント	≧1600 0	1200～1590 1	800～1199 2	<800 3
総コレステロール(mg/dL) ポイント	≧180 0	140～179 1	100～139 2	<100 3

栄養レベル	正常～軽度低下	中等度への移行期	中等度異常	高度異常
ポイント合計	0～3	4	5～8	≧9

すべての栄養評価をすべきである．入院時の低栄養は，肺炎などの合併症を有意に増加させ，また入院 1 週間後の低栄養も独立した予後不良因子である[7]．嚥下障害は軽症例を含めると 60～70％で発症し，脳幹部，多発性梗塞，広範囲梗塞などは嚥下障害の高危険群である[8]．嚥下障害は誤嚥性肺炎を引き起こし，予後を不良にするため，食事を開始するには適切な評価が重要である．

b）嚥下障害

嚥下障害をきたす病態に，球麻痺と偽性球麻痺がある．球麻痺は延髄嚥下中枢の損傷により起きる．核性ないし核下性の障害であり，延髄片側病変で起きる．代表的なものとして，Wallenberg 症候群は解離性感覚障害や同側の運動失調，Horner 徴候を呈する脳梗塞である．偽性球麻痺は両側皮質延髄路の損傷により起きる．核上の障害で両側性の障害で両側脳卒中同時発症，陳旧性脳卒中の対側損傷でも惹起される．球麻痺と偽性球麻痺の臨床的特徴を表 2 に示す．

C 評価と診断

1．栄養状態評価

脳卒中超急性期では，生命維持のための状況を把握するため神経症状以外に体格，脱水，貧血，黄疸などの身体的評価を行い基礎疾患の有無も確認する．入院前の状態として発熱，下痢，体重の変化，活動性，自立度，認知レベルについて聴取し，可能な身体計測を実施する．上腕筋周囲・皮下脂肪計測，臥位で可能な体組成測定(生体電気インピーダンス法)や dual energy x-ray absorptiometry (DEXA) 法を用いた骨格筋指数(skeletal muscle index：SMI)の算出，CT の体幹骨格筋・脂肪計測など可能な身体計測を行う．血液検査では血糖，尿素窒素，クレアチニン，アルブミン，プレアルブミン，脂質，末梢血(ヘモグロビン，リンパ球数)，トランスフェリンなどを確認する．subjective global assessment (SGA，第Ⅲ章参照)や controlling nutritional status (CONUT) による栄養評価も続けていくことが望ましい(表 3)．

2．嚥下機能評価

嚥下障害を理解し，その問題点を解決するためには嚥下を以下の5段階に分けて認識する．①認知期(食べ物を認識するが意識，情動，認知などが関係)，②準備期(歯で咀嚼，舌と上あごで押しつぶし唾液と混ぜる)，③口腔期(舌を口蓋に押し付けて食塊を送り込む)，④咽頭期(食塊をのみ込む嚥下反射)，⑤食道期(食塊が食道を通過して胃まで移動)．先行期における問題は，脳卒中では意識，意欲，情動，認知などの問題により摂食が難しくなり，特に意識障害が主体をなしている．無為症やアパシーは自発性欠如で摂食困難となり，うつ状態，脳圧亢進や前庭症候群で悪心やめまいも問題になる．一方，認知症でみられる過食症や異食症の出現もある．咽頭期における問題は，咽頭反射や軟口蓋反射の低下により食塊をのみ込めず誤嚥することである．

嚥下障害の診断にあたっては，ベッドサイドで反復唾液嚥下テスト，飲水試験を行いスクリーニングする．水分を嚥下して，咳の有無で判断する．下咽頭や喉頭の機能を確認するには，内視鏡検査を行う．実際に食物などを嚥下させて誤嚥などを検出する嚥下内視鏡検査(video endoscopy)がある．ほかに食べ物が通る状況を調べる方法としては，造影剤を用いてX線透視下に行う嚥下造影検査(video fluoroscopy)があり，信頼性が高いが脳卒中早期の診断には麻痺などの障害があり難しい．

3．消化管機能評価

胃食道逆流と便秘を把握できる．消化管蠕動音の聴取，X線やCTにより消化管ガスや大腸内の便の状況を確認する．脳卒中に起因する頭蓋内圧亢進による嘔吐は広範病変，脳幹部や小脳障害時に起きやすい．脳卒中は胃食道逆流症を起こしやすく，誤嚥性肺炎の誘因となる．食道pHモニターで逆流を把握すれば正確な評価ができるが，一般的ではない．脳卒中急性期には56%に逆流が認められたとの報告もある[9]．頭蓋内圧亢進だけでなく臥床時間，体位，食事内容，精神的ストレスなど多くの胃食道逆流の誘因がある．

D 治療

1．栄養治療

意識障害で嚥下困難が長期化する可能性があれば，「脳卒中治療ガイドライン2015［追補2019］」に準じて低栄養による続発症予防や予後改善のため経鼻胃管(NGT)による経腸栄養を開始することで機能転帰を改善させる[10]．グルタミンが多く水溶性食物繊維も含まれていると腸管粘膜の回復が早く，経腸栄養により腸管を使用することはbacterial translocationの予防にもなる．意識がある場合は，言語療法士に依頼してベッドサイドで嚥下機能評価を行い栄養投与経路が決定される．医師，看護師，言語療法士，管理栄養士の多職種連携で行う．経口摂取が可能であれば，脳卒中では経中心静脈高カロリー輸液を必要とすることはまれである．長期の絶食は消化管機能の障害，腸内細菌叢の異常，肺炎に対する抗菌薬投与によるクロストリジウム腸炎の危険性も高まる．早期はNGT，脳卒中発症から28日以上経腸栄養が必要な患者では経皮的内視鏡的胃瘻(PEG)を考慮して栄養維持と嚥下機能，脳機能，身体機能回復のためのリハビリテーションを続ける[5]．

2．発症・再発予防治療

脳卒中の主要危険因子である高血圧，糖尿病，不整脈(心房細動)，喫煙，過度の飲酒，高コレステロール血症の若いときからのコントロールは脳卒中予防に重要である．高血圧・糖尿病・高コレステロール血症を予防するための塩分・脂肪分控えめの食事，適度な運動，肥満を避けることが勧められる．近年は，内臓脂肪増加によるメタボリックシンドロームも脳血管疾患の危険因子として注意されている．

a）高血圧

高血圧は脳血管疾患に最も関係のある病態であることから脳梗塞や脳出血の予防，急性期管理，再発予防のために血圧管理は必須である．脳卒中発症率と血圧は正の相関を示しているため，脳卒中予防のために高血圧治療は厳重に行わなければならない[11]．降圧薬の選択としては，Ca拮抗薬，利尿薬，アンジオテンシン変換酵素(ACE)阻害薬，アンジオテンシンII受容体拮抗薬(ARB)などが推奨される．特に，糖尿病，慢性腎臓病，発作性心房細動や心不全合併症例，左室肥大や左房拡大が明らかな症例などでは，ACE阻害薬やARBが推奨される．

「高血圧治療ガイドライン2019」(JSH2019)では生活習慣の修正を基本として高血圧基準は従来どおりの140/90mmHg以上とし，降圧目標は75歳未満で130/80mmHg未満，75歳以上で140/90mmHg未満と厳格化され脳血管疾患，冠動脈疾患，CKD，糖尿病，抗血栓治療におけるより厳密な降圧の目標値が示された(表4)．

生活指導については，厚生労働省の「日本人の食事摂取基準(2020年版)」において塩分摂取基準が厳密化された．2015年版から食塩(NaCl)摂取量の目標として成人男性7.5g/日未満，女性6.5g/日未満が設定され，高血圧や慢性腎不全の重症化予防には6g/日未満が提言されている．また，「NIPPON DATA80」ではNa/K

表４　JSH2019 の降圧目標

	診察室血圧（mmHg）	家庭血圧（mmHg）
75 歳未満の成人 脳血管障害患者 （両側頸動脈狭窄や脳主幹動脈閉塞なし） 冠動脈疾患患者 CKD 患者（蛋白尿陽性） 糖尿病患者 抗血栓薬服用中	<130/80	<125/75
75 歳以上の高齢者 脳血管障害患者 （両側頸動脈狭窄や脳主幹動脈閉塞あり，または未評価） CKD 患者（蛋白尿陰性）	<140/90	<135/85

（日本高血圧学会高血圧治療ガイドライン作成委員会（編）．高血圧治療ガイドライン 2019，ライフサイエンス出版，東京，2019：p53 より許諾を得て転載）

比が低いと総死亡率，循環器疾患や脳卒中による死亡率を低下させることが認められている[12]．

b）糖尿病

糖尿病の治療の目標は合併症を予防することである．糖尿病性血管障害は糖尿病性網膜症，腎症，末梢神経障害を惹起する細小血管障害と，心筋梗塞や脳梗塞の原因となる大血管障害がある．糖尿病患者における脳卒中は脳出血よりも脳梗塞が多く，糖尿病は脳梗塞の独立した危険因子と認められている．皮質枝のアテローム血栓性脳梗塞の発症に関係して，非糖尿病者の 2～4 倍発症頻度が高まる．糖尿病の約半数には高血圧が合併するため，穿通枝のラクナ脳梗塞の発生頻度も高い．一過性脳虚血発作や小さな脳梗塞を繰り返し，脳血管性認知症に進展する可能性がある．脳血管障害の予防には血糖コントロールが必要であり，HbA1c 7.0％未満，空腹時血糖 130 mg/dL 未満，食後 2 時間血糖 180 mg/dL 未満をおおよその目標とする．

c）脂質異常症

高コレステロール血症は脳梗塞の発症リスクを高める[13]．摂取脂肪と生活習慣病の関係では飽和脂肪酸摂取量，不飽和脂肪酸摂取量と総死亡率，循環器疾患死亡率，冠動脈疾患死亡率，脳梗塞発症率との有意な関連は認められていないが，ω3 系不飽和脂肪酸単独の LDL コレステロール低下作用はなく HDL コレステロールをわずかに増加させ，中性脂肪を減少させる[14]．コレステロール摂取量の上限を循環器疾患予防の観点から設定することは困難となっている．一方，「日本人の食事摂取基準（2020 年版）」においては，脂質異常症の重症化予防を目的とした値として，新たに 200 mg/日未満に留めることで効果が期待できるため望ましいとされた．コレステロールは体内で肝臓での産生，腸肝循環をするため産生を抑制するスタチンを使用して小腸の再吸収抑制作用があるエゼチニブ，腸管内で吸着するレジンを用いて積極的に LDL コレステロールを低下させるようにする．MEGA study[15] において，5 年間観察で食事療法のみに比べて食事療法とプラバスタチン併用で LDL コレステロールを 19％低下させ，脳卒中発生率は 35％低下したとされている．「日本人の食事摂取基準（2020 年版）」ではトランス脂肪酸と飽和脂肪酸は冠動脈疾患に関与するとされ，トランス脂肪酸は健康の保持・増進を図るうえで積極的な摂取は勧められない．その摂取量は 1％ エネルギー未満に留めることが望ましく，1％エネルギー未満でもできるだけ低く留めることが望ましいことが提言された．脳卒中についてもトランス脂肪酸は発生リスクとなるため注意する[16]．

d）心房細動

近年，高齢化とともに増加している非弁膜症性心房細動は心不全や心原性脳血栓症の原因となる．血栓症の予防については $CHADS_2$ スコアによって抗凝固療法の適応が決まる．心不全，高血圧，糖尿病，75 歳以上を各 1 点，脳梗塞や TIA の既往を 2 点とし，その総計が 1 点以上で抗凝固療法が行われる．一方，非弁膜症性心房細動は心房負荷を基盤とした心房の伸展と拡大，心筋壊死，線維組織への置換があり，全身性の炎症，酸化ストレスやインスリン抵抗性が関与している．発症の危険因子は高齢，男性，高血圧，肥満，糖尿病，高 TG 血症，メタボリックシンドローム，脂肪肝[17]，飲酒，喫煙である．心房細動予防のために降圧薬，減量，血糖コントロール，節酒・禁酒，禁煙を行うことで脳卒中の発症を抑制できる．

e）低栄養

「日本人の食事摂取基準（2020 年版）」策定目標は高齢者の低栄養予防，フレイル予防，生活習慣病の発症予防，重症化予防である．脳血管疾患発症時に低栄養状態にある患者は，さらに低栄養状態に陥り褥瘡や誤嚥性肺炎のリスクが高まり，QOL や予後の悪化をもたらすため，適正な栄養状態の維持が必要である．脳卒中後にもフレイルの予防・改善を目標とした活動量の増加と摂取量のバランスの改善は脳血管疾患の軽減化につながる．高齢者のフレイル予防の観点から，総エネルギー量に占めるべきたんぱく質由来エネルギー量の割合（％エネルギー）について，65 歳以上の目標量の下限は 13％エネルギーから 15％エネルギーに引き上げられた．

文献

1）厚生労働省．平成30年国民健康・栄養調査報告：p68
<https://www.mhlw.go.jp/content/000681200.pdf>（最終アクセス：2020年10月26日）
2）山口修平，小林祥泰．脳卒中データバンクからみた最近の脳卒中の疫学的動向．脳卒中 2014; **36**: 378-384
3）Tanaka H, Ueda Y, Hayashi M, et al. Risk factors for cerebral hemorrhage and cerebral infarction in a Japanese rural community. Stroke 1982; **13**: 62-73
4）Langhorne P, Stott DJ, Robertson L, et al. Medical complications after stroke: a multicenter study. Stroke 2000; **31**: 1223-1229
5）日本脳卒中学会脳卒中ガイドライン［追補2019］委員会(編)．脳卒中治療ガイドライン2015［追補2019］，協和企画，東京，2019：p6-7
6）Foley NC, Salter KI, Robertson J, et al. Which reported estimate of the prevalence of malnutrition after stroke is valid? Stroke 2009; **40**: e66-e74
7）Yoo SH, Kim JS, Kwon SU, et al. Undernutrition as a predictor of poor clinical outcomes in acute ischemic stroke patients. Arch Neurol 2008; **65**: 39-43
8）Adams HP Jr, del Zoppo G, Alberts MJ, et al. Guidelines for the early management of adults with ischemic stroke: a guideline from the American Heart Association/American Stroke Association Stroke Council, Clinical Cardiology Council, Cardiovascular Radiology and Intervention Council, and the Atherosclerotic Peripheral Vascular Disease and Quality of Care Outcomes in Research Interdisciplinary Working Groups: the American Academy of Neurology affirms the value of this guidelineas an educational tool for neurologists. Stroke 2007; **38**: 1655-1711
9）Satou Y, Oguro H, Murakami Y, et al. Gastroesophageal reflux during enteral feeding in stroke patients: a 24-hour esophageal pH-monitoring study. J Stroke Cerebrovasc Dis 2013; **22**: 185-189
10）Dennis MS, Lewis SC, Warlow C; FOOD trial collaboration. Effect of timing and method of enteral tube feeding for dysphagic stroke patients (FOOD): a multicentral randomized controlled trial. Lancet 2005; **365**: 764-772
11）MacMahon S, Peto R, Cutler J, et al. Blood pressure, stroke and coronary heart disease. Part 1, Prolonged differences in blood pressure: prospective observational studies corrected for the regression dilution bias. Lancet 1990; **335**: 765-774
12）Okayama A, Okuda N, Miura K. Dietary sodium-to-potassium ratio as a risk factor for stroke, cardiovascular disease and all-cause mortality in Japan: The NIPPON DATA80 cohort study. BMJ Open 2016; 6. E011632
13）Boysen G, Nyboe J, Appleyard M, et al. Stroke incidence and risk factor in Copenhagen, Denmark. Stroke 1988; **19**: 1345-1353
14）Hartweg J, Farmer AJ, Perera R, et al. Meta-analysis of the effects of n-3 polyunsaturated fatty acids on lipoproteins and other emerging lipid cardiovascular risk markers in patients with type 2 diabetes. Diabetologia 2007; **50**: 1593-1602
15）Nakamura H, Arakawa K, Itakura H, et al. Primary prevention of cardiovascular disease with pravastatin in Japan (MEGA Study): a prospective randomized controlled trial. Lancet 2006; **368**: 1155-1163
16）Yaemsiri S, Sen S, Tinker L, et al. Trans fat, aspirin, and ischemic stroke postmenopausal women. Annals of neurology 2012; **72**: 704-715
17）Zhou Y, Lai C, Peng C, et al. Nonalcoholic fatty liver disease as a predictor of atrial fibrillation: a systematic review and meta-analysis. Adv Interv Cardiol 2017; **13**: 250-257
18）Saver JL, Jahan R, Levy EI, et al. Solitaire flow restoration device versus the Merci Retriever in patients with acute ischemic stroke (SWIFT): a randomized parallel-group, non-inferiority trial. Lancet 2012; **380**: 1241-1249

8 精神・神経疾患

❶ビタミン異常症

ヒトが必要とするビタミンは13種あり，そのほとんどが生体内で合成されないため食事から摂取しなければならない．食事バランスに問題がなければビタミン異常症は起こらないが，アルコール依存症や極端なダイエット，長期血液透析などによる食生活環境変化は発症要因となりうる．ビタミン欠乏による神経・精神症状を起こしやすいものにビタミンB群欠乏症がある．

A ビタミンB_1(チアミン)欠乏症

チアミンには，チアミン1リン酸(TMP)，チアミン2リン酸(TPPまたはTDP)，チアミン3リン酸(TTP)の3種類のリン酸エステルが存在する．生体内では主にチアミン2リン酸として存在し，糖質および分岐鎖アミノ酸代謝における酵素(トランスケトラーゼ，ピルビン酸脱水素酵素，α-ケトグルタル酸脱水素酵素)の補酵素として働く．チアミンは動物性の食品として豚肉，うなぎ，植物性の食品として小麦胚芽，大豆，ごま，落花生などに豊富に含まれている．ビタミンB_1欠乏による代表的な神経疾患として，Wernicke-Korsakoff症候群や脚気がある．

1．Wernicke-Korsakoff症候群

以前は，急性のものをWernicke脳症と呼び，慢性化したものをKorsakoff症候群と区別していたが，現在では，まとめてこう呼ぶことが多い．急性期には意識障害・外眼筋麻痺・運動失調を3徴とするが，すべてが揃うのは20%程度で，約30%は軽度の意識障害のみであり，のちに記憶障害から明らかになることがある．意識障害は，注意散漫，傾眠などの軽度のものから，失見当識，幻覚，精神運動興奮などせん妄，さらに昏睡に至るまで多彩である．慢性期では，記銘力障害(前向性健忘，逆行性健忘を含むこともある)，見当識障害，作話を主要症状とする．小脳障害では，四肢よりも体幹の失調が強く，歩行困難を示すこともある．

チアミンは，体内で合成できないため，アルコール依存症，ダイエットや妊娠悪阻，長期血液透析などが発症要因となる．チアミンを含まない輸液により発症することもあるため注意する．特に糖代謝では補酵素としてチアミンが利用されるため，ブドウ糖のみの補液によるものが発症要因となりやすい．アルコール依存症との関連が深いため，中高年に好発するが，チアミン欠乏が起これば，小児を含めどの年齢でも発症する．

血液検査ではチアミンの減少，乳酸とピルビン酸の増加，ビタミンB_{12}の正常下限などが参考となる．頭部MRI検査ではFLAIR像において，中脳水道周囲，乳頭体，視床背内側核に高信号を呈する．

治療は速やかなビタミン補充である．診断した場合，血中チアミン値が基準範囲下限でも大量静脈内投与(1回500mgの静注を1日3回2日間，その後1日1回500mgの静注を5日間)が推奨される．意識障害は数日から数週間で改善するが，失調性歩行の改善は遅れる．

2．脚気

左右対称性の下肢遠位部温痛覚低下から始まり，深部知覚障害，次いで運動障害を示す．末梢神経障害は軸索変性が主体である．脚気に伴い下肢の浮腫や動悸，呼吸困難などの心不全症状が出現することがあり，早期にチアミンを補充する．

B ビタミンB_3(ナイアシン)欠乏症

ニコチン酸とニコチンアミドを総称してナイアシンと呼び，nicotinamide adenine dinucleotide(NAD)やnicotinamide adenine dinucleotide phosphate(NADP)の構成要素であり，酸化還元反応に関与する系の補酵素となる．ナイアシンは動物性の食品としてかつおやまぐろ，レバー，植物性の食品として落花生やキノコ類に豊富に含まれており，小腸で速やかに吸収される．

その欠乏は様々な症状を呈するが，ペラグラが代表的である．症状は3D(dermatitis：皮膚炎，diarrhea：下痢，dementia：認知症)を呈し，日光過敏性皮膚炎などの皮膚症状が先行することが多い．しかし，3Dをきたさず，意識障害のみを呈する皮膚症状のないペラグラもあることに注意する．

C ビタミン B_6(ピリドキシン)欠乏症

ビタミン B_6 はピリドキシン，ピリドキサール，ピリドキサミンの総称であり，体内ではリン酸エステル型であるピリドキサール-5'-リン酸(PLP)とピリドキサミン-5'-リン酸(PMP)として存在する．ピリドキシンはアミノ酸代謝の補酵素として働き，にんにく，ヒマワリの種，レバー，まぐろなどに豊富に含まれる．欠乏症では皮膚炎・口内炎・口角炎・舌炎に加え，神経症状として末梢神経障害をきたす．まれではあるが，精神症状をきたすこともある．

D ビタミン B_{12}(コバラミン)欠乏症

ビタミン B_{12} はコバルトを含むビタミンの総称で，抗悪性貧血因子としてウシ肝臓で発見された．微生物以外では合成されないため植物性食品にはほとんど含まれず，レバーや貝類に多く含まれる．欠乏すると巨赤芽球性貧血，Hunter 舌炎に加え，神経症状として末梢神経障害，亜急性連合脊髄変性症，脳症などを起こす．

亜急性連合脊髄変性症の初発症状は手袋靴下型の異常感覚で始まる場合が多く，次いで四肢深部覚障害，四肢筋力低下，痙縮が加わる．いずれも下肢に高度に出現する．脊髄側索よりも後索が早期に障害されるため，Romberg 陽性となる．脱力よりも失調症状を訴える場合が多い．このほか，視神経障害や脳症，自律神経障害，錐体路症状がみられ，Babinski 徴候など病的反射も陽性になる．血液検査では大球性貧血を認めることが多く，ビタミン B_{12} 欠乏による悪性貧血を考えるが，胃切除や回腸切除の既往，抗胃壁細胞抗体や抗内因子抗体の有無についても検討しておく．胃切除では，鉄の吸収も阻害され，大球性貧血とならない場合があり注意する．

治療はビタミン B_{12} を連日 1,000mg 筋注する．吸収障害のある場合はビタミン B_{12} の内服は無効である．

E 葉酸欠乏症

葉酸は，小腸においてモノグルタミン酸型に分解され，さらにテトラヒドロ葉酸となり，その後メチル化され，メチルテトラヒドロ葉酸となる．肝臓をはじめ種々の臓器では，脱メチル化，グルタミン酸の修飾を受けるなど様々な形態をとり，ポリグルタミン酸型として存在し，核酸合成，アミノ酸代謝に関与する．そして，主に胆汁，膵液中に排出され，一部は尿から排泄される．体内での貯留は不安定であり毎日補充しないと不足する．葉酸はほうれんそうや枝豆などの植物性食品だけでなく，レバーなどの動物性食品にも多く含まれる．

葉酸欠乏症の原因として，葉酸摂取不足，小腸疾患や薬剤(抗痙攣薬，経口避妊薬，サラゾスルファピリジン)による吸収障害，肝障害による貯蔵障害，妊娠による需要増加があげられる．

葉酸欠乏では巨赤芽球性貧血が起きる．葉酸欠乏と関連が報告されている疾患として，神経管閉鎖障害(無脳症，二分脊椎，脳瘤)，口唇口蓋裂，四肢形成障害，ダウン症などの先天異常，流産，妊娠中毒症，胎盤早期剝離などの生殖・妊娠異常，動脈硬化，心筋梗塞，血栓症などの心血管系の異常，大腸癌，乳癌，白血病などの悪性腫瘍といった様々な病態が指摘されている．ビタミン B_{12} 欠乏症と同様の亜急性連合脊髄変性症類似症状がみられることもある．葉酸欠乏症では，葉酸のみ投与するとビタミン B_{12} 欠乏症がマスクされることがあるため注意する．

❷電解質異常症

水電解質代謝の恒常性維持は，生体の内部環境で重要であり，その調整は主に腎臓で行われる．水電解質の恒常性が破綻すると，生命の危険に直結することから，水電解質異常の発見・治療は重要である．血液検査により見つかることが多いが，異常所見や徴候をきっかけに明らかになることも多い[1]．発見されたら，病態に応じた適切な対応をすべきである．

A 低ナトリウム血症(血清濃度 135mEq/L 以下)

臨床で最も遭遇する電解質異常である．一般に 120mEq/L 以下になると中枢神経症状が出現するが，慢性で起こると症状を伴わないことが多い．低ナトリウム血症の病態は細胞外液量(extracellular fluid：ECF)により分類される．精神障害患者のなかには，多飲水による低ナトリウム血症を呈しているものがいるため注意する．

治療は原疾患の治療が前提となる．ECF が減少している場合は生理的食塩液の負荷，ECF が正常もしくは増加している場合は水制限を行う．点滴静注による急速なナトリウム補正は橋中心髄鞘融解症(central pontine myelinolysis)をきたすことがある．なお，この疾患ではてんかん類似の病態を引き起こすため，誤って抗痙攣薬を使用しないように注意する．

B 高ナトリウム血症(血清濃度150mEq/L以上)

原因としてナトリウム過剰，水分欠乏があげられる．急速に起こった場合(ナトリウム160mEq/L以上)，全身倦怠，不穏，筋痙攣，全身痙攣など中枢神経症状が認められる．

治療は低ナトリウム血症と同様，急激な正常化は避ける．低張食塩液で体液量を補正するが，水分が主に喪失している場合は5%ブドウ糖液と低濃度NaCl液で補正する．高血糖になると水分喪失をきたすため，必要に応じてインスリンを投与する．

C 低カリウム血症(血清濃度3.5mEq/L以下)

下痢や利尿薬による喪失で生じやすい．検査所見として，心電図変化(T波の平低化，ST低下，U波の出現，上室性期外収縮)を認める．血清カリウム<2.5mEq/Lでは筋麻痺を生じやすく，2.0mEq/L以下では横紋筋融解を生じることがある．のちに述べるが，摂食障害にはこの病態を起こすことがあり注意する．なお，低カリウム血症の原因にあげられている周期性四肢麻痺は，発作性の四肢・体幹筋群の弛緩性麻痺を主徴とする疾患であり，発作時に血清カリウム値の異常がみられることが多い．病因には遺伝性(常染色体優性遺伝)と続発性があり，遺伝性はカルシウムチャネル(低カリウム性)や，ナトリウムチャネル(高カリウム性)の遺伝子異常が知られている．続発性としては甲状腺機能亢進症に伴う低カリウム性のものが多い．そのため，本症の診断においては，まず血清カリウムと甲状腺ホルモンの測定を行い，病因の鑑別を行う必要がある．原因が遺伝性の場合は，治療は対症療法が必要となる．

治療では，重症の場合は静脈投与も行うが，カリウム濃度40mEq/L以下かつ20mEq/時以下の速度で，必ずECGをモニターしながら行い，急速静注は避ける．軽度の低カリウム血症で臨床症状がない場合は，カリウム製剤の経口投与や野菜・果物などカリウムを多く含む食品を摂取させる．

D 高カリウム血症(血清濃度5.0mEq/L以上)

原因として腎不全が最も多いほか，薬剤性(レニン・アンジオテンシン系阻害薬，スピロノラクトンなど)にも注意する．臨床症状では心電図変化が重要であり，T波増高，P波平低化，PR間隔延長，QRS拡大がみられ，さらにはサインカーブ状となり心室細動へと移行する．

治療は血清カリウム濃度5.5mEq/L以上で検討する．心電図変化や神経・筋症状を認めない場合，低カリウム食，イオン交換樹脂の内服などを行う．QRS幅拡大以上の心電図変化を伴うもの，脱力などの神経・筋症状がある場合には，カルシウムグルコネート静注，グルコース・インスリン療法，ポリスチレンスルホン酸カルシウムの注腸や血液透析などが必要である．

E 低カルシウム血症

血清カルシウム濃度の約50%は神経や筋肉などの細胞機能の維持・調節を行うイオン化カルシウムで，残りの約40%がアルブミンを主とした蛋白と結合している．よって，カルシウム代謝異常が存在するときは，アルブミン濃度を測定し，低アルブミン血症の有無を確認する必要がある．

原因として，主に副甲状腺機能低下症やビタミンD欠乏症がある．また，急性膵炎を起こすと，炎症を起こした膵臓から放出される脂肪分解産物がカルシウムをキレートする際，低カルシウム血症が引き起こされる．低カルシウム血症はしばしば無症候性であるが，重度になるとテタニーや痙攣を引き起こすおそれがある．

治療は，テタニーに対してグルコン酸カルシウムの静脈投与により反応がみられるが，持続時間が短いため，持続的に追加注入する必要が生じる可能性もある．慢性低カルシウム血症には，カルシウムやビタミンDの経口補充を行う．

❸アルコール関連神経疾患

A 疾患の解説

アルコール依存症の原因は多量飲酒であるが，すべてアルコール依存症になるわけではない．しかし，アルコールは精神および身体依存を起こす精神作用物質であり，日本では，アルコール依存症の疑いのある人は440万人，治療の必要な患者は80万人いると推計されている[2]．精神依存として，アルコールを使用したいと強く抵抗できない欲望(渇望)や強迫感が出現する．身体依存として，薬物効果が徐々に乏しくなり服用する量が増える耐性現象が生じる．身体的な障害としては肝障害をはじめ，食道炎，胃炎，胃・十二指腸潰瘍，膵炎，糖尿病などの消化器疾患，高血圧・心筋症などの循環器疾患，多発性神経炎，小脳変性などの神経疾患などがみられる．

B 病態栄養

アルコール依存症の50～60％に体質因がかかわると推定され，アルコールを分解し依存症の防御因子として働く代謝酵素活性の差が関連する．アルコール飲料中のエタノールのほとんどは，肝臓に存在するアルコール脱水素酵素（alcohol dehydrogenase：ADH）またはミクロソームエタノール酸化系（microsomal ethanol oxidizing system：MEOS）でアセトアルデヒドに代謝されたのち，アルデヒド脱水素酵素（aldehyde dehydrogenase：ALDH）で酢酸へと代謝される．

ADHのうち，*ADH1B*遺伝子には47番目のアミノ酸残基arginineがhistidineに変異し酵素活性が高まる個人差（遺伝子多型）がある．日本人を含む東アジア人ではhistidine型の高活性型ADH1B（*1/*2と*2/*2）の保有者が90％以上である．低活性型ADH1B保有者（*1/*1）では，エタノール消失速度が遅いため，多量飲酒やアルコール依存症になりやすい．また，肝障害，膵炎，糖尿病，さらには食道・頭頸部癌のリスクが高くなる．

次に，アルコール肝毒性に関与するアセトアルデヒドを主に酸化し分解するのは，2型ALDH（ALDH2）である．*ALDH2*遺伝子には，487番目のアミノ酸残基glutamateがlysineに変異し活性を失う多型がある[3]．この酵素は四量体で，4個のサブユニットのうち1個でもlysine型だと酵素活性がなくなるため，ヘテロ欠損型ALDH2（*1/*2）の酵素活性はホモ活性型（*1/*1）の1/16であり，ホモ欠損型（*2/*2）では0となる．日本人では30％強がヘテロ欠損者，10％弱がホモ欠損者である．ALDH2活性が欠損すると，飲酒後に高アセトアルデヒド血症となり，顔面紅潮，心悸亢進，頭痛などいわゆるフラッシング反応を引き起こすため，ホモ欠損者はほとんど飲酒できない．このように，体質因が飲酒行動や健康障害に大きな影響を引き起こす．

C 評価と診断

慢性アルコール中毒あるいはアルコール症と呼ばれてきた概念は定義があいまいであったため，ICD-9（1975年）からはアルコール依存症という診断名が用いられるようになった．現在はICD-10の診断基準が頻用される（表1）．アルコール依存による関連障害を以下に示す．継続的な大量飲酒ののち飲酒を中断することにより惹起される振戦せん妄（アルコール離脱せん妄）がある．振戦せん妄はアルコールによる意識障害として最も頻度が高い．大量飲酒の継続で起こるアルコール幻覚症では，意識は清明であるにもかかわらず，活発な幻覚や被害妄想に支配されるのが特徴である．アルコール依存症でみられる妄想には嫉妬妄想が多い．長期にわたる大量飲酒は栄養障害を起こす．なかでもWernicke-Korsacoff症候群は頻度が高いが，ペラグラ，橋中心髄鞘崩壊症，Marchiafava-Bignami病，慢性硬膜下血腫，肝性脳症などもみられる．

D 治療

アルコール依存症の治療目標は継続した断酒が最終的な目標ではあるものの，アルコール依存症においては治療を継続することがより重要である．そのため患者が治療から脱落しないように，患者の希望に沿った治療を行う．2018年に出されたガイドライン[4]では，断酒を治療目標とする場合と飲酒量低減を治療目標とする場合に分かれている．

重度の離脱症状（退薬徴候）や重篤な身体障害などが認められる場合は入院治療も検討する．入院によって必然的に断酒となる急性期治療を行い，その後に，様々な維持療法を行う．主な治療法を以下に列挙する．

1．急性期治療

全身管理として栄養，水分補給およびビタミンB_1を中心としたビタミン剤投与を行う．これらはWernicke-Korsakoff症候群やペラグラ脳症，葉酸欠乏性脳症などへの移行を予防するためである．肝障害がある場合，アミノ酸代謝異常が生じている可能性があり，アミノ酸食を摂取させる．低ナトリウム血症などの電解質異常にも留意する．

急性期の薬物療法では，ベンゾジアゼピン系薬剤が頻用される．ベンゾジアゼピン系薬剤はアルコールと

表1　アルコール依存症のICD-10診断ガイドライン

過去1年間に以下の項目のうち3項目以上が同時に1ヵ月以上続いたか，または繰り返し出現した場合
1．飲酒したいという強い欲望あるいは強迫感
2．飲酒の開始，終了，あるいは飲酒量に関して行動をコントロールすることが困難
3．禁酒あるいは減酒したときの離脱症状
4．耐性の証拠
5．飲酒にかわる楽しみや興味を無視し，飲酒せざるをえない時間やその効果からの回復に要する時間が延長
6．明らかに有害な結果が起きているにもかかわらず飲酒

（融　道男，中根允文，小見山　実ほか（監訳）．ICD-10　精神および行動の障害：臨床記述と診断ガイドライン，医学書院，東京，2005より引用）

交差耐性・交差依存を持つため，アルコール離脱症状の軽減のほか，致死率の低下，出現時間の短縮，鎮静に要する時間の短縮が期待できる．アルコール離脱せん妄には，ベンゾジアゼピン系薬剤と併用して，抗精神病薬が使われることが多い．

2. 慢性期治療

旧来の日本のアルコール依存症の治療は，飲酒の有無にのみ焦点を当ててきたため，断酒の強要および再飲酒の叱責などにつながっていた．

しかし，現在のアルコール依存症に対する基本的な心構えは，依存症は本人の意志では中断できない慢性疾患であることを認識することである．そして，そのような疾患であるからこそ，本人の意志とは関係がないことや断酒は簡単に継続できないことを医療者はよく認識し，患者としっかりとした治療関係をつくり，患者の困っていることや生きづらさなどを支援し，治療に対する動機づけを行い，再飲酒してもいたずらに責めず，患者の治療意欲を高め，治療から脱落しないような関わりをしていくことが重要である．

具体的な治療法として，大きく分けてピアカウンセリングによる治療，薬物療法，精神療法がある．それらを以下に示す．

ピアカウンセリングによる治療(同じ立場にあるものによるサポート)では，1930 年代に北米で誕生した alcoholics anonymous (AA) と呼ばれる当事者集団が重要な位置を占める．日本では 1953 年に AA をモデルに断酒会が創設された．これらは専門家のいないアルコール依存症患者のみの集団療法であり，参加者は飲酒時の問題や，断酒している今の生活を話し合う．ここで依存症者は社会復帰において学ぶ必要のある様々な社会経験を分かち合うことができる．

薬物療法として抗酒薬が用いられる．抗酒薬は ALDH 阻害薬で，飲酒時の血中アセトアルデヒド濃度を高め不快な反応を引き起こすことにより，アルコールへの嫌悪反応を起こさせ断酒を継続させるものである．ゆえに飲酒欲求を抑える直接的な作用はない．日本ではシアナマイドとノックビンが使用できるが，副作用として薬疹，肝機能障害がある．治療成績は様々であるが，飲酒時の不快な反応を嫌がり自己中断するなど，服薬アドヒアランスの問題のため効果は限局的である．

2013 年から日本で使用可能となったアカンプロセートは，タウリンの誘導体で，グルタミン酸系 NMDA 受容体を阻害し，GABA 受容体を刺激することにより飲酒欲求を抑制する．中枢神経系に作用し飲酒欲求を抑えるが，アルコールへの嫌悪反応や依存性は変えない．副作用として下痢が多い．

2019 年から日本で使用可能となったナルメフェンは，選択的オピオイド受容体調節薬であり，μ オピオイド受容体および δ オピオイド受容体に対しては拮抗薬として，κ オピオイド受容体に対しては部分的作動薬として作用することで，飲酒欲求を抑制すると考えられている．副作用として悪心や浮動性めまいが多い．

精神療法で代表的なものに認知行動療法がある．依存症における認知行動療法では，「依存物質を使用すると状況が改善する，気分がよくなる」という信念を変更することにより，物質への渇望を抑制し再燃を予防することを目的とする．また，再燃・再飲酒は起こりうるものと考え，過去の失敗を分析することで危険因子を明らかにし，再飲酒を考察し予防できるようにする．

❹金属代謝異常

A 疾患の解説

銅や鉄などの体内に存在する微量金属は重要な蛋白質・酵素の構成要素で，生命維持に必須である．一方，活性酸素やフリーラジカル産生を触媒するため，アポトーシスや細胞膜の破壊，蛋白質の凝集などを促進する．よって，生体内の微量金属は欠乏あるいは過剰にならないように厳密に調整されている．金属代謝異常により発症する疾患として代表的なものに，銅代謝異常に伴う Wilson 病，Menkes 病，鉄代謝異常に伴う無セルロプラスミン血症がある(頻度が高い順)[5]．

B 病態栄養

銅は，食物から小腸を介し体内に取り込まれ，肝臓で銅輸送蛋白セルロプラスミン(CP)に結合(CP 結合銅)し，血中銅の約 95%を占める．消化管での銅の吸収に携わっているのが ATP-7A 蛋白であり，これが働かないのが Menkes 病である．吸収された銅は門脈から肝臓へ運ばれ，約 10%は CP 結合銅として血液中に再放出され，不要な銅は肝臓から胆汁を経て便として体外に排泄される．常染色体劣性遺伝性の Wilson 病患者では ATP-7B 欠損により，胆汁への銅排泄障害と CP 合成障害をきたす．

CP は銅の輸送にかかわるだけではない．脳内で CP は，血管周囲のアストロサイトに膜結合型 CP として存在し，脳実質内に放出された 2 価鉄を 3 価鉄に酸化し，トランスフェリンとの結合を促進させている．神経細胞はトランスフェリンに結合した 3 価鉄を，受容体を介して取り込み利用する．無セルロプラスミン血症はCP遺伝子そのものに異常があり，血清CPは測定感度以下となる．

C 評価と診断

Wilson病は神経症状が初発症状になることが多く，言語不明瞭・緩慢などの構音障害，筋強剛，四肢の振戦，歩行障害，痙攣発作などを示す．学業成績の低下，性格変化，感情不安定などの精神症状で初発する場合もある．検査所見では銅代謝に関する検査以外に画像所見も有用であり，MRIでT2強調像上両側レンズ核，尾状核，視床，小脳歯状核，脳幹にほぼ左右対称の高信号領域を認める．

無セルロプラスミン血症では糖尿病，中枢神経症状，網膜変性，貧血が主病像である．半数以上の患者が20～30歳代で糖尿病を発症するが，神経症状を伴わず，本症と気づかれない場合も多い．インスリン分泌は早期から低下しており，インスリン治療を必要とする．神経症状は脳内の鉄沈着部位に一致するのが特徴で，小脳症状，不随意運動，錐体外路症状，認知および精神症状が高頻度にみられる．神経症状の発現は40～50歳代が多い．網膜変性は高率に認めるが自覚症状は通常ない．小球性低色素性貧血を呈するが，鉄剤の投与は無効である．本症でも画像所見は有用であり，頭部CTでは鉄沈着を反映し，大脳基底核（被殻，尾状核，淡蒼球など），視床，小脳歯状核は高輝度に，MRIでは同部位はT1，T2強調画像ともに低信号を呈する．以上の臨床像と検査所見で診断可能であるが，確定診断には遺伝子解析によるCP変異の同定が必要であり，現在までに世界中で60家系51の変異が同定されている[6]．

D 治療

Wilson病では，D-ペニシラミンや塩酸トリエンチンといった銅キレート剤の服用と，銅を多く含む食事の制限を行うことによる治療法が確立されている．銅キレート剤は一生にわたり飲み続けなければならないが，副作用の問題で継続できない場合，安全性の高い銅吸収阻害薬である酢酸亜鉛水和物が使われる．食事は低銅食とし，多量に銅を含有する食物（レバー，カニ，エビ，イカ，タコ，貝類，チョコレート，ココア，キノコ，栗など）を摂取しないようにする．

Menkes病の重症型は生命予後不良であるが，生後2ヵ月以内の治療開始により神経障害を予防できる可能性がある．治療はヒスチジン銅の皮下注射であるが，長期の銅注射は腎臓の尿細管への銅蓄積を起こし，腎障害をきたすことが懸念される．

無セルロプラスミン血症の治療では，非経口投与の鉄キレート剤であるデフェロキサミンや，経口投与の鉄キレート剤であるデフェラシロクスが使用される．

❺変性疾患

A 疾患の解説

神経変性疾患とは脳や脊髄にある神経細胞のなかで，ある特定の神経細胞群が徐々に障害を受け脱落してしまう疾患である．多くは原因不明で治療方法も未確立で，生活面で長期にわたる支障があるため，日本では厚生労働省が実施する難治性疾患克服研究事業の対象疾患として指定されている．代表的なものに，Parkinson病関連疾患，筋萎縮性側索硬化症，Shy-Drager症候群・線条体黒質変性症・オリーブ橋小脳萎縮症を代表とする多系統萎縮症などがある．また，その他の代表的な神経変性疾患としてAlzheimer型認知症（Alzheimer's Disease：AD）がある．

ここではADを中心に認知症について説明する．認知症とは，一度正常に達した認知機能が後天的な脳の障害によって持続性に低下し，日常生活や社会生活に支障をきたすようになった状態をいい，意識障害はないとされる．

B 病態栄養

栄養障害を伴う認知症では，前項までで記したWernicke-Korsacoff症候群などのビタミンB群欠乏による認知症状態，Wilson病による脳症がそれにあたる．一方，ADではコレステロールとの関連が深いことは知られている[7]ものの，病因と栄養の関連ははっきりしていない．一方，認知症では食行動異常を認めることも多い．特に前頭側頭葉変性症（frontotemporal lobar degeneration：FTLD）では，食欲や嗜好の変化，食習慣の変化がみられることが多く，甘いものを毎日多量に食べる，十分に咀嚼せずに嚥下し食事が速い，決まった少品目の食品や料理に固執するといった特徴がある．

C 評価と診断

認知症の診断にはICD-10を用いる[8]．認知症性疾患ごとに基準は異なるものの，認知症に共通する点として「通常，慢性あるいは進行性の脳疾患によって生じ，記憶，思考，見当識，理解，計算，学習，言語，判断など多数の高次脳機能の障害からなる症候群」とされ，表2のように要約されている．日本で最も多い認知症はADであり，次いで血管性認知症の頻度が高く，Lewy小体型認知症の頻度が3番目に多いとされる[9]．ADの最終的な確定診断は，剖検によって行う必要がある．また，ADの発症に深くかかわる原因遺伝子として，*APP*遺伝子，*PSEN1*遺伝子，*PSEN2*遺伝子などが知られている[10]．

表2　ICD-10による認知症診断基準の要約

G1．以下の各項目を示す証拠が存在する．
　1）記憶力の低下
　　新しい事象に関する著しい記憶力の減退．重症の例では過去に学習した情報の想起も障害され，記憶力の低下は客観的に確認されるべきである．
　2）認知能力の低下
　　判断と思考に関する能力の低下や情報処理全般の悪化であり，従来の遂行能力水準からの低下を確認する．
　1），2）により，日常生活動作や遂行能力に支障をきたす．
G2．周囲に対する認識（すなわち，意識混濁がないこと）が，基準G1の症状をはっきりと証明するのに十分な期間，保たれていること．せん妄のエピソードが重なっている場合には認知症の診断は保留．
G3．次の1項目以上を認める．
　1）情緒易変性
　2）易刺激性
　3）無感情
　4）社会的行動の粗雑化
G4．基準G1の症状が明らかに6ヵ月以上存在していて確定診断される．

（融　道男，中根允文，小見山　実ほか（監訳）．ICD-10　精神および行動の障害：臨床記述と診断ガイドライン，医学書院，東京，2005より引用）

D 治療

1．薬物療法

ADに対し，抗認知症薬として3種類のコリンエステラーゼ阻害薬（cholinesterase inhibitor：ChEI）や，N-メチル-D-アスパラギン酸（NMDA）受容体拮抗薬が用いられている（表3）[11]が，残念ながら，対症療法に過ぎず原疾患の根本的治療となる薬物はまだない．しかし，これら抗認知症薬により，AD患者の認知機能障害，日常生活動作の低下，行動障害などの改善や進行抑制が期待できる．一方，ChEIの副作用として食思不振，悪心・嘔吐，下痢などの消化器症状がみられる．認知症の食行動に対する治療も対症療法であり，向精神薬が病態に応じて使用される．しかしながら，抗認知症薬や向精神薬の投与によって食行動が改善される例も多いため，検討する意義を認める．

表3　Alzheimer型認知症治療薬の特徴

薬剤	ドネペジル	ガランタミン	リバスチグミン	メマンチン
分類	ピペリジン系	アルカロイド系	カルバメート系	アダマンタン誘導体
作用機序	AChE阻害	AChE阻害 nAChRアロステリック増強作用	AChE阻害/BuChE阻害	NMDA受容体拮抗
適用	①軽～中等度5mg ②重度10mg	軽～中等度24mg	軽～中等度18mg	中等～重度20mg
用量	①3mg（2週）→5mg ②5mg（1月）→10mg	8mg（1月）→16mg（1月）→24mg	①4.5mg（1月）→9mg（1月）→13.5mg（1月）→18mg ②9mg（1月）→18mg	5mg（1週）→10mg（1週）→15mg（1週）→20mg
用法	1日1回	1日2回	1日1回 パッチ剤	1日1回
半減期（時間）	70～80	5～7	3.4	60～80
最高濃度到達（時間）	3～5	0.5～1	8	1～7
代謝	肝臓 CYP3A4，2D6	肝臓 CYP2D6，3A4	非CYP	腎排泄

AChE：アセチルコリンエステラーゼ，nAChR：ニコチン性アセチルコリン受容体，BuChE：ブチリルコリンエステラーゼ
（日本神経学会（監）．認知症疾患診療ガイドライン2017，医学書院，東京，2017：p227より許諾を得て転載）

2. 非薬物療法

ADでは薬物療法以外の治療も勧められており，脳機能刺激を目指したリアリティオリエンテーション，運動療法，音楽療法，絵画療法，回想法，グループ療法などが試みられている．ただし，ADと食行動や栄養との関連についての十分な情報はまだ集まっていない．

❻神経性やせ症

A 疾患の解説

器質因のない摂食障害は，極端な摂食制限，過食，自己誘発性嘔吐，過剰運動といった異常な行動と，身体像の歪み，痩身への執着などの精神面で定義される精神障害である．摂食障害の9割は10〜30歳代の女性で，先進国に多く死亡率が6〜20%と高い．主な死因は，衰弱，低血糖，電解質異常，不整脈，心不全，感染症などの内科合併症と自殺である．彼らは治療への抵抗が強く，重篤な状況になっても治療を受けないこともまれではない．摂食障害に関する診断基準はICD(表4a)とDSM(表4b)では若干異なるが，本項では，一般的に使用されるDSMを使用し，摂食障害のなかでも最も患者数の多い神経性やせ症について取り扱うこととする．これまでICD-10では「神経性無食欲症」，厚生労働省研究班で作成された診断基準では「神経性食欲不振症」という名称が用いられてきたが，これらの病名は食欲と関連する名称となっているため，疾患の本態が食欲の病気であるという誤解を生じていた．この疾患の本態は体重や体型に関する認知の歪みや心の問題であるため，今回，「神経性やせ症」という病名が用いられることになった．

B 病態栄養

本症における多くの身体徴候および症状は飢餓によるものである．無月経はよくみられ，身体所見としてるい痩を認める．通常，低血圧，低体温，徐脈も生じる．自己誘発性嘔吐により唾液腺や耳下腺の肥大，歯のエナメル質の浸食，歯があたることによる手背表面に瘢痕または硬結ができる場合もある．

C 評価と診断

1. 診断基準

神経性やせ症の診断基準について表5に示す．

血液検査では見かけ上のリンパ球増多を伴う白血球減少が多く，脱水を反映し尿素窒素値が上昇することがある．高コレステロール血症はよくみられ，糖新生による肝障害から肝酵素値が上昇することもある．低マグネシウム血症，低亜鉛血症，低リン血症，そして高アミラーゼ血症が場合によってはみられる．自己誘発性嘔吐は代謝性アルカローシスを，緩下薬の乱用は軽度の代謝性アシドーシスを起こすことがある．心電図では洞性徐脈，または不整脈，一部ではQTc間隔の延長を認める．

2. 栄養評価

本症の栄養状態の評価として，最も重要な指標に体重がある．標準体重の75%以上は軽症，65%以上75%未満は中等症，65%未満は重症の栄養障害と判断される．その他の栄養状態は身体所見や検査所見をみて評

表4a　ICD-10のEating Disorders(摂食障害)

anorexia nervosa(神経性無食欲症)
atypical anorexia nervosa(非定型神経性無食欲症)
bulimia nervosa(神経性大食症)
atypical bulimia nervosa(非定型神経性大食症)
overeating associated with other psychological disturbances(他の心理的障害と関連した過食)
vomiting associated with other psychological disturbances(他の心理的障害と関連した嘔吐)
other eating disorders(他の摂食障害)
eating disorder, unspecified(摂食障害，特定不能のもの)

(融　道男，中根允文，小見山　実ほか(監訳)．ICD-10　精神および行動の障害：臨床記述と診断ガイドライン，医学書院，東京，2005より作成)

表4b　DSM-5のFeeding and Eating Disorders(食行動障害および摂食障害群)

pica(異食症)
rumination disorder(反芻症/反芻性障害)
avoidant/restrictive food intake disorder(回避・制限性食物摂取症/障害)
anorexia nervosa(神経性やせ症/神経性無食欲症)
bulimia nervosa(神経性過食症/神経性大食症)
binge-eating disorder(過食性障害)
other specified feeding or eating disorder(他の特定される食行動障害または摂食障害)
unspecified feeding or eating disorder(特定不能の食行動障害または摂食障害)

(日本精神神経学会(日本語版用語監修)，髙橋三郎，大野　裕(監訳)．DSM-5精神疾患の診断・統計マニュアル，医学書院，東京，2014より作成)

表5　神経性やせ症の診断基準(DSM-5)

A. 必要量と比べてカロリー摂取を制限し，年齢，性別，成長曲線，身体的健康状態に対する有意に低い体重に至る．有意に低い体重とは，正常の下限を下回る体重で，子どもまたは青年の場合は，期待される最低体重を下回ると定義される．
B. 有意に低い体重であるにもかかわらず，体重増加または肥満になることに対する強い恐怖，または体重増加を妨げる持続した行動がある．
C. 自分の体重または体型の体験の仕方における障害，自己評価に対する体重や体型の不相応な影響，または現在の低体重の深刻さに対する認識の持続的欠如
　摂食制限型：過去3ヵ月間，過食または排出行動(つまり，自己誘発性嘔吐，または緩下剤・利尿薬，または浣腸の乱用)の反復的エピソードがないこと．
　過食・排出型：過去3ヵ月間，過食または排出行動(つまり，自己誘発性嘔吐，または緩下剤・利尿薬，または浣腸の乱用)の反復的エピソードがあること．

(日本精神神経学会(日本語版用語監修)，髙橋三郎，大野　裕(監訳)．DSM-5 精神疾患の診断・統計マニュアル，医学書院，東京，2014：p332 より許諾を得て転載)

表6　神経性やせ症でみられる身体所見と検査異常

	症状と徴候	検査異常
皮膚	うぶ毛の密生，脱毛，カロチン症，低体温，凍瘡点状出血斑，吐きだこ	
耳鼻咽喉	耳閉感	耳管閉塞
循環器	低血圧，徐脈，心雑音，不整脈，浮腫	心陰影の縮小，心電図異常，僧帽弁逸脱症
口腔	歯肉炎，エナメル質障害，う歯，唾液腺の腫脹	唾液腺型アミラーゼ上昇
消化器	味覚障害，腹部膨張感，悪心，腹痛，便秘，下痢，痔核	血中亜鉛の減少，内臓下垂，胃排出能低下，萎縮性胃炎，イレウス，上腸間膜症候群
腎・尿路	乏尿，失禁，夜尿，浮腫	膀胱筋力低下，腎希釈・濃縮能障害，腎不全
肝・膵		トランズアミナーゼ上昇，膵型アミラーゼ上昇，総蛋白・アルブミン・rapid turnover proteins の低下
脂質代謝		高あるいは低コレステロール血症
血液	貧血	貧血，白血球減少，血小板減少症
電解質	不整脈，意識障害，痙攣	低ナトリウム・クロール・カリウム・カルシウム・マグネシウム血症，血中微量元素低下
内分泌系	無月経，低身長	T_3 低下，GH 上昇，IGF-I 低下，性ホルモン低下，レプチン低下，アディポネクチン上昇
骨・筋肉系	側彎，骨折，筋力低下，筋肉痛，末梢神経麻痺	横紋筋融解症，骨密度低下，骨粗鬆症
中枢神経系	不眠，思考・判断・集中力の低下，認知障害	脳萎縮像，異常脳波

(鈴木(堀田)眞理．摂食障害の身体管理．臨床精神医学 2013; **42**: 537-545 より引用)

価する(表6)[12]．

D 治療

外来での通院治療が基本であるが，救命のため入院治療が必要な場合もある(表7)．入院が必要な状態でも，入院を了解しない場合や，抑うつ・不安・希死念慮などの精神症状がある場合は精神科に入院し，内科と共診で治療する．精神科入院の場合，入院期間の制限がなければ，時間をかけて本人と向き合い，精神病理を明らかにしていくが，それには年単位の入院期間が必要となる．そのため，体重の回復を治療目標とした入院治療が一般的で，ある一定以下の体重になると入院をすることを前提にして，入院時に退院時の目標体重，週ごとに決める体重増加の目標，体重減少した場合の対応，体重測定の頻度，余暇活動や外出などの

表7　緊急入院の適応指針

次の場合には緊急入院が必要であり，内科病棟での積極的な治療が望ましい．この段階では向精神薬，カウンセリングなどによる治療よりも全身状態の改善が最優先される． 1．全身衰弱(起立，階段昇降が困難) 2．重篤な合併症(低血糖性昏睡，感染症，腎不全，不整脈，心不全，電解質異常) 3．標準体重の55%以下のやせ

(厚生労働省難治性疾患克服研究事業「中枢性摂食異常症に関する調査研究班」．神経性食欲不振症のプライマリケアのためのガイドライン，2007より引用)

行動範囲の制限などを設定したオペラント条件づけによる入院行動療法を行う．

1．食事療法

まず，治療の原則は経口摂取による食事療法である．入院当初は1,000kcal程度の食事から開始して漸増し，1週間に0.5〜1kgの体重増加を目指す．また，規則正しい食生活の導入が重要である．当初は標準食をそのまま半分に盛りつけるのではなく，①主食のみを減量する，②揚げ物や固形物は代替メニューに変更する，③食べやすい胃潰瘍食や脂肪分が少ない肝臓病食にする，④摂取カロリーが増えてきた際には補食をうまく用いる，などの工夫をする．症例の状態に応じて，適宜ビタミンやミネラルのサプリメントなどによる補充も行う．特に低栄養が著しい場合は食事開始後に容易に浮腫などをきたしやすい．そのため，明らかに摂取カロリーが低いにもかかわらず体重増加が顕著なときは浮腫などを疑い，水分の管理などにも注意する必要がある．

食事だけでは体重が増加しない場合は経管栄養や末梢点滴，経静脈性高カロリー栄養法を導入することとなる．

2．経管栄養，経静脈性高カロリー栄養法

上記のように原則は経口での栄養が推奨されるが，やむを得ない場合はこれらの適応となる．経静脈栄養法と比べ，経管栄養法のほうが消化管を介し生理的で安全であることから望ましいが，治療への抵抗感がある場合は自己抜去のリスクが高い．そのため，治療の必要性はもちろん，投与エネルギーに関しても常に本人に明示する必要がある．体重増加は同様に1週間に0.5〜1kgが妥当である．必要なエネルギーを食事で摂取でき，体重が減らないことを確認して経管栄養は終了とする．

なお，治療開始後に栄養管理を行う際は，特にリフィーディング(refeeding)症候群に十分注意する．リフィーディング症候群とは，長期間の低栄養状態にあった生体に対し急速な栄養投与を行った際に認められる重篤な病態である．飢餓に陥ると，エナジーサイクルは，糖を主体としたものから貯蔵した脂肪や蛋白を利用するものに変わり，全体の代謝率を低下させるようになる．そして，飢餓が長期に及ぶと体内のミネラルが枯渇する．この状況で再栄養が行われると，糖の負荷がインスリン分泌を促進させ，インスリンはグルカゴンを抑制しつつグリコーゲンや脂肪，蛋白の代謝を促進する．さらに，カリウム，マグネシウム，リンも細胞内に移動するため，これらの血中濃度が低下する．その結果，生じる低リン血症が最も危険であり，ヘモグロビンの酸素運搬能が低下しクエン酸(TCA)回路の機能不全となり，心不全・心停止を引き起こすため，致死となることもある．対応としては，定期的な電解質のチェックとリンを含めた補正が必要である．

3．薬物療法

本症に対する薬物療法で，その有効性についてエビデンスのあるものは知られていない．ただ，選択的セロトニン再取り込み阻害薬(selective serotonin reuptake inhibitors：SSRI)は，併発するうつ症状の改善に用いられるほか，再発の予防や本症に伴う強迫観念に対しての効果が期待されている．抗精神病薬も衝動性や強迫性に対して使用されることもあるが，副作用としての食欲増進や体重増加を見込んだ投与法は有害であり，その作用を隠して投与することなどはまったくもって行うべきではない．薬剤についても食事と同様に，期待する作用と可能性のある副作用について十分に説明したうえで使用する．

4．精神療法

まずは体重回復を優先し，摂食行動が安定し体重が危機的状況を脱してから，心の問題に入っていくことになる．摂食障害に対する精神療法は様々であり，前述の個人精神療法や家族療法など，いくつかの精神療法を組み合わせて行う．代表的なものに認知行動療法(cognitive behavior therapy：CBT)がある．これは，患者の認知のあり方を修正することにより，食行動に変化をもたらし，改善させることを目的とした精神療法である．患者の今困っていることに焦点をあて，セッション内で取りあげて話し合うことを患者と治療者の共同作業で設定する．食事に関する考え方(認知)，感情，行動，生理機能，環境因子の相互作用を分析し，体型や体重に関する特有の認知，行動に対してアプローチする．そして，疾患特有である体型や体重に関

する認知を修正し，新たな対処行動を探り，疾患背景や患者の現在の環境を理解し，患者の自尊心を引き出し，コーピングスキルを身につけられるように援助し，よりよい方向に変化を促していく．

文献

1) 内田俊也．水電解質異常．日本腎臓学会誌 2002; **44**: 18-28
2) 尾崎米厚，松下幸生，白坂知信，ほか．わが国の成人飲酒行動およびアルコール症に関する全国調査．アルコール研究と薬物依存 2005; **40**: 455-470
3) 横山　顕．ADH1B，ALDH2 の健康障害への影響．PROGRESS IN MEDICINE 2013; **33**: 915-919
4) 新アルコール・薬物使用障害の診断治療ガイドライン作成委員会(監)．新アルコール・薬物使用障害の診断治療ガイドライン，新興医学出版社，東京，2018
5) 宮嶋裕明．セルロプラスミン血症セルロプラスミンと銅，鉄代謝．神経内科 2004; **61**: 130-139
6) Miyajima H. Aceruloplasminemia (Initial Posting: August 12, 2003; Last Update: April 18, 2013). In: GeneReviews
7) Puglielli L, Tanzi RE, Kovacs DM. Alzheimer's disease: the cholesterol connection. Nature Neurosci 2003; **6**: 345-351
8) World Health Organization. International Statistical Classification of Diseases and Related Health Problems, 10th Revision, World Health Organization, Geneva, 1993
9) Matsui Y, Tanizaki Y, Arima H, et al. Incidence and survival of dementia in a general population of Japanese elderly: the Hisayama study. J Neurol Neurosurg Psychiatry 2009; **80**: 366-370
10) 宮下哲典，桑野良三．認知症の遺伝子異常．神経内科 **72**(Suppl6): 2010; 40-45
11) 日本神経学会(監)．認知症疾患診療ガイドライン 2017，医学書院，東京，2017
12) 鈴木(堀田)眞理．摂食障害の身体管理．臨床精神医学 2013; **42**: 537-545

9 悪性腫瘍

A 疾患の解説

悪性腫瘍(がん)は白血病や悪性リンパ腫などの血液悪性腫瘍，咽頭，喉頭などの頭頸部癌，中皮腫や肺癌などの胸部悪性腫瘍，肝臓，膵臓癌などの消化器実質臓器のがん，食道，胃，結腸・直腸癌などの消化管癌や gastrointestinal stromal tumor(GIST)，乳癌，卵巣癌，子宮癌などの婦人科癌のほか，肉腫などと様々な領域に発生する．それぞれに臓器特異性と組織学的特徴があり，病期によっても治療方針は様々である．一般的に早期がんであれば手術や放射線療法，化学療法，あるいはそれらの併用により治癒や寛解が望めるが，進行したものでは根治は難しく，症状の緩和や QOL を重視した姑息的治療を選択せざるを得ない．

悪性腫瘍は消耗性，進行性の疾患であり，免疫力も低下している担がん患者では感染症にも陥りやすく，がん組織から産生される代謝産物やサイトカインの作用も相俟って，播種性(汎発性)血管内凝固症候群(disseminated intravascular coagulopathy：DIC)や多臓器不全(multiple organ failure：MOF)など種々の重篤な病態を発症する危険性もある．また，外科的治療による手術侵襲や術後合併症，抗がん薬や放射線療法，分子標的治療薬や最近登場した免疫チェックポイント阻害薬などの治療に起因する副作用にも対処しなければならない．

B 病態栄養

1．悪性腫瘍患者におけるエネルギー代謝

悪性腫瘍を有する患者のエネルギー代謝の特徴は宿主の消耗である．食欲不振や摂食障害による骨格筋萎縮や蓄積脂肪の消失，臓器萎縮，貧血，低アルブミン血症，低血糖，高脂血症，耐糖能異常などが発生する．骨格筋における蛋白分解が亢進するとともに蛋白合成は低下し，筋萎縮(サルコペニア)と低アルブミン血症が発現する．このようながん患者の代謝上の変化の典型的な病態をがん悪液質(カヘキシア)と呼び，がんによって惹起される全身性の炎症反応と理解されている．カヘキシアに陥ると全身性の炎症反応を背景に，栄養摂取不良も相俟ってインスリンの分泌低下および中性脂肪を分解するリポ蛋白リパーゼ活性が低下して脂肪異化が亢進する．脂質分解の亢進，蛋白代謝の亢進，体脂肪・筋肉の喪失による体重減少が生じる(図1)．このような代謝異常は，末期がんでなくても早期から生じている場合があり，患者の栄養状態を栄養投与だけで正常状態に回復させることは難しい[1~4]．

2．がん治療における栄養療法の目的と方法

担がん患者の栄養状態は，一般的に体重減少に代表される栄養状態の悪化がみられる．がん患者に対する栄養療法の目的は①宿主の代謝異常の改善と全身衰弱の予防，②抗がん薬，放射線療法による食欲不振改善とそれに伴う衰弱の予防，③治療に伴う臓器障害，特に DIC や MOF の予防，④栄養状態を改善することにより化学療法や放射線療法の完遂率を高めること，である(表1)．がん患者では，食思不振と悪液質による低栄養状態と体重減少が QOL を低下させるだけでなく，がん治療に対する反応も悪くする．そのため，治療早期から栄養療法を導入することで栄養状態と QOL を改善し，感染症発症予防にも寄与する．そして，治療に対する意欲を高め，入院期間も短縮させることができる．終末期においても症状のコントロールと QOL を重視して，悪液質の有無，病因・病態に応じて個々の患者に合った栄養療法を考え，分岐鎖アミノ酸や脂肪酸，微量元素などを投与し，症状緩和や機能改善を図る[3,4]．栄養の投与方法に関してはがんの発生部位や進行度によっても影響を受け，咽頭癌や食道，胃などの上部消化管癌では通過障害により経口摂取ができず，小腸腫瘍や大腸癌による通過障害，腹膜の悪性腫瘍や婦人科癌でも癌性腹膜炎を発症すれば腸閉塞により経口摂取ができなくなる．そのため，胃瘻や空腸瘻を用いた経腸栄養など経口以外の栄養補給や経静脈栄養(perenteral nutrition：PN)が必要になる[3~5]．

C 評価と診断

近年，がん患者に対する治療早期からの栄養サポートチーム(nutritional support team：NST)の介入も行われるようになり，栄養評価の重要性が提唱されている．通常は主として subjective global assessment (SGA)と objective data analysis (ODA)を用いて栄養

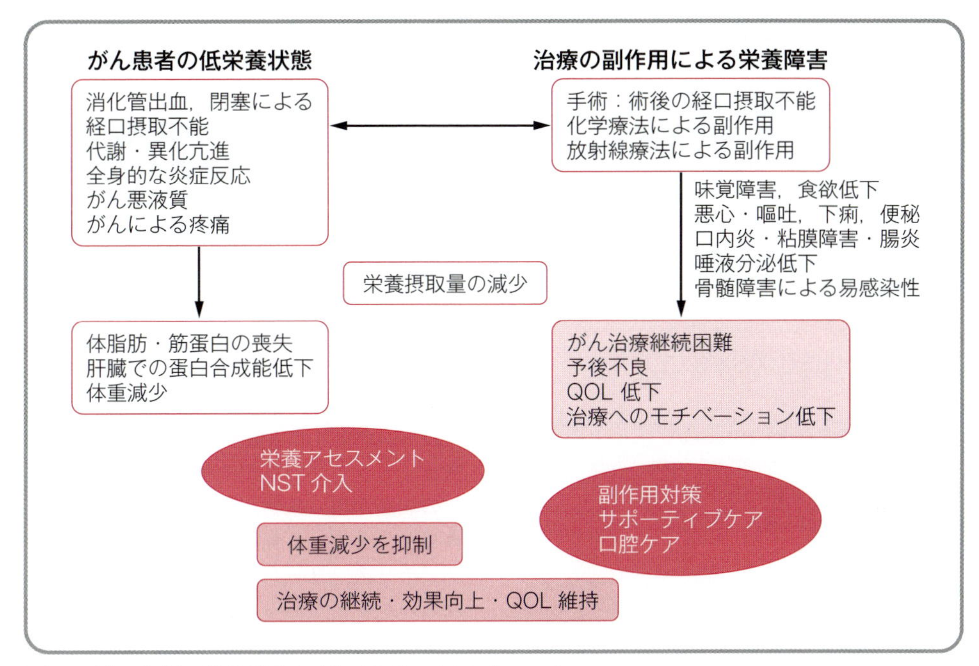

図 1　がん患者の栄養障害に対するチームアプローチ

がん患者の代謝は異化が亢進しており，消化管癌や腹膜に浸潤したがんでは出血，腸閉塞による消化管利用不能，がんによる疼痛もあって栄養摂取は低下，低栄養状態で，全身的な炎症反応を有するがん悪液質の状態にあるものもある．手術による術後の消化管利用不能，化学療法，放射線療法による治療によって味覚障害，食欲低下，悪心・嘔吐，下痢，便秘，口内炎・粘膜障害・腸炎などの副作用が発生し栄養障害は助長され体脂肪・筋蛋白の喪失，肝臓での蛋白合成能低下により体重減少が発生し，QOL は低下，治療へのモチベーションも低下して治療継続困難となれば予後は不良となる．

治療早期から栄養アセスメントを行い，病態に応じた栄養補給方法を検討し，副作用対策を十分講じるとともに，骨髄障害による易感染性なども考慮して経口，経腸的な栄養補給を主体とした栄養療法を行う．

表 1　がん患者に対する栄養療法の目的

①宿主の代謝異常の改善と全身衰弱の予防
②抗がん薬，放射線療法による食欲不振とそれによる衰弱の予防
③治療に伴う臓器障害，特に DIC や MOF の予防
④ QOL の改善と，治療完遂率の向上

療法が必要な患者を評価する．担がん患者では Glasgow prognostic score（GPS）や neutrophil lymphocyte ratio（NLR）は進行がん患者の予後とも相関することが知られている（表 2）[3,4]．

栄養障害を認めた場合，① 1 週間以上経口摂取が不能，あるいは②必要カロリーの 60％以下の経口摂取が 1 週間以上続くと推定される場合は積極的に栄養療法を行う（エビデンスランク A-Ⅲ）．腸管が使用できる場合には，一般の栄養管理と同様，経腸栄養を行うべきである（A-Ⅱ）とされている．頭頸部腫瘍や食道癌などの放射線療法で，経口的に必要量を摂取できない場合には，画一的に静脈栄養を施行せず経管栄養を選択する（A-Ⅱ）．術前に低栄養状態に陥っている患者に対して栄養療法を行う場合には，手術のタイミングや栄養療法の影響も考慮して，術前 2 週間程度を目安に栄養療法を行う（B-Ⅱ）[5]．経腸栄養が困難な場合は経静脈栄養が行われるが，常に感染性合併症の発生に注意が必要である．投与栄養量については，がん患者の基礎エネルギー消費量（basal energy expenditure：BEE）はがん種や個人差が大きく，また治療の侵襲度も異なるので，一律には決められない．できれば間接熱量を測定して各個人の消費エネルギー量を算出し，必要熱量を求めるのが理想的であるが[6]，それが困難な場合には 25～30 kcal/kg/日を目安として投与熱量を設定し，経過をみて増減する方法が勧められている．この目安は入院患者で病勢があまり強くない場合の指標であり，低栄養改善あるいは体重増加を目的とするなら 30～35 kcal/kg/日程度を目安とするべきである．また，投与する栄養素の組成については，がん患者では外因性に投与された脂質の利用が亢進していること，がん細胞がグルコースを優先的に利用することから，脂質カロリー比の高い輸液による検討が行われたが，臨床的

表2 栄養アセスメントと栄養指標

静的栄養指標
○身体計測指標(身長, 体重, BMI, TSF, AMC など) ○血液生化学的指標(TP, ALB, TLC(末梢血リンパ球数)など) ○皮内反応(遅延型皮膚過敏反応)
動的栄養指標
○RTP(TF, TTR, RBP など) ○間接熱量計による測定
総合的栄養指標
○小野寺の PNI(10×Alb+0.005×TLC)
栄養評価
○subjective global assessment(SGA) ○malnutrition universal screening tool(MUST) ○mini nutritional assessment(MNA) ○controlling nutritional status(CONUT)
がん患者に対する栄養指標
○Glasgow prognostic score(GPS) ○neutrophil lymphocyte ratio(NLR)

な優位性は証明されていない. また, 高用量のたんぱく質・アミノ酸供給による検討も行われたが, がん患者での異化作用の抑制効果はみられていない. したがって現状では, 三大栄養素の投与量や組成については, 基本的に健常者と同様でよいとされている[5,6].

D 治療

手術や放射線療法, 化学療法による積極的な治療を進めるためには, できるだけ経口的に栄養を補給し, 経口摂取が不十分であれば経腸, 静脈栄養による強制栄養により全身状態を改善する必要がある. 治療による副作用も栄養状態を不良にする. 特に化学療法時には白血球・血小板減少などの骨髄抑制のほか, 全身倦怠, 口内炎, 悪心・嘔吐, 食欲不振, 下痢などの消化器症状, 不整脈など心機能障害や神経症状, 浮腫や代謝障害などの副作用が発生する(図1). 主に栄養障害を助長するものは食道, 胃粘膜障害による悪心・嘔吐, 口内炎, 下痢などの副作用である. そのなかで特に悪心・嘔吐は70〜80%に発生し, 食事摂取量の減少だけでなく治療への意欲も減退させてしまう. 窒素バランスを考慮した動物性たんぱく質や脂肪の摂取制限, 浮腫に対する Na 制限, K 補給, TCA 回路賦活と神経障害軽減のためのビタミン B, アリシン補給, 抗酸化物質による免疫能活性化も推奨されている[7,8].

1. 経口摂取時の注意事項

経口摂取が可能であれば積極的に行う. しかし, 化学療法, 放射線療法による味覚障害, 悪心や食欲不振は食事摂取量を減少させ, 臭いが鼻につくなどの症状も多い. 化学療法施行時にはガイドラインに沿って有効な制吐薬を使用し, 急性期と遅発性の悪心・嘔吐を制御することは必須である[7,8].

冷たいものや酸味のある食べ物は悪心を弱め食欲を高める. コーンフレークやクラッカーなどの乾きものは摂取しやすいが, 放射線療法後などで唾液分泌障害がある場合や咽頭炎がある場合には, 口腔粘膜が傷つかないよう注意が必要である.

抗がん薬治療中は骨髄抑制や粘膜障害による易感染性が問題となる. Centers for Disease Control and Prevention (CDC) の造血幹細胞移植患者の日和見感染予防ガイドラインで豆類や生野菜, 新芽やラズベリーなどの表面が粗い果物, 殺菌が不十分な蜂蜜, マテ茶, カビが生えている食品や期限切れのものは避け, ミルク, チーズ, ヨーグルトなどの乳製品でも低温殺菌したものが安全であるとされている[9].

下痢に対してはアルコールや乳製品, 繊維の多い食べ物は避け, 電解質やアミノ酸を含むイオン飲料を補給し, 少量の食事を頻回に摂る. 重症の下痢では止瀉薬を投与し, イオン飲料を経口的に補給し, 必要であれば経静脈的に脱水の補正を行う[10].

2. 経腸栄養法(EN)

欧州静脈経腸栄養学会(European Society for Parenteral and Enteral Nutrition：ESPEN)のガイドラインでも化学療法や放射線療法, 造血幹細胞移植において日常的な経腸栄養は推奨されていない[11,12]. 各種の経腸栄養剤が市販され, 外来でも処方できるため, 味付けや冷やして飲みやすくするなど工夫して投与し補助栄養として投与することも有用である. 中鎖脂肪酸がサイトカイン産生を抑制し, がん悪液質の改善に有効であることが知られるようになり, ω3系脂肪酸を含有する免疫賦活栄養剤も市販されている[13].

経口摂取ができない場合の対応として, 経鼻チューブ(nasogastric feeding tube：NFT)栄養や内視鏡的胃瘻増設術(percutaneous endoscopic gastrostomy：PEG), 空腸瘻キットが普及している. がん治療における経腸栄養の有効性を示す比較試験は少ないが, 静脈栄養と異なり, 腸管を使うことにより粘膜萎縮や腸内細菌の bacterial translocation を回避できるため感染機会は少ないとされてきた. 経口摂取が不能な頭頸部腫瘍に対する治療では栄養状態のアセスメントとリスク評価を行い, ガイドラインに沿って中〜高度リスク患者には NFT や PEG を用いた経腸栄養サポートを行うことで治療後の体重減少を抑制できる[11,13].

3. 経静脈栄養

抗がん薬，放射線療法時には経静脈栄養は安易に施行すべきでない．ガイドラインでも高度の消化管毒性のために経口摂取や経腸栄養による栄養療法が困難な場合に静脈栄養が適応となる（B-Ⅲ）とされている[5, 12]．しかし，イレウス症状や消化管出血などで経口摂取ができない状態であれば経静脈的に栄養を補給する必要がある．静脈栄養には末梢静脈栄養と中心静脈栄養があるが，高浸透圧の輸液は静脈炎を惹起するため末梢静脈から投与できる糖濃度は10%が限界である．十分なカロリーを補給するには多量の輸液が必要となり，浮腫や血管外漏出の危険性もあり，中心静脈栄養が推奨される．輸液内容に関しては病態に応じた処方が必要であり，水分・電解質バランス，必要カロリー数を計算し，インスリンも時に併用しながら高血糖に注意しつつ糖質，アミノ酸，脂肪乳剤をバランスよく組み合わせて補給する．体重や腹囲を測定し，肝・腎機能を勘案して分岐鎖アミノ酸製剤，腎不全用アミノ酸製剤を使用する場合もある．

化学療法中のがん患者は電解質異常をきたしやすいため，電解質の多く含まれるアミノ酸製剤を投与するときには特に電解質バランスの出納に十分注意する．また，高カロリー輸液時にはビタミンB_1不足によるアシドーシスが発生しやすいため総合ビタミン剤を補充する必要がある[14, 15]．

化学療法中の中心静脈栄養で注意しなければならない第一の合併症は感染症である．カテーテル敗血症は最も頻度が高く，輸液ルート・器材による感染，血栓形成が感染の原因となる．化学療法時には免疫抑制状態となり，長期間の中心静脈栄養のみでの管理は皮膚バリア機能も低下し，消化管を長期に使わないことにより粘膜が萎縮する．腸管粘膜のバリア機能が破綻されるとbacterial translocationが発生し，血液中に侵入した大腸菌体毒素であるlipopolysaccharide（LPS）がマクロファージを活性化，炎症性サイトカインの過剰産生を介して全身性炎症反応症候群（systemic inflammatory response syndrome：SIRS）が惹起され，腸内細菌を起因とする菌血症・敗血症・肺炎などを発症し，重篤な場合は死に至ることもある．抗がん薬治療中にTPNを長期に行う場合には，口腔ケアにより肺合併症を予防することも大切である[16]．

中心静脈栄養に起因する合併症を回避するには予防が第一である．カテーテルを挿入する中心静脈は内頸静脈，鎖骨下静脈，大腿静脈が選択されるが，患者の活動性維持と感染予防から鎖骨下静脈が使われることが多い．穿刺部位の消毒・滅菌にはアセトンによる脱脂とイソジン消毒が推奨されている．カテーテル挿入はすべてガウンを着用した清潔操作で行い，輸液製剤への細菌混入を防ぐためにクリーンベンチで調剤し，ダブルバッグやトリプルバッグ製剤を使用し，三方活栓の使用を避け，回路は閉鎖式にしてフィルターを用い，週1～2回交換する．38℃以上の発熱が3日以上持続する場合にはカテーテル感染を疑い，抜去する．その際，必ず血液培養を行うとともにカテ先を細菌検査に提出することが推奨されている[15, 16]．

近年は輸液製剤を調整せずに済むall-in-one bagの普及などにより輸液ラインに起因する感染頻度も劇的に低下しており，経腸的な栄養補給ができない場合には有効な手段となりつつある[14, 17]．

文献

1） Fearon K, Strasser F, AnkerSD, et al. Definition and classification of cancer cachexia an international consensus. Lancet Oncol 2011; **12**: 489-495
2） 中屋　豊，原田永勝，阪上　浩．癌患者における栄養素代謝の特徴．消化と吸収 2012; **34**: 402-409
3） 大平雅一．癌と栄養療法．日本外科系連合学会誌 2016; **41**: 134-138
4） 濱口哲也，三木誓雄．がん患者の代謝栄養．日本静脈経腸栄養学会雑誌 2015; **30**: 911-916
5） 日本静脈経腸栄養学会（編）．静脈経腸栄養ガイドライン，第3版，照林社，東京，2013：p333-343
6） 二村昭彦，東口高志，伊藤彰博，ほか．間節熱量計を用いた癌患者の栄養管理．静脈経腸栄養 2012; **27**: 1349-1354
7） 小林由佳，中西弘和．がん化学療法に伴う摂食障害（悪心嘔吐，味覚異常など）の対策．静脈経腸栄養 2013; **28**: 627-634
8） 日本癌治療学会．「制吐薬適正使用ガイドライン」2015年10月【第2版】一部改訂版 ver.2.2（2018年10月）<http://www.jsco-cpg.jp/guideline/29.html>（最終アクセス：2020年11月6日）
9） Tomblyn M, Chiller T, Einsele H, et al. Guidelines for preventing opportunistic infections among hematopoietic stem cell transplant recipients. Biol Blood Marrow Transplant 2009; **15**: 1143-1238
10） Benson AB 3rd, Ajani JA, Catalano RB, et al. Recommended guidelines for the treatment of cancer treatment-induced diarrhea. J Clin Oncol 2004; **22**: 2918-2926
11） Arends J, Bodoky G, Bozzetti F, et al. ESPEN Guidelines on enteral nutrition: non-surgical oncology. Clin Nutr 2006; **25**: 245-259
12） Bozzetti F, Arends J, Lundholm K, et al. ESPEN Guidelines on parenteral nutrition: non-surgical oncology. Clin Nutr 2009; **28**: 445-454
13） 谷口正哲，沢井博純，小林勝正，ほか．がん治療と栄養療法―最近の話題から―．静脈経腸栄養 2013; **28**: 591-595

14）長浜雄志，五関謹秀．がん患者の静脈栄養．日本静脈経腸栄養学会雑誌 2015; **30**: 927-932
15）日本病態栄養学会(編)．認定 NST ガイドブック 2017 改訂第 5 版．南江堂，東京，2017
16）O'Grady NP, Alexander M, Burns LA,et al. Guidelines for the Prevention of Intravascular Catheter-Related Infections, 2011 <https://www.cdc.gov/infectioncontrol/pdf/guidelines/bsi-guidelines-H.pdf>（最終アクセス：2020 年 11 月 6 日）
17）Singer P, Blaser AR, Bischo SC. ESPEN guidelines on clinical nutrition in the intensive care unit. Clin Nutr 2019; **38**: 48-79

10 周術期(ICUを含む)

❶術前術後の栄養管理

A 術前における栄養管理

1．術前栄養管理の対象と方法

低栄養患者が手術を受ける場合，術後の合併症の発生率や死亡率が高く，入院日数も増加し，コストもかかる．また，術前の14日以上の経口摂取の減少は術後の死亡率が高くなると報告されている．術前栄養療法に必要な時間は，生理的な機能を回復させるためには4～7日間，さらに体内蛋白質の回復を目標とした場合は7～14日の栄養療法が必要と考えられている．そのため，高度な低栄養状態の患者は，手術を遅らせても7～14日の術前の栄養管理を行うことが推奨されている[1)]．

欧州静脈経腸栄養学会(ESPEN)ガイドライン(ESPEN Guideline; Clinical nutrition in surgery, 2017)では，以下の場合を術前のハイリスクとし，術前栄養療法の必要性の指標としている[1)]．

①6ヵ月で10～15%以上の体重減少がある場合
② BMI＜18.5 kg/m² の場合
③主観的包括的評価法(subjective global assessment：SGA)がグレードC(高度低栄養)もしくはnutritional risk screening(NRS) 2002＞5点の場合
④血清アルブミン＜3.0 g/dL の場合(肝臓・腎臓機能異常は除く)

術前栄養管理の方法としては，原則的には経口を基本とする．しかし，通常の食事摂取量が不足するような場合には経口補助栄養(oral nutritional supplements：ONS)として経腸栄養剤を投与したり，濃厚流動食を経口摂取する．腹部のメジャーな手術を受ける低栄養患者，低栄養のハイリスク患者，特に高齢のサルコペニア患者にはONSを投与すべきとされている[1)]．経口摂取が十分にできない場合には，経管栄養，それも難しければ静脈栄養とする．幽門狭窄や腸閉塞などで消化管の通過障害を伴う場合は静脈栄養が選択され，術前の静脈栄養は中等度以上の栄養障害では術後合併症の発生を10%減少させる．しかし，軽度の栄養障害では逆に術後合併症が増加すると報告されている．

2．術前栄養アセスメントとPNI

術前患者の栄養状態は手術成績や術後経過に大きな影響を与える．そのため，術前の栄養状態のアセスメントは臨床的に重要となる．一般的には，SGAやNRSなどの栄養評価ツールが用いられる．欧州を中心に使用されているNRSは①体重減少，② BMI，③食事摂取量，④病気の重症度，⑤ 70歳以上かどうか，の5項目で判定される．大規模な臨床研究でその有用性は確認されており，周術期の栄養サポートの必要性を判断するよい指標であるとされている．また，客観的評価としては，体重やBMIの変化，血液生化学検査の血清アルブミン値，rapid turnover protein(RTP)，末梢総リンパ球数などが用いられる．

nutritional index(NI)とは，複数の栄養指標を組み合わせることによって，より総合的，客観的に栄養状態を表すことを目的とした指標のことである．周術期患者の予後を推定するNIとして，小野寺指数といわれる，小野寺らの予後推定栄養指標(prognostic nutritional index：PNI)が知られている．

$$PNI = 10 \times Alb + 0.005 \times TLC$$

Alb：血清アルブミン値(g/dL)，TCL：末梢総リンパ球数(/mL)

血清アルブミン値と末梢総リンパ球数のみから計算されるため，非常に簡便である．特に，食道癌や胃癌などの上部消化管手術における予後推定に利用され，45以上であると手術の制限なし，40～45は要注意，40以下は切除・吻合禁忌などとされる．

3．免疫栄養(immunonutrition)

生体の免疫能や防御能を増強もしくは調節するとされる特定の栄養素(ω3系不飽和脂肪酸，アルギニン，グルタミン，核酸など)が強化された免疫増強栄養剤(immune-enhancing diet：IED)を用いて，術後の感染予防，入院期間の短縮，死亡率の低下などの臨床的アウトカムの改善を目的とする栄養療法を免疫栄養(immunonutrition)と呼ぶ．

IEDの投与方法は，待機手術症例に術前5～7日，1日750～1,000 mLを経口投与する．これに加えて，術後にも，早期経腸栄養として5～7日用いることも行われる．栄養障害のない患者では，術前投与だけでも効果があると報告されてきた．

免疫栄養の期待される効果としては，①感染性合併症発生率の低下(約50％程度)，②在院日数，抗生物質使用量，人工呼吸管理期間，多臓器不全の減少，などがあげられる[2]．医療費に関しても，医療費の節約効果があったと報告されていた．

しかし，最近では，その効果を疑問視する研究結果が報告され，現在では，少なくとも，免疫栄養は対象としてメジャーな待期手術が行われる低栄養患者の周術期には効果があると考えられている．また，術前の5〜7日間のIED投与が推奨されているものの，術前におけるIED経口摂取と標準栄養剤の経口摂取の術後のアウトカムに差があるというエビデンスはない[1]．

4．シンバイオティクス

腸内細菌叢を正常化，もしくは改善する目的で使われのが，プロバイオティクスとプレバイオティクスである．プロバイオティクスは宿主に有益に働く生きた細菌によって構成される製剤で，*Lactobacillus* 属，*Bifidobacterium* 属，*Saccharomyces* 属，もしくはその混合などが使用されている．プレバイオティクスは，大腸腸内細菌の善玉菌を増殖させるか，悪玉菌の増殖を抑制することで，宿主に有益な効果をもたらす難消化性食品成分のことで，オリゴ糖や一部の食物繊維などがそれにあたる．その両者を併用するのがシンバイオティクスであり，周術期にシンバイオティクスを利用することにより，術後感染症の発生が抑制されることが報告されている．

侵襲の大きな胆道癌手術において，術後14日間，ビフィズス菌，乳酸菌，ガラクトオリゴ糖を投与したところ，術後感染性合併症が有意に減少した．さらに，術前にも投与することで，術後のみの投与よりも有意に術後感染症が減少したことが報告されている[3,4]．また，食道癌や肝癌手術においてもシンバイオティクスの効果が報告されている[5]．今後，期待される術前術後管理である．

B 術後における栄養管理

1．術後の代謝亢進と異化

手術による侵襲により，術後は体内の代謝が変化する．エネルギー消費量の増加，骨格筋蛋白の崩壊，肝臓の糖新生や急性相蛋白の合成亢進，インスリン抵抗性の増大と高血糖，脂肪分解の亢進などがあげられる．

このような病態に対応するために，術後早期から適切な栄養管理を行うことが重要で，術後合併症の減少，手術成績の向上，手術侵襲からの速やかな回復が望まれる．

2．積極的な術後栄養管理の必要性

一般的に，以下のような症例に対し術後の積極的な栄養管理を行う．

①術後，経口摂取が1週間以上にわたり制限されるような侵襲の大きな手術を受けた場合
②術前から低栄養状態のある場合
③術後合併症が発生した症例

ESPENのガイドラインでは，以下のような場合に周術期の栄養療法(経腸栄養や静脈栄養)が遅れることなく行われることが推奨されている[1]．

①周術期に5日間以上の絶食となる場合
②周術期に，経口摂取量が必要エネルギー量の50％以下の状態が7日間以上続く場合

3．術後の必要エネルギーとたんぱく量

術後は，生体が必要とするエネルギーや免疫応答，創傷治癒に必要なエネルギーを得るために，生体内では異化が亢進し，貯蔵エネルギーの利用が促進される．筋蛋白の崩壊により得られたアミノ酸から糖新生が行われ，脂肪の加水分解も進行する．術直後の異化亢進は手術侵襲に対する生理的な反応で，サイトカインなどにより引き起こされ，この代謝反応を異化から同化へと逆向きに戻すことは困難である．術直後の高エネルギー強制栄養は，血糖上昇を招き，感染のリスクも高める．

術直後(72〜96時間まで)においては，20〜25kcal/kg/日を上限とするべきと考えられている．これ以上のエネルギー投与はoverfeedingとなり，生体に対して悪影響を及ぼす可能性がある．ESPENのガイドラインでも25kcal/kg理想体重/日が基準とされ，高度侵襲下においても30kcal/kg理想体重/日が上限とされている．すなわち，手術侵襲後の必要エネルギー量は従来考えられていた投与量よりも少なめの設定が適切であると考えられている[6]．術後のたんぱく必要量も，手術の侵襲の程度により異なるが，一般的には1.2〜1.5kcal/kg/日程度と考えられている．

4．術後の栄養投与経路

原則的には経腸栄養・経口栄養を第一選択とする．腸を使用する栄養法は，生理的で，腸管機能の維持，感染症の抑制の面から有利である．経口摂取が可能なら経口的に行うのが原則であるが，経口が不可能もしくは目標エネルギー量の60％以下しか摂取できない場合には，経管栄養を追加する．消化管が安全に使用できない場合は静脈栄養を行う．周術期の経腸栄養の禁忌は以下で，静脈栄養の適応となる[1]．

①イレウスや腸の閉塞
②高度の循環不全(ショック)

③消化管の虚血
④ハイアウトプットの腸瘻
⑤高度な消化管出血

術後に7日間，経口もしくは経腸栄養で必要エネルギー量の50%以下しか投与できない場合は，静脈栄養との併用を考慮すべきである[1].

静脈栄養は，末梢静脈栄養(peripheral parenteral nutrition：PPN)と中心静脈栄養(total parenteral nutrition：TPN)に分けられる．PPN は投与できるエネルギー量が限られるため，絶食期間が10〜14日以内の短期間の栄養管理が適応とされる．

5．術後早期経腸栄養

早期経腸栄養の定義は「外科手術，外傷，熱傷などの侵襲後，24時間以内に経腸栄養を開始すること」とされることが一般的である．術後早期経腸栄養は術後絶食と比較し，生存率が良好である．術後合併症，在院日数も減少傾向があり，早期経腸栄養は36時間以降に経腸栄養を開始した場合に比べて感染性合併症が約50%減少し，入院期間も短縮すると報告されている[7]．静脈栄養と比較しても，早期経腸栄養は感染性合併症が少ないという多くの報告がある[8]．また，入院期間や非感染性合併症も減少するという報告もある．しかし，多くの報告で，死亡率には差を認めていない．

術後早期経腸栄養の適応は，術後早期に経口栄養ができない場合で，以下のような患者である[1].

①頭頸部および消化器癌の手術後
②重傷の外傷(頭部外傷も含む)
③手術時に明らかな低栄養のある場合
④術後7日間以上，必要エネルギーの50%以下しか摂取できない場合

術後早期経腸栄養を行うための経腸栄養ルートに関しては，術後管理に使用する経腸栄養カテーテルの留置が必要となる(図1，図2).

①経腸栄養カテーテル先端は空腸に留置する．
②早期経腸栄養の対象例は，空腸瘻を needle catheter jejunostomy (NCJ)により術中に造設するか，経鼻空腸カテーテルを術中に留置する．
③上部消化管に吻合を行う場合は，吻合の肛門側に経腸栄養カテーテルの先端を留置する．

手術時空腸瘻造設の合併症としては，空腸瘻の持ち上げた空腸のまわりに内ヘルニア状となってイレウスをきたすことがあり，それが代表的な合併症である．しかし，その頻度は低く，手術的空腸瘻造設は基本的には安全な手技であるといえる．

術後早期経腸栄養では，術後24時間以内に経腸栄養を開始する．経腸栄養剤は標準タイプの半消化態栄養剤が一般的であるが，消化態栄養剤，成分栄養剤，IED を用いることもある．経腸栄養注入ポンプを用いて少量から持続投与を開始する．10〜20 mL/時間の速度で開始し，目標エネルギー量に5〜7日で達するように投与法を設定する．現時点では術後早期経腸栄養の標準的スケジュールは存在せず，各施設で独自の方法で行われているのが現状である．消化器手術650例に対して術後早期経腸栄養を行ったBragaらの報告では，術後12時間以内に10 mL/時間，1日目20 mL/時間，2日目40 mL/時間，3日目60 mL/時間，維持量は

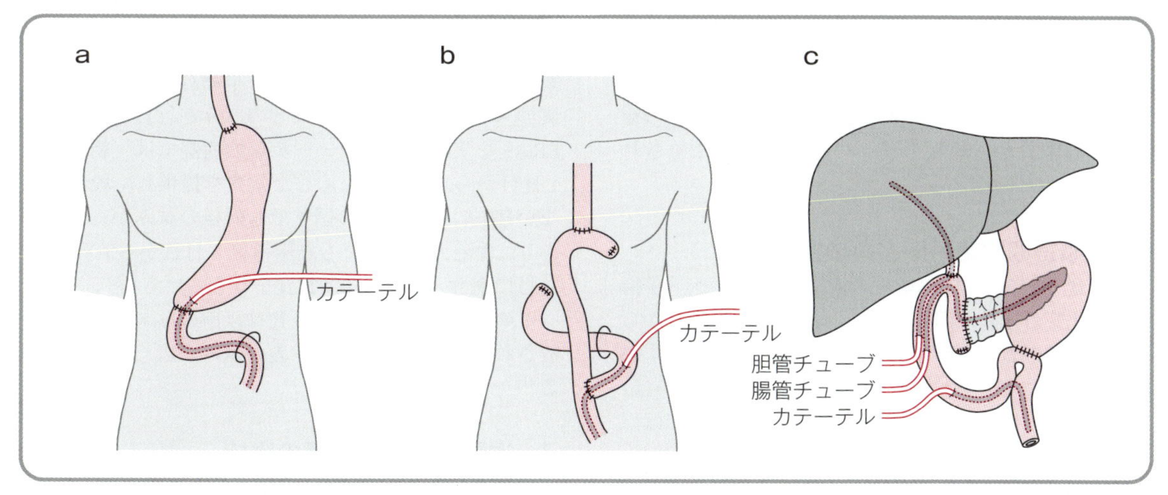

図1　腹部手術における空腸瘻造設法
a：食道切除，胃管再建
b：胃全摘，Roux-en-Y 吻合
c：膵頭十二指腸切除，Child 変法による再建時の経腸栄養投与ルート

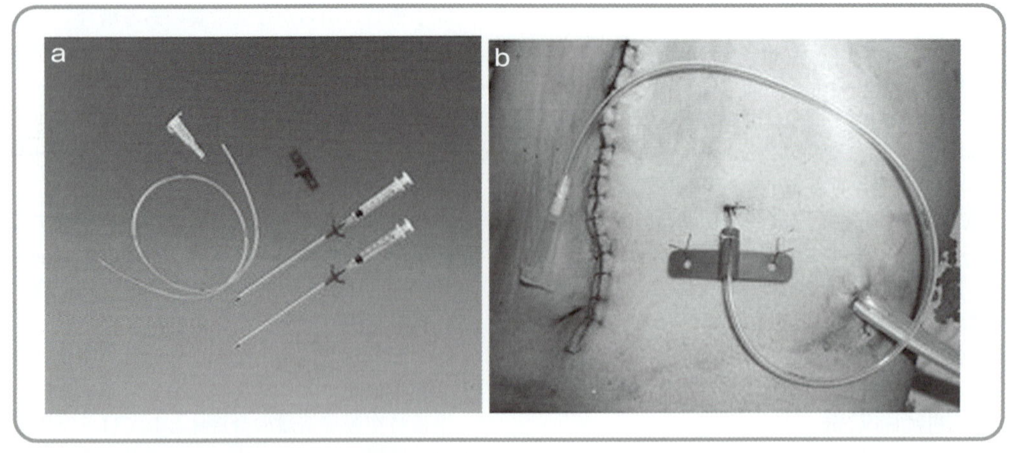

図 2　NCJ 空腸瘻造設用キットと実際の症例
a：NCJ キット．経腸栄養カテーテル(9Fr，70cm)(セット内容：カテーテル，2 本の穿刺針，アダプター，固定翼)
b：NCJ で造設された空腸瘻．胃全摘の症例

25 kcal/kg としている[9]．このうちまったく副作用もなく経過したのは 70.2％で，29.3％は何らかの副作用があり，治療によって多くは経腸栄養が可能な状態に復したが，8.9％の症例では経腸栄養を断念し，静脈栄養となったと報告している．

術後早期経腸栄養の合併症には，カテーテルによる機械的合併症として，腸閉塞(カテーテル周囲の癒着や内ヘルニアによる)，カテーテル閉塞，カテーテルの位置異常，事故(自己)抜去，腸管壊死，pneumatosis intestinalis などがある．経腸栄養による合併症としては，腹部膨満，腹痛，下痢などがあげられる．

Bozzetti らは，消化器癌術後の早期経腸栄養と静脈栄養の比較を行い，術後合併症と入院期間は経腸栄養群で有意に少なく，経腸栄養のほうがコストもかからないことを報告している[10]．しかし，栄養療法による下痢などの有害事象は経腸栄養群で多く，約 9％の症例で経腸栄養から静脈栄養への移行が余儀なくされた．

6．食事摂取開始時期と術後食

術後食，特に消化器手術後の術後食に関して，「手術後，消化管の運動が回復したら，はじめは流動食から徐々に普通の食事に戻していく．普通の食事に戻すのにいくつかのステップアップがある」という考え方は，日本をはじめ世界の国々の共通であった．日本では，流動食の重湯から始まり，徐々に米の粥の水分が減り，お米の割合が高くなっていくという，きめ細やかな術後食を従来踏襲してきた．重湯，三分，五分，七分，全粥，常食の 6 ステップが最も一般的である(図 3)．この起源に関しての定説はないが，腸チフスの回復期の治療食のシステムを，そのまま術後食に応用し，現在の術後食の体系が形成されたという説がある．胃切除を例にとると，排ガスがあるか，腸蠕動の回復する術後 5〜7 日くらいから流動食を開始し，1 日ごともしくは 2 日ごとに三分粥，五分粥と段階的に食事のアップを図るのが習わしであった．術後食は世界的にみても，最もエビデンスに乏しく，科学的でない病院食で，医師や管理栄養士も研究対象として取りあげてこなかった．

入院期間の短縮の必要性や，クリニカルパスの普及，世界の術後食研究などが契機となり，術後食の見直しの機運が高まっていたところに，欧米からの enhanced recovery after surgery (ERAS) が後押しをするかたちとなって，術後食の改革が始まっている．また，腹腔鏡手術が広まった影響もあり，早期経口栄養と，術後食のステップ数を減らすなどの試みが行われている．ERAS を実践するスウェーデンの病院では，結腸術後 1 日目から，量を少なくした常食を提供し，段階食はない(図 4)．アジアの国々でも同様の試みが行われており，香港大学病院でも結腸術後 1 日目から流動食，2 日目に粥食，3 日目には常食を与えている(図 5)．

このように，現在，術後食は以前のシステムから解放され，術後の早期経口栄養の試みが広く行われている[11]．

7．退院後の栄養状態の維持

特に消化器癌術後には，退院後も食事摂取量が減り，体重減少や低栄養に陥ることがある．そのため，管理栄養士による食事指導や ONS の投与が重要となる．手術時に空腸瘻を造設した場合は，術後の食事摂取量

図３　日本の術後段階食(東京都立大久保病院)

a：重湯(流動食)
b：三分粥
c：五分粥
d：全粥
e：常食

が少ない症例に経腸栄養で補助することができる．食道癌，胃癌，膵癌の手術時の空腸瘻造設により，術後の食事摂取量が少ない場合にも，在宅経腸経腸栄養(HEN)を行うことで在宅管理が可能となる[12]．

C ERAS プロトコールと周術期栄養管理

1．ERAS とは

ERAS とは，北欧を中心に始まった，早期回復のための周術期管理の包括的プロトコールである．手術における安全性向上，術後合併症の軽減，早期回復，術後在院日数の短縮，コスト低減を目指して行われ，特に結腸癌術後で臨床的効果が検証されてきた[13]．日本でも行われるようになり，他の疾患の周術期管理にも用いられるようになっている．

2．ERASの内容

ERASプロトコールの内容は22の推奨項目よりなる(図6)．その概要は以下のようなもので構成されている．

①手術後の回復を促進し，早期に通常の状態に戻すこと
②手術の侵襲を最小限にする術式の選択
③早期経口摂取の促進と静脈栄養の早期中止
④早期離床
⑤十分な疼痛管理

術前絶食の短縮に関しては，術前の深夜からの絶食は必要がないことが強調されている[12]．誤嚥のリスクのない術前患者は，麻酔2時間前までclear fluidを飲むことは問題なく，固形食は麻酔の6時間前までの摂取が許可される．メジャーな手術を受ける患者に手術前夜(800 mL)と手術2時前まで(400 mL)に12.5％の炭水化物飲料の摂取が推奨されている．術前の飢餓状態に伴う代謝ストレスを軽減し，術後のインスリン抵抗性を減少させると考えられている．

早期経口栄養に関しては，一般的には，術後のONSまたは食事の経口摂取は手術の直後から可能であるとされている．特に下部消化管手術においては早期経口栄養が推奨されている．経口摂取は，手術の種類や患者の状態により個別に配慮される必要があるが，胃切除術や膵頭十二指腸切除術などでもERASプロトコールに従い早期経口栄養が試されている．

図4　エレブロ大学病院(スウェーデン)の結腸術後食
ERASプロトコールに従い，術後1日目の朝から小盛りの常食が出される．2日目には量が増えるだけである．

❷ ICUでの重症患者の栄養管理

A 重症患者・ICU患者の栄養投与経路

ICU患者に栄養管理は重要であることはいうまでもないが，ガイドラインではICUに48時間以上滞在する患者はすべて栄養不良のリスクがあるとして，栄養管理の対象になるとされる[13]．ICU患者の栄養管理の目標としては，①飢餓状態を回避して，エネルギーとたんぱく質の負のバランス，および筋肉の喪失を最小限に抑える，②臓器の機能の維持を図る(特に肝機能，免疫能と骨格筋と呼吸筋など)，③ICU退出後も考慮に入れた有益なケアを目指す，④有効な栄養素などにより代謝の状態を制御する，などがあげられる．

栄養の投与経路に関しては，経口摂取ができるのであれば経口摂取を優先する．経口摂取ができないとき

図5　香港大学(クイーンマリー病院)の結腸術後食
a：流質(ラウツァ)．liquid diet．術後1日目
b：粥餐(チョツァーン)．soft diet．術後2日目
c：正餐(ツェンツァーン)．regular diet．術後3日目

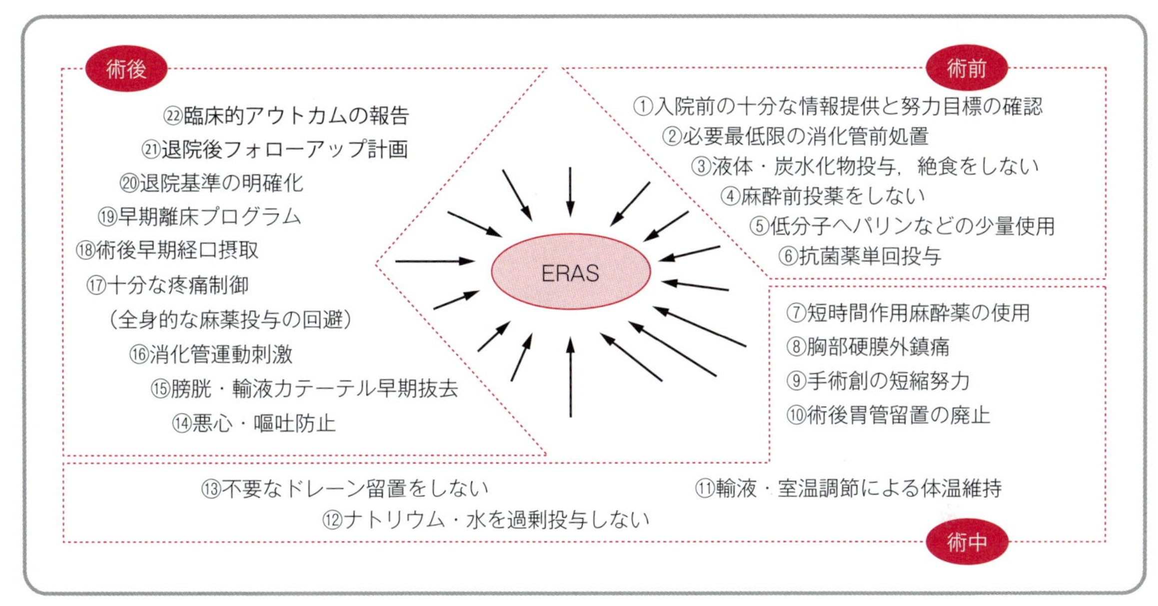

図 6　ERAS プロトコールと推奨項目
(Fearon KC, Ljungqvist O, Von Meyenfeldt M, et al. Enhanced recovery after surgery: a consensus review of clinical care for patients undergoing colonic resection. Clin Nutr 2004; **24**: 466-477 より作成)

には，経腸栄養と静脈栄養のどちらを選択するかはその患者の状態により決定される．小腸が安全かつ有効に機能していると判断された場合は，経腸栄養を第一選択とする．経腸栄養により，吸収機能の維持，免疫や腸のバリア機能の維持が可能となり，同時に廉価であるという利点がある．ICU での経腸栄養は持続投与が推奨される．経口・経腸栄養の適応がない場合は，3～7 日以内に静脈栄養を開始する[14]．

患者の必要エネルギーの一部でも，経腸ルートで投与することは有用であることが多くの報告で示されている．さらに，経腸栄養を早期に始めることにより，ICU の期間の短縮や臨床症状の改善がみられる[8]．このような早期経腸栄養は，静脈栄養に比較して死亡率には差が出ないものの，感染性の合併症の発生率が低いと報告されている．

実際の臨床現場において，患者の必要エネルギー量とたんぱく量全体をすべて経腸栄養でカバーするのは困難であることがしばしばである．重症例では，内臓の血液循環が障害され経腸栄養が入る空腸の血流は増すが，回腸や大腸の血流は減少して，低酸素状態，腸管運動障害，粘膜障害などが引き起こされることもあると考えられている．腸管の機能がおかされている場合には，腸管機能が回復するまでは，静脈栄養が選択される．現時点においては，敗血症などの重症患者への栄養療法は，経腸栄養が可能な症例では可能な限り早期から経腸栄養を開始し，さらに経腸栄養だけでは必要エネルギーの投与が困難な症例においては不足したエネルギーを静脈栄養で補足するといった方法が推奨される．補充的な静脈栄養の開始時期は議論のあるところである．

B エネルギー投与量

以前の栄養療法の目的は，重症患者の異化亢進を反転させ，窒素バランスを正にもっていくことであった．敗血症などの重症感染症における栄養療法も，蛋白質の高度な異化と代謝亢進状態に基づいてなされていた．そのため過去には，重症患者に 1 日エネルギー 4,000 kcal，グルコース 1 kg といった大量の栄養が推奨されたこともあった．しかし，間接熱量計で重症患者のエネルギー消費量を測定すると，そのエネルギー必要量が想像されていたものよりも低いことがわかってきた．1 日のエネルギー消費量は，敗血症などの重症感染症の成人においても 30～35 kcal/kg/日を上回ることはほとんどない．過度のグルコース投与は二酸化炭素の体内での産生増加と人工呼吸器装着の必要性が増すことになる．さらに，過度のエネルギー投与は患者のエネルギー消費量を増加させる結果となる．

ICU 患者，特に人工呼吸管理の患者への必要エネルギー量を決定するためには，間接熱量計での測定が推奨されている．間接熱量計でエネルギー消費量を測定した場合には，栄養療法開始 1～2 日間は目標エネルギー量の70％を超えないhypocaloricな投与熱量とし，3日目以降は80〜100％の熱量とすることが推奨されている[14]．一方，予測式で必要エネルギー量を求めた場合には，ICU入室後1週間は必要エネルギー量の70％以下とするhypocaloricな投与熱量が推奨されている[14]．また，敗血症に代表される重症患者におけるエネルギー必要量は，急性期においては20〜25kcal/kg/日，回復期においては25〜30kcal/kg/日と考えられている[6]．過度のエネルギー投与はさらなるエネルギー消費を引き起こし，また脂肪肝，肝機能異常，胆汁うっ滞による黄疸の発症など，生体に不利益に働くので，極力避けるべきである．

C 補充的静脈栄養（SPN）

ICU重症患者や術後患者の栄養管理は早期経腸栄養管理を第一選択とするが，経腸栄養による投与エネルギー量が不十分な場合，その不足分を静脈栄養で補うことを補充的静脈栄養（supplemental parenteral nutrition：SPN）という．SPNを始めるタイミングに関しては，術後早期の2〜3日目から行うか，術後1週間以上待ってから行うか議論のあるところで，決着はついていない．そのためガイドラインでは，ICU患者においてはじめの1週間までに経腸栄養投与熱量が目標エネルギー量に到達できない場合は，個々の患者の安全性と利点を判断したうえでSPNをいつ始めるかを判断すべきであるとされている[14]．

D アミノ酸・たんぱく質の投与

重症ICU患者においては，糖質や脂肪の投与を行っても，蛋白質の異化を完全には抑制できない．体蛋白質の分解から産生されたアミノ酸は，その一部は蛋白の再合成に利用されるものの，その大部分はエネルギー源として代謝され，窒素が尿素に引き渡されて尿となって体外へと排出される．特にBCAAは，筋組織においてグルタミンはリンパ組織や肝臓などで代謝される．BCAAはアラニンに代謝されて，循環して肝臓に至り糖新生に利用される．

ストレス下の重症患者において，アミノ酸は1.2〜1.5g/kg/日ほどの必要性が生じる．ESPENのガイドラインでは，重症患者へのアミノ酸・たんぱく質投与量は1.3g/kg/日が推奨されている[14]．健常者と比較すると重症患者では必要アミノ酸量が増加するため，栄養投与におけるNPC/Nは100〜80：1程度の低値となる．BCAAを強化したTPNによる窒素平衡の改善効果が明らかになり，栄養療法におけるアミノ酸組成の重要性が認識されるようになった．重症患者ではBCAA強化の輸液製剤が推奨されている．

グルタミンは侵襲下でその需要が高まり，体内の合成では不足するため，条件付き必須アミノ酸とされている．侵襲下においてグルタミンは小腸上皮細胞，リンパ球やマクロファージ，好中球などの免疫系細胞のエネルギー基質として働く．腸管へのグルタミン投与は腸管バリア機能の維持やバクテリア・トランスロケーションの防止に有効と考えられている．以前は重症患者においてグルタミンが合併症の発生率や死亡率を低下させ，効果があるとされたが，現在はグルタミンの経腸投与，静脈投与いずれにおいても有意な死亡率の低下はないとされ，効果が疑問視されている．ただし，重症な熱傷患者や外傷患者に関しては，グルタミンの経腸投与が感染性合併症の発生率や死亡率を低下させるとされ，効果があるとされている[14]．

アルギニンも条件付き必須アミノ酸であり，免疫能や創傷治癒に有意に働くため，免疫低下状態の病態に適している．そのため，アルギニンを強化したIEDの有用性が指摘されていた[2]．しかし，一方，重症な敗血症患者に対する経腸的投与は逆に有害であるという報告がなされた[15]．その原因として，アルギニンは一酸化窒素（NO）の前駆物質であり敗血症時などでは一酸化窒素合成酵素（NOS）の活性が高まり，そこに大量のアルギニンが投与されると過剰なNOが産生され，活性酸素による組織障害と血管拡張による血圧低下を助長すると考えられている．現在は，敗血症患者に対するアルギニン投与は不適切と考えられている．

E グルコース，糖質投与と血糖コントロール

グルコースはストレスのかかった患者に蛋白合成の効率を回復させる作用がある．一方では，敗血症などの重症感染症患者においては耐糖能異常が生じる．ストレス時には末梢の組織や創傷部での糖の消費と，肝臓での糖新生が起こる．また，脂肪組織と筋肉組織においてはインスリン抵抗性となり高血糖を生じ，それがさらに感染のリスクを増し，状態を悪化させる原因となりうる．中等量のグルコース投与と，血糖を正常範囲に厳しくコントロールすることで臨床的な改善がみられる．

血糖コントロールに関しては，高度侵襲手術を含む重症例において血糖を80〜110mg/dLに制御する強化インスリン療法（intensive insulin therapy）試験で，死亡率，感染症発症率に関してその有用性が示された[16]．しかし，その後，強化インスリン療法を重症敗血症や敗血症性ショック症例に対して改めて検討してみたところ，生存率の改善は認められず，低血糖の危

険性は増したと報告された．さらにICU患者に対しての大規模なNICE SUGAR Studyの結果，従来の血糖コントロール群(血糖180mg/dL以下)が強化インスリン療法群より予後がよいことが報告された[17]．ICU患者の血糖管理に関して，より中庸な血糖コントロールが目標とされる現状となっている．

正常ではグルコースの代謝は最高で4〜5mg/kg/分であるが，重症患者においては3〜4mg/kg/分に低下する．過剰なグルコース投与は脂肪合成を引き起こし，肝細胞に脂肪が蓄積する．二酸化炭素が血中に増して，呼吸状態の悪化にもつながる．また，グルコース過剰によって，脂肪が合成されるときにさらなるエネルギーが必要となる．さらに，グルコースの過剰負荷により解糖と酸化的リン酸化を過度に惹起し，ミトコンドリア内で活性酸素類が増加して，ミトコンドリアの機能不全やエネルギー代謝障害を引き起こす．以上のように，過剰なグルコース投与は重症患者の生体には不利益となる．臨床的には，グルコース投与は一般的に5mg/kg/分を超えないようにする．

しかし，一方，ストレス下においても中枢神経系は120〜150gのグルコースを必要とする．これは全身のエネルギー消費量の25%にもあたる．また，腎臓，血球，リンパ組織，創傷部などで40gほどのグルコースが必要とされるため，重症感染症患者においても最低でも1日160〜220gのグルコース投与が考慮されるべきであるとされる．

F 脂質投与

脂肪乳剤の添付文書上では，敗血症や呼吸障害などの重症患者には慎重投与が勧められている．脂質の代謝速度は最高でも1.2〜1.7kg/kg/分である．ストレス下の患者において，脂肪酸は肝細胞，心筋細胞と骨格筋において直接のエネルギー源として利用される．しかし，敗血症や重症症例においては脂肪酸は肝臓内でのケトン体への変換が低下するため，脂肪乳剤は1mg/kg/分を超えた速度では投与すべきではないと考えられている．ESPENのガイドラインでは，脂肪乳剤を1日1.5g/kg以上投与すべきではないとされ，個々の患者の脂肪乳剤耐性をも考慮すべきとされている[14]．

現在使用されている日本の脂肪乳剤は大豆油からつくられていて，リノール酸が脂肪酸の55%を占め，不飽和脂肪酸であるω6系脂肪酸が過度に含まれている．大豆油脂肪乳剤のリノール酸は体内でω6系の脂肪酸として代謝され，炎症性のロイコトリエンやプロスタグランジンを産生する(図7)．これらのメディエータは免疫能の低下や全身の炎症反応の悪化を引き起こす可能性がある．理論的には大豆油由来の脂肪乳剤は重症患者には使用しにくい．MCTを添加したMCT/LCT脂肪乳剤やオリーブオイルのω9系の一価不飽和脂肪酸を添加した脂肪乳剤では，ω6系脂肪酸含有量を減らして，炎症性のプロスタグランジン産生を抑えられると理論上考えられている．また，ω3系脂肪酸はω6系脂肪酸の代謝と競合的に働くため，侵襲時にω6系脂肪酸の投与を制限し，ω3系脂肪酸の投与をすることで，過剰な炎症を抑制できると考えられている．実際，魚油からのω3系脂肪酸を配合した脂肪乳剤も開発され，臨床応用されている．これらの新しい脂肪乳剤は世界的に臨床使用されているが，日本では販売されておらず，臨床的に使用できない．

急性呼吸窮迫症候群(ARDS)や重症急性肺傷害(ALI)を伴う患者に対する脂肪乳剤の使用の是非に関しても，いまだ結論は出ていない．以前は，ARDSに脂肪乳剤を使用することは酸素ガス交換の異常を悪化させるとして危険であると考えられていた．しかし，現在は有益な効果も報告されている．正常の肺機能を有する例やCOPD症例においては，大豆油由来の脂肪乳剤は肺機能に悪影響は及ぼさないが，ARDS患者では悪化させるという報告もある．ω6系の脂肪乳剤は急速に大量を投与したときにガス交換に悪影響を及ぼす可能性もあるので，ARDSやALI患者に使用する場合は，その速度や量に十分注意することが必要と考えられている．

敗血症では脂肪乳剤は有利でなく，その利用も障害されていると考えられてきた．しかし，一方ではそれと反対に敗血症においても脂肪の代謝は正常で，脂肪の酸化(利用)もむしろ増強しているという報告もあり，敗血症患者での積極的な脂肪乳剤の使用も考えられている．敗血症患者において，大豆油由来の脂肪乳剤でも脂肪乳剤の利用，TGの血中消失，加水分解，脂肪酸化は障害されておらず，MOFや敗血症などの重症患者においても有効に代謝されているとの報告もある．脂肪乳剤の静脈投与はグルコースの代謝に影響を及ぼさず，血糖の上昇作用はないため，敗血症などの重症患者で耐糖能が低下している状態では，脂肪はより好ましいエネルギー源である可能性もある．

DIC患者における脂肪乳剤投与に関しては，脂肪乳剤のトロンボプラスチン効果により血液凝固能の亢進や血栓症を引き起こす危険性があるとされているが，その影響はごくわずかであり，臨床的には血栓の発生に関係がないという報告もある．また，血液凝固障害に関しては，脂肪乳剤投与時の血小板粘着能の低下や出血傾向出現が危惧されるが，凝固能や線溶系には影響がないという報告もある．近年，鎮静目的に脂肪乳剤を基材とした脂溶性鎮静薬(プロポフォール)が

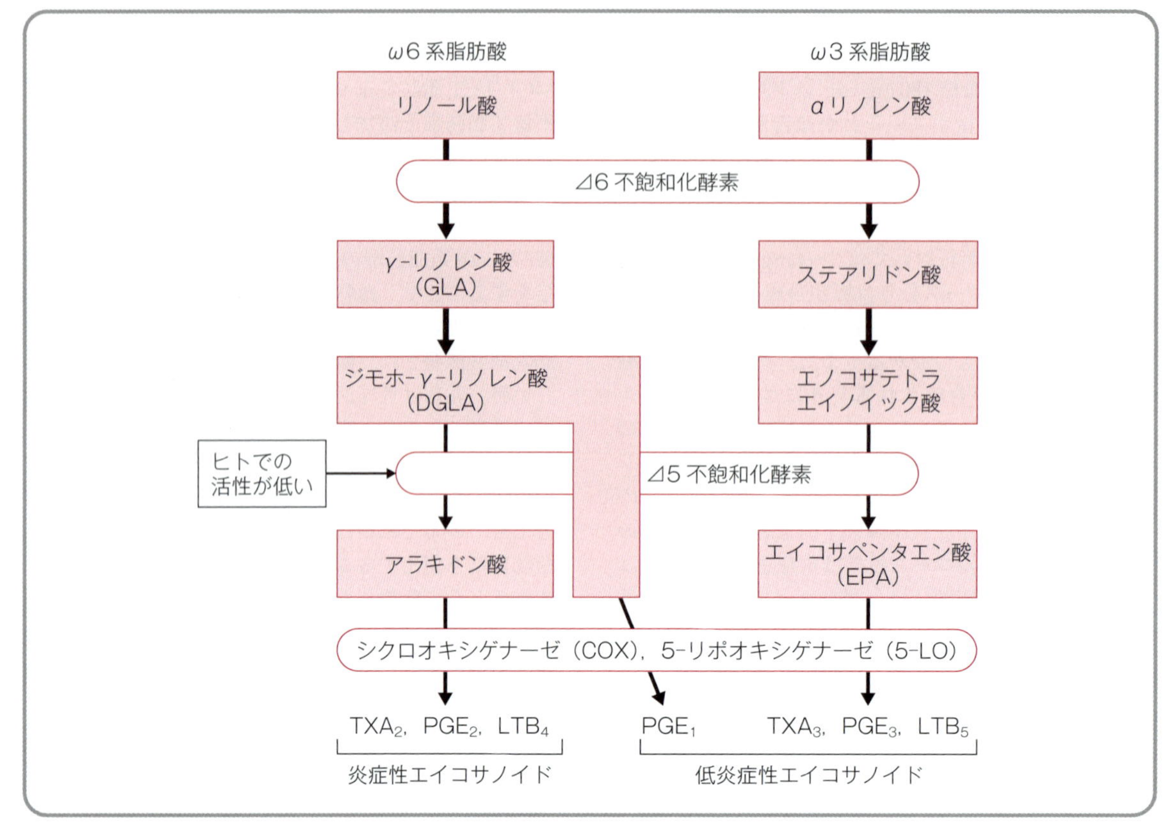

図 7　多価不飽和脂肪酸からの炎症性メディエータの産生経路

ICU などで重症患者に使用されており，DIC 患者にも使用される．小山らは 20 例の DIC 患者にこの薬剤を使用したが DIC スコア，血液凝固能および血液生化学的パラメータに影響がなかったことから，DIC のような血液凝固障害時にも脂肪乳剤の投与は必ずしも禁忌とはいえないと結論している．

G ビタミンと微量元素

敗血症患者においてはビタミンや微量元素の血中レベルが低下しているため，病態を考慮に入れ，特に抗酸化作用のあるビタミンや微量元素を強化することが重症感染症患者に有効であると考えられる．

ビタミン C，ビタミン E は重症患者への効果が期待されている．また，ビタミン D の血中レベルが低い患者においては，ビタミン D の補充が死亡率の低下につながるとされる[14]．SIRS や敗血症患者においてセレンの血中濃度は低下し，抗酸化作用を持つセレン酵素やグルタチオン・ペルオキシダーゼ（GSHPx）の活性も低下するが，セレンの投与により酵素活性は回復する．臨床的にも敗血症患者へのセレンの投与が臨床成績を向上させると報告され，注目されたが，それを否定する報告がみられ，現在その効果は疑問視されている[14]．

H シンバイオティクス

敗血症などの侵襲時には腸内細菌叢および腸内環境は著しく崩壊し，dysbiosis の状態となる．「善玉菌」である *Bifidobacterium* や *Lactobacillus* は著しく減少し，病原性を有するブドウ球菌などが増加する．腸内細菌叢の崩壊と同時に，酪酸，プロピオン酸，酢酸などの短鎖脂肪酸は減少し，腸内の pH は上昇する．シンバイオティクス療法は，プロバイオティクス（生菌製剤）とプレバイオティクス（菌の増殖因子）を同時に投与する腸管内治療である．SIRS 患者や重症術後患者において腸内細菌叢の維持がなされ，感染性合併症を減らし，多臓器不全症候群による死亡も減少する傾向がみられたと報告されており，今後詳細な検討が期待される分野である．

文献

1) Weimann A, Braga M, Carli F, et al. ESPEN guideline: Clinical nutrition in surgery. Clin Nutr 2017; **36**: 623-650
2) Waitzberg DL, Saito H, Plank LD, et al. Postsurgical infections are reduced with specialized nutrition support. World J Surg 2006; **30**: 1592-1604
3) Kanazawa H, Nagino M, Kamiya S, et al. Synbiotics reduce postoperative infectious complications: a randomized controlled trial in biliary cancer patients undergoing hepatectomy. Langenbecks Arch Surg 2005; **390**:104-113
4) Sugawara G, Nagino M, Nishio H, et al. Perioperative synbiotic treatment to prevent postoperative infectious complications in biliary cancer surgery: a randomized controlled trial. Ann Surg 2006; **244**: 706-714
5) Yokoyama Y, Nishigaki E, Abe T, et al. Randomized clinical trial of the effect of perioperative synbiotics versus no synbiotics on bacterial translocation after oesophagectomy. Br J Surg 2014; **101**: 189-199
6) Weimann A, Braga M, Harsanyi L, et al. ESPEN Guideline on Enteral Nutrition: surgery including organ transplantation. Clin Nutr 2006; **25**: 224-244
7) Marik PE, Zaloga GP. Early enteral nutrition in critically ill patients: a systematic review. Crit Care Med 2001; **29**: 2264-2270
8) Peter JV, Moran JL, Phillips-Hughes J. A metaanalysis of treatment outcomes of early enteral versus parenteral nutrition in hospitalized patients. Crit Care Med 2005; **33**: 213-220
9) Braga M, Gianotti L, Gentilini S, et al. Feeding the gut early after digestive surgery: results of a nine year experience. Clin Nutr 2002; **21**: 59-65
10) Bozzetti F, Braga M, Glanotti L, et al. Postoperative enteral versus parenteral nutrition in malnourished patients with gastrointestinal cancer: a randomized multicentre trial. Lancet 2001; **358**: 1487-1492
11) 丸山道生. 病院食を考える―世界の病院食を食べてきた経験をもとに―. 日本外科学会雑誌 2018; **119**: 409-413
12) 丸山道生. 上部消化管癌患者の外来化学療法の安全性を維持するための在宅経腸栄養療法. 外科と代謝・栄養 2012; **46**: 113－119
13) Fearon KC, Ljungqvist O, Von Meyenfeldt M, et al. Enhanced recovery after surgery: a consensus review of clinical care for patients undergoing colonic resection. Clin Nutr 2004; **24**: 466-477
14) Singer P, Blaser AR, Berger MM, et al. ESPEN guideline on clinical nutrition in the intensive care unit. Clin Nutr 2019; **38**: 48-79
15) Dent D, Heyland D, Levy H. Immunonutrition may increase mortality in critically ill patients with pneumonia: results of randomized trial. Crit Care Med 2003; **30**: A17
16) van den Berghe G, Wouters P, Weekers F, et al. Intensive insulin therapy in critically ill patients. N Engl J Med 2001; **345**: 1359-1367
17) The NICE-SUGAR Study Investigators. Intensive versus conventional glucose control in critically ill patients. N Engl J Med 2009; **360**: 1283-1296

11 皮膚疾患

皮膚は体表面から，表皮，真皮，皮下組織(脂肪組織)の3層からなる．表皮は下から基底層，有棘層，顆粒層，角質層から構成され，その主な働きは保護作用である．つまり，体表からウイルスや細菌，化学物質などが体内に侵入しないよう守ることである．表皮は化学的にも物理的にも強固な構造になっている．万が一異物が体内に侵入した場合には，その情報を免疫系統を介して体内に伝達する重要な働きを担っている．また，体内の水分蒸発を防ぐ機能も有する．これらの機能は「バリア機能」と呼ばれ，表皮のなかでも特に最外層に存在する，厚みわずか0.02mmの角質層が重要な役割を果たしている．

真皮はコラーゲンやエラスチン，ヒアルロン酸から構成されており，主な働きはクッションの中綿のように弾力を保つことである．真皮には毛細血管が存在し，皮膚構成細胞を栄養している．神経や毛包，汗腺も真皮に存在する．

本項では，皮膚の欠損をきたし，その治療に栄養管理が不可欠な「熱傷」と「褥瘡」について解説する．

❶熱傷

A 疾患の解説

高温の気体・液体・固体または火焔による皮膚・皮下組織の損傷を熱傷という．熱傷の原因は日常生活に関連した，ポットのお湯などの過熱液体，アイロンやオートバイのマフラーなどの高熱固体が大半を占める．受傷年齢は幼小児期が多く，虐待による熱傷も注意すべき原因のひとつである．誤って加熱物体に触るため，受傷部位は上肢，特に手部に多い[1]．

低温熱源による熱傷は低温熱傷と呼ばれる．接触部の温度が45℃前後であれば，6〜10時間の接触で受傷する[2]．湯たんぽやホットカーペットの使用，近年は過熱したスマートフォンやモバイルパソコンでの受傷の報告がみられる．糖尿病などによる知覚障害のある患者は痛みを感じず，長時間接触しても気がつかないため要注意である．一般的に低温熱傷は深部まで壊死が進み，植皮術を要することが多い．

気道熱傷は熱や煙の吸入により生じた呼吸器系の外傷であり，火災や高温水蒸気，煤煙や有毒化学ガスなどによって生じる．室内や車内などの閉鎖された空間での火災は熱気や煙を吸入していることが多く，皮膚熱傷の有無にかかわらず気道熱傷に注意を払うべきである．気道熱傷は咽頭口頭浮腫による上気道の閉塞が起こりやすく，窒息による呼吸停止を招くことがあるため，専門施設での入院管理が必要である．

電撃傷は電流による組織損傷である．感電や落雷などによって生じる．電流による組織損傷と電気火花による電気熱傷に分類される．筋損傷，血管損傷など深部組織が損傷するため，体表の受傷面積よりも損傷体積が予後判定に重要である．また，心室細動により心停止のおそれがある．

日光紫外線による日焼けも熱傷である．日焼けといえども広範囲の場合には脱水症状に注意が必要である．

化学熱傷は酸やアルカリなどの化学薬品による皮膚の壊死，腐蝕である．酸よりもアルカリのほうが障害作用が強い．

B 診断と評価

熱源との接触によって生じる直接的な作用として組織の熱変性が起こり壊死に陥る．また，細胞障害によって，間接的にサイトカインやケモカインが放出され，血管透過性が亢進し，局所の浮腫や炎症が生じる．これらの変化によって，局所の紅斑，疼痛，水疱形成，滲出液の漏出による体液の喪失がみられる．

1．熱傷深度の判定

組織損傷の深さは，温度と接触時間の相関によって決まる．したがって，瞬間的な接触でも火焔など高温のもの，カイロのように低温でも長時間接触したものはいずれも深い熱傷となる．

熱傷深達度は，表皮までの組織障害がⅠ度(表皮熱傷：epidermal burn)，真皮までの組織障害で水疱を形成するⅡ度(真皮熱傷：dermal burn)，皮下組織に及ぶⅢ度に分類されている(図1)．Ⅱ度熱傷はさらに，真皮浅層熱傷(superficial dermal burn：SDB)と真皮深層熱傷(deep dermal burn：DDB)に分けられる．

Ⅰ度熱傷は，受傷部皮膚の軽度疼痛を有する発赤主体で，水疱は形成されず，数日～1週間以内に瘢痕を残さず治癒する．Ⅱ度熱傷は水疱形成が特徴であるが，SDBとDDBとでは臨床経過がかなり異なる．SDBは灼熱感を伴う水疱が形成され，その水疱底は赤色を呈し，通常10日～2週間で瘢痕化せずに治癒する．DDBは痛みがやや減弱し，水疱底は白色，暗褐色を呈し，3～4週間で瘢痕化して治癒する．受傷早期にはSDBかDDBかの判別はしばしば困難で，経過によって確定しうる場合が多いが，痛みが弱い場合は深い損傷である可能性が高い．Ⅲ度熱傷は，皮膚は硬く，乾いた白色～褐色調を呈し，羊皮紙様である．通常痛みはない．自然治癒は困難で植皮術を要することがほとんどである．

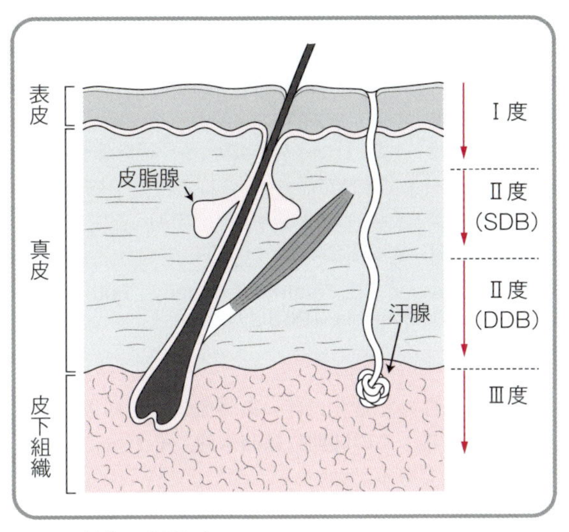

図1　熱傷の深達度

一般的には深さが明確化するまでに1～2週間程度要することが多く，受傷早期の安易な重症判定による経過説明はトラブルを生じる可能性があるため注意する．同一個体の熱傷創でも，各深度の創が混在して認められることがほとんどである．

2．熱傷面積の判定

熱傷面積の推定方法として，日本熱傷学会が発表した「熱傷診療ガイドライン」では，9の法則・5の法則・手掌法(図2)などを用いることが推奨されている．手掌法は，成人に対して用いられ，指腹を含めた手掌全体が体表面積の1%に相当する．熱傷面積は%TBSA(total body surface area)として表記する．

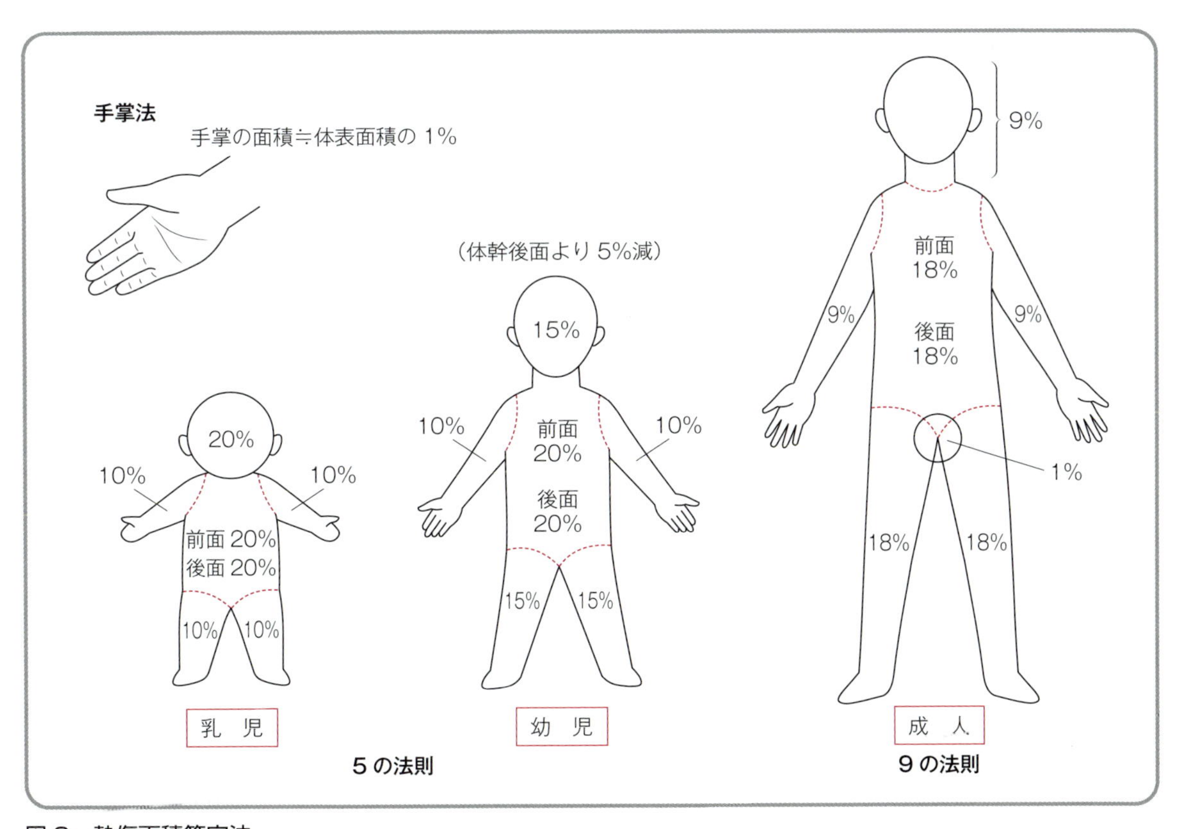

図2　熱傷面積算定法

C 治療

1．重症度の判定

治療方針の決定において重症度の判定は最も重要である．Artz の基準(表 1)や Burn Index が代表的な重症度判定方法として頻用されている．Burn Index＝(Ⅲ度熱傷面積)＋(Ⅱ度熱傷面積)×1/2 で求められ，10〜15 以上の場合は重症とする．

2．予後推定因子

%TBSA は予後推定因子として最も基本的なものである．年齢(幼小児，高齢者)，気道熱傷の有無，Ⅲ度熱傷面積[3]，Burn Index，自殺企図による受傷は予後推定因子として推奨されている[4]．

3．重症熱傷の病期・代謝動態・栄養管理

受傷後重症熱傷の経過は急性期，感染期，回復期を経る．重症熱傷は全身性炎症反応症候群(systemic inflammatory response syndrome：SIRS)の代表疾患であり，SIRS による多臓器障害の進行を食い止めることが治療最大の目標である．また，重症熱傷は代謝動態が大きく変容する．創治癒と身体防御のためエネルギー代謝が亢進し異化亢進状態となる．それに見合うだけの栄養が投与されなければ，創傷治癒遅延や感染リスク増大をきたす．以下，急性期・感染期の補液療法と栄養管理について説明する．

a) 急性期(ショック期・ショック離脱期)

受傷後 48 時間までをショック期，2 日〜1 週間をショック離脱期と呼ぶ．ショック期の病態は，炎症性サイトカインによって惹起された血管透過性の亢進による低用量性ショックである．この熱傷ショックを予防するために，熱傷面積が成人では 15%TBSA 以上，小児では 10%TBSA 以上の症例に対して補液療法を 2 時間以内に開始することが推奨されている[5]．

初期輸液は Brooke 法や Parkland 法が一般的となっている．Parkland 法は熱傷面積(%TBSA)×体重(kg)×4 mL の乳酸加リンゲル液を最初の 8 時間で半量投与し，残りを 16 時間で投与する．その後 24〜48 時間に加熱ヒト血漿蛋白を重症度に応じて 250〜1,200 mL 投与するとともに，5%ブドウ糖液を維持水分量として輸液する．

輸液の投与速度は，尿量を指標とする．成人で 0.5 mL/kg/時もしくは 30〜50 mL/時，小児で 1〜2 mL/kg/時以上に尿量を維持するように輸液速度を調節する[6]．熱傷の初期治療において，循環動態の保持や利尿目的で昇圧薬や利尿薬を使用することは避けるべきである[7,8]．

適切な輸液により，ショック離脱期に入ると，全身の血管透過性の正常化に伴い循環血漿量が回復し，利尿が促される．この時期には肺水腫，心不全に対する管理が必要である．

表 1　Artz の基準

重症熱傷：専門病院での治療を要する
1．Ⅱ度熱傷：30%TBSA 以上
2．Ⅲ度熱傷：10%TBSA 以上
3．顔面，手，足のⅢ度熱傷
4．気道熱傷の合併
5．軟部組織の損傷や骨折の合併
6．電撃傷
中等度熱傷：一般病院で入院加療を要する
1．Ⅱ度熱傷：15〜30%TBSA
2．Ⅲ度熱傷：10%TBSA 以下(顔，手，足を除く)
軽症熱傷：外来で治療可能
1．Ⅱ度熱傷：15%TBSA 以下
2．Ⅲ度熱傷：2%TBSA 以下

(Artz CP, Larson DL. Treatment of burns, 2nd Ed, WB Saunders, Philadelphia, 1969 より引用)

b) 感染期

受傷後 1〜4 週間は感染期と呼ばれる．熱傷創が細菌門戸となるため，菌血症になりやすい．

急性期を脱して消化管の活動が回復したら，経腸栄養をなるべく早くから開始する．経腸栄養を行う意義としては，bacterial translocation を抑えることで感染性合併症を抑制すること，および腸管の生理機能を維持することである．

熱傷患者の消費カロリーを推測するのに最も適しているのは間接熱量計である．間接熱量計で安静時消費エネルギー量を測定し，それに活動係数 1.2 を掛け，さらに熱傷ストレス係数 2.0 を掛けて必要カロリー数を算出する．

間接熱量計のない施設では最も簡単な方法として次に示す成人用の Curreri の式，小児用の Gordne の式がある．成人必要カロリー(kcal/日)＝25×体重(kg)＋40×%TBSA(%)，小児必要カロリー(kcal/日)＝60×体重(kg)＋35×%TBSA(%)で表される．その他に用いられる計算式としては Harris-Benedict の式がある．女性の代謝量＝655＋9.6×体重(kg)＋1.7×身長(cm)−7.0×年齢，男性の代謝量＝66＋13.7×体重(kg)＋5.0×身長(cm)−6.8×年齢である．この式で得た基礎代謝量に活動係数 1.2 を掛け，さらに熱傷患者にはストレス係数 2.0 を掛けて必要カロリーを求める．いずれの式も目安であり，栄養指標蛋白などを目安にしながら適宜調節する．

蛋白必要量は，一般的に 1.5〜3.0 g/kg/日が投与量の目安といわれている[9]．

その他，特殊栄養として，グルタミンを投与することにより熱傷の早期創閉鎖が得られ[10]，菌血症や死亡率が低下することが示唆されている[11]．また，ビタミンCは抗酸化作用を有し，熱傷への大量投与で必要輸液量が減少し，人工呼吸器装着期間が有意に短縮したとの報告がある[12]．

熱傷患者はコルチゾールやカテコラミンなどの血糖上昇ホルモンの分泌が促進され，耐糖能障害が起こるため[13]，血糖値の厳格なコントロールが必要である．

栄養指標となるのはアルブミンおよびプレアルブミン，レチノール結合蛋白，トランスフェリンなどがある．

受傷後2～3週間すると，創の自然上皮化の有無が明確となる．したがって，その時期を過ぎても上皮化が望めない症例に対しては，外用療法を漫然と続けずに，デブリードマンと植皮術による創閉鎖が必要となる．

4. 患者・家族への説明

わかりやすい言葉で説明することが重要である．熱傷の一般経過，中等度以上の熱傷では入院治療が必要なこと，深い熱傷は瘢痕が残ること，植皮術が必要となる可能性があることなどをできるだけ平易な言葉で説明する．

5. 関係各診療科との連携

重症熱傷患者救命のためには，熱傷治療に習熟している皮膚科，形成外科，救急科とともに，呼吸器・循環器・感染を管理するための内科，NSTによる経腸栄養管理が必要である．また，回復期はリハビリテーション部門による機能訓練が必要となると思われる．各部署との密な連携が必要であると考えられる．

❷褥瘡

A 疾患の解説

褥瘡は，日本褥瘡学会用語委員会により，以下のように定義されている．「身体に加わった外力は骨と皮膚表層の間の軟部組織の血流を低下，あるいは停止させる．この状況が一定時間持続されると組織は不可逆的な阻血性障害に陥り褥瘡となる」．実際には単なる阻血にはとどまらず，①阻血性障害，②再灌流障害，③リンパ系機能障害，④機能的変形，が複合的に関与するものと考えられる[14]．

直接的な原因は骨と皮膚接地面との間にかかる応力であるため，好発部位は図3のごとく骨突出部となる．

通常われわれはどんなに長時間寝ていても，しびれなどが生じると寝返りを打つことにより，無意識のうちに体位変換を行っているため褥瘡が発生することはない．では一体どのような人が褥瘡を発生しやすいのか，リスクを評価するツールが近年研究・開発され，使用されている．日本でよく用いられるBradenスケールを表2に示す．危険因子6項目を点数化しており，病院で使用する場合は，14点以下を褥瘡の発生リスクが高い患者であるとみなす．このような危険因子は何らかの内科的疾患がベースにあることがほとんどであり，また，二次的要因として図4のように介護力や経済力の不足など社会的な問題が複雑に絡み合っているのが褥瘡の特徴である．

B 評価と診断

1. 褥瘡の深達度分類と経過の評価

褥瘡はその深さにより深達度分類がなされている．日本では米国褥瘡諮問委員会のNPUAP分類が汎用されている(図5)．ステージⅠは「押しても消えない発赤」と表現される皮下出血のことである．ステージⅡは真皮までの欠損，ステージⅢは皮下全層欠損で，筋膜を越えない．ステージⅣは筋，腱，骨に至る．NPUAP分類は2007年に改変され，潰瘍底が壊死組織で覆われている全層組織欠損の「判定不能」，ずれなどによる皮下軟部組織の損傷で皮膚表面の欠損はない「深部損傷褥瘡疑い(suspected deep tissue injury)」の2ステージが新たに追加された．

褥瘡の経過を評価するツールとしては日本褥瘡学会のDESIGN-R®(デザインアール)が汎用されている(表3)．褥瘡を深さ，滲出液，大きさ，炎症/感染，肉芽組織，壊死組織，ポケットで評価するものである．深さを除くそれぞれの項目の点数に重みがつけられ，これにより褥瘡の重症度も予測できる，すなわち予測妥当性のあるツールとなっている．DESIGN-R®のRは評点(rating)のRである．

2. 褥瘡の病期

褥瘡発生から1～3週間を急性期褥瘡と呼ぶ．この時期は発赤・紫斑・浮腫・水疱など多様な症状が次々と出現するため，不可逆的な阻血性障害がどのくらいの深さまで達しているか判定が難しい．3週間を過ぎると慢性期褥瘡と呼ばれる．慢性期褥瘡を治療するうえで，福井らの提案した創面の色調による褥瘡分類を用いると簡便で有用である．図6のごとく，褥瘡の創面の色は，その治癒過程において移行するが，その順に従って黒色期(黒色壊死の色)，黄色期(黄色壊死の色．炎症期ともいう)，赤色期(肉芽の色．増殖期ともいう)，

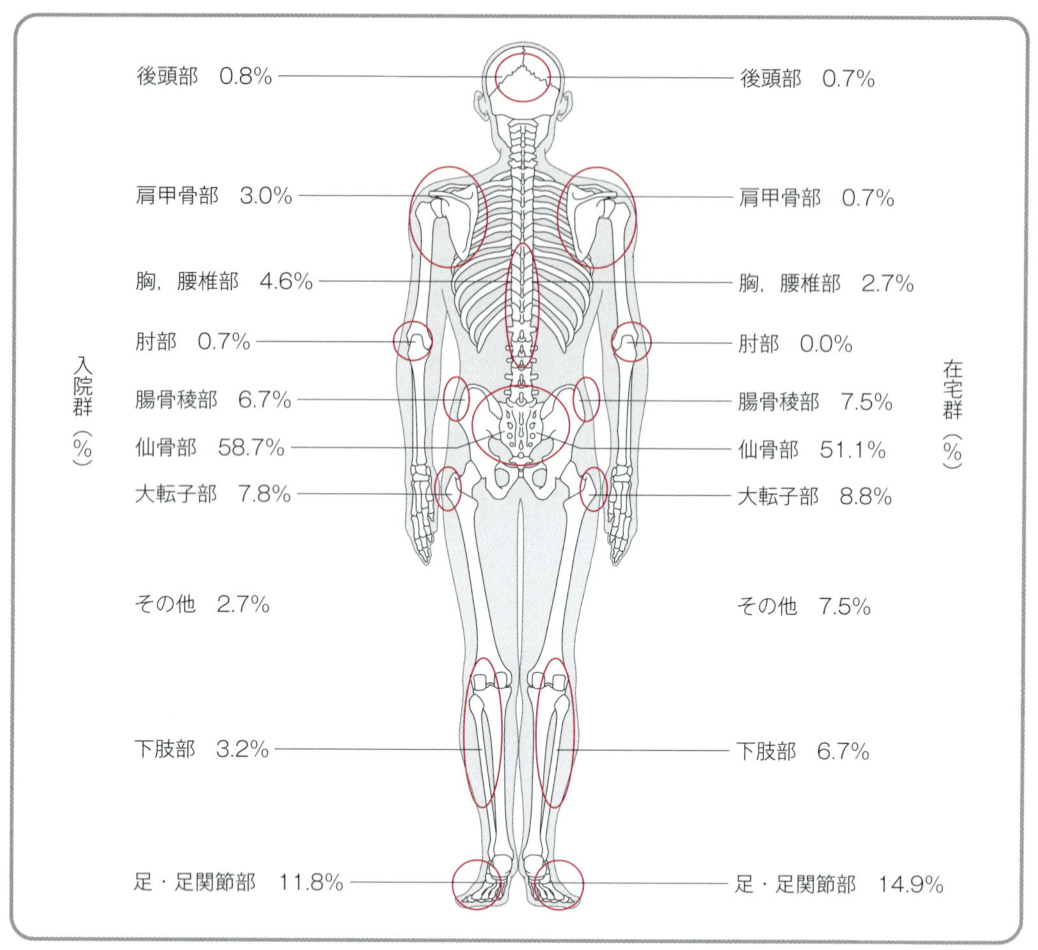

図３　褥瘡の発生部位
（玉置邦彦（総編集）．最新皮膚科学大系 16，中山書店，東京，2003: p235 より引用）

白色期（再生上皮の色．成熟期ともいう）と呼ばれる．黒色期・黄色期には図７のごとくTIMEのコンセプトによるwound bed preparationを目指し，赤色期・白色期ではmoist wound healingのコンセプトで肉芽形成と上皮化を図る．TIMEのコンセプトとは，T（tissue：nonviable or deficienceの改善，すなわち壊死・不活性組織の管理），I（infection or inflammationの改善，すなわち感染・炎症の管理），M（moisture inbalanceの改善，すなわち滲出液の管理），E（edge of wound：nonadvacing or undermined epidermal marginの改善，すなわち創辺縁の管理）の頭文字をとったものである．moist wound healingとは，創面を湿潤した環境に保持する方法であり，滲出液に含まれる多核白血球，マクロファージ，酵素，細胞増殖因子などを創面に保持する．それにより肉芽組織の形成・表皮細胞の遊走を促進させることができる．

C 治療

前述のように褥瘡は局所要因のみならず，身体的要因や社会的要因までが複雑に絡まって発症しているため，創部の治療のみ行っても治癒は望みがたい．まずは褥瘡治療と予防の三本柱である「体圧分散」「スキンケア」「栄養」の改善を図ったうえで，局所治療を行わなければならない．

体圧分散マットレスを使用し，定期的に体位変換することが褥瘡予防と治療における基本となる．仰臥位姿勢においては接触圧が40mmHg以下であれば褥瘡が発生しにくいといわれている．接触圧は簡易体圧測定器で簡単に測ることができる．

スキンケアに関しては，洗浄力の穏やかな石鹸を使用して保清に努めること，おむつや尿による湿潤を防ぐこと，撥水と保湿を兼ねるクリームを塗布すること

表2 Braden スケール

患者氏名＿＿＿＿＿＿＿＿ 評価者氏名＿＿＿＿＿＿＿＿ 評価年月日＿＿＿＿＿＿＿＿

知覚の認知(圧迫による不快感に対して適切に対応できる能力)	1. まったく知覚なし：痛みに対する反応(うめく, 避ける, つかむなど)なし. この反応は, 意識レベルの低下や鎮静による. あるいは, 体のおおよそ全面にわたり痛覚の障害がある.	2. 重度の障害あり：痛みのみに反応する. 不快感を伝えるときには, うめくことや身の置き場なく動くことしかできない. あるいは, 知覚障害があり体の1/2以上にわたり痛みや不快感の感じ方が完全ではない.	3. 軽度の障害あり：呼びかけに反応する. しかし, 不快感や体位変換のニーズを伝えることが, いつもできるとは限らない. あるいは, いくぶん知覚障害があり, 四肢の1, 2本において痛みや不快感の感じ方が完全ではない部位がある.	4. 障害なし：呼びかけに反応する. 知覚欠損はなく, 痛みや不快感を訴えることができる.
湿潤(皮膚が湿潤にさらされる程度)	1. 常に湿っている：皮膚は汗や尿などのために, ほとんどいつも湿っている. 患者を移動したり, 体位変換するごとに湿気が認められる.	2. たいてい湿っている：皮膚はいつもではないが, しばしば湿っている. 各勤務時間中に少なくとも1回は寝衣寝具を交換しなければならない.	3. 時々湿っている：皮膚は時々湿っている. 定期的な交換以外に, 1日1回程度, 寝衣寝具を追加して交換する必要がある.	4. めったに湿っていない：皮膚は通常乾燥している. 定期的に寝衣寝具を交換すればよい.
活動性(行動の範囲)	1. 臥床：寝たきりの状態である.	2. 座位可能：ほとんど, またはまったく歩けない. 自分で体重を支えられなかったり, 椅子や車椅子に座る時は, 介助が必要であったりする.	3. 時々歩行可能：介助の有無にかかわらず, 日中時々歩くが, 非常に短い距離に限られる. 各勤務時間中にはほとんどの時間を床上で過ごす.	4. 歩行可能：起きている間は少なくとも1日2回は部屋の外を歩く. そして, 少なくとも2時間に1回は室内を歩く.
可動性(体位を変えたり整えたりできる能力)	1. まったく体動なし：介助なしでは, 体幹または四肢を少しも動かさない.	2. 非常に限られる：時々体幹または四肢を少し動かす. しかし, しばしば自力で動かしたり, または有効な(圧迫を除去するような)体動はしない.	3. やや限られる：少しの動きではあるが, しばしば自力で体幹または四肢を動かす.	4. 自由に体動する：介助なしで頻回にかつ適切な(体位を変えるような)体動をする.
栄養状態(普段の食事摂取状況)	1. 不良：決して全量摂取しない. めったに出された食事の1/3以上を食べない. 蛋白質・乳製品は1日2皿(カップ)分以下の摂取である. 水分摂取が不足している. 消化態栄養剤(半消化態, 経腸栄養剤)の補充はない. あるいは, 絶食であったり, 透明な流動食(お茶, ジュースなど)なら摂取したりする. または, 末梢点滴を5日以上続けている.	2. やや不良：めったに全量摂取しない. 普段は出された食事の約1/2しか食べない. 蛋白質・乳製品は1日3皿(カップ)分の摂取である. 時々消化態栄養剤(半消化態, 経腸栄養剤)を摂取することもある. あるいは, 流動食や経腸栄養を受けているが, その量は1日必要摂取量以下である.	3. 良好：たいていは1日3回以上食事をし, 1食につき半分以上は食べる. 蛋白質・乳製品を1日4皿(カップ)分摂取する. 時々食事を拒否することもあるが, 勧めれば通常補食する. あるいは, 栄養的におおよそ整った経管栄養や高カロリー輸液を受けている.	4. 非常に良好：毎食おおよそ食べる. 通常は蛋白質・乳製品を1日4皿(カップ)分以上摂取する. 時々間食(おやつ)を食べる. 補食する必要はない.
摩擦とずれ	1. 問題あり：移動のためには, 中等度から最大限の介助を要する. シーツでこすれずに体を動かすことは不可能である. しばしば床上や椅子の上でずり落ち, 全面介助で何度も元の位置に戻すことが必要となる. 痙攣, 拘縮, 振戦は持続的に摩擦を引き起こす.	2. 潜在的に問題あり：弱々しく動く. または最小限の介助が必要である. 移動時皮膚は, ある程度シーツや椅子, 抑制帯, 補助具などにこすれている可能性がある. たいがいの時間は, 椅子や床上で比較的よい体位を保つことができる.	3. 問題なし：自力で椅子や床上を動き, 移動中十分に体を支える筋力を備えている. いつでも, 椅子や床上でよい体位を保つことができる.	
				Total

Copyright: Braden and Rergstrom. 1988
訳：真田弘美(金沢大学医学部保健学科)/大岡みち子(NorthWestCommunityHospital. IL. U.S.A.)

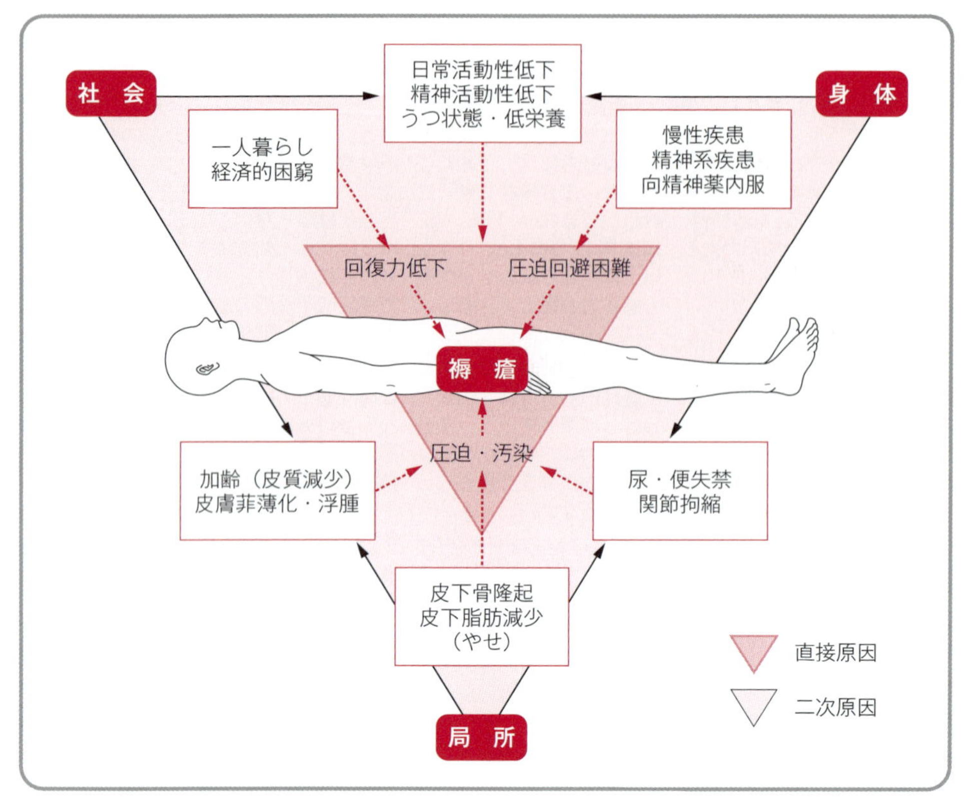

図４　褥瘡を取り巻く二次的要因
（玉置邦彦(総編集)．最新皮膚科学大系 16，中山書店，東京，2003: p237 より引用）

が基本である．褥瘡を有する患者の入浴に関しては，皮膚血流量を増加させ，細菌量を減少させることから行ってもよいと考えられる．

局所治療は図７のごとく，病期および目的に応じた軟膏，創傷被覆材を選択使用する．場合によっては外科的処置が必要である．

1．褥瘡の栄養アセスメントと栄養管理

a）栄養アセスメント

栄養の評価は身体計測，臨床所見，血液生化学的検査所見などから総合的に判断される．

体重を栄養の指標とする方法として，体格指数・％平常時体重・体重減少率がある．また，身体の筋肉量や体脂肪量を推測するのに，上腕三頭筋部皮下脂肪厚(TSF)，上腕周囲長(AC)，上腕筋囲長(AMC)が指標となる．これらは拘縮が強く身体計測が難しい患者においても測定可能であるが，測定誤差があるので継続的に測定して変化をみることが重要である．

臨床所見は主観的包括的評価(SGA)が優れた評価法として広く用いられている．病歴(体重変化・食物摂取の変化，消化器症状，身体機能，疾患と栄養必要量)と身体検査(脂肪量，筋肉量，浮腫の有無)の二本柱で構成される評価方法で，主観的な栄養状態を評価するものであるが，少し熟練が必要である．より簡便な方法としては，体重減少と摂取量の減少を重視した中屋らのスクリーニング法がある(表４)．各施設の事情に合わせたスクリーニング法を採用すべきである．

血液生化学的検査では，血清アルブミン 3.5 g/dL 以下，プレアルブミン 17 mg/dL 以下，血清トランスフェリン 200 mg/dL 以下，血清コレステロール 150 mg/dL 以下，総リンパ球数 1,200/mm^2 以下などが栄養不良の指標となりうる[15,16]．

b）栄養管理

低栄養は褥瘡発症の重要な危険因子である．Iizaka らは，在宅で褥瘡を発症した 290 人と発症していない 456 人を比較した結果，褥瘡発症に最も強く関連していたのは低栄養であった(オッズ比 2.29，95％ CI 1.53～3.44)と報告している[17]．また，必要なエネルギーやたんぱく質の供給は，発生した褥瘡の改善に有効であることが Stratton らによるメタアナリシスで示されている[18]．褥瘡の予防・治療に必要なエネルギー量，たんぱく質量，特定の栄養素について順に述べる．

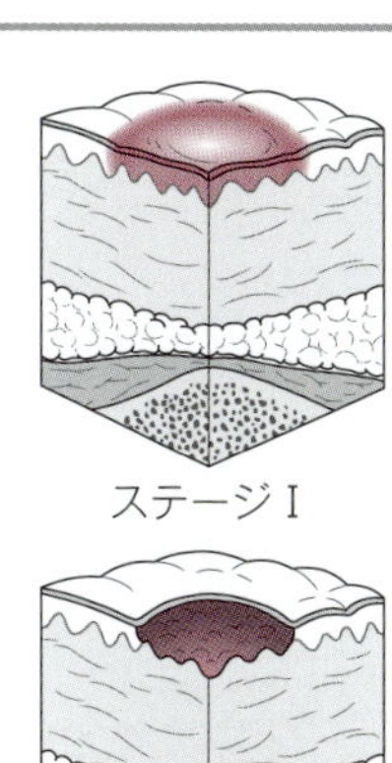

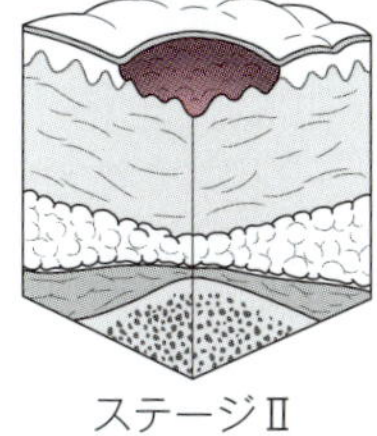

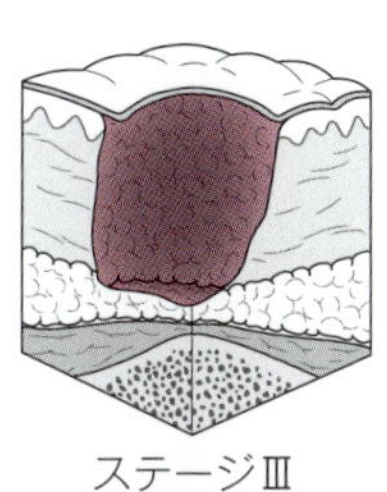

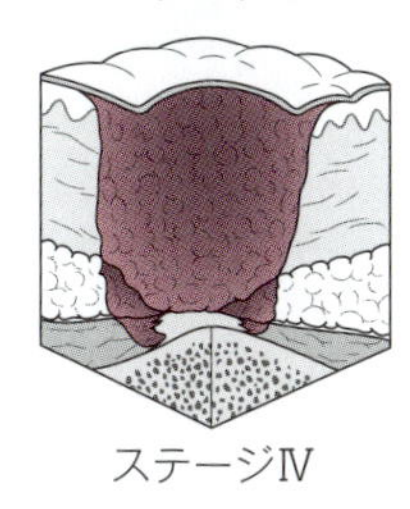

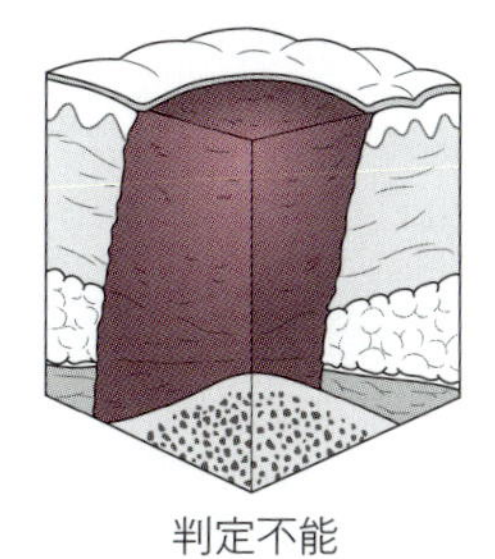

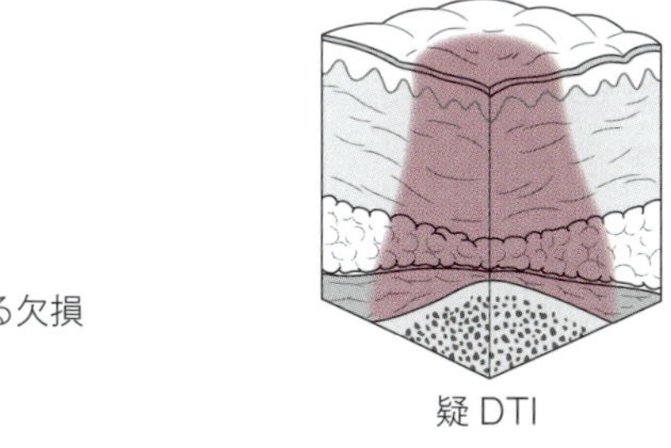

図５　NPUAP による深達度分類

①**エネルギー量**：褥瘡の発症予防および治癒促進のために必要な栄養投与量について，2009 年米国褥瘡諮問委員会と欧州褥瘡諮問委員会が共同で作成した合同臨床実践ガイドラインにエネルギー 30～35 kcal/kg/日が推奨されている．栄養投与量は患者の基礎疾患や合併症，褥瘡の病期なども考慮し個別に調整を行う必要がある．糖尿病患者は高血糖が創傷治癒を遅延させてしまうため，血糖管理を内科と連携して行うべきである．

②**たんぱく質量**：褥瘡患者は蛋白異化が亢進している．米国褥瘡諮問委員会と欧州褥瘡諮問委員会の合同臨床実践ガイドラインでは 1.25～1.5 g/kg/日のたんぱく質投与が推奨されている．黒色期～黄色期（炎症期）の褥瘡は感染・炎症があり，滲出液が多く蛋白が漏出する．その点も考慮してたんぱく質，炭水化物の補給により白血球機能低下および炎症期の遅延を防がなければならない．また，個々の患者の肝機能，腎機能などを考慮して調整することが必要である．

③**特定栄養素**：褥瘡の病期に応じた栄養欠乏の創傷治癒への影響が指摘されている．肉芽が萌出する赤色期（増殖期）は膠原線維の合成に必要であるビタミン A，ビタミン C，銅，亜鉛などの補給が必要となる．白色期（成熟期）は褥瘡治癒過程の最終段階であり，肉芽組織が成熟し，膠原線維が収縮を起こす．この収縮によって創の面積が収縮し，さらに創周囲から上皮化して創が閉鎖する．その際にカルシウム，ビタミン A，亜鉛などが必要となる．

褥瘡の治癒に有効とされている栄養素の有効性について様々な検討がある．アルギニンは条件付き必須アミノ酸で，ヒドロキシプロリンの合成によるコラーゲ

表3　DESIGN-R®2020　褥瘡経過評価用

カルテ番号(　　) 患者氏名 (　　)					月日	/	/	/	/	/	/
Depth*1 深さ　創内の一番深い部分で評価し，改善に伴い創底が浅くなった場合，これと相応の深さとして評価する											
d	0	皮膚損傷・発赤なし	D	3	皮下組織までの損傷						
				4	皮下組織を超える損傷						
	1	持続する発赤		5	関節腔，体腔に至る損傷						
				DTI	深部損傷褥瘡(DTI)疑い*2						
	2	真皮までの損傷		U	壊死組織で覆われ深さの判定が不能						
Exudate 滲出液											
e	0	なし	E	6	多量：1日2回以上のドレッシング交換を要する						
	1	少量：毎日のドレッシング交換を要しない									
	3	中等量：1日1回のドレッシング交換を要する									
Size 大きさ　皮膚損傷範囲を測定：[長径(cm)×短径*3(cm)]*4											
s	0	皮膚損傷なし	S	15	100以上						
	3	4未満									
	6	4以上　16未満									
	8	16以上　36未満									
	9	36以上　64未満									
	12	64以上　100未満									
Inflammation/Infection 炎症/感染											
i	0	局所の炎症徴候なし	I	3C*5	臨界的定着疑い(創面にぬめりがあり，滲出液が多い．肉芽があれば，浮腫性で脆弱など)						
	1	局所の炎症徴候あり(創周囲の発赤・腫脹・熱感・疼痛)		3*5	局所の明らかな感染徴候あり(炎症徴候，膿，悪臭など)						
				9	全身的影響あり(発熱など)						
Granulation 肉芽組織											
g	0	創が治癒した場合，創の浅い場合，深部損傷褥瘡(DTI)疑いの場合	G	4	良性肉芽が創面の10%以上50%未満を占める						
	1	良性肉芽が創面の90%以上を占める		5	良性肉芽が創面の10%未満を占める						
	3	良性肉芽が創面の50%以上90%未満を占める		6	良性肉芽が全く形成されていない						
Necrotic tissue 壊死組織　混在している場合は全体的に多い病態をもって評価する											
n	0	壊死組織なし	N	3	柔らかい壊死組織あり						
				6	硬く厚い密着した壊死組織あり						
Pocket ポケット　毎回同じ体位で，ポケット全周(潰瘍面も含め)[長径(cm)×短径*3(cm)]から潰瘍の大きさを差し引いたもの											
p	0	ポケットなし	P	6	4未満						
				9	4以上16未満						
				12	16以上36未満						
				24	36以上						
部位［仙骨部，坐骨部，大転子部，踵骨部，その他(　　)］					合計*1						

＊1　深さ(Depth：d/D)の点数は合計には加えない
＊2　深部損傷褥瘡(DTI)疑いは，視診・触診，補助データ(発生経緯，血液検査，画像診断等)から判断する
＊3　"短径"とは"長径と直交する最大径"である
＊4　持続する発赤の場合も皮膚損傷に準じて評価する
＊5　「3C」あるいは「3」のいずれかを記載する．いずれの場合も点数は3点とする

© 日本褥瘡学会
http://jspu.org/jpn/info/pdf/design-r2020.pdf

(日本褥瘡学会のホームページ<http://www.jspu.org/jpn/member/pdf/design-r2020.pdf>より引用)

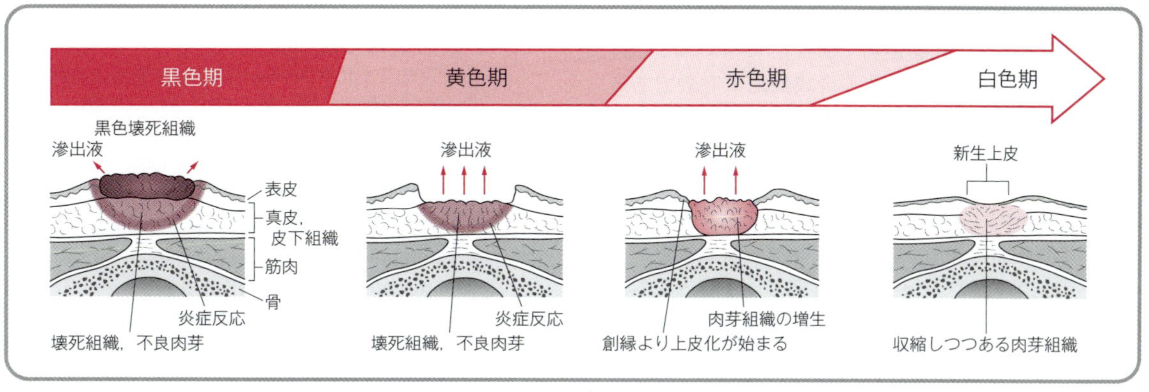

図６ 創面の色調による褥瘡分類

（玉置邦彦（総編集）．最新皮膚科学大系 16，中山書店，東京，2003: p242 より引用）

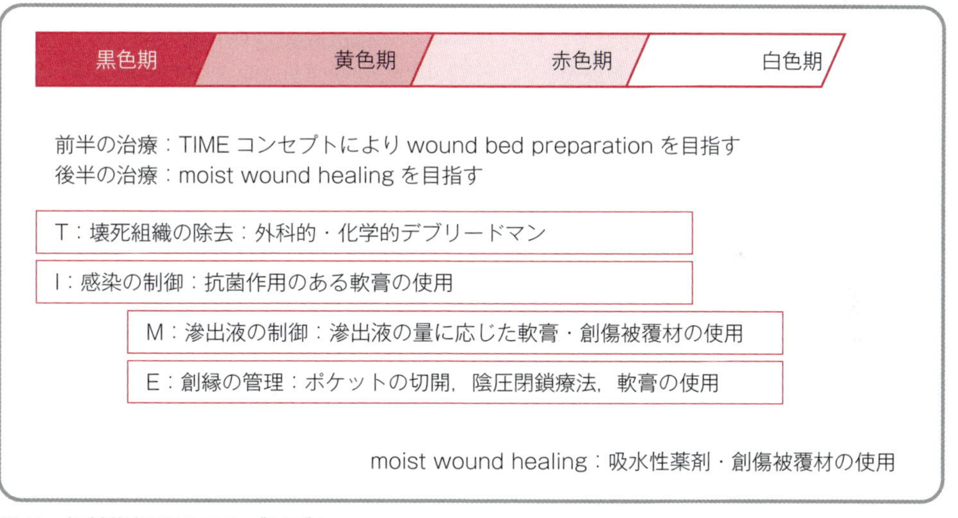

図７ 慢性期褥瘡のアルゴリズム

（立花隆夫，宮地良樹．褥瘡治癒のメカニズム．臨床栄養 2003; **103**: 353-356 より作成）

表４ 栄養不良のスクリーニング法（中屋）

重要項目
1. 意図しない体重減少（6ヵ月では＞5%以上，1ヵ月では＞3%以上） 2. 食事摂取量の低下（必要量の 80%以下が続く）
参考項目
1. 極端なやせ（BMI＜17） 2. 代謝亢進をきたす基礎疾患 3. 2週間以上続く消化器症状（下痢，嘔吐など）
重要項目があるときには，栄養管理が必要．参考項目は各施設に応じて決定する．参考項目があるときには，アセスメントを行い，栄養管理を行うかどうか決定する．

ンの合成効果があるとともに，抗酸化物質として作用する．Stechmiller らによって，アルギニン補充が術後の創治癒に有効であったと報告されている[19]．ビタミン C はプロコラーゲンがコラーゲンになる過程で必須のビタミンであるが，褥瘡治癒促進に対する効果は報告が少なく，現状では有効性を結論づけることはできない．ビタミン B_1 はコラーゲンの架橋形成に関連する補酵素で，体内での蓄積量が少なく，欠乏しやすいビタミンであり注意を要する．亜鉛は多くの金属酵素の活性中心に位置する重要な微量元素である．血清亜鉛値が低下している症例では，投与によって肉芽形成や上皮化に関連するため創傷治癒促進効果が認められる．高齢者は摂取量，体内含有量ともに少なくなり，欠乏しているケースが多い．味覚障害や舌炎，口内炎

などの欠乏症状を見逃してはならない．

近年，ロイシンの代謝産物であるβ-ヒドロキシ-β-メチル酪酸(HMB)が蛋白質の合成促進に有効であるため，褥瘡治療への応用が期待されている．Williamsらは70歳以上の健常者の三角筋部の皮下にポリ四フッ化エチレンの小管を埋め込んで，アルギニン，グルタミン，HMBを組み合わせたサプリメントを摂取させた群と対照群とのランダムコントロール試験を行った．その結果，サプリメント投与群では小管内に形成されたコラーゲン量が対照群に対して明らかに多かったと報告している[20]．

基本は全身的な栄養状態の改善が重要であり，そのうえで特定の栄養素欠乏があれば補充を考慮することが望ましいと考える．

2．患者に対する配慮

褥瘡患者の約半数は仙骨・尾骨部に発生している．デリケートな部位であり，患者の心理的負担が大きい．処置の際にはプライバシーに配慮する．また，褥瘡患者のうちいずれかの時点で痛みを訴える者の割合は37〜66%と報告されている[21]．褥瘡の初期および処置時の痛みを訴える患者が多い．神経終末に対する刺激は物理的刺激や補体の化学的刺激，使用した軟膏による刺激など様々である．痛みの原因を分析し，消炎鎮痛薬，向精神薬，創傷被覆材の使用などを検討する．

文献

1) 長崎　孝，長崎孝太郎，隅田さちえ，ほか．当病院における熱傷の統計的観察(第8報)—最近5年間(9,136例)の集計成績．広島医学 1996; **49**: 101-106
2) 臼田俊和．冬に多い皮膚疾患—低温熱傷．Derma 2002; **57**: 63-69
3) Ryan CM, Schoenfeld DA, Thorpe WP, et al. Objective estimates of the probability of death from burn injuries. N Engl J Med 1998; **338**: 362-366
4) Thombs BD, Bresnick MG. Mortality risk and length of stay associated with self-inflicted burn injury: evidence from a national sample of 30,382 adult patients. Crit Care Med 2008; **36**: 118-125
5) Monafo WW. Initial management of burns. N Engl J Med 1996; **335**: 1581-1586
6) Hettiaratchy S, Papini R. Initial management of a major burn: II--assessment and resuscitation. BMJ 2004; **329**: 101-103
7) 青山　久，藤井勝善．小児救急医療の実際　重症化の予知とその対策—おもな救急疾患　熱傷．小児科診療 2001; **64**: 2008-2013
8) 上山昌史，井上卓也，山下勝之．主要疾患の救急対応—外傷—熱傷．総合臨床 2004; **53**: 1337-1341
9) Bell SJ, Wyatt J. Nutrition guidelines for burned patients. J Am Diet Assoc 1986; **86**: 648-653
10) Zhou YP, Jiang ZM, Sun YH, et al. The effect of supplemental enteral glutamine on plasma levels, gut function, and outcome in severe burns: a randomized, double-blind, controlled clinical trial. JPEN J Parenter Enteral Nutr 2003; **27**: 241-245
11) Garrel D, Patenaude J, Nedelec B, et al. Decreased mortality and infectious morbidity in adult burn patients given enteral glutamine supplements: a prospective, controlled, randomized clinical trial. Crit Care Med 2003; **31**: 2444-2449
12) Marín MC, Osimani NE, Rey GE, et al. n-3 Fatty acid supplementation in burned paediatric patients. Acta Paediatr 2009; **98**: 1982-1987
13) Volenec FJ, Clark GM, Mani MM, et al. Metabolic profiles of thermal trauma. Ann Surg 1979; **190**: 694-698
14) Berlowitz DR, Brienza DM. Are all pressure ulcers the result of deep tissue injury? A review of the literature. Ostomy Wound Manag 2007; **53**: 34-38
15) 徳永佳子．褥瘡治療・ケアトータルガイド，宮地良樹，溝上祐子(編)，照林社，東京，2009: p205-220
16) 日本静脈経腸栄養学会(編)．コメディカルのための静脈経腸栄養ハンドブック，南江堂，東京，2008: p106-112
17) Iizaka S, Okuwa M, Sugama J, et al. The impact of malnutrition and nutrition-related factors on the development and severity of pressure ulcers in older patients receiving home care. Clin Nutr 2010; **29**: 47-53
18) Stratton RJ, Ek AC, Engfer M, et al. Enteral nutritional support in prevention and treatment of pressure ulcers: a systematic review and meta-analysis. Ageing Res Rev 2005; **4**: 422-450
19) Stechmiller JK, Childress B, Cowan L. Arginine supplementation and wound healing. Nutr Clin Pract 2005; **20**: 52-61
20) Williams JZ, Abumrad N, Barbul A. Effect of a specialized amino acid mixture on human collagen deposition. Ann Surg 2002; **236**: 369-374
21) LIndholm C, Bergsten A, Berglund E. Chronic wounds and nursing care. J Wound Care 1999; **8**: 5-10

12 小児疾患

❶正常小児の成長・発達

人間の生物個体としては，受精から始まり死で終了となるが，特に出生という大イベントの前後で，栄養を受け取る臓器が胎盤から消化管に変わる(表1)[1]．したがって，小児の栄養を考えるうえでは，消化管の機能をはじめ，全身の機能の変化を考えながら進める必要がある．

小児の特徴は，時間につれて成長・発達することにある．成長(growth)とは，身体の量的な増加のことを指す．発達(development)とは，運動・生理・精神など機能面の成熟を指す．発育は，両者を包括する概念である．

A 成長・発達に合わせた栄養の考え方

出生前の栄養は主に母体の栄養状態に影響を受ける．若年女性の約25%はやせであり，やせは低年齢化している．やせの女性は低出生体重児を出産する率が高く，低出生体重児は将来肥満や生活習慣病になりやすい(developmental origins of health and disease：DOHaD)といわれている．

出生後は，授乳・離乳となる．その基本的な進め方は，厚生労働省から「授乳・離乳の支援ガイド2019」が示されている[2]．

摂食・嚥下の機能は生まれてから3歳くらいまでの間に発達していく．正常な発達は8つの段階を経て獲得される[3]．①経口摂取準備期は，反射運動を中心とした哺乳運動の時期である．指しゃぶりや玩具なめがみられ，口腔内感覚を体験学習していく．②嚥下獲得期は嚥下機能を獲得する時期で，従来の離乳初期(5～6ヵ月)に相当する．③捕食獲得期は口唇を閉じて捕食する時期である．④押しつぶし期は食物を押しつぶすために，口角が左右対称に引かれるようになる時期で，従来の離乳中期(7～8ヵ月)に相当する．⑤すりつぶし期は臼歯部に食物を置き，上顎，下顎の骨を利用して砕くようになる時期で，口角が左右非対称に動くのが特徴である．従来の離乳後期(9～11ヵ月)に相当する(図1)．⑥自食準備期は手指を用いた遊びをとおして，手と口の協同運動が開始される時期である．自食できるための準備の時期となる．⑦手づかみ期は手指を使って食物を口腔内に運ぶ機能が発達する時期である．体幹保持が安定していくことで，徐々に手が体幹から離れていく．⑧食具食べ期は，スプーン，フォーク，箸を用いて食べ物を口に運ぶようになる時期で，特に箸の動作は6～7歳くらいまで習熟が必要とされている．

B 評価法

栄養アセスメントの指標としての身体計測は，身長，体重が基本となるが，それを継時的にみる成長曲線が重要である．

body mass index(BMI)は体重(kg)/身長(m)の2乗を計算し，成人では標準が22であるが，小児では同じ指標がKaup指数といわれており，標準は年齢で違うが，大人よりも小さい数字となる．

C 栄養量の設定

「日本人の食事摂取基準2020年版」[4]では，身体活動レベル(ⅠからⅢまである)ごとに数字が設定されてお

表1　発育区分と栄養の形態

受精から2週	3～8週	9週～出生	出生後4週間	1歳まで	1～6歳	6～12歳	12～18歳
胚芽期	胎芽期	胎児期	新生児		幼児	学童	思春期
胎生期			乳児				
栄養膜	絨毛膜	胎盤	母乳/乳汁	離乳食	幼児食	小児食/常食	

(高増哲也．小児栄養における今日的課題と栄養管理．中村丁次，門脇　孝(監)，国民の栄養白書2012年度版，日本医療企画，東京，2012: p161-173より引用)

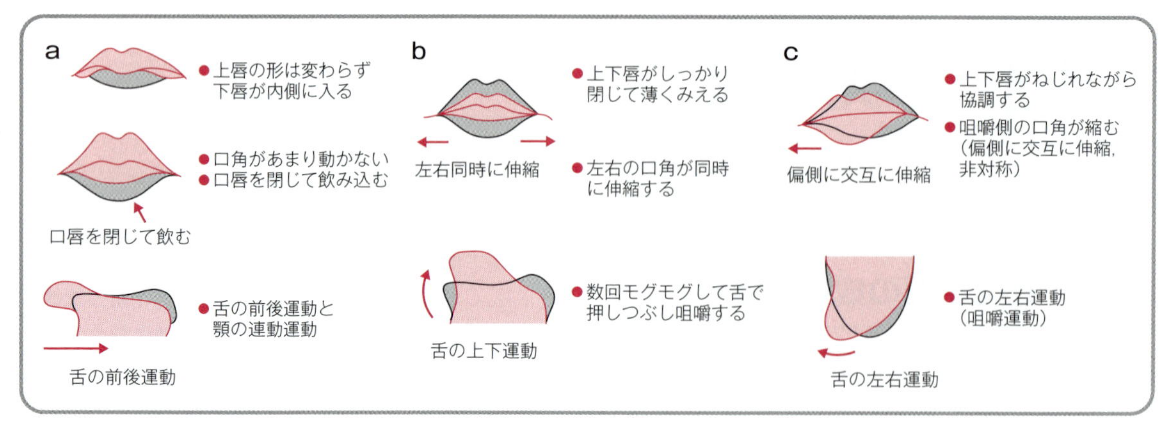

図１　口の特徴的な動き
a：嚥下獲得期．離乳初期（5～6ヵ月）に相当
b：押しつぶし期．離乳中期（7～8ヵ月）に相当
c：すりつぶし期．離乳後期（9～11ヵ月）に相当
（弘中祥司．摂食・嚥下機能の発達と障害．日本摂食・嚥下リハビリテーション学会eラーニング対応　第6分野　小児の摂食・嚥下障害，日本摂食・嚥下リハビリテーション学会（編），医歯薬出版，東京，2010: p8-14より引用）

表２　日本人の食事摂取基準2020における推定エネルギー必要量（身体活動レベルⅡ）（kcal/日）

	男性	女性
0～5（月）	550	500
6～8（月）	650	600
9～11（月）	700	650
1～2（歳）	950	900
3～5（歳）	1,300	1,250
6～7（歳）	1,550	1,450
8～9（歳）	1,850	1,700
10～11（歳）	2,250	2,100
12～14（歳）	2,600	2,400
15～17（歳）	2,800	2,300
18～29（歳）	2,650	2,000

（「日本人の食事摂取基準」策定検討会．日本人の食事摂取基準（2020年版），2019より引用）

表３　発育区分ごとの必要水分量と必要栄養量

	必要水分量（mL/kg/日）	必要栄養量（kcal/kg/日）
生直後	80～100	80
新生児	125～150	100
乳児（～5ヵ月）	140～160	120
乳児（6ヵ月～）	120～150	100
幼児	100～130	80
学童（低学年）	80～100	70
学童（高学年）	60～80	60
思春期（中・高生）	40～60	50
成人	30～40	30～40

（高増哲也．小児栄養における今日的課題と栄養管理．中村丁次，門脇　孝（監），国民の栄養白書2012年度版，日本医療企画，東京，2012: p161-173より引用）

り，身体活動レベルⅡの部分を取りあげると表２のとおりとなる．しかし，実際には同じ年齢でも体重の大小で必要量が異なると考えられるので，発育区分ごとに，体重あたりの必要水分量と必要栄養量をみてみる（表３）[1]．成人では体重あたり30～40mL，30～40kcalとなっており，多くの栄養剤が1mL＝1kcalになっている．一方小児では，年齢が低いほど体重あたりの必要量が大きいばかりでなく，水分のミリリットルのほうが栄養のカロリーよりも数値が大きいことが特徴である．この表で計算した数字を基準にして，成長曲線などを参考に個人に合わせて増減していく．

❷低出生体重児

A 疾患の解説

低出生体重児，早産児の分類は表４のとおりである．低出生体重児は出生時に備蓄している栄養素に乏しく，消化器の未熟性や呼吸障害，感染症など様々な合併症により栄養摂取が制限されるとさらに栄養不良になりやすい[5]．NICU退院時（通常予定日ころ）の成長が在胎期間別出生時体格の10パーセンタイルを下回

表 4　低出生体重児，早産児の分類

分類	基準
低出生体重児 (low birth weight infant：LBWI)	出生体重 2,500g 未満
極低出生体重児 (very low birth weight infant：VLBWI)	出生体重 1,500g 未満
超低出生体重児 (extremely low birth weight infant：ELBWI)	出生体重 1,000g 未満
早産児 (preterm infant)	在胎 37 週未満
超早産児 (extremely immature infant)	在胎 28 週未満

る状態を子宮外発育不全(extrauterine growth retardation：EUGR)といい，その後の神経学的異常や発達遅滞に関連することが知られている．これを防止することが NICU 入院中の栄養管理の目的である．

B 病態栄養

早産低出生体重児では，十分なカルシウムやリンなどの備蓄がないままに出生し，急速な成長とともに生後 2〜3 ヵ月ころにこれらの不足のために骨塩量が低下して，未熟児代謝性骨疾患(くる病や骨減少症)になりやすい．

十分な亜鉛の備蓄がないままに出生し，成長に伴い必要量が増加するため，亜鉛欠乏症が起こりやすい．多くが無症候性であるが，症候性の場合，発育不良や易感染性，皮膚病変がみられる．

また，母体からの鉄の供給が不十分であり，急速な成長による循環血液量の増加とともに需要が増すことにより鉄欠乏が起こりやすい(未熟児貧血)．エリスロポエチン使用下では鉄需要がさらに増加する．採血も影響する．出生後ヘモグロビン濃度は 1 週間あたり 1g/dL 減少する(早期貧血)．生後 2 ヵ月以後では適切な鉄剤投与がなされないと，鉄欠乏状態が進行する(後期貧血)．極低出生体重児では授乳量が 100mL/kg/日を超えた時点から出生体重が 2,500g になるまで鉄剤を 6mg/kg/日投与する．

C 評価と診断

未熟児代謝性骨疾患の診断には，血清リン値が最も有用で，4mg/dL 未満で発症のリスクが高い．しばしば血清 ALP が高値となるが，診断精度は低い．X 線で橈骨や尺骨の石灰化予備層の減少や flaring, cupping, fraying が出現したり，長管骨や肋骨の骨折を認める．骨の定量的評価には二重エネルギー X 線吸収測定法(DEXA)が用いられる．

亜鉛欠乏症の診断には，出生予定日近くに血清 ALP が低値である場合は本症を疑い，血清亜鉛濃度を測定する．

未熟児貧血の診断には一般的な血算のほかに，網状赤血球，血清鉄，不飽和鉄結合能，フェリチンを確認する．

D 治療

出生後早期から栄養を投与する方法を early aggressive nutrition という．

出生後数時間以内から静脈栄養によって 2〜3g/kg/日のアミノ酸投与を開始し，0.5〜1g/kg/日ずつ増量して，3.5〜4.0g/kg/日を目標にする．出生当日はブドウ糖とアミノ酸液(±グルコン酸カルシウム)を混合したシンプルな輸液とし，血糖値が安定してきたら，翌日からビタミンを加える．

経静脈の水分投与量は 60〜80mL/kg/日より開始する．ブドウ糖は 4〜6mg/kg/分から開始し，血糖値をみながら徐々に 10〜13mg/kg/分を上限に増量する．脂肪乳剤は 20%製剤で生後 24〜48 時間あたりから 0.5〜1.0g/kg/日より開始し，2〜3g/kg/日までとする．血清電解質や利尿の状態を評価しながら，通常生後 4〜5 日あたりから NaCl や KCl，リン製剤，マグネシウム製剤を輸液に添加する．

授乳は生後 72 時間以内に可能な限り母乳で 10mL/kg/日より開始し，腹部所見や残乳の状態を評価しながら 10〜20mL/kg/日ずつ増量していく．

体重や血清電解質，利尿，循環動態の推移をみながら総水分量を 10〜20mL/kg/日ずつ増量し，授乳量と合わせて 150mL/kg/日とする．乳汁と輸液から摂取される蛋白は 3.5〜4.0/kg/日，エネルギー量は 100〜120kcal/kg/日を目標とする．

在胎週数に比べて出生体重が少ない small for gestational age(SGA)児では，出生体重で体重あたりの水分量やエネルギー量を計算すると，少なく見積もられる．同じ在胎週数の appropriate for gestational age (AGA)児の体重を参考に補正するとよい．

静脈栄養のみで経腸栄養がなければ，消化吸収機能や消化管の運動機能，粘膜防御機能が低下する．また，胆汁うっ滞や肝機能障害など，静脈栄養関連胆汁うっ滞(parenteral nutrition associated cholestasis：PNAC)も出現しやすい．これらを防止するため，少量でも乳汁により経腸栄養を行うことが重要であり，これを minimal enteral feeding という．

極低出生体重児を出産した母親の母乳中の栄養素の

うち，蛋白や多くのミネラル，微量元素が分娩後4週間を過ぎると低下し，母乳だけでは栄養必要量をまかなうことが困難となる．そこで母乳の生物学的・栄養学的利点を生かしながら，不足する栄養素を補う目的で強化母乳が用いられる．一般には母乳摂取量が100～120mL/kg/日になった時点で標準添加量の1/2から強化を開始し，数日を経て腹部膨満や残乳量の増加，下痢などがみられないことを確認できれば標準添加量の強化母乳とする．胆汁うっ滞や消化管手術後に腸管運動が低下している際に，糞石が形成されることがあるので注意が必要である．これは，強化母乳を与えることにより消化管内で鹸化反応が起こるためである．

❸摂食行動障害

A 疾患の解説

摂食・嚥下という概念には表5にあげた4つの段階が含まれる．摂食の障害を考えるうえでは，摂食意図の精神的・心理的な障害と，それ以降の機能面での障害の二者がある．前者は「摂食障害」，後者は「嚥下障害」または「摂食嚥下障害」(dysphagia)と慣例的に呼ばれているが，両者を明確に区別するために，前者を「摂食行動障害」(eating behavior disorder)，後者を「摂食機能障害」(eating functional disorder)とする．ここでは前者，摂食行動についての精神的な障害について述べる．後者は主に重症心身障害児で問題となる．

摂食行動障害には，主に神経性やせ症(anorexia nervosa：AN)，神経性大食症(bulimia nervosa：BN)，過食性障害(binge eating disorder：BED)，嘔吐恐怖といった精神科領域の疾患と，発達障害のひとつである自閉症スペクトラム(自閉症・アスペルガー症候群の総称)がある．

B 病態栄養

1．神経性やせ症

神経性やせ症は，ストレスを心で解決する代わりに，食べる・食べないにこだわりながら身体を破壊する病である[6]．生来の完全主義，融通のきかなさ，勉強や対人関係の挫折，家族間の葛藤や家族関係の変化，虐待，過激な部活，いじめなど多様な要因が絡み合い，発症に至る．体重を厳しくコントロールすることで，自分の意志の強さと達成感にひたると，拒食行動は修正困難となり，やせの悪循環にはまり込んでしまう．

表5　摂食・嚥下の4つの段階

摂食意図	食べようとすること
捕食	食べ物を口に運ぶこと
咀嚼	食べ物をかむこと
嚥下	飲み込むこと

2．自閉症スペクトラム

自閉症とアスペルガー症候群は連続した概念であるため，それらをまとめて自閉症スペクトラムという言葉で表される．彼らは関心の幅がかなり狭く，その範囲内で同じパターンの行動をとりたがる．食行動に関してもそのような傾向を持つ場合があり，同じ食感のもの(サクサクしたものなど)や，同じ食材のもの(米やポテトなど)だけを食べることがある．ピッキーイーター(picky eater)，プロブレムイーター(problem eater)と表現される．

C 評価と診断

1．神経性やせ症

年齢と身長に対する正常体重の最低限以上を維持することへの拒否を以下の点から確認する．①体重が不足していても体重が増えることに対する強い恐怖がある．②自分の体重や体型の感じ方の障害があり，自己評価に対する体重や体型の過剰な影響，または現在の低体重の重大さの否認がある．③初経後の女性の場合は月経周期が連続して3回以上欠如する．

小児では診断基準を満たさない非典型例が多く，やせ願望がはっきりせず，不安や強迫症状をしばしば認め，嚥下不安から拒食に至る症例も少なくない．発達障害の併存を認めることもある．

2．自閉症スペクトラム

診断は以下の4点を満たすことで行う．①社会的コミュニケーションおよび相互関係における持続的障害がある．②限定された反復する様式の行動，興味，活動がある．③症状は発達早期の段階で必ず出現するが，あとになってから明らかになるものもある．④症状は社会や職業その他の重要な機能に重大な障害を引き起こしている．

D 治療

1．神経性やせ症

神経性やせ症に対する治療は，身体面，行動面，心理面のそれぞれに対処することで行う．初期には身体面の対応が特に大切で，やせの程度，体温や脈拍などのバイタルサイン，脱水，電解質異常，臓器障害などの身体合併症を評価する．共感的な態度で接するなかで関係をつくりながら，行動面への介入を行う．栄養障害が進み死に至ることもあり，必要な場合には強制的に栄養を投与することもあるが，その際にはリフィーディング症候群に注意が必要である．長期的には，認知行動療法や家族療法などの精神療法も行う．

2. リフィーディング症候群

リフィーディング症候群は，重度の低栄養から急速に栄養が負荷されるときに起きる現象で，インスリンの作用によりグルコースが血液から細胞内に流入するときに，同時に PO_2^-・K^+ も細胞内に流入し，低リン血症，低カリウム血症，低マグネシウム血症などが生じる現象である．特に低リン血症は致死的であるため注意が必要で，血中濃度をほぼ毎日モニタリングする必要がある．症状としては，心不全・呼吸不全，横紋筋融解，精神神経症状など，多彩な臨床症状を示す．神経性無食欲症の治療のために栄養を投与する際に起きることが多いため，細心の注意が必要である．リフィーディング症候群を予防するためには，栄養量を改善するにあたって少量から徐々に増加させるようにする．

3. 自閉症スペクトラム

食べることに関しては，まずは現状を受け入れ，米しか食べなければ当面は米を中心にして十分に食べるようにして栄養不良を回避する．米やポテトしか食べないパターンでは，ビタミン A などの脂溶性ビタミンの欠乏症をきたすことがあるため，サプリメントでビタミン A, ビタミン D の補充をする．他のビタミン類，微量元素の欠乏にも注意が必要である．

何らかのきっかけで，他の食べ物を食べるようになることがあるので，受容的な態度で接しながらも，その機会をうかがいながら待つことも大事である．食べることができているものを基本として，味つけだけをかえたり，食感だけをかえたりすることで，徐々にバラエティを増やしていく food chaining という方法があり，一定の効果をあげている[7]．

❹重症心身障害

A 疾患の解説

重症心身障害児とは，重度の運動障害と知的障害を併せ持つ小児で，原因疾患は多様である．運動障害は寝たきりか坐位（身体障害 1 級 2 級相当）まで，知的障害は IQ 35 以下（学齢以降では単語がないレベル）を指す．

B 病態栄養

重症心身障害児の多くは栄養障害が存在している[8]．

1. 身体的な要因

①**知的障害**：摂食行動に問題がある．

②**てんかん**：予防薬を必要とする．

③**摂食機能障害**：経口摂取が困難（むせ，食後の咳やゼロゼロ，食事時間が長い），窒息の危険，体重増加不良または減少，誤嚥性肺炎の反復がある場合は，経管栄養を考慮する．

④**筋緊張亢進**：摂食時の頭部正中位固定が難しい．頭部後屈伸展位では嚥下が難しく，閉塞呼吸も加わる．口腔内の協調運動も阻害され，舌突出，過咬位となる．腹圧亢進，閉塞呼吸が胃食道逆流症を悪化させる．消費エネルギーが増大する．呼吸障害がある．誤嚥性肺炎を繰り返す．摂食機能の評価，口腔ケアが重要である．

⑤**胃食道逆流症**（gastroesophageal reflux disease：GERD）：胃酸による食道の刺激が迷走神経を刺激して気道分泌物の量を増加させ，粘稠度を増加し，呼吸障害の増悪につながる．

⑥**ダンピング症候群，食後高血糖**：早期ダンピングは注入後すぐ～30 分程度に高浸透圧の栄養剤により水分が引き寄せられ，循環血液量が減少するため，冷汗，動悸，心拍増加，呼吸促迫，嘔吐，腹痛などがみられるものである．後期ダンピングは注入後 1 時間以降の現象で，糖質の急激な吸収による高血糖がみられ，インスリン過分泌により低血糖となるための現象で，冷汗，ふるえ，意識低下などがみられる．栄養投与時間を長くしたり，栄養剤の半固形化などで予防する．

2. 医療サービスの要因

①適切な医療サービスへのアクセスがない（在宅医療，地域医療，専門医療）．

②チーム医療の提供が十分でない（医科，歯科，看護，薬局，栄養，リハビリテーション，ケアマネジメントなど）．

③成人しても小児科から卒業できない（受け入れ先がない）．

3. 介護者の要因

①介護者の高齢化，健康面，心理面，経済的，社会的な問題

②レスパイト，社会的支援が重要である．

C 評価と診断

身体計測としては，身長，体重を継時的に測定し，成長曲線を作成する．重症心身障害児の身長は変形のために正確に測定するのが困難である．その他に，上腕周囲長（arm circumference：AC），上腕三頭筋部皮下脂肪厚（triceps skinfold thickness：TSF），ふくらはぎ周囲長（calf circumference：CC）などが身体計測の指標として用いられる．

身長・体重比（weight for height），年齢・身長比（height for age）を確認する方法もある．身長・体重比は，本人の身長が標準となる年齢を確認し，その年齢での標準体重に対する本人の体重を％で表す．年齢・身長比は，本人の年齢の標準身長に対する本人の身長を％で表す．この２つの指標を用いて，栄養障害の種類と程度を把握する．Waterlow の分類がよく用いられている．身長・体重比が70％以下になると，褥瘡，感染症を起こしやすくなるので，70％以上を達成することを目標にする．

観察所見としては，皮膚，頭髪，爪，口腔内，便性を参考にする．血液検査は，一般的な血算，生化学のほかに，rapid turnover protein，血清亜鉛などを参考にする．

臨床的に栄養に問題がある患者のパターンとしては，肺炎などで入院を繰り返す，皮膚のトラブル（特に褥瘡），頭髪の抜けやすさ，色が薄くなる，骨折，皮下脂肪が薄い，ふくらはぎなどの筋肉が細いなどがある．

D 治療

1．栄養の経路

経口摂取が可能であれば，それが最善であるが，摂食機能障害がある場合は，無理に経口摂取を行うことで栄養障害，感染の反復を引き起こすため，経管栄養を選択する．初期には経鼻経管とするが，長期になる場合には，胃瘻を選択することで，上気道，上部消化管の粘膜への負担を減らし，チューブを太くすることができ，投与内容を広げることができる．GERD が問題な場合には Nissen 噴門形成術を行うことも考慮する．

2．栄養の内容

できるだけ食品のかたちで，広く摂取することが望ましいが，経管栄養の場合は液状のものを注入しなくてはならないため，栄養剤を選択する場合もある．胃瘻などで太いチューブがあれば，ミキサー食注入が望ましいが，栄養剤の場合は消化管の消化機能が保たれている限りはできるだけ半消化態栄養剤を選択する．

また，液体の場合には半固形化することで投与時間が短縮され，ダンピング予防にもなる．栄養剤を用いる場合には，不足している栄養素（ヨウ素，セレン，カルニチン，食物繊維など）がある場合には他の栄養剤と併用したり，補充したりする必要がある．

3．栄養の量

食事摂取基準は健常児を目安にしているのでそのまま用いることはできないが，重症心身障害児はやせており体重が軽いので，体重あたりの必要水分量と必要栄養量の表を用いて算出することができる．実際には必要栄養量は個人差が非常に大きい．呼吸状態が悪いと必要栄養量は増大し，呼吸が落ち着いていると減少する．特に人工呼吸器で安定している場合には必要栄養量が非常に少ない場合がある．算定量はあくまで初期の基準であり，実際には投与量と体重の変化を参考にして増減していく．増減は1〜2割として，さらに体重，胃残，便性などをモニタリングする．栄養投与量が少ない場合には，ビタミン，微量元素が不足しがちとなるので，総合ビタミン剤などの補充が必要となる．

4．栄養以外の要素

体を構成している筋肉，骨，内臓，皮膚などは，栄養のみで健康が維持されているのではなく，重力に抗した運動，日光（紫外線）によっても維持されている．栄養量だけを増加させるとサルコペニア肥満となる危険性もある．リハビリテーションや外出の機会を持つことなども心がけることが大切である．

❺先天性心疾患

A 疾患の解説

先天性心疾患（congenital heart disease：CHD）は出生時にみられる心臓または中心血管の構造の先天異常を広く指す言葉である．発生頻度は出生児の 100 人に 1 人といわれている．先天性心疾患はチアノーゼ型（右-左シャント）と非チアノーゼ型（左-右シャント）に大きく２つに分類することができ（表 6）[9]，これは栄養を考えるうえでも成長のパターンを理解するうえでも重要なポイントとなる．

B 病態栄養

先天性心疾患が引き起こす病態のうち，心不全とチアノーゼが主に成長に影響を及ぼす．成長障害に関す

表6 先天性心疾患の分類

非チアノーゼ型	チアノーゼ型
心房中隔欠損症 (atrial septal defect : ASD)	大血管転位 (transposition of the great arteries : TGA)
心室中隔欠損症 (ventricular septal defect : VSD)	ファロー四徴症 (tetralogy of Fallot : TOF)
動脈管開存症 (patent ductus arteriosus : PDA)	肺動脈弁狭窄/大動脈弁狭窄 (pulmonary stenosis : PS)/aortic stenosis : AS)
共通房室弁口 (common A-V canal : CAVC)	総動脈幹症 (truncus arteriosus)
肺動脈弁狭窄/大動脈弁狭窄 (pulmonary stenosis : PS)/aortic stenosis : AS)	総肺静脈還流異常 (total anomalous pulmonary venous return : TAPVR)
心筋症 (cardiomyopathies)	肺動脈閉鎖症/三尖弁閉鎖症 (pulmonary atresia/tricuspid atresia)
大動脈弁縮窄症 (coarctation of the aorta : CoA)	エブスタイン奇形 (Ebstein's anomaly)
左心低形成症候群 (hypoplastic left heart syndrome : HLHS)	単心室 (single ventricle)
両大血管左室起始症 (double-outlet left ventricle)	大動脈弓離断 (interrupted aortic arch)

(Garchia L. Cardiac disease. Manual of Pediatric Nutrition, 5th Ed, 2014: p263-272 より引用)

表7 先天性心疾患における成長障害に関する因子

因子	病因
エネルギー必要量の増加	多呼吸，頻脈が代謝要求を増加させうる
エネルギー摂取量の減少	食欲不振，嚥下障害，逆流，食事中の疲労
栄養素喪失の増加	蛋白漏出性腸症，腎性電解質喪失
栄養素の利用不良	アシドーシス，低酸素症
吸収不良	腸管浮腫

(Antino J, Freudenberg M, Chawia A. Cardiac disease. The A.S.P.E.N. Pediatric Nutrition Support Core Curriculum, 2nd Ed, ASPEN, 2015: p337-350 より引用)

る因子を表7に示す[10]．病態に関連したエネルギー必要量の増加と，摂取量の減少により，栄養不良や成長障害を引き起こす．また，摂取した栄養の吸収不良や利用不良もある．

嘔吐が胃食道逆流症により起きることが多く，エネルギー摂取量を増加させることができなかったり，摂取したエネルギーの損失につながったりしている．

心不全は腸管浮腫の原因となり，吸収不良となりうる．また，心不全の管理のために水分制限が必要となることがあり，エネルギー摂取量を増加させづらくなる．

外科的に心奇形を修復することが栄養状態改善のために最も効果的である．外科手術により成長は正常となり，ほとんどの乳児は術後6〜12ヵ月以内に成長がキャッチアップする．しかし，手術はそれに適する体重に到達するまで，あるいは最適な年齢になるまで実施されないので，栄養不良が持続し成長障害が起こることがある．また，心臓以外の奇形や染色体異常の合併，低出生体重も栄養状態に関連する．

1. 術後合併症

術後には栄養にかかわる合併症に注意が必要となる．

a) 摂食機能障害

術後にみられる摂食機能障害は，長時間の挿管や術中経食道心エコーなどが危険因子といわれている．術後の経口摂取が遅れる原因となりうる．術後の vocal cord dysfunction も重要な合併症であり，そのために嚥下困難となったり，誤嚥が起きたりすることがある．

b) 蛋白漏出性腸症

蛋白漏出性腸症(protein-losing enteropathy : PLE)

はFontan手術後などの遠隔期にまれにみられる合併症で，蛋白を含有するリンパ液が腸管内に漏出するために起こり，血中の蛋白濃度が低下して低栄養の原因となる．

c）乳び胸

乳び胸(chylothorax)は，主として胸管の破綻により脂肪あるいは遊離脂肪酸が乳化しリンパ液に混ざった乳白色の体液である乳びが胸腔内に貯留した状態である．胸管を流れるリンパ流量は脂肪分の多い食事により増加するため，胸腔内に漏出する乳びを減らすために脂質を中鎖脂肪酸(medium-chain triglycerides：MCT)にする．MCTは小腸から吸収されたのち，リンパ管を経ずに門脈から直接肝臓に運ばれる．

C 評価と診断

心機能の評価は，胸部X線による心胸郭比(cardio-thoracic ratio：CTR)，血液検査によるNT-proBNP，心エコーによる左室駆出率(ejection fraction：EF)などの検査所見によって行う．

D 治療

先天性心疾患の乳児が成長するために必要なエネルギー量は140〜200kcal/kg/日で，健常児よりも多い．一方で心不全の管理のために水分制限が必要となることもある．そこで食事(乳児期にはミルク)のエネルギー密度を上げることが栄養管理に必要となることが多い．ミルクの濃度を高くしたり，MCTオイルを添加したり，成人用の栄養剤を用いたりすることなどが行われる．ただし，胃内残乳が増加したり，嘔吐したりしていないか，下痢になっていないかに注意しながら，徐々に進める必要がある．腎溶質負荷が増加するときは血中電解質にも注意が必要となる．

術後合併症である乳び胸がみられるときには，脂質を極力MCTにする治療を行う．乳児では含有脂質の97.6%がMCTであるMCTフォーミュラを用いる．離乳食や幼児食を摂取する児には，脂質エネルギー比率を3%程度に抑えた超低脂肪食とする．MCTフォーミュラのみが長期化する場合には必須脂肪酸欠乏となりうるため，少量の長鎖脂肪酸が治療の妨げにならなければ，必須脂肪酸強化MCTフォーミュラを選択する．

❻先天性代謝異常

A 疾患の解説

「代謝」とは，生体内で起こる化学反応のことである．代謝は，複雑な有機物質を単純な物質に分解してエネルギーを産生する異化と，エネルギーを消費して単純な分子を結合させ複雑な分子を合成する同化からなる．代謝のひとつひとつのステップにはそれぞれ特有の酵素が作用しているが，この代謝に作用する酵素の働きが生まれつき障害されていると，障害されている酵素の関与するステップ以降の代謝産物の欠乏と，それ以前の代謝産物の蓄積が生じる．それにより，様々な臨床症状を呈する疾患群を，先天性代謝異常症という．先天性代謝異常症[11]には，多数の疾患が知られており，個々の先天性代謝異常症の発生頻度は数万〜数十万人に1人である．遺伝的には常染色体劣性遺伝の形をとるものが多い．

B 病態栄養

先天性代謝異常症は，非常に多岐にわたるため，その全体像を把握するのは困難である．分類のしかたは文献によって様々であるが，代謝の系統別に分類し，実際の疾患はごく一部の代表的なものをあげるにとどめる．

①アミノ酸代謝異常症：フェニルケトン尿症，メープルシロップ尿症，ホモシスチン尿症
②有機酸代謝異常症：プロピオン酸血症，メチルマロン酸血症
③尿素サイクル異常症
④脂肪酸代謝異常症
⑤糖代謝異常症：糖原病，ガラクトース血症，フルクトース不耐症
⑥ムコ多糖症
⑦ヌクレオチド代謝異常症：プリン代謝異常症，ピリミジン代謝異常症
⑧金属代謝異常症：Wilson病，Menkes病，ヘモクロマトーシス，無セルロプラスミン血症，腸性肢端皮膚炎

C 評価と診断

先天性代謝異常症の乳児は，出生時はたいてい正常であるが，症状が発現した時点では重症で，早期に適切な治療を開始しなければ致死的となることがある．症状は非特異的であり，敗血症との鑑別を必要とする．

経口摂取不良・嘔吐・嗜眠・痙攣・昏睡のいずれかひとつを認めた場合には，まず低血糖・低カルシウム血症の存在を確認し，それらがあればブドウ糖，カルシウムの静注を行う．症状の消失を認めない場合には，感染症と同時に，先天性代謝異常症を疑う．血液ガスにより，代謝性アシドーシスがあるかどうか，アニオンギャップが高値を示しているかを確認することと，血漿アンモニアを測定し，高値を示しているかどうかを確認して，診断を進めていく．先天性代謝異常症を疑う場合には，さらにアミノ酸分析・有機酸分析を行う．

D 治療

ここでは，主に食事療法が治療となる代表的な疾患について取りあげる．

1. フェニルケトン尿症

フェニルアラニン(Phe)をチロシンに変換するフェニルアラニン水酸化酵素(PAH)の欠損により，Pheが過剰に蓄積する．新生児マススクリーニング陽性例では，血中フェニルアラニン高値を確認し，PAHの補酵素であるテトラヒドロビオプテリン(BH4)欠乏症との鑑別を行い，診断する．治療は低Phe食事療法である．食物中のたんぱく質にはPheが5%含まれている．たんぱく質の摂取を少なくするが，Phe自体は必須アミノ酸であるので，最低必要量は摂取する．同時にPhe除去ミルクを用いて他の栄養素を補充する．血液中のPhe値をモニタリングする必要がある．一部の薬剤や，多くの低カロリー食品・飲料に甘味料として使用されているアスパルテーム®は，Phe化合物であるため摂取を避ける必要がある．

2. プロピオン酸血症

イソロイシン，バリン，メチオニン，スレオニン，コレステロール側鎖，奇数鎖脂肪酸の中間代謝経路に存在するプロピオニルCoAカルボキシラーゼ(PCC)の活性低下により，プロピオン酸が蓄積する．アシドーシス，高アンモニア血症のある急性期は，たんぱく質の摂取を中止し，高張ブドウ糖液による十分なエネルギー補給を行う．改善が乏しければ，速やかに血液透析を行う．アシドーシスが改善したら，特殊ミルクを用いた低たんぱく質食事療法，カルニチン補充，消化管内のプロピオン酸産生を抑制するメトロニダゾールの投与を行う．感冒症状や，嘔吐・下痢症のときには経静脈的にブドウ糖を補給する必要があり，2日以上にわたる場合には中心静脈栄養とする．

3. 脂肪酸代謝異常症

脂肪酸のβ酸化によるATP産生，ケトン体合成が十分にできないため，エネルギー不足に陥る．脂肪酸の酸化を抑えるために，長時間の絶食を避け，ストレス時には適切に糖質からのエネルギーを補給する．

4. 糖原病

グリコーゲンの代謝に関与する酵素の先天性異常・欠損により，組織にグリコーゲンが蓄積する疾患群である．蓄積部位によって，全身型，肝型，筋型に分類される．全身型のⅡ型(Pompe病)は根治療法として，マイオザイム®による酵素補充療法が有効である．筋型では運動制限，運動前の糖分補給，ビタミンB_6の投与などの予防策，対症療法が中心である．肝型は食事療法が中心であり，目標の第一は低血糖予防で，特に夜間の予防が重要である．糖質はデンプン，麦芽糖，ブドウ糖を使用する．ショ糖，果糖，乳糖はその利用が障害されているので，乳酸アシドーシスの予防のために糖質全体の5%以内に制限する．1歳までは糖原病治療用ミルクを1日8回哺乳する．年長児では，コーンスターチを用いる．体調不良で食事を十分に摂れないときは積極的に補液を行う．

5. ガラクトース血症

ガラクトースの代謝にかかわる酵素のいずれかが欠損しているために，ガラクトース1リン酸の蓄積をきたすことで発症する．乳糖，ガラクトース除去の食事療法を行う．

6. フルクトース不耐症

フルクトースの代謝にかかわる酵素のいずれかが欠損しているために，低血糖，意識障害をはじめとする症状を引き起こす．急性発症を防ぐためには，飢餓時間が長くならないように注意をする．高たんぱく・高脂肪食を避ける．果物，果汁，ショ糖を含む食品，蜂蜜，野菜などの摂取を厳重に制限する．経口摂取ができないときや嘔吐時には積極的にブドウ糖の補液を行う．

7. Wilson病

肝臓から胆汁中への銅の排泄障害であり，銅の摂取を制限する．必要量は確保しなければならないので，銅の多く含まれる食物を避けるようにする．

文献

1) 高増哲也．小児栄養における今日的課題と栄養管理．中村丁次，門脇　孝(監)，国民の栄養白書2012年度版，日本医療企画，東京，2012: p161-173

2）「授乳・離乳の支援ガイド」改定に関する研究会．授乳・離乳の支援ガイド，2019
3）弘中祥司．摂食・嚥下機能の発達と障害．日本摂食・嚥下リハビリテーション学会 e ラーニング対応　第6分野　小児の摂食・嚥下障害，日本摂食・嚥下リハビリテーション学会（編），医歯薬出版，東京，2010: p8-14
4）「日本人の食事摂取基準」策定検討会．日本人の食事摂取基準（2020 年版），2019
5）板橋家頭夫．低出生体重児．小児臨床栄養学，診断と治療社，東京，2011: p337-342
6）加藤秀一，南　達哉．小児の摂食障害．臨床栄養 2013; **122**: 565-568
7）Fraker C, Fishbein M, et al. Food Chaining: The Proven 6-Step Plan to Stop Picky Eating, Solve Feeding Problems, and Expand Your Child's Diet, Da Capo Press, Cambridge, 2007
8）井合瑞江．重症心身障害児．チームで実践!!　小児臨床栄養マニュアル，高増哲也，深津章子（編），文光堂，東京，2012: p122-132
9）Garchia L. Cardiac disease. Manual of Pediatric Nutrition, 5th Ed, 2014: p263-272
10）Antino J, Freudenberg M, Chawia A. Cardiac disease. The A.S.P.E.N. Pediatric Nutrition Support Core Curriculum, 2nd Ed, ASPEN, 2015: p337-350
11）高増哲也．先天性代謝異常症の栄養管理．静脈経腸栄養 2012; **27**: 1169-1173

13 高齢者疾患

❶高齢者の病態栄養と代表的症候

A 高齢者の病態栄養にみられる特徴

高齢者の病態栄養は，加齢に伴う身体および精神機能の変化と密接に関連する．身体機能では，筋肉量減量と脂肪量増加，骨粗鬆症の進行を主体とする体組成の変化が，栄養・ホルモンバランス，身体活動量などと相互に影響を及ぼし合う．精神機能では，認知機能の低下と抑うつの高い有病率が知られている．この変化はしばしば食事量・運動量の減少をきたすため，高齢者特有の身体機能変化の遠因にもなる．さらに，高頻度に摂食・嚥下障害を併存することも知られている[1]．

これらひとつひとつの要因が互いの原因にも，結果にもなる複雑な関係性があり，大きな個人差を認めることが，高齢者の病態栄養にみられる特徴である．

B 高齢者の機能変化

適切な栄養管理は，高齢者の病態栄養に即した栄養評価に支えられる．高齢者にみられる生理的機能変化を理解しておくことは，病的変化を判断するために不可欠となる．

加齢に伴い一般的に筋肉量は減少し，結果として脂肪の割合が増加する．この変化は臨床検査における血清クレアチニンの過小評価につながるため，腎機能の解釈では注意を要する．骨格筋には筋線維数の減少と筋線維の萎縮が生じ，40歳以降は年に0.5〜1%程度の筋肉量の減少がある．

水分量も加齢によって減少する．一般成人の総体液量は体重の約60%であるが，高齢者では体重の50〜55%程度に低下している．主な背景は，加齢による筋肉量の減少による細胞内液量の減少にある．低栄養状態が続くと，これが一層顕在化する．

脂肪組織の割合は筋肉量の減少に伴い相対的に増加するが，同時に皮下脂肪の減量と内臓脂肪の増加をきたすことが多い．結果として，腹囲の増大，メタボリックシンドロームの頻度上昇をみる．内臓脂肪増加の原因として，基礎代謝と活動量の減少，ホルモンバランスの変化などが知られている．

骨では破骨細胞による骨吸収が骨芽細胞による骨形成を上回る結果，骨密度が低下する．また，骨のリモデリング亢進や酸化ストレス，ビタミンD・ビタミンKの不足による骨基質蛋白の変化などが骨質の劣化をきたし，これらが骨粗鬆症や骨折の原因や背景となる．

C 高齢者の代表的症候

高齢者では，高血圧症，糖尿病，脂質異常症，循環器疾患，呼吸器疾患，消化器疾患，関節疾患，悪性腫瘍などの様々な慢性疾患を併存する．サルコペニア(sarcopenia)，摂食・嚥下障害，認知機能障害，うつ，体重減少，視力障害，難聴などの，いわゆる老年症候群を構成する症候は，高齢者の栄養管理を考えるうえで極めて重要である．これらが相互に影響し合うことで，健康状態からフレイル(frailty)に移行し，さらに増悪すれば身体機能障害に至ると考えられている．

サルコペニアは筋肉量・筋力の観点で定義付けられる疾患概念であり，フレイルは虚弱性の観点で整理した健康障害に関する段階分類のひとつである[2](図1)．これらの加齢とともに潜在的に進行していく変化は，脱水症や感染症を併発した際に顕在化することが多い．

D 高齢者医療の現状

高齢者に特徴的な病態栄養と症候を理解し，増大する多様なニーズに適切に対応・支援するためには，医療と介護を組み合わせた提供が必要であり，そのために社会全体で対応していく「地域包括ケアシステム」が構築された[3]．これは医療・看護，介護・リハビリテーション，保健・福祉などのプロフェッショナル・サービスと介護予防・生活支援，そして地域生活などを，本人や家族の選択と地域の実情に合わせて提供していく概念である．このすべてのプロセス，ステージにおいて適切な栄養管理のあり方が議論されることになる．

近年の厚生労働行政においては，「高齢者の虚弱(フレイル)に対する総合対策」「高齢者の肺炎予防の推進」「認知症総合戦略(新オレンジプラン)の推進」などの事

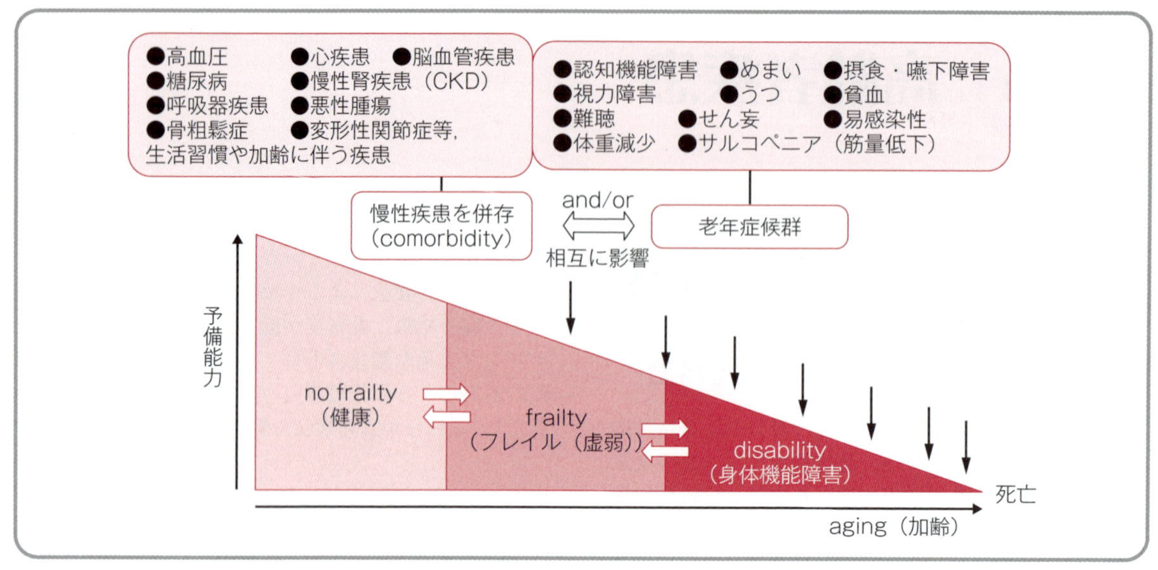

図１　サルコペニア・フレイル・老年症候群などの疾患概念
（厚生労働省保健局高齢者医療課．高齢者の特性を踏まえた保健事業ガイドライン，第２版，2019より引用）

業を通じて，疾病予防・介護予防の実践が図られてきた．特に後期高齢者（75歳以上）に対しては，生活習慣病などの重症化予防，心身機能の低下に伴う疾病予防などの取り組みに加えて，栄養・口腔・服薬の面から高齢者の特性に合ったモデル事業が展開されている．

❷フレイル

A 概念

フレイルとは，加齢のために身体機能を支える恒常性維持機構が低下し，ストレスに対する脆弱性が高まった状態である．その結果，生活機能障害，要介護状態，死亡などの転帰に陥りやすい状態とされる．かつては「老衰」や「虚弱」などと呼称されていた概念と重なるが，健康維持・健康増進に向かう前向きなニュアンスを大切にするとともに，海外における考え方や高齢者研究の視点を加味して整理されてきた概念でもある[4]．

本概念に関する研究は活発であり，国内外で多くのエビデンスと提唱が重ねられてきた．現在でも様々な定義と分類が併存する．わが国では，日本老年医学会が2014年に示した声明を基盤として，①サルコペニアやロコモなどで表現される「身体的フレイル」，②認知症やうつなどで表現される「精神・心理的フレイル」，③孤独や閉じこもりなどで表現される「社会的フレイル」，の３つの概念に整理されることが多い（図２）[5]．

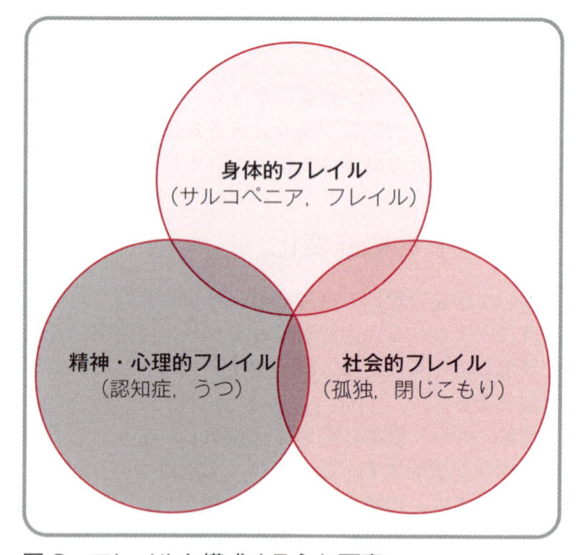

図２　フレイルを構成する主な要素

B 病態栄養

フレイルの概念が包含する多面的な問題のなかに，低栄養がある．身体的フレイルに含まれるサルコペニアと関連した低栄養が主体となるが，これを改善するためには，関連する精神・心理的フレイル，社会的フレイルを解消する取り組みを併行して進めていくこと

表 1　フレイルの自己スクリーニング

類型名	No	質問文	回答
健康状態	1	あなたの現在の健康状態はいかがですか	①よい　②まあよい　③ふつう ④あまりよくない　⑤よくない
心の健康状態	2	毎日の生活に満足していますか	①満足　②やや満足 ③やや不満　④不満
食習慣	3	1日3食きちんと食べていますか	①はい　②いいえ
口腔機能	4	半年前に比べて固いものが食べにくくなりましたか ※さきいか，たくあんなど	①はい　②いいえ
	5	お茶や汁物等でむせることがありますか	①はい　②いいえ
体重変化	6	6カ月間で2～3kg以上の体重減少がありましたか	①はい　②いいえ
運動・転倒	7	以前に比べて歩く速度が遅くなってきたと思いますか	①はい　②いいえ
	8	この1年間に転んだことがありますか	①はい　②いいえ
	9	ウォーキング等の運動を週に1回以上していますか	①はい　②いいえ
認知機能	10	周りの人から「いつも同じことを聞く」などの物忘れがあると言われていますか	①はい　②いいえ
	11	今日が何月何日かわからない時がありますか	①はい　②いいえ
喫煙	12	あなたはたばこを吸いますか	①吸っている　②吸っていない ③やめた
社会参加	13	週に1回以上は外出していますか	①はい　②いいえ
	14	ふだんから家族や友人との付き合いがありますか	①はい　②いいえ
ソーシャルサポート	15	体調が悪いときに，身近に相談できる人がいますか	①はい　②いいえ

（厚生労働省保健局高齢者医療課．高齢者の特性を踏まえた保健事業ガイドライン，第2版，2019より引用）

が必要になることが多い．フレイルの病態栄養を考えるとき，限定した栄養指標の推移で議論するのではなく，常にフレイルの多面的かつ包括的な概念に照らして，問題点の抽出と対策立案に努める姿勢が肝要である．

C 評価と診断

身体的フレイル，精神・心理的フレイル，社会的フレイルのそれぞれの側面をバランスよく判断する必要がある．そのためには，医療者による医学的診断だけではなく，患者や家族の視点でも評価できる取り組みが求められる．厚生労働省「高齢者の特性を踏まえた保健事業ガイドライン」（第2版，令和元年）では，フレイルの自己スクリーニング方法が提示されている（表1）[6]．

身体的フレイルの評価・診断では，筋力と身体機能にフォーカスされる．Friedらの基準では，体重減少，疲労感，活動量低下，歩行速度低下，筋力低下の5項目を評価して，3項目以上があてはまるとフレイル，1～2項目があてはまる場合は前フレイルとそれぞれ評価する．FRAIL scaleでは，疲労(fatigue)，抵抗(resistance)，移動(ambulation)，疾患(illnesses)，体重減少(loss of weight)の5項目をそれぞれ0点か1点で評価する．合計得点が0点なら正常，1～2点なら前フレイル，3～5点ならフレイルと判定する．より簡便な評価では，握力測定や6分間歩行テスト(片道20～30m程度の直線コースを自分のペースでできるだけ速く6分間歩いて，その歩行距離を測定)などが知られている．

D 治療

フレイルの多面的かつ包括的な概念のなかで，どの要素が低下しているのかを把握し，その要素を改善させるための取り組みを進める必要がある．たとえば，閉じこもりという社会的フレイルが問題になっており，身体的フレイルには至っていない状況において，難解な至適エネルギー量の指導を始める対応は不適切といえよう．

身体的フレイル，特に低栄養が顕在化している場合，エネルギーやたんぱく質摂取不足であることが多い．仮にBMIが21.5未満であれば，栄養改善のために推定エネルギー必要量＝1日エネルギー消費量＋エネルギー蓄積量(200～750kcal)を目安とする．高齢者の体重を1kg増加させるには，8,800～22,600kcalが必要とされる．体重などで栄養モニタリングを行い，推定エネルギー必要量を再計算することが重要である．エビデンスに基づいた高齢者のたんぱく質摂取量として，健常高齢者では1.0〜1.2g/kg体重/日，運動をしている高齢者では1.2g/kg体重/日以上，急性疾患や慢性疾患で低栄養の高齢者では1.2〜1.5g/kg体重/日以上が推奨されている[7,8]．

一方で，フレイルを引き起こす背景や原因として糖尿病や腎機能低下，心不全などの合併がみられる場合には，これらの治療目標を達成できるように，時期によりエネルギー摂取量やたんぱく質摂取量を個別に調整する必要があることを忘れてはならない．

運動が可能な水準のフレイルであり，なおかつ併存症候の容態が比較的軽度かつ安定していれば，筋力トレーニングが推奨される．

❸サルコペニア

A 概念

1989年，Rosenbergが加齢に伴うlean body massの低下をサルコペニアと呼称すべきと提案した．その後，筋肉量と様々な健康指標との関連性を検討した研究が報告され，複数のサルコペニアの概念が提示されてきた．

狭義では加齢による筋肉量減少，広義ではすべての原因による筋肉量減少，筋力低下および身体機能低下を意味する．当初は加齢による筋肉量減少のみをサルコペニアと呼んでいたが，2010年にEuropean Working Group on Sarcopenia in Older People（EWGSOP）のコンセンサス論文が示され[9]，さらに2016年にサルコペニアがICD-10に含まれたことを反映した2018年の改訂プロセスを通じて，その概念が拡大，変更された[10,11]．原因別には，加齢のみが原因の原発性サルコペニアと，その他が原因（活動，栄養，疾患）の二次性サルコペニアに大別できる．

現在は「進行性，全身性に生じる骨格筋疾患で，転倒，骨折，身体障害および死亡率といった有害な転帰の可能性増加と関連するもの」と定義される．

地域在宅高齢者では，10〜30％にサルコペニアを認める．一方，リハビリテーションを行っている高齢者では40〜46％，老人ホームに入所している高齢者では20〜80％にサルコペニアを認めるという報告がある．

B 病態栄養

成人低栄養の原因は，①社会生活環境（飢餓），②急性疾患・損傷（急性炎症，侵襲），③慢性疾患（慢性炎症，悪液質），の3つに分類できる．これらはいずれも二次性サルコペニアの原因となる[12]．

低栄養によるサルコペニアは，飢餓でエネルギー摂取量がエネルギー消費量より少ない状態が続き，栄養障害に至ることで生じる．栄養障害は，たんぱく質の欠乏，エネルギー量の欠乏のどちらの要因が主体となっているかにより，①マラスムス，②クワシオコール，③マラスムス性クワシオコール（混合型），の3つに区別されることが多いが，いずれのタイプでも飢餓が持続すると肝臓のグリコーゲンが枯渇するため，筋肉の蛋白質の異化で生じた糖原生アミノ酸からグルコースが合成される結果，筋肉量が減少する．

侵襲とは，手術，外傷，骨折，感染症，熱傷など，生体の内部環境の恒常性を乱す刺激である．侵襲が加わると，その後に一時的に代謝が低下する傷害期，代謝が亢進して骨格筋の分解が増加する異化期，骨格筋や脂肪を合成できる同化期を経て回復に向かう．侵襲の程度が大きいと，こうした代謝異常の程度と期間次第で筋肉量の減少に至る．

悪液質とは，基礎疾患に関連する複雑な代謝症候群で筋肉の喪失を特徴とする．うつ状態や甲状腺機能亢進症に伴うものなどは除外される．2006年のCachexia Consensus Working Groupによる提唱はやや複雑であったが[13]，2011年には「従来の栄養サポートにより改善が困難」であり「進行性の機能障害を引き起こす著しい筋組織減少」を特徴とした複合的病態と整理された．

C 評価と診断

アジアと欧州では体格差が大きいことから，わが国ではAsian Working Group for Sarcopenia（AWGS）の診断基準を利用することが多い．

2014年のAWGSの診断基準では，まず筋力低下（握力：男性26kg未満，女性18kg未満）もしくは身体機能低下（歩行速度0.8m/s未満）を確認し，そのいずれかもしくは両者が低下していた場合に，筋肉量を評価する．AWGSの筋肉量減少のカットオフ値は，骨格筋指数＝四肢骨格筋量（kg）÷身長（m）÷身長（m）が二重エネルギーX線吸収測定法（DEXA）で男性7.0kg/m^2，女性5.4kg/m^2，生体電気インピーダンス法（BIA）で男性7.0kg/m^2，女性5.7kg/m^{2}である．検査機器を用いて筋肉量を評価することが難しい場合には，下腿周囲長が男性34cm未満，女性33cm未満（高齢入院患者で

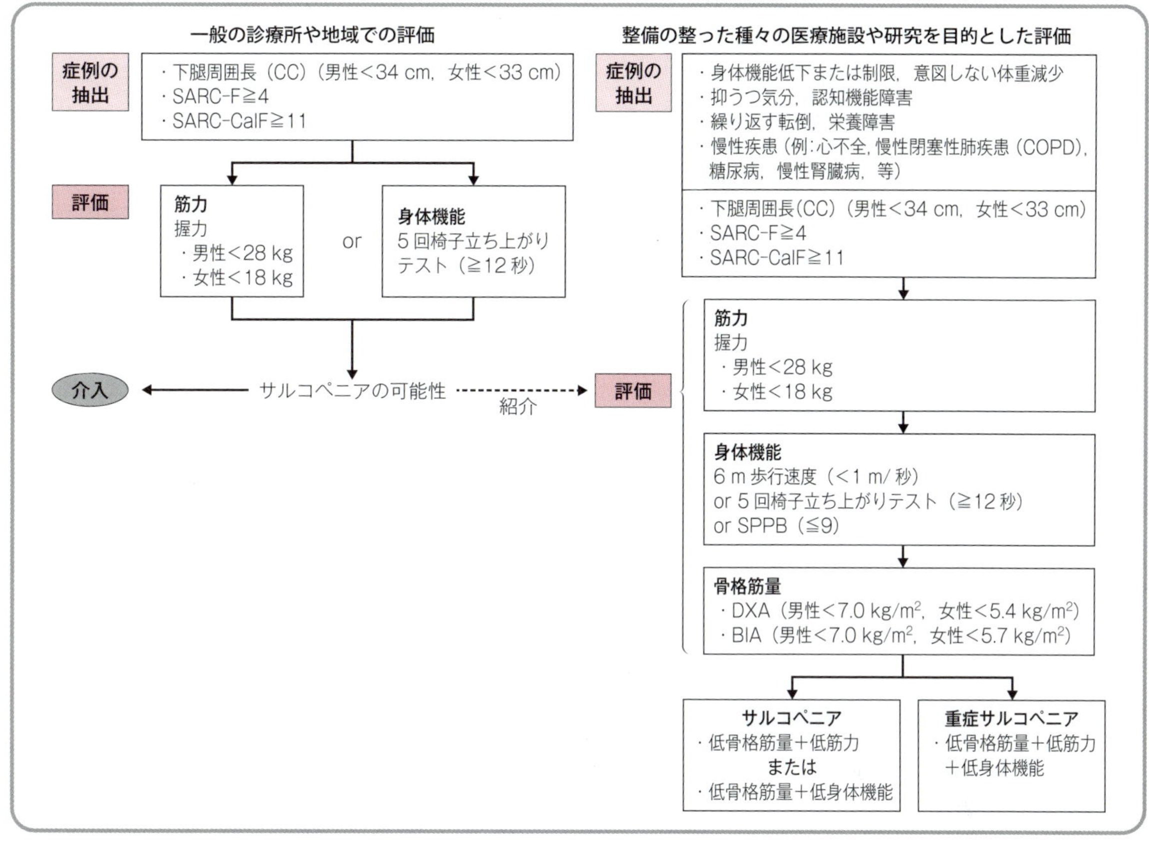

図3　サルコペニアの診断基準

（Chen LK, Woo J, Assantachai, et al. Asian Working Group for Sarcopenia: 2019 Consensus Update on Sarcopenia Diagnosis and Treatment. J Am Med Dir Assoc 2020; **3**: 300-307 より引用）

は男性30cm未満，女性29cm未満）を臨床での筋肉量減少の目安とする．

AWGSは2019年にこれを改訂し，DEXAやBIAがない施設における簡便なスクリーニング（下腿周径や握力，5回椅子立ち上がりテストなど）を通じて「サルコペニアの可能性」を診断するプロセスを追加した．また，身体機能評価において従来の歩行速度と握力に加えてshort physical performance battery（SPPB）や5回椅子立ち上がりテストを追加した．さらに男性の握力基準が28kg未満へ，歩行速度基準が1.0m/s未満へ変更された（図3）[11]．診断基準は多くの研究報告を反映して今後も変更されていく可能性が高いため，最新の情報に基づいた判断を心がけてほしい．

D 治療

治療はその原因によって異なる．そのなかでも比較的多くの病態に共通して有効な考え方が，リハビリテーションと栄養管理の両者の視点を取り入れた「リハビリテーション栄養」である．

加齢が原因のサルコペニアの場合，レジスタンストレーニングと分岐鎖アミノ酸を含む栄養剤摂取の併用が最も効果的である．

活動に関連する場合，不要な安静臥床や禁食を避けて早期離床と早期経口摂取を行い，全身の筋肉量を無駄に低下させないことが最も重要である．

栄養に関連する場合，1日エネルギー必要量＝1日エネルギー消費量＋エネルギー蓄積量（1日200～750kcal）として栄養改善することが治療である．飢餓のときにレジスタンストレーニングを行うと筋肉量はむしろ減少するため，筋肉量増加目的のレジスタンストレーニングは禁忌である．

疾患に関連する場合，原疾患の治療が最も重要である．侵襲が原因の場合，異化期か同化期かで治療内容が異なる．侵襲の異化期では，栄養状態の悪化防止を目標とする．異化期の1日エネルギー投与量は，筋肉の蛋白質の分解によって生じる内因性エネルギーを考慮して1日15～30kcal/体重kg程度を目安とする．一方，同化期ではエネルギー蓄積量を考慮した栄養管理を行う．筋肉量増加目的のレジスタンストレーニングは，異化期では実施せず，同化期に開始する．

終末期ではない悪液質が原因の場合，栄養療法，運動療法，薬物療法を含めた包括的な対応を行う．高たんぱく質食(1日1.5g/体重kg)やω3系脂肪酸(エイコサペンタエン酸1日2～3g)の投与が有効という報告もある．薬物療法としては六君子湯を検討する．また，運動による抗炎症作用を期待して，レジスタンストレーニングや持久性トレーニングを実施する．

がん悪液質では，慢性炎症と筋萎縮を改善させる運動仮説モデルがある[14]．①運動で抗炎症性サイトカインが分泌されることによる炎症性サイトカインの抑制，②抗炎症性サイトカインによる筋蛋白合成の増加，③運動で男性ホルモンが分泌されることによる筋蛋白合成増加，の3つのメカニズムが考えられている．運動で慢性炎症が改善すれば，食欲が改善し食事摂取量が増加することで栄養改善も期待される．

❹摂食・嚥下障害

A 概念

摂食とは食物を摂取する動作，嚥下とは食塊を口腔から胃へと送り込む一連の動きをそれぞれ意味している．摂食・嚥下は5期(認知期，準備期，口腔期，咽頭期，食道期)に分類できる．5期のいずれかに障害を認めれば，摂食・嚥下障害となる．

摂食・嚥下障害の原因疾患として最も多いのは，脳卒中である．脳卒中の摂食・嚥下障害は，延髄の嚥下中枢の障害による球麻痺と，延髄より上の脳幹や大脳の障害による偽性球麻痺に分類される．脳卒中以外では，誤嚥性肺炎後に嚥下関連筋のサルコペニアが悪化することで生じる摂食・嚥下障害を認めることが多い．

なお，「老嚥(presbyphagia)」とは健常高齢者における嚥下機能低下である．老嚥は嚥下のフレイルであり，嚥下障害とは異なる概念である．老嚥の原因には，味覚・嗅覚低下，感覚閾値低下，唾液分泌量減少，喉頭低下(下垂)，咽頭腔拡大，咳反射低下，歯牙数減少，義歯不適合，多剤内服による副作用，低栄養，嚥下筋力低下，舌圧低下，嚥下関連筋の筋肉量減少などがある．

B 病態栄養

摂食・嚥下障害や老嚥により水分と食事の摂取量が減少すると，脱水や低栄養を生じる．摂食・嚥下障害では低栄養を認めることが多いため，すべての摂食・嚥下障害患者に栄養評価が必要である．

低栄養はサルコペニアに伴う摂食・嚥下障害の原因となる．たとえば高齢者の誤嚥性肺炎では，発症前から加齢によるサルコペニアやフレイルを認めることがある．誤嚥性肺炎は急性炎症であり，侵襲の異化期には骨格筋分解が亢進する．臨床現場では誤嚥性肺炎の場合，安静臥床かつ禁食とされることが多く，廃用性筋萎縮を合併しやすい．さらに禁食の際に末梢静脈栄養で水電解質輸液のみといった不適切な栄養管理が行われた場合，飢餓も合併する．つまり，誤嚥性肺炎では飢餓，侵襲といった低栄養も含めて，サルコペニアの原因すべてを合併しやすい．その結果，誤嚥性肺炎の治癒後にサルコペニアの摂食・嚥下障害となり，経口摂取困難となることがある．

C 評価と診断

1. 老嚥と軽度の摂食・嚥下障害のスクリーニング検査

自記式の質問紙票であるEating Assessment Tool-10 (EAT-10)が有用である．EAT-10は10項目の質問で構成され，それぞれ5段階(0点：問題なし，4点：ひどく問題)で回答する[15]．EAT-10を実施できない場合もしくはEAT-10で3点以上の場合，摂食・嚥下機能に問題を認める可能性が高い．

2. 摂食・嚥下障害を否定するスクリーニング検査

以下のテストがすべて正常であれば，咽頭期の摂食・嚥下障害の可能性は低いと判断できる．一方，異常の場合には老嚥もしくは摂食・嚥下障害を疑う．

a) 反復唾液嚥下テスト

口腔内を湿らせた後に，空嚥下を30秒間行う．30秒で3回以上嚥下できれば正常，2回以下であれば異常と判定する．

b) 30mLの水飲みテスト

椅子坐位で「この水をいつものように飲んでください」と言って，30mLの水を飲んでもらう．1回で5秒以内であれば正常範囲，5秒以上かかるか2回以上に分ける場合は疑い，むせる場合と飲みきれない場合は異常と判定する．

c) 頸部聴診法

スクリーニングテストや食事のときに甲状軟骨～輪

状軟骨直下の気管外側上皮膚面で嚥下音と呼吸音を聴診する．短く強い嚥下音と，その後の澄んだ呼吸音が正常である．長く弱い嚥下音，複数回の嚥下音，水泡様の嚥下音，嚥下後の喘鳴音・湿性音，呼吸音と嚥下音の連続音の場合には，咽頭収縮力の低下，咽頭残留，喉頭侵入，誤嚥を疑う．

d）パルスオキシメーター

スクリーニングテストや食事のときに酸素飽和度を評価する．テストの前後で酸素飽和度が3%低下したら，摂食・嚥下障害の可能性が高いと判定する．

3．直接訓練の可否を判断するスクリーニング検査

直接訓練とは食べ物を使用した摂食・嚥下訓練である．脳卒中や誤嚥性肺炎後などで経口摂取をしていない高齢者の場合，以下のテストがすべて正常であれば，摂食・嚥下障害があっても直接訓練が可能と判断する．これらのテストもパルスオキシメーター，頸部聴診法を併用して行う．

a）フードテスト

ティースプーン1杯（3〜4g）のプリンやゼリーを嚥下させる．口腔内が汚いときは，口腔ケアを行ってから実施する．嚥下あり，むせなし，湿声嗄声・呼吸変化なし，口腔内残留なしの場合と，口腔内残留があっても追加嚥下で残留が消失する場合が正常である．

b）改訂水飲みテスト

冷水3mLを嚥下させ，空嚥下の指示を追加して30秒間観察する．嚥下あり，むせなし，湿声嗄声・呼吸変化なしの場合が正常である．

4．精度の高い摂食・嚥下障害の確認

精度の高い摂食・嚥下障害の確認は，嚥下造影検査（VF）と嚥下内視鏡検査（VE）である．嚥下造影検査は，X線透視下で液体，とろみ，ゼリーなど様々な形態の造影剤を飲んでもらう検査である．嚥下内視鏡検査は，喉頭ファイバースコープを用いて，様々な食形態のものを飲んでもらう検査である．直接訓練の可否を判断するスクリーニングテストで異常の場合には，嚥下造影検査もしくは嚥下内視鏡検査を行うことが望ましい．

D 治療

摂食・嚥下リハビリテーションとして口腔ケア，食形態の工夫，姿勢の工夫，リハテクニック，チームアプローチが重要である．低栄養やサルコペニアの摂食・嚥下障害の場合，摂食・嚥下リハビリテーションと同時に栄養改善を行わないと，十分な摂食・嚥下機能の改善は難しい．

1．口腔ケア

口腔ケアを厳重に実施して口腔内の細菌叢などを除去し，口腔内を清潔に保つことにより，誤嚥性肺炎をある程度予防できる．口腔ケアで意識の改善も期待できるため，重要な間接訓練でもある．歯，歯肉，舌，口蓋のケアが重要である．

2．食事の姿勢

ギャッジアップ30°，頸部前屈位では，重力を利用して食塊を口腔から咽頭に送り込みやすくなり，誤嚥は少なくなる．そのため，準備期，口腔期，咽頭期の障害が最も重い場合には，ギャッジアップ30°，頸部前屈位を検討する．ただし，認知期や食道期の障害が最も重い場合には，坐位のほうが嚥下しやすい．また，ギャッジアップ30°では自分での摂取が難しい．

3．食事の形態

一般的に嚥下しやすい食べ物を嚥下調整食と呼ぶ．食塊が均一で凝集性が高く，付着性が低く，変形性が大きいものが嚥下しやすい．患者の摂食・嚥下機能に合わせて嚥下調整食やとろみのレベルを決める．

4．摂食・嚥下訓練

摂食・嚥下訓練には間接訓練と直接訓練がある．前者は食物を用いないので安全であるが効果は上がりにくく，後者は食物を用いるので効果は上がりやすいが誤嚥の危険を伴う．実際には両者を併用し，安全性と効果の両方を確保する．

なお，老嚥の改善を目指す場合は，嚥下関連筋のレジスタンストレーニングと栄養改善を同時に行う．嚥下関連筋の筋力増強訓練には，頭部挙上訓練（仰臥位で爪先をみるように頭部を挙上する），舌筋力増強訓練（舌の先を上の歯の裏側の歯茎より1cm程度上に強く押しつける）や嚥下おでこ体操（おでこに手をあてて抵抗を加え，臍部をのぞき込むように強く下を向く）などがある．

❺耐糖能異常

A 概念

耐糖能異常とは，インスリン作用の不足に基づく慢性の高血糖状態を主徴とする代謝疾患群であり，空腹時血糖値が126mg/dL以上，随時血糖値200mg/dL以上などの基準（糖尿病型）の再現性が確認された場合には，糖尿病と診断される．高血糖状態は易感染性を

生み出すとともに動脈硬化病変を引き起こす．ブドウ糖の代謝障害が耐糖能異常の本質であり，摂取したエネルギーをATP産生に生かせない状態である．

その成因（発症機序）により1型糖尿病，2型糖尿病，その他の型の糖尿病に大別され，これに妊娠糖尿病が加わる．病態（病期）の観点で，正常領域，境界領域，糖尿病領域と変化し，糖尿病領域ではインスリン依存状態と非依存状態に分類される．

B 病態栄養

加齢とともに内因性インスリン分泌能が低減することから，高齢者における耐糖能異常の有病率は若年に比して高くなる．若年発症の肥満を伴う2型糖尿病と，高齢で長い病歴を有するやせ型体型の2型糖尿病では，高血糖という点で共通するも，インスリン分泌能やインスリン抵抗性は異なる．

高齢者糖尿病では，糖毒性が解除された後もインスリン分泌能の低下を認めることが多く，血糖値の上下変動幅も大きくなりやすい．また，併存疾患を伴うためにシックデイに陥りやすく，結果として急性代謝失調，無自覚低血糖や遷延性低血糖をきたしやすい．低血糖症状として非定型的な中枢神経症状を呈するため，認知症と誤解される場合もある．

C 評価と診断

血糖値や一定期間の血糖値の平均を反映するHbA1cやグリコアルブミンに加えて，Cペプチドや IRIによるインスリン分泌能の評価が重要である．インスリン分泌能の評価結果と関連自己抗体や家族歴などの情報を総合的に判断して，成因分類と病態分類の2軸で糖尿病を含む耐糖能異常を診断する．

細小血管障害（神経障害，網膜症，腎症），大血管障害（脳卒中，虚血性心疾患，閉塞性動脈硬化症など）の評価は，血糖コントロールや良好な栄養状態の維持に必要な治療方針決定に重要な判断材料となる．

D 治療

高齢者糖尿病は個人差の大きい集団であるため，病型や年齢などの限定された情報に基づいて画一的な治療目標を決めるべきではない．

日本糖尿病学会と日本老年医学会の合同委員会は，2016年に認知機能やADL，重症低血糖のリスクに基づいたカテゴリー分類とそれぞれの血糖コントロール目標を示している（図4）[16]．このような高齢者特有の病態を勘案した治療目標の個別化は，耐糖能異常に限らずあらゆる疾患治療においても共通した考え方である．

食事療法，運動療法，薬物療法の3つが基本とされるが，状態により運動療法が困難な場合には，実践可能な治療に限定することも容認される．食事療法では，身長から算出される目標体重をもとに必要エネルギー量を設定するが，肥満症を有する場合には減量を期したエネルギー制限を行う場合もある．高齢者ではサルコペニア肥満症を併存する場合も多く，エネルギー制限を行う時期の運動励行を忘れてはいけない．

運動療法は，有酸素運動，無酸素運動の両者ともに有効であり，加齢に伴う移動困難なADLの変化を伴う場合には有酸素運動に限定する必要はない．

高齢者では，心機能，腎機能，肝機能が低下していることが多く，これらを正確に評価することは，適切かつ安全な治療薬選択に役立つ．

❻副腎皮質機能低下

A 概念

副腎皮質は3層の構造よりなり，球状層からはミネラルコルチコイドであるアルドステロンが，束状層からグルココルチコイドであるコルチゾールが，網状層から副腎アンドロゲンであるデヒドロエピアンドロステロン（DHEA）とその硫酸塩であるデヒドロエピアンドロステロンサルフェート（DHEA-S）が分泌されている．副腎皮質機能低下症は，これらのステロイドホルモン分泌が生体の必要量以下に慢性的に低下した状態である．

B 病態栄養

高齢者では，加齢に伴い様々なホルモン産生細胞の減少をみることが知られている．副腎皮質から分泌されるホルモンもその機能が低下（副腎から出るホルモンの量の不足と作用の低下）することがある．特に，グルココルチコイドであるコルチゾールの低下は易疲労感，全身倦怠感，筋力低下，体重減少，低血圧などを惹起し，低栄養やフレイルの遠因となる場合もある．

C 評価と診断

副腎皮質機能低下による諸症状は，いずれも非特異的なものであり，症状単独から診断に至ることはまれである．高齢者特有の不定愁訴のなかに紛れている症

患者の特徴* 健康状態注1)		カテゴリーⅠ		カテゴリーⅡ	カテゴリーⅢ
		①認知機能正常 かつ ②ADL 自立		①軽度認知障害～軽度認知症 または ②手段的 ADL 低下，基本的 ADL 自立	①中等度以上の認知症 または ②基本的 ADL 低下 または ③多くの併存疾患や機能障害
重症低血糖が危惧される薬剤(インスリン製剤，SU 薬，グリニド薬など)の使用	なし 注2)	7.0%未満		7.0%未満	8.0%未満
	あり 注3)	65 歳以上 75 歳未満 7.5%未満 (下限 6.5%)	75 歳以上 8.0%未満 (下限 7.0%)	8.0%未満 (下限 7.0%)	8.5%未満 (下限 7.5%)

治療目標は，年齢，罹病期間，低血糖の危険性，サポート体制などに加え，高齢者では認知機能や基本的 ADL，手段的 ADL，併存疾患なども考慮して個別に設定する．ただし，加齢に伴って重症低血糖の危険性が高くなることに十分注意する．

注 1：認知機能や基本的 ADL（着衣，移動，入浴，トイレの使用など），手段的 ADL（IADL：買い物，食事の準備，服薬管理，金銭管理など）の評価に関しては，日本老年医学会のホームページ（http://www.jpn-geriat-soc.or.jp/）を参照する．エンドオブライフの状態では，著しい高血糖を防止し，それに伴う脱水や急性合併症を予防する治療を優先する．

注 2：高齢者糖尿病においても，合併症予防のための目標は 7.0% 未満である．ただし，適切な食事療法や運動療法だけで達成可能な場合，または薬物療法の副作用なく達成可能な場合の目標を 6.0% 未満，治療の強化が難しい場合の目標を 8.0% 未満とする．下限を設けない．カテゴリーⅢに該当する状態で，多剤併用による有害作用が懸念される場合や，重篤な併存疾患を有し，社会的サポートが乏しい場合などには，8.5% 未満を目標とすることも許容される．

注 3：糖尿病罹病期間も考慮し，合併症発症・進展阻止が優先される場合には，重症低血糖を予防する対策を講じつつ，個々の高齢者ごとに個別の目標や下限を設定してもよい．65 歳未満からこれらの薬剤を用いて治療中であり，かつ血糖コントロール状態が図の目標や下限を下回る場合には，基本的に現状を維持するが，重症低血糖に十分注意する．グリニド薬は，種類・使用量・血糖値等を勘案し，重症低血糖が危惧されない薬剤に分類される場合もある．

【重要な注意事項】
糖尿病治療薬の使用にあたっては，日本老年医学会編「高齢者の安全な薬物療法ガイドライン」を参照すること．薬剤使用時には多剤併用を避け，副作用の出現に十分に注意する．

図 4　高齢者糖尿病の血糖コントロール目標
(日本老年医学会・日本糖尿病学会(編・著)．高齢者糖尿病診療ガイドライン 2017，南江堂，東京，2017：p46 より許諾を得て転載)

状が診断につながる情報となる場合もある．したがって，易疲労感，全身倦怠感や電解質異常(低ナトリウム血症，高カリウム血症)，低血糖などの徴候から副腎皮質機能低下を疑った場合には，血中もしくは尿中のコルチゾールを測定することが重要である．

肺炎や尿路感染症などを伴ったときに普段現れていなかった機能低下が認められる潜在性機能低下症を含めると，高齢者では比較的頻度の高い疾患である．

D 治療

不足するステロイドホルモンを補充する．急性副腎不全の発症時には，グルココルチコイドとミネラルコルチコイドの速やかな補充と，水分・塩分・糖分の補給が必要であり，治療が遅れれば生命にかかわる場合もある．ストレス時にはグルココルチコイドの内服量を通常の 2～3 倍服用する(シックデイ対応)．

⑦高齢者の栄養管理で求められる4つの視点

A 個別化の視点

栄養評価を実施した後に栄養計画を作成するにあたって，Harris-Benedict の推定式などを用いて総エネルギー必要量を決定する．体重，身長，年齢から基礎代謝量を求め，身体活動度の係数，疾患および治療に伴うストレス係数を乗じて算出することができるが，Harris-Benedict の推定式は，本来 70 歳までを対象者としてつくられたものであり，高齢者では参考値となる．

体格の違い，糖尿病や腎機能障害を含む併存疾患の違いなど，栄養管理と密接にかかわる事柄でも高齢者特有の大きな個人差がみられるため，様々な角度から複数の指標で行った栄養評価を俯瞰して管理目標や管理方法を定めていく“個別化の視点”が必要である．

B 優先順位の視点

高齢者で栄養管理が必要となる局面では，より重篤な併存疾患に対する治療を併行して進めなくてはならないことも多い．さらに病態・病状は日々変化していく．こうしたなかでは，複数のプロブレムとプランのなかで頻繁に栄養評価や栄養管理を見直すことが求められる．治療の全体像のなかで栄養管理を考える“優先順位の視点”が必要である．

C 社会生活の視点

高齢者では，容態が容易に変化してしまう場合も少なくないため，在宅と介護施設，医療施設を絶えず行き来する場合もある．在宅では，家族や介護者の支援なくして適切な栄養管理の実践をなし得ないこともある．そうした場合に，疾患に関する医学的判断に加えて，在宅で医療や介護を継続するイメージを関係者で共有し，必要なサポート体制を構築していくことになる．“社会生活の視点”はよい栄養管理を継続する必要条件となる．

D 死生観・生き様の視点

高齢者医療・高齢者ケアにおいて，医療・介護・福祉従事者は，患者本人およびその家族や代理人とのコミュニケーションを通じて，関係者全員が納得できる合意形成とこれに基づく選択・決定を目指すことが求められる．その先には，命についてどう考えるか（“死生観・生き様の視点”）という問題に適切に向き合うプロセスが続く[17]．

人工的水分・栄養補給をどのような形でいつまで続けるのかについては，患者本人を中心に，家族やその他の関係者にも当事者性の程度に応じて，意思決定プロセスに参加を促すことが望ましい．

高齢者における栄養管理は，単に高齢者に多くみられる病態の治療にとどまらず，どう生きるのかという意思決定につながるものである．患者本人にとっての最善を実現しようとする取り組みの積み重ねの先に，倫理的に適切な判断がある．

文献

1) Feart C. Nutrition and frailty: current knowledge. Prog Neuropsychopharmacol Biol Psychiatry 2019; **95**: 109703
2) 葛谷雅文. 老年医学における Sarcopenia. &Frailty の重要性．日本老年医学会雑誌 2009; **46**: 279-285
3) 地域包括ケア研究会報告書．2016
4) Morley JE, Vellas B, van Kan GA, et al. Frailty consensus: a call to action. J Am Med Dir Assoc 2013; **14**: 392-397
5) 日本老年医学会：フレイルに関する日本老年医学会からのステートメント，2014 <https://www.jpn-geriat-soc.or.jp/info/topics/pdf/20140513_01_01.pdf>（最終アクセス：2020 年 12 月 3 日）
6) 厚生労働省保健局高齢者医療課．高齢者の特性を踏まえた保健事業ガイドライン，第 2 版，2019 <https://www.mhlw.go.jp/content/12401000/000580230.pdf>（最終アクセス：2020 年 12 月 3 日）
7) Bauer J, Biolo G, Cederholm T, et al. Evidence-based recommendations for optimal dietary protein intake in older people: a position paper from the PROT-AGE Study Group. J Am Med Dir Assoc 2013; **14**: 542-559
8) Deutz NE, Bauer JM, Barazzoni R, et al. Protein intake and exercise for optimal muscle function with aging: Recommendations from the ESPEN Expert Group. Clin Nutr 2014; **33**: 929-936
9) Cruz-Jentoft AJ, Baeyens JP, Bauer JM, et al. Sarcopenia: European consensus on definition and diagnosis. Age Ageing 2010; **39**: 412-423
10) Chen LK, Liu LK, Woo J, et al. Sarcopenia in Asia: consensus report of the asian working group for sarcopenia. J Am Med Dir Assoc 2014; **15**: 95-101
11) Chen LK, Woo J, Assantachai, et al. Asian Working Group for Sarcopenia: 2019 Consensus Update on Sarcopenia Diagnosis and Treatment. J Am Med Dir Assoc 2020; **3**: 300-307
12) White JV, Guenter P, Jensen G, et al. Characteristics

recommended for the identification and documentation of adult malnutrition (undernutrition). JPEN J Parenter Enteral Nutr 2012; **36**: 275-283
13) Evans WJ, Morley JE, Argilés J, et al. Cachexia: a new definition. Clin Nutr 2008; **27**: 793-799
14) Battaglini C, Hackney AC, Goodwin ML. Cancer cachexia: muscle physiology and exercise training. Cancer 2012; **4**: 1247-1251
15) Belafsky PC, Mouadeb DA, Rees CJ, et al. Validity and reliability of the Eating Assessment Tool (EAT-10). Ann Otol Rhinol Laryngol 2008; **117**: 919-924
16) 日本老年医学会・日本糖尿病学会(編・著). 高齢者糖尿病診療ガイドライン 2017, 南江堂, 東京, 2017
17) 厚生労働省, 人生の最終段階における医療・ケアの決定プロセスに関するガイドライン, 2018 ＜https://www.mhlw.go.jp/file/04-Houdouhappyou-10802000-Iseikyoku-Shidouka/0000197701.pdf＞(最終アクセス：2020 年 12 月 3 日)

14 妊娠・周産期疾患

近年の日本における生活習慣の変化に伴い，肥満症の頻度は増加しており，肥満に起因する種々の疾患や合併症の罹患率が増加している．体格指数(body mass index：BMI)は，個人の栄養状態をみる簡易な指標である．日本肥満学会では，女性の場合，BMIが22において疾患罹患度の最も低い指数であると設定し，これに基づき，標準体重(身長(m)×身長(m)×22)を算出するように提唱している[1]．興味深いことに，約50年前の日本では，いずれの年代層もBMIは健康的と考えられる22前後でほぼ一定であるのに対し，その後時代の推移とともに年代間のBMIの解離が認められる．これらの現象は日本では，若いときはやせているにもかかわらず，その後，加齢とともに脂肪貯蓄が増加することを示すものであり，これは近年の女性における生活習慣病の原因を示す重要な現象である．

ただし，妊娠可能年齢である10歳代から40歳代女性はやせの割合が増加していたが，2010年以降，20歳代のやせの頻度が減少傾向に転じている．その一方で肥満の頻度は変化がないという二極化の問題が存在する．この二極化の現象に対する対策として，本来は妊娠前からの栄養管理が重要であることはいうまでもないが，実地臨床では妊娠してからやせや肥満の妊婦に遭遇することがほとんどである．したがって，少なくとも妊娠中のやせや肥満妊娠に対する栄養管理に留意する必要がある．

本項では，妊娠時の母体の代謝の変化に関する基礎と日本における女性，特に妊産婦の栄養を中心に，エネルギー量の設定方法と，妊娠に伴う合併症のうち，最も頻度が高い妊娠糖尿病(糖尿合併妊娠を含む)と妊娠高血圧症候群に対する管理法，特に食事療法を中心に概説する．なお，妊娠時期の呼称については，3つに分ける場合(①初期：妊娠14週未満，②中期：妊娠14〜28週未満，③後期または末期：妊娠28週〜分娩まで)と2つに分ける場合(①前半期：妊娠20週未満，②後半期：妊娠20週〜分娩)があることを付け加える．

A 妊娠時の母体の代謝の生理的変化―糖・脂質代謝の視点より

妊娠中の母体の糖質代謝は，脂質代謝と密接なかかわりを持つ．妊娠後半期に生じるインスリン抵抗性は，インスリン作用の低下を介し，糖質代謝のみならず脂質代謝にも影響を与える．糖質代謝では，母体における糖取り込みを抑えて胎盤を通して児への栄養供給を行うという点で有利である．一方，脂質代謝では，妊娠前半期の脂肪合成と後半期ではインスリン抵抗性により脂肪分解が生じる．すなわち脂肪分解により中性脂肪と脂肪酸が生じるが，中性脂肪はブドウ糖の基質となるとともに，脂肪酸として母体の摂食以外に母児のエネルギーを供給できる点で合目的的である．

1．母体の糖質代謝

妊婦では摂食後高血糖と高インスリン血症が認められ，これは血糖の上昇に基づく高いインスリン反応を示している．このパターンは肥満者のそれに類似したものであり，Freinkel[2]は高血糖存在下でインスリンが高値であることから，妊娠時の糖質代謝の特徴として同化が促進しているという意味でfacilitated anabolismと表現した．この原因としては，インスリン抵抗性の増大によることが知られている．一方，空腹時にはインスリン値に大きな相違がないにもかかわらず，血糖値はむしろ低下するという特徴がみられる．この現象をFreinkel[2]はaccelerated starvationと表現している．このような空腹時の血糖低下は，胎児へのグルコース供給がその一因と考えられる．またこの一因として，妊娠による母体循環血漿量の増加のため血漿グルコースが希釈されることも考えられる．

インスリンは糖質のみならず脂質や蛋白質(アミノ酸)の調節作用も有する．すなわちインスリンは脂肪分解を抑制し，脂肪合成を促進する．妊娠末期では，インスリン抵抗性に加えてhPL，GH，グルカゴンなどの抗インスリンホルモンにより脂肪分解が促進されることによって，空腹時の高遊離脂肪酸(free fatty acid：FFA)血症が生じる．FFAは胎盤を通過しにくく，胎児の栄養素としてはグルコースとアミノ酸が主体である．このことは母体の代謝動態を考えると，妊娠末期にインスリン抵抗性が生じることにより糖消費が低下し，空腹時の血中グルコース濃度低下は脂肪分解による脂肪酸動員を促し高FFA血症をきたし，FFAの酸化によりエネルギーを獲得して母体のグルコース利用を節約することになり，母体・胎児にとって合目的的な糖・脂質代謝の変化となる．さらに母体の食事摂取量の糖代謝への影響という点からも妊娠初期～中期で摂取量は増え，妊娠後期にやや減少するとされており，妊娠後期の摂取量減少分を補うことができ好都合である．

一方，糖新生については，妊娠時の母体におけるアラニンなどの糖新生に必要な栄養素のみならず，糖新生系の酵素の活性が重要な調節因子となる．また，妊娠後期において脂肪動員が行われるときに，脂肪細胞中のトリアシルグリセロールはグリセロールとFFAに分解されるが，グリセロールは肝臓に運ばれグルコースに一部変換され肝臓からの糖放出の一因子となる．ヒトにおいて妊娠時糖新生が増加するという報告がある．したがって，妊娠後期の母体の肝臓からの糖放出については，糖新生系酵素の活性とグリセロールからグルコースへの変換がともに増加する可能性がある．その結果，肝における糖放出は母体のみならず胎児のグルコース供給分として役立つものと考えられる．

2．母体の脂質代謝

脂質代謝は，糖代謝と密接な関係があるが，妊娠時における脂質代謝の変化が2つの段階よりなることが特徴である．すなわち，妊娠初期～中期では母体のトリグリセリドの合成と脂肪の貯蓄が増加して脂肪合成が促進し，脂肪分解が抑制される．これはいわゆる同化主体の状態であり，この状態は徐々に増加するインスリンやコルチゾール・プロゲステロンなどのホルモンにより助長される．また，この時期において空腹時のケトン生成が促されるので脂肪の利用が促進していると考えることができる．妊娠後期では脂肪合成が依然みられるが，脂肪分解が亢進したいわゆる異化主体の状態となる．脂肪分解の促進はhPLなど，妊娠時に生じる生理的インスリン抵抗性の出現による可能性が考えられる．肝臓におけるケトン体生成の亢進は，エネルギー獲得のためのFFAの酸化亢進によるものである．すなわち，妊娠後期では母体脂肪細胞にトリグリセリドのかたちで貯蓄されていた脂肪がホルモン感受性リパーゼ（hormone responsive lipase：HSL）によりFFAとグリセロールに分解され，血中に放出される．次にこのFFAが肝臓においてβ-酸化を受け，ケトンも生成されることになる．すなわち，妊娠後期には，ケトーシスの生じやすい生理的変化が生じる．したがって，糖尿病合併妊娠では，比較的容易にケトーシスやケトアシドーシスを生じることがあり，注意を要する．一方，ケトン体はまた重要な栄養素であることも忘れてはならない．なぜなら脳ではグルコースのみならずケトン体を燃料として用いることができるからである．この代謝動態は，空腹時の血糖低下をFFA上昇によるケトン生成増加によりエネルギー源として補えることとなり妊娠母体の脳にとって好都合である．

一般に，妊婦における中性脂肪（TG），HDLコレステロール（HDL-C），LDLコレステロール（LDL-C）の基準値は設定されていない．しかし，妊娠時には上述のとおり，生理的に「高脂血症状態」になるので，実地臨床上，これらのことを知る必要がある．

B 妊産婦の食事摂取基準

食事摂取基準とは「健康を保持し，毎日の生活を健全に営めるようにするには，どのような栄養素をどのくらい摂ればよいか」という，エネルギーおよび各栄養素の摂取量の基準を示したものである．以前はエネルギーや栄養素の欠乏の予防という点が重視されていたが，最近では生活習慣病の予防や過剰摂取による健康障害の予防も目的としている点に留意すべきである．このような背景下，厚生労働省は「日本人の食事摂取基準」を5年ごとに策定してきた．令和2年度から令和6年度までの間に使用される食事摂取基準は「日本人の食事摂取基準（2020年版）」[3]によるものである．

妊産婦の栄養管理を考えるうえで特に留意すべき点は，第一に妊娠・分娩・産褥に伴って母体代謝が大きく変化すること，第二に児の正常な発育を促すために必要にして十分な栄養を供給しなければならないことである．しかしながら，ヒトの妊娠時の栄養に関して以上のような点を満たす研究を構築することは難しく，現実には実態調査と理論値に基づいて摂取エネルギー量や必要栄養素量が決定される．ただし，「日本人の食事摂取基準」は基本的に健康人に対する基準であり，肥満女性ややせ女性に適応される基準でないことに留意する必要がある．

妊婦の場合，該当する年齢の非妊娠女性の食事摂取基準に対応して算定すればよい．

1．エネルギー

エネルギーは栄養素とは異なる概念を用いて策定されている．すなわち，成人の場合，体重を維持するために，ある一定量のエネルギー摂取が必要であり，これとエネルギー消費量が釣り合って体重に変化のない状態が最も望ましいエネルギー摂取状態であると考えられる．妊婦や授乳婦については，一般（非妊娠時）の女性のエネルギー所要量に妊娠・授乳に伴って必要となるエネルギー量を付加して必要量が定められている．一般に妊娠・授乳期女性では身体活動レベルは多少制限されると考えられる．したがって，この時期の

表１　身体活動レベル別にみた活動内容と活動時間の代表例

身体活動レベル*	低い（Ⅰ）	ふつう（Ⅱ）	高い（Ⅲ）
	1.50（1.40～1.60）	1.75（1.60～1.90）	2.00（1.90～2.20）
日常生活の内容	生活の大部分が坐位で，静的な活動が中心の場合	坐位中心の仕事だが，職場内での移動や立位での作業・接客など，通勤・買物での歩行，家事，軽いスポーツ，のいずれかを含む場合	移動や立位の多い仕事への従事者，あるいは，スポーツなど余暇における活発な運動習慣をもっている場合
中程度の強度（3.0～5.9メッツ）の身体活動の１日当たりの合計時間（時間/日）	1.65	2.06	2.53
仕事での１日当たりの合計歩行時間（時間/日）	0.25	0.54	1.00

*代表値．（　）内はおよその範囲．
（厚生労働省．日本人の食事摂取基準（2020年版），2020より作成）

表２　妊娠可能年齢女性の推定エネルギー必要量

年齢（歳）	基礎代謝量基準値（kcal/kg体重/日）	参照体重（kg）	基礎代謝量*（kcal/日）	推定エネルギー必要量**（kcal/日）
18～29	22.1	50.3	1,110	Ⅰ：1,700 Ⅱ：2,000
30～49	21.9	53.0	1,160	Ⅰ：1,750 Ⅱ：2,050

*基礎代謝量＝基礎代謝基準値（kcal/kg体重/日）×基準体重（kg）
推定エネルギー必要量＝基礎代謝量×身体活動レベル*
***身体活動レベル：Ⅰ：1.50　Ⅱ：1.75
（厚生労働省．日本人の食事摂取基準（2020年版），2020より作成）

身体活動レベルは表１に示すように，「低い（Ⅰ）」，あるいは「ふつう（Ⅱ）」に属するものとして計算される．妊娠の継続期間については個人差があり，胎児発育にも個体差があり，授乳の期間や泌乳量についても個人差が大きいという問題点があるが，これらにより必要量に差を設けることは困難であるので，それぞれを平均的なものと仮定して必要量が算定される．また，近年勤労女性の割合も高くなってきており，個々の症例における身体活動レベルの設定には注意を要する．

妊娠可能年齢女性の基礎代謝量は表２に示すとおりである．推定エネルギー必要量は原則として，基礎代謝量×身体活動レベルで計算されるので，表３に示すとおり，身体活動レベルが「Ⅰ（低い）」，「Ⅱ（ふつう）」で推定エネルギー必要量が求められる．ところで身体活動レベルとは，１日のエネルギー消費量を１日あたりの基礎代謝量で除した指数である．エネルギー消費量を最も正確に測定する方法が二重標識水法であり，本法に基づくデータにより身体活動レベルは表１のように，「低い」「ふつう」「高い」の３つのカテゴリーに区分された．

たとえば女性の年齢が18～29歳であれば非妊娠時の基礎代謝量は1,110kcal/日である（表２）．したがって，身体活動レベルがⅠの場合，非妊娠時の推定エネルギー必要量は1,110kcal/日×1.5≒1,700kcal/日となる（表２）．また，身体活動レベルが「ふつう」の場合，1,110kcal/日×1.75≒2,000kcal/日となる．同様に30～49歳なら身体活動レベルに応じてそれぞれ1,750（身体活動レベル：Ⅰ），2,050（身体活動レベル：Ⅱ）kcalと算出される（表２）．妊娠時の必要エネルギー量は，妊娠初期には＋50kcal，妊娠中期では＋250kcal，妊娠後期では＋450kcalの付加量がそれぞれ加えられ，最終的な推定エネルギー必要量が求められる．授乳期では＋350kcalとされている（表３）[3]．

妊婦の推定エネルギー必要量は，妊娠前の推定エネルギー必要量（kcal/日）と妊婦のエネルギー付加量（kcal/日）の和として求められる．女性の妊娠（可能）年齢が，推定エネルギー必要量の複数の年齢区分にあることに鑑み，妊婦が妊娠中に適切な栄養状態を維持し正常な分娩をするために，妊娠前と比べて余分に摂取すべきと考えられるエネルギー量を，妊娠期別に付加

表3　妊婦・授乳婦の推定エネルギー必要量

	生活活動レベルⅠ（低い）			生活活動レベルⅡ（ふつう）		
18～29歳	1,700			2,000		
30～49歳	1,950			2,050		
妊婦	+50	+250	+450*	+50	+250	+450*
授乳婦	+350*			+350*		

*それぞれ妊娠初期・中期・後期および授乳期の付加量を示す（kcal/日）
（厚生労働省．日本人の食事摂取基準（2020年版），2020より作成）

量として加える必要がある．二重標識水法を用いた縦断的研究によると，妊娠中は身体活動レベルが妊娠初期と後期に減少するが，基礎代謝量は逆に，妊娠による体重増加により後期に大きく増加する結果，総エネルギー消費量の増加率は妊娠初期，中期，後期とも，妊婦の体重の増加率とほぼ一致しており，全妊娠期において体重あたりの総エネルギー消費量は，ほとんど差がない．したがって，妊娠前の総エネルギー消費量（推定エネルギー必要量）に対する妊娠による各時期の総エネルギー消費量の変化分は，妊婦の最終体重増加量11kg[4]に対応するように補正すると，初期：+19kcal/日，中期：+77kcal/日，後期：+285kcal/日と計算される．また，妊娠期別の蛋白質の蓄積量と体脂肪の蓄積量から，最終的な体重増加量が11kgに対応するように蛋白質および脂肪としてのエネルギー蓄積量をそれぞれ推定し，それらの和としてエネルギー蓄積量を求める．その結果，各妊娠期におけるエネルギー蓄積量は初期：44kcal/日，中期：167kcal/日，後期：170kcal/日となる．したがって，最終的に各妊娠期におけるエネルギー付加量（kcal/日）は，妊娠による総消費エネルギーの変化量（kcal/日）およびエネルギー蓄積量（kcal/日）の和として求められ，50kcal単位で丸め処理を行うと，初期：50kcal/日，中期：250kcal/日，後期：450kcal/日と計算し策定された．

したがって，妊娠全期間のエネルギー付加量は，妊娠初期50kcal/日×98日=4,900（kcal）と妊娠中期250kcal/日×84日=21,000（kcal），後期450kcal/日×84日=37,800（kcal）で，合計63,700kcalとなる．ちなみに，妊娠時の基礎代謝量の増加およびHyttenら[5]の妊娠期間の酸素消費量の研究などから算定された妊娠全期間の基本エネルギー増加量は約27,000kcalとされており，それに蓄積蛋白質量900gすなわち約5,000kcal，蓄積脂肪量4kgすなわち約36,000kcal，計68,000kcalの付加が必要と考えられ，さらに消化吸収効率を考慮に入れて約70,000kcal強のエネルギー量の付加が必要としている．Hyttenらの検討では，対象者の妊娠中の平均体重増加量が12.5kgであり，2020年版の「日本人の食事摂取基準」による妊娠時のエネルギー付加量はHyttenらの理論値にほぼ合致するものといえる．

2．栄養素

a）たんぱく質

たんぱく質は生命の維持に最も基本的な物質である．体蛋白質蓄積量は体カリウム増加量より間接的に算定できる．妊娠期の体蛋白質蓄積量は体カリウム増加量より間接的に算定が可能である．体蛋白質蓄積量は，妊娠中の体重増加量により変化することを考慮に入れる必要があるため，最終的な体重増加量を11kgとし[4]，諸家の報告の対象の妊娠中体重増加量に対して補正を加えてそれぞれの研究における体カリウム増加量を求め，体蛋白質蓄積量を算定のうえ妊娠各時期の蛋白質蓄積量を求める．そして，それぞれの期間の1日あたりの体蛋白質蓄積量を算出する．

b）脂質

脂質はエネルギー産生の主要な基質である．脂質にはたんぱく質や炭水化物から生合成されるものがある．米国，カナダの報告によると，脂肪エネルギー比率は20%以上がよいとされている．ただし，脂肪エネルギー比率が高いとメタボリックシンドロームが増加することが明らかとなっている．日本における脂肪エネルギー比率に関するデータはなく，国民栄養調査より25%とされている．一方，妊娠時には非妊娠時と同様，20～30%の脂肪エネルギー比率の目安量として設定されている．妊娠時期には生理的に初期から中期にかけて脂肪が蓄積され脂肪同化の方向へ進み，後期には異化亢進となるので，妊娠期間別の設定を変えなくてもよいものと考えられる．

c）炭水化物

炭水化物にはブドウ糖や果糖などの単糖類や二糖類，でんぷんなどの消化吸収されるものと，食物繊維や難消化性オリゴ糖などの消化吸収されないものとがある．エネルギー源としての炭水化物の特性は，脳・神経組織・腎尿細管，酸素不足の骨格筋など通常はブドウ糖しかエネルギー源として利用できない組織にブドウ糖を供給することである．特に脳の基礎代謝量は多く，より多くのエネルギーを要することが知られている．炭水化物のエネルギー比率は，たんぱく質・脂質の目標がそれぞれ20％未満，20～30％であることより，50～70％エネルギーとなり，これを目標量と設定している．

妊婦・授乳婦においては，三大栄養素であるたんぱく質・脂質・炭水化物のエネルギー比率は非妊娠時の成人女性と同様に摂取する基準設定となっている．

d）その他の栄養素

ビタミンには水溶性ビタミンと脂溶性ビタミンがある．前者にはビタミンB_1，B_2，B_6，B_{12}，Cや葉酸などがあげられる．これらビタミンは中枢・末梢神経の機能維持や正常な発育，生殖作用や代謝に必要な因子である．葉酸は，神経閉鎖障害のリスク低減と関連することが示されており，妊婦のみならず，妊娠を予定している女性，あるいは妊娠の可能性のある女性は，サプリメントとして400mg/日の摂取が勧められる．

一方，脂溶性ビタミンにはビタミンA，D，E，Kがあげられ，これらの欠乏と代謝・成長障害や骨・神経の発達抑制，血液凝固障害が関与する．ビタミンAは胎児への蓄積を付加する必要性から付加することが勧められている．一方，ビタミンEは妊娠時に付加する必要性はないと考えられている．なぜなら妊娠時には血清脂質が上昇し，これに伴い血中α-トコフェロール濃度も上昇するからである．またビタミンKについてはこれまで妊婦とビタミンKに関する報告はなく，事実，妊婦においてビタミンKの欠乏症がみられることもないので付加されない．

3．栄養状態の評価法

栄養状態の評価法には様々な方法があるが，日本肥満学会では簡便かつ体脂肪との相関の高いBMI［体重(kg)/身長$(m)^2$］を採用することを提唱している．やせとはBMIが18.5未満，ふつう体型はBMIが18.5以上25未満，肥満はBMIが25以上とする．

4．「ふつう体型」妊婦の栄養指導

「ふつう体型」妊婦の場合，上述の妊婦・授乳婦における栄養所要量に基づいて栄養指導を行う．この際，日々の栄養所要量が適正か否かを評価するための指標は体重増加である．日本では，報告により若干の差はあるものの平均11kgである．ちなみに，日本産科婦人科学会栄養問題委員会による検討では，正期産における平均体重増加量は11.46kgとしている．「日本人の食事摂取基準(2015年版)」は先述のとおり，エネルギー摂取量やたんぱく質摂取量も妊娠中の体重増加量として11kgを用いて妊娠中の付加量を定めている．日本の「ふつう体型」妊婦の推奨体重増加量として，厚生労働省は「ふつう体型」群(BMIが18.5以上25未満)では7～12kgを推奨し[6]，妊娠高血圧症候群(hypertensive disorders of pregnancy：HDP)の発症予防の概念に基づく勧告によると，「ふつう体型」群(BMI 18～24)では7～10kgとされている[7]．ちなみに海外では，Hyttenらの報告によると健康初妊婦の妊娠時の平均体重増加量は12.5kgとしている．米国のInstitute of Medicine(IOM)における妊娠時の体重に関する勧告[8]では，やせには12.5～18kg，「ふつう体型」妊婦には11.5～16kg，肥満に対しては7～11.5kgが妊娠時の適正な体重増加量としている．ここでいう「やせ・ふつう体型・肥満」はBMIでそれぞれ19.8未満，19.8～26，26以上と定義している．BMIが29を超える場合は，少なくとも6kg以上の体重増加を必要としている．米国産科婦人科学会もこのガイドラインを用いている[9]．

5．肥満妊婦の栄養指導

a）肥満妊娠の合併症

肥満妊婦では，妊娠糖尿病やHDP，巨大児や吸引分娩率，帝王切開率の増加と関連することが多々報告されており，全妊婦のなかでは依然頻度の高いハイリスク妊娠のひとつである．また，肥満そのものが糖尿病や妊娠糖尿病発症における独立した危険因子であり，肥満は母体，胎児・新生児，さらには将来の母親・児における健康上重要な課題となっている．肥満妊婦の妊娠・分娩合併症は過去の報告をまとめると表4のようになる．

b）肥満妊婦の管理上の注意点

肥満妊娠，やせ女性の妊娠時の栄養指導で注意すべ

表4　肥満妊娠の合併症

1. 妊娠初期
   - ○自然流産
   - ○先天異常
2. 妊娠後期
   - ○妊娠高血圧症候群
   - ○妊娠糖尿病
   - ○早産
3. 周産期
   - ○帝王切開
   - ○手術による合併症
     - ◦麻酔合併症
     - ◦創部離開
     - ◦血栓症
4. 胎児・新生児
   - ○heavy for date(HFD)児，巨大児

表5　IOM(2009年)による妊娠中の体格別推奨体重増加量

体格区分		推奨体重増加量
やせ	BMI<18.5	12.5～18kg
標準	BMI 18.5～24.9	11.5～16kg
過体重	BMI 25～29.9	7～11.5kg
肥満	BMI 30～	5～9kg

(Institute of Medicine. Weight gain during pregnancy. National Academic Press, Washington DC, 2009より引用)

表6　厚生労働省による妊娠中の体格区分別推奨体重増加量

体格区分		推奨体重増加量
やせ	BMI 18.5未満	9～12kg
標準	BMI 18.5～25未満	7～12kg*
肥満	BMI 25以上	個別指導**

*：BMI低めの場合は上限側，高めの場合は下限側を推奨
**：肥満の場合，おおよそ5kgをめどとし，個別に対応
(「健やか親子21」推進検討会．妊産婦のための食生活指針―「健やか親子21」推進検討会報告書，2006より引用)

き点は，日本において十分な検討がなされておらず，海外の報告は根拠とならない点である．なぜなら，欧米の一般女性の体格は日本のそれより大きく，肥満の割合も著明な差があり，さらに欧米では妊娠中の体重増加量が多い女性が多く，その結果，平均出生体重も日本と400gくらい異なるためである．

妊娠前の管理として，妊娠前の肥満の有無が妊娠合併症と関連することが明らかとなっており，本来は妊娠前の体重減少が重要な管理方針となる．妊娠前から肥満女性を指導できる場合，ライフスタイルの改善，特に個々の症例に適切な食事療法と運動が，妊娠前の減量に有効であると考えられる．ただし，どれだけ減量すべきか，どの時点で妊娠を許可するかに関するエビデンスはない．

また，肥満妊婦では，HDPの発症に留意することが重要であるので外来受診時に注意する．血圧の変化や蛋白尿の出現には十分に注意し，場合により1週間ごとの検診や入院も考慮する．この際，体重増加にも十分注意を払う必要がある．妊娠前のBMIがHDP発症に大きく関与することが知られており，できれば妊娠前の減量が望ましいが，少なくとも妊娠中の過度の体重増加に注意すべきである．

肥満者に対するエビデンスに基づいた栄養指針はない．従来，肥満妊婦の栄養指導に関しては，エネルギー摂取を制限するべきであるという考え方と，するべきではないという考え方がある．極端なエネルギー制限による高濃度のケトン体が児の知能に悪影響を及ぼす報告はあるが，対象が糖尿病症例であることより十分な根拠とはいえず，これが安全であるいう根拠が確立されるまでは，現在のところ極端なエネルギー制限はするべきではないと考えられる．特に尿中ケトン体が陽性となるような食事制限は避けるべきである．厚生労働省は正常女性を対象にしたエネルギー必要量を設定しているが[3]，肥満女性の場合，妊娠中の付加量は一般に必要ないと考えられる．HDPの栄養管理指針[7]では，肥満妊婦の1日の必要エネルギー量として，標準体重(kg)×30(kcal)としている．

実地臨床上，妊娠中のエネルギー摂取の有無を評価するには体重増加が有用である．したがって，妊娠中の適切な体重増加は適切なエネルギー摂取により決定されるものである．米国では，IOMが妊娠中の体重増加に関する推奨を出している[8](表5)．米国は多民族国家であり，本推奨は全民族に対するものとされるが，日本人との体格には大きな差があり，日本のポピュレーションに基づいたものではないため，本推奨を日本で用いることは現時点では適切ではないと考えられる．

わが国では，肥満妊婦の妊娠中の体重増加量について，脂肪の蓄積はすでに妊娠前から十分と考えられるので，脂肪の蓄積量を3～4kgと仮定した場合，それを差し引いた体重増加量，すなわち5～7kg程度でよいと考えられる．厚生労働省による「妊産婦のための食生活指針」[6]ではメタアナリシスの結果に基づき，妊娠前BMIが25以上の肥満では約5kgを基本とし，個々の症例で考慮することを推奨している(表6)．

日本と米国における推奨の相違は，先述のとおり，肥満の割合が大きく異なることや体格そのものが異なり，平均出生体重にも差があることなどが原因と考えられる．今後，日本におけるポピュレーションに基づいた推奨母体体重増加量が設定されるべきであり，さらなる検討が待たれるところである．

妊娠中の体重増加やBMIの増加が次回妊娠の予後と関連することが報告されており，特に肥満妊娠では産後の体重管理に注意する．肥満女性では産後における妊娠中の体重増加量の減少量が少ないことが知られている．特に妊娠中の体重増加量が多い女性の場合，その現象が顕著であるとされる．したがって，まず妊娠前の体重に復することが重要であり，1ヵ月健診後に放置することは避け，産後も継続的に体重管理を行うことが望ましいと考えられる．

6. やせの妊婦の栄養指導

日本におけるやせの妊婦や体重増加量の少ない妊婦では，低出生体重や胎児発育不全の頻度が高いことが

報告されている．胎児発育不全では，周産期罹病率，死亡率が高くなることに加え，児の将来の生活習慣病である肥満，高血圧症，2型糖尿病を含めたインスリン抵抗性症候群，脂質代謝異常や冠動脈疾患の発症に関与することが示されており，最近関心が持たれるようになってきた．一方，妊娠中の体重を適度に増加させることにより，児の発育が促され，低出生体重の頻度を下げるという点で妊娠後の栄養指導の効果が期待できる．また，やせ女性では早産の頻度が高くなることや常位胎盤早期剝離との関連も報告されている．

やせの妊婦の至適体重増加量は少なくとも正常体重妊婦よりも多いほうが望ましいが，どの程度多ければよいかに関する根拠はない．このような観点から，米国では先述のとおり，やせの妊婦には12.5〜18kg（正常妊婦では11.5〜16kg）の増加を至適としており，正常妊婦よりやや多めの体重増加量を設定しているものと考えられる．

また，早産の頻度を下げるという観点では，やせ女性の場合，妊娠中の体重増加が少なくても多過ぎてもよくないことを示しており，興味深い．すなわち，週あたり0.23〜0.68kgの増加が望ましく，この範囲より少なくても多くても早産の頻度が高くなることを示している．一方，低出生体重の予防という観点からは，やせ女性の場合，妊娠中の体重増加量が大きいほど低出生体重の頻度は低くなることが国内外で知られている．

わが国におけるやせの妊婦の推奨体重増加量として，厚生労働省による「妊産婦のための食生活指針」[6]では妊娠前BMIが18.5未満のやせでは約9〜12kgとしている．

7．HDPの管理

a）HDPの食事療法

日本産科婦人科学会周産期委員会は，1997年にHDPの生活指導および栄養指導を策定し，指導を行うことを推奨した[7]．すなわち，総摂取エネルギー量は，妊娠前BMIが24未満の妊婦では30kcal×標準体重(kg)＋200kcal/日，BMIが24以上の場合は30kcal×標準体重(kg)kcal/日とした．また，塩分摂取量は7〜8g/日に制限するのみで，極端な塩分制限は勧めていない．その理由は，急激な塩分制限は，HDPの高血圧症状を悪化するためである．高血圧患者に塩分制限を行うと，循環血液量が減少するが，HDP患者ではすでに循環血液量が減少しており，急速な減塩がさらに循環血液量を減少させ，病態が悪化する．ただし，本推奨は十分な根拠に基づいていないため，現時点で採用されていないのが現状である．

b）HDPの予防を目的とした栄養管理

少なくとも妊娠中の体重増加量が多いとHDPの発症率が高くなることが国内外で報告されており，体重管理は必要であると考えられる．また，塩分摂取制限は，HDPの発症予防に効果がなかったとする報告がある[9]．

また，HDP発症予防方法として，経口カルシウムの大量摂取，ω3系脂肪酸の摂取，マルチビタミンの摂取などが報告されているが，決定的な方法はないのが現状である．

8．妊娠糖尿病および糖尿病合併妊娠の管理

a）疾患概念

妊婦の糖尿病には，妊娠前から糖尿病と診断された「糖尿病合併妊娠」と，妊娠してからはじめて耐糖能異常が判明した妊娠中の耐糖能異常とがある．後者はさらに「妊娠糖尿病」(gestational diabetes mellitus：GDM)と「妊娠中の明らかな糖尿病」(overt diabetes in pregnancy)の2つに分類される．「妊娠中の明らかな糖尿病」は，非妊娠時の糖尿病の診断基準を満たす場合をいう．いずれの範疇であれ，糖尿病妊婦の治療目標とそのための治療方法に差はない．ただし，糖尿病合併妊婦ではすでに教育を受け食事療法，運動療法，薬物療法を経験しているのに対し，GDMや「妊娠時に診断された明らかな糖尿病」では診断と同時にはじめて食事療法，血糖自己測定，ときにインスリン注射が必要となることに留意して指導する必要がある．

b）治療法

治療の目的は，①母体の妊娠合併症の発症率を下げる，②周産期合併症（先天奇形，巨大児，新生児黄疸，新生児低血糖など）の発症率を下げる，③将来の母体の2型糖尿病発症を抑える，④将来の児の生活習慣病発症を予防する，の4点である．妊娠中の治療としては，厳格な血糖コントロールであり，そのためには食事療法とインスリン療法が重要である．

先天奇形発生を低下させるためには，妊娠前からの厳格な血糖コントロールを行い，計画妊娠(pre-pregnancy clinic)することが肝要である．

妊娠中の目標血糖値として，日本糖尿病学会，日本産科婦人科学会は，静脈血漿グルコース値が食前100mg/dL以下，食後2時間値120mg/dL以下を推奨している．この目標血糖値を達成するためには，血糖自己測定が必要となる．なお，妊娠後半期は生理的にインスリン抵抗性が生じるため，インスリン必要量は増加する．また，産後は分娩によりインスリン必要量が減少することに留意すべきである．

また，GDMに対する管理の有効性を示す2つのrandomized control trial(RCT)が報告された．オース

トラリアにおけるRCTでは，治療介入群(食事療法・血糖自己測定・インスリン療法)において治療非介入群(通常の健診群)より母体合併症や新生児合併症が少なくなることを示している．また，米国における軽度のGDMに関するRCTにおいても治療介入群は非介入群よりも有意に母体や児の予後が良好であり，GDMに対する血糖コントロールが重要であることが示された．

①食事療法

食事療法の目的は児の発育に必要なエネルギーを確保することと，母体の血糖日内変動をできる限り健常妊婦に近づけることである．

糖尿病妊婦および妊娠糖尿病の食事療法の基本は，妊婦として適正な栄養を摂取させることである．糖尿病妊婦においても，周産期死亡率が最も低くなる体重増加が得られるように食事療法を行うべきであると考えられる．妊娠時には非妊娠時の栄養所要量に加えて，エネルギー，たんぱく質，ビタミン，ミネラルなどの付加量を加える必要がある．妊娠時の付加量については，各国によって若干の相違があり，FAO/WHO/UNU合同特別専門委員会では，運動を減じている妊婦に対しては妊娠期間中を通じて＋200kcal，運動を減じていない妊婦では＋285kcal，授乳婦では＋500kcalを付加している[10]．日本産科婦人科学会では，非肥満婦では＋200kcal，肥満婦では付加量を加えないことを推奨している[11]．

肥満妊婦については，妊娠中の体重減少やケトーシスが生じるほどの食事制限は好ましくないとされているが，すでに脂肪細胞にエネルギーが蓄積されていると考えられるので，妊娠期の付加量を省略すればよいと考えられる[11]．

米国糖尿病学会では，現時点で妊娠中の血糖コントロール目標を維持すべく個別の指導を行うとし，妊娠中の体重増加量はIOM[8]に従うとし，詳細のエネルギー量や栄養素の摂取量に関して示していない[12]．また，米国内分泌学会はBMIが30以上の糖代謝異常妊婦に対して，妊娠前の摂取エネルギー量の3分の2まで下げるよう，しかし低くても1,600〜1,800kcalのエネルギー量は摂取するように推奨している．炭水化物は，総エネルギー量に対して35〜45%の制限を推奨している[13]．炭水化物の制限については，現時点で十分な根拠がなく，極端な制限は避けるべきである．

1日3食の食事療法で血糖コントロールが困難であり，かつインスリン療法を導入するほどでない場合，あるいは強化インスリン療法を行った際に食後の高血糖が抑えられないにもかかわらず食前血糖値が低くなり過ぎる場合には，強化インスリン療法の限界である．このような場合には分割食(1日4〜6回)が有効なことがある．その場合，各3食を主食：補食＝2：1にするとよい．なぜなら，補食がスナック感覚で摂れるからである．米国内分泌学会もおおむねそのように推奨している[13]．

先述のとおり，正常耐糖能妊婦でも妊娠中は生理的にケトーシスに傾きやすいので，耐糖能異常妊婦の場合は妊娠初期の悪阻や妊娠後期の感冒，下痢には十分に注意すべきである．妊娠悪阻時は，摂取可能なものを食べるようにし，水分摂取も厳しい状況では点滴による補液を行うことが肝要である．

②インスリン療法

食事療法により目標血糖値が達成されないときは積極的にインスリン療法を行うべきである．経口糖尿病治療薬は，なお安全性が確立したとはいえず，原則としてインスリン療法に変更する．インスリン療法としては，厳格な血糖コントロールの必要性から，インスリンの血中濃度をできる限り生理的なインスリン分泌パターンに近づけること，すなわちインスリンの基礎分泌と食後分泌を念頭に置き，中間型と速効型あるいは超速効型を複数回注射する強化インスリン療法を行う．また，1型糖尿病で早朝に高血糖をきたすような暁現象を認める症例や通常の強化インスリン療法で血糖コントロールが困難な症例では，持続皮下インスリン注入療法(continuous subcutaneous insulin infusion：CSII)を行うことが有効な場合がある．

インスリンアナログのうち，超速効型インスリン(リスプロ，アスパルト)と持効型インスリン(デテミル)は妊娠時に使用可能である．

c）妊娠糖尿病の産後の管理

母体の2型糖尿病発症予防のため，GDM症例に対しては産褥2〜3ヵ月後に再評価目的の75gブドウ糖経口試験を行う必要がある．再評価で異常があれば，早期介入し，生活習慣改善や母乳保育の継続支援などを行う．

産後の継続的な耐糖能の評価と適切な医療介入，特に食事療法を含めた生活習慣の改善が母体の将来の2型糖尿病発症予防につながると考えられる．

さらに，GDMの将来の長期的問題として，子宮内で高血糖に曝露されて生まれた子どもが，将来，肥満や糖尿病など生活習慣病を発症しやすいことがあげられる．したがって，妊娠中に適切に母体の耐糖能異常を発見し，適切な血糖コントロールを図ることが児の将来の生活習慣病の発症予防につながると考えられる．

文献

1）日本肥満学会(編)．肥満症診療ガイドライン2016，ライフサイエンス出版，東京，2016

2）Freinkel N. Carbohydrate Metaboism in Pregnancy and the Newborn, Sutherland HW, Stowers JM (eds), Springer-Verlag, New York, 1979: p1
3）厚生労働省. 日本人の食事摂取基準（2020 年版）, 2020
4）Takimoto H, Sugiyama T, Fukuoka H, et al. Maternal weight gain ranges for optimal fetal growth in Japanese women. Int J Gynecol Obstet 2006; **92**: 272-278
5）Hytten FE, Leitch I. The Physiology of Human Pregnancy, 2nd Ed, Blackwell Scientific Publications, Oxford, 1971
6）「健やか親子 21」推進検討会．妊産婦のための食生活指針—「健やか親子 21」推進検討会報告書，2006
7）中林正雄．妊娠中毒症の食事療法．日本妊娠中毒症学会雑誌 1998; **6**: 34-38
8）Institute of Medicine: Weight gain during pregnancy. National Academic Press, Washington DC, 2009
9）Duley L, et al. Cochrane Database Syst Rev 2005; **4**: CD005548
10）FAO/WHO/UNU. Energy and protein requirements: report of a Joint FAO/WHO/UNU Expert Consultation (Technical report series. No. 724), WHO, Geneva, 1985
11）日本産科婦人科学会・日本産婦人科医会（編）．妊娠糖尿病（GDM），妊娠中の明らかな糖尿病，ならびに糖尿病（DM）合併妊娠の管理・分娩は？　産婦人科診療ガイドライン—産科編 2017，2017: p29-33
12）Standards of medical care in diabetes: 2020. Diabetes Care 2020; **43** (Suppl 1): S183-S192
13）Diabetes and pregnancy: an Endocrine Society clinical practice guideline. J Clin Endocrinol Metab 2013; **98**: 4227-4249

第Ⅷ章

食事療法

A 食事療法とは

1. 概念

栄養を体内に摂取するための手段としては，①食事療法，②経腸栄養療法，③静脈栄養法，があげられる．このうち，消化器機能が保持されており経口摂取が可能であれば食事療法の適応となる．他の方法と異なり，患者自らの意思で栄養を摂取する方法であるため，患者の嗜好や性向，食欲などを考慮しなければならない．また，患者やその保護者の栄養療法に対する理解や協力が必要になる．

2. 食事療法の指導

入院患者や外来患者に対してフードモデルなどの資料や教材を用いて指導することが多い．その指導は臨床における栄養指導の評価，栄養補給，栄養教育などの栄養管理能力を有する管理栄養士が行うことが望ましい．また，様々なメディカルスタッフを含めた医療チームによるチームアプローチも有効である．

診療報酬上では，特定の疾患（表1）[1]に対して医師の指示に基づき管理栄養士が定められた条件のもとで栄養指導を行った場合に，外来栄養食事指導料，入院栄養食事指導料，集団栄養食事指導料，在宅患者訪問栄養食事指導料などの算定が認められている．

3. 医薬品を用いた栄養療法

経口摂取は可能であるが十分に摂取できない場合やCrohn病などの炎症性腸疾患，あるいは低アルブミン血症を伴う肝硬変などに対しては医薬品を用いた栄養療法が効果的である．

a）通常の食事のみでは摂取困難な症例

悪性腫瘍などによる上部消化管通過障害や放射線療法，がん化学療法により通常の食事摂取が困難な場合や，消化吸収能が低下しており経口摂取のみでは栄養障害に陥る可能性が高い場合には消化態（半消化態）栄養剤を経口摂取する場合がある．しかし，経口摂取のみでは必要な栄養を供給することができない場合も多く，栄養状態を定期的に確認しながら，必要であれば経腸栄養，経静脈栄養を併用していく必要がある．

b）炎症性腸疾患

Crohn病では成分栄養剤（エレンタール®）や消化態栄養剤（ツインライン®など）を用いた栄養療法が有用とされている[2]．維持投与量としては30 kcal/理想体重1 kgを目標とする．成分栄養剤を用いる場合には脂肪乳剤や微量元素の補充にも注意が必要である[2]．

潰瘍性大腸炎においては，栄養療法そのものに寛解導入効果はないとされている．しかし，腸管安静や補助療法を目的として経腸栄養剤が用いられることがある．成分栄養剤は浸透圧が高く下痢を助長することがあるため，使用には注意が必要である[2]．

c）肝硬変

肝硬変患者の低栄養状態は予後に影響を及ぼすことが知られており，食事摂取不十分な場合には栄養剤を用いた補充療法が推奨されている．低アルブミン血症を有する肝硬変患者に対するBCAA顆粒製剤や肝不全用栄養製剤の投与は栄養状態を改善させるのみでなく，予後やQOLを改善させるとされる[3]．特に200 kcal相当の就寝前エネルギー投与（late evening snack：LES）が効果的であることが報告されている[3]．

表1　外来栄養食事指導料，入院栄養食事指導料，集団栄養食事指導料および在宅患者訪問栄養食事指導料に規定する特別食

＊腎臓食 ＊肝臓食 ＊糖尿食 ＊胃潰瘍食 ＊貧血食 ＊膵臓食 ＊脂質異常症食 ＊痛風食 ＊フェニルケトン尿食 ＊楓糖尿症食 ＊ホモシスチン尿症食 ＊ガラクトース血症食 ＊治療乳 ＊無菌食	＊心臓疾患および妊娠高血圧症候群などの患者に対する減塩食 ＊十二指腸潰瘍の患者に対する潰瘍食 ＊Crohn病および潰瘍性大腸炎などにより腸管の機能が低下している患者に対する低残査食 ＊高度肥満症の患者に対する治療食 ＊高血圧症の患者への減塩食（外来栄養食事指導料および入院栄養食事指導料に限る） ＊小児食物アレルギー食（外来栄養食事指導料および入院栄養食事指導料に限る） ＊特別な場合の検査食（単なる流動食および軟食を除く） ＊がん患者，摂食機能または嚥下機能が低下した患者，低栄養状態にある患者（外来栄養食事指導料および入院栄養食事指導料に限る）

4．健康食品(特定保健用食品)

最近では，患者自らが病気を予防・治療しようという考えから手軽に薬局などにて購入することのできる健康食品が急速に普及している．しかし，そのなかには効果や副作用が明らかでないものも多い．消費者庁長官によって個別に効果が科学的に検討され，有効性・安全性について認可を受けたものが「特定保健用食品」である．条件をすべて満たしてはいないが一定の有効性があるものについては「条件付特定保健用食品」として認可される．認可を受けたものには許可マークが付されている(図1)．

「お腹の調子を整える」「コレステロールが高めの方に適する」「食後の血糖値の上昇を緩やかにする」「血圧が高めの方に適する」などの表示が許可されており，現在(令和2年2月27日時点)では「特定保健用食品」の表示を許可された食品は1,073品目となっている．

また，平成27年4月からは，事業者の責任において，科学的根拠に基づいた機能性を表示した「機能性表示食品」制度がスタートしたが，この食品は特別保健用食品とは異なり，消費者庁長官の個別の許可を受けたものではない．

なお，これらは医薬品ではなく，病気の治療や治癒を目的に利用する商品ではないことに留意しないといけない．

B 食事療法が必要となる疾患

経口摂取が可能で消化器機能が保持されていれば，栄養療法を必要とするすべての患者において食事療法を行うことが可能である．

詳細については各章に譲るが，食事療法を必要とする疾患のうち，ガイドラインなどに食事療法について記載されているものについて概説する．

1．糖尿病

糖尿病は「インスリン作用不足による慢性の高血糖状態を主徴とする代謝疾患群」と定義されている[4]．インスリンの相対的あるは絶対的な効果不足が原因とされ，それにより糖，脂質，蛋白質を含むほとんどすべての代謝系に異常をきたすとされている．

軽度の高血糖状態であればほとんど自覚症状はない．そのために，無自覚のまま放置してしまうことも多い．しかし，著明な高血糖となった場合には口渇，多飲，多尿，体重減少などの症状が出現し，さらに高値となればケトアシドーシスや高浸透圧性昏睡などを呈することもある．

また，軽度であっても代謝異常が長く続けば各種の合併症が出現する．網膜症，腎症，神経障害などの細小血管障害や脳梗塞，心筋梗塞などの大血管障害などが有名であるが，感染症や脂肪性肝炎，歯周病，認知症など全身の臓器障害との関連があるとされている．

その治療はインスリン依存状態かどうかによって異なる(表2)[4]．インスリン依存状態であれば強化インスリン療法による血糖コントロールが不可欠であるが，インスリン非依存状態であれば食事療法，運動療法，生活習慣改善に向けての患者教育が重要視される(図2，表3)[4]．

適正な摂取エネルギー量は性，年齢，肥満度，身体活動量などを考慮したうえで決定する．エネルギー摂取量は標準体重に身体活動量を掛けたもので算出される．そのエネルギー量内で各栄養素のバランスをとる必要がある．合併症などがない通常の状態では，炭水化物は指示エネルギー量の50～60%，たんぱく質は標準体重1kgあたり1.0～1.2g，残りを脂質で摂取することが推奨されている．食品の選択を行う際には「糖尿病食事療法のための食品交換表(第7版)」(図3)[5]を使用すると便利である．

図1　特定保健用食品

表 2　糖尿病の病態による分類と特徴

糖尿病の病態	インスリン依存状態	インスリン非依存状態
特徴	インスリンが絶対的に欠乏し，生命維持のためにインスリン治療が不可欠	インスリンの絶対的欠乏はないが，相対的に不足している状態．生命維持のためにインスリン治療が必要ではないが，血糖コントロールを目的としてインスリン治療が選択される場合がある
臨床指標	血糖値：高い，不安定 ケトン体：著増することが多い	血糖値：さまざまであるが，比較的安定している ケトン体：増加するがわずかである
治療	1．強化インスリン療法 2．食事療法 3．運動療法(代謝が安定している場合)	1．食事療法 2．運動療法 3．経口薬，GLP-1 受容体作動薬またはインスリン療法
インスリン分泌能	空腹時血中 C ペプチド 0.6ng/mL 未満が目安となる	空腹時血中 C ペプチドが 1.0ng/mL 以上

(日本糖尿病学会(編・著)．糖尿病治療ガイド 2020-2021，文光堂，東京，2020: p20 より引用)

2．脂質異常症

脂質異常症は動脈硬化性疾患の最も重要な危険因子のひとつであり，その管理は動脈硬化性疾患の予防のために重要な位置を占める[6]．

冠動脈疾患予防を目的として，LDL コレステロール管理のためのフローチャートが示されており(図 4)，冠動脈疾患の既往がある場合は厳格な二次予防が必要である．既往がない場合でも，糖尿病，慢性腎臓病(CKD)，非心原性脳梗塞，末梢動脈疾患(PAD)のいずれかを有する場合は高リスクとして管理する．いずれもない場合は，年齢と性別で区分し，危険因子(喫煙，高血圧，低 HDL コレステロール血症，耐糖能異常，早発性冠動脈疾患家族歴)の個数をカウントして，動脈硬化性疾患の絶対リスクを評価して目標設定を行う．これらのリスク層別化に基づき，管理目標に向けて治療を行う(第Ⅶ章-1-表 3 参照)．

脂質異常症の治療においても，総エネルギー摂取量や栄養素バランスの適正化，不適切な食習慣や食行動の是正は治療の根幹をなすものとされる．水溶性食物繊維を積極的に摂取し，コレステロール，飽和脂肪酸の摂取を控えることが推奨される(第Ⅶ章-1-表 4 参照)[6]．日本の食材を用いた伝統的な日本食が冠動脈疾患の予防に有用であることも報告されている．

3．高尿酸血症

高尿酸血症は尿酸塩沈着症(痛風関節炎，腎障害など)の病因であり，血清尿酸値が 7.0mg/dL を超えるものと定義されている[7]．日本における高尿酸血症は年々増加し，全人口の男性で 20%，女性で 5%と報告され，引き起こされる痛風の有病率は 30 歳以上の男性では 1%を超えている．

また，近年では血清尿酸値は脳卒中の初発ならびに再発リスク，心不全による予後ならびに再入院の予測因子となる可能性があることが報告されている．

高尿酸血症に対する生活指導は薬物療法の有無にかかわらず重要視されており，食事療法，飲酒制限，運動の推奨が中心となる．食事療法としては適正なエネルギー摂取，プリン体・果糖の過剰摂取制限(第Ⅶ章-1-表 7 参照)，十分な飲水が勧められている．実際には厳密な低プリン食を毎日摂取することは困難であるため，「高プリン食を極力控える」という指導が有効である．アルカリ性食品はプリン体含有量の低い食品が多く，尿の中性化に有効であるため大いに推奨されている．

従来は高尿酸血症・痛風患者の食事療法はプリン体の制限が中心であり，低たんぱく，高炭水化物食が勧められてきた．しかし，高炭水化物食はインスリン抵抗性を増悪させ，またショ糖や果糖の摂取により血清尿酸値が増加し痛風のリスクが増加するという報告もあり，最近では総エネルギーの制限が推奨されている．

4．肥満症

脂肪組織が過剰に蓄積した状態で BMI 25 以上のものは「肥満」，肥満に起因ないしは関連して発症する健康障害の予防および治療として医学的に減量が必要である病態は「肥満症」と定義される[8]．平成 30 年の国民健康・栄養調査の結果によると肥満者の割合は男性 32.2%，女性 21.9%であり，最近では男性においては増加傾向，女性においては減少傾向にある[9]．

肥満症における食事療法の基本は，摂取エネルギー

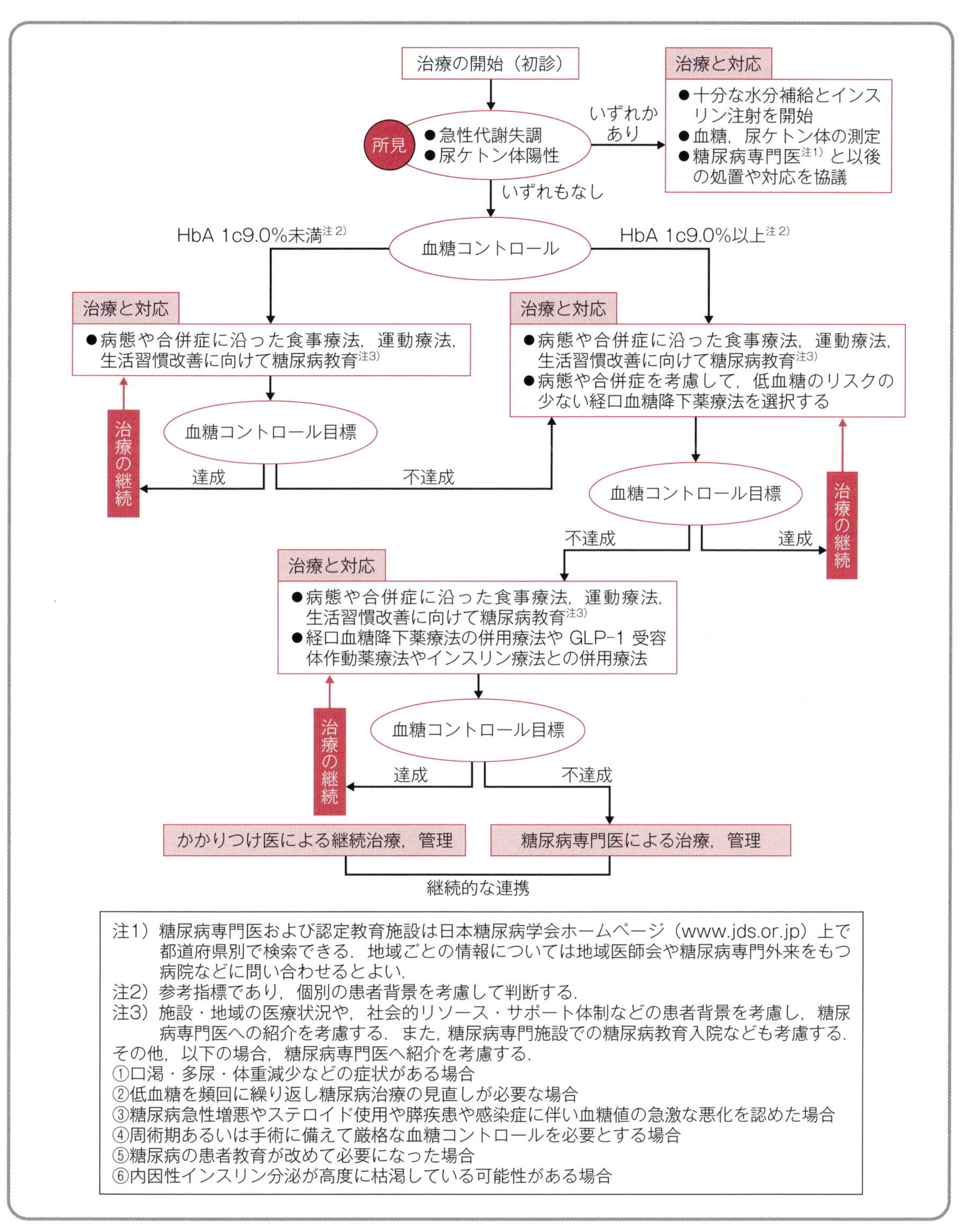

図 2　インスリン非依存状態の治療

（日本糖尿病学会(編・著)．糖尿病治療ガイド 2020-2021，文光堂，東京，2020: p32 より引用）

表3　糖尿病療養指導チームのメンバーの主な役割*

療養指導項目	医師	看護師 准看護師	管理栄養士 栄養士	薬剤師	臨床検査 技師	理学療法士
糖尿病の診断，治療方針の決定	●					
療養における自己管理の意義	○	○	○	○	○	○
療養上の課題/問題把握**	●	●	○	○	○	○
食事療法の概要	○	○	○	○	○	○
栄養管理の意義	●	○	●			
献立・調理の理論と実践	○		●			
薬物治療の概要	○	○	○	○	○	○
薬剤の作用機序	●			●		
服薬指導	○	○		●		
自己注射指導	○	○		○		
糖尿病に関する検査の概要	○	○	○	○	○	○
検査の意義	●				●	
血糖自己測定	○	○		○	○	
運動療法の概要	○	○	○	○	○	○
運動の種類と効果	●					●
運動の実践方法と評価	○	○				●
療養指導の計画と立案	●	○	○	○	○	○
療養指導の実践と評価	○	●	○	○	○	○

○：一般的であるが患者教育として必要なもの，●：特に専門知識を必要とするもの
*：この表は各職種の役割分担の一例である．表に示した●の役割を担う，医師以外の職種がいない施設では，医師，あるいは医師の指示のもとで他の職種がその役割を分担する．
**：療養上の知識・生活経験に関して，情報収集・アセスメントし，課題や問題点を明確化する．
（日本糖尿病療養指導士認定機構（編・著）．糖尿病療養指導ガイドブック2020，メディカルレビュー社，東京，2020：p8より許諾を得て転載）

を消費エネルギーより少なくすることにあるとされている．脂肪組織1gは約7kcalの熱源を含むため，1日あたりのエネルギーバランスが−700kcalになれば，1ヵ月に3kgの体重減少になる．

BMIが25以上の「脂肪細胞の質的異常による肥満症」では緩やかな1,200から1,800kcal，BMIが30以上の「脂肪細胞の量的以上による肥満症」では厳しい1,000から1,400kcalの食事療法を行う．さらに減量が必要な場合には600kcal/日以下の超低エネルギー食を用いることもある（表4，第Ⅶ章-1-図11参照）[8]．しかし，通常食をそのままの割合で制限すると栄養素不足を生じることになるため，ビタミンやミネラルは多めに摂取し不足しないように注意が必要である．

5．高血圧

高血圧は心血管病の最大の危険因子のひとつである．日本における患者数は約1,000万人と推定されており，高血圧が原因で死亡している患者は約1万人とされている[10]．

生活習慣の修正は治療に有効であるとされているが，特に減塩が重要視されている．日本のガイドラインでは減塩目標は6g/日とされている．また，減塩やDASH食，減量，運動，節酒など多くの生活習慣の修正が有用であることが報告されている（図5）．

C　食事療法に影響を与える心理社会的要因

食事療法は患者自らの意思で実践する治療法であるため，患者が食事療法に対して前向きに取り組む環境にないと実施は困難である．特に糖尿病や肥満症などに代表される生活習慣病において，その傾向は顕著である．

患者の治療への行動を規定する要因としては，①外的要因（環境要因），②内的要因（心理・精神的要因），③結果要因（強化要因），の3要因があげられる．食事療法を効果的に行うためには，これらについても配慮する必要がある[11]．

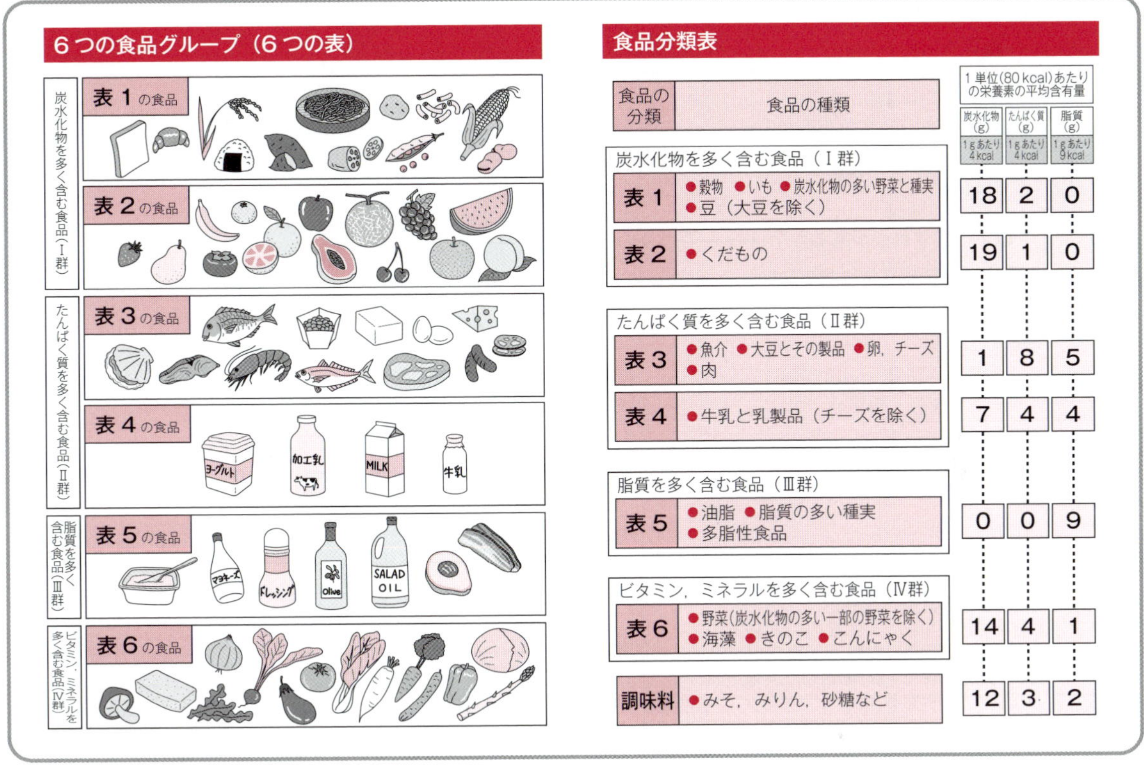

図3　糖尿病食事療法のための食品交換表（第7版）
（日本糖尿病学会（編・著）．糖尿病食事療法のための食品交換表，第7版，文光堂，東京，2013: p12-13より許諾を得て転載）

1．外的要因（環境要因）

外的要因とは，外部（環境）からの刺激によって行動が形成されることを指す．

良好な信頼関係を持つ医療者のサポートは重要な外的要因のひとつである．医療者が患者に食事療法を強制させた場合には，むしろ治療がうまくいかないことがある．患者の考えを中心にして，医療者と患者の話し合いをもとに治療法を決める患者中心型アプローチ（patient centered approach）を心がけるべきである．糖尿病などの生活習慣病においては，患者自身に疾患に対する情報提供を行い，治療に対する最終的な決定権を与えるエンパワーメント法が効果をあげている．

また，家族の協力も重要な外的要因である．家族が治療に対して協力的であるほど治療効果が高く，否定的であるほど治療効果が低いことが多い．

その他に社会環境（ファストフード店の増加や店舗における品揃えなど），身体要因（合併症の進行など）が外的要因としてあげられる．

2．内的要因（心理・精神的要因）

疾患に対する患者の考え方は，食事療法の遵守に影響する．患者の考え方を規定するものとして以下の要素がある．

a）健康信念（health belief）

自らの健康状態に対する解釈の仕方を表すものである．食事療法を遵守しなかった場合にどの程度の頻度で合併症を発症するか，また，遵守した場合にどのような利益が生じるかを認識できているかどうかが食事療法の遵守に影響する．

b）自己効力感（self-efficacy）

ある状況のなかで，特定の行動を遂行できるという自信を持つことを自己効力感と呼ぶ．その程度が高いほど特定の行動が起こる可能性が高いとされている．食事療法を実際に行うことができた際に，どのような効果が得られるかを自分自身で体験することができた場合には治療効果を増すことができる．

c）疾患に対する感情

疾患に対する不安やおそれなどの感情は食事療法を遵守する動機となるが，その感情が強過ぎると行動を起こしにくくなる．「治療を行うことにより疾患に対する不安が軽減する」という期待があると食事療法を遵守しやすくなる．食事療法に対する否定的な感情を排除することも重要である．

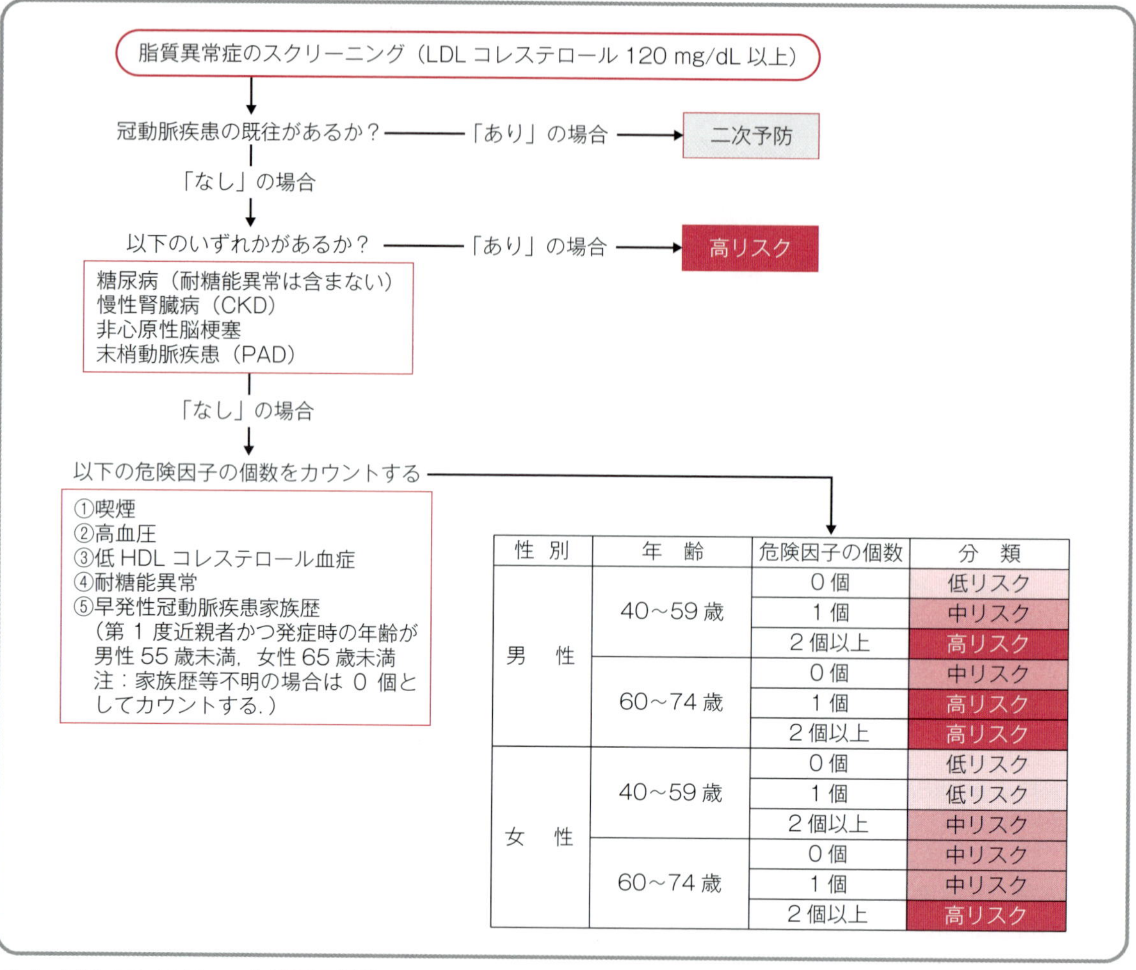

性別	年齢	危険因子の個数	分類
男性	40～59 歳	0 個	低リスク
		1 個	中リスク
		2 個以上	高リスク
	60～74 歳	0 個	中リスク
		1 個	高リスク
		2 個以上	高リスク
女性	40～59 歳	0 個	低リスク
		1 個	低リスク
		2 個以上	中リスク
	60～74 歳	0 個	中リスク
		1 個	中リスク
		2 個以上	高リスク

図 4　LDL コレステロール管理目標設定のためのフローチャート
（日本動脈硬化学会（編）．動脈硬化性疾患予防ガイドライン 2017 年版，日本動脈硬化学会，東京，2017: p16 より許諾を得て転載）

表 4　食事療法のステートメント（日本肥満学会）

1. 肥満症の治療は食事療法が基本となる．食事療法を実行することで内臓脂肪の減少が得られ，肥満に伴う健康障害の改善が期待できる（Grade A, Level I）.
2. 体重減少のためには，食事摂取エネルギーの減量が有効である（Grade A, Level I）.
3. 25 kg/m²≦BMI＜35 kg/m² の肥満症では，1 日の摂取エネルギー量の算定基準は，25 kcal×標準体重（kg）以下である．現在の体重から 3～6 ヵ月で 3%以上の減少を目指す（Grade A, Level III）.
4. BMI≧35 kg/m² の高度肥満症では，1 日の摂取エネルギー量の算定基準は，20～25 kcal×標準体重（kg）以下である．病態に応じて現在の体重から 5～10%の減少を目指す．減量が得られない場合は 600 kcal／日以下の超低エネルギー食（VLCD）の選択を考慮する（Grade B, Level II）.
5. 指示エネルギーの 50～60%を糖質とし，15～20%を蛋白質，20～25%を脂質とする（Grade A, Level III）.
6. 肥満症の食事療法でも必須アミノ酸を含む蛋白質，ビタミン，ミネラルの十分な摂取が必要であり，フォーミュラ食の併用が有用である（Grade A, Level II）.
7. フォーミュラ食を 1 日 1 回だけ食事と交換することでも有効な減量や肥満関連病態の改善を期待できる（Grade B, Level II）.

（日本肥満学会（編），肥満症診療ガイドライン 2016，ライフサイエンス出版，東京，2016: p38 より許諾を得て転載）

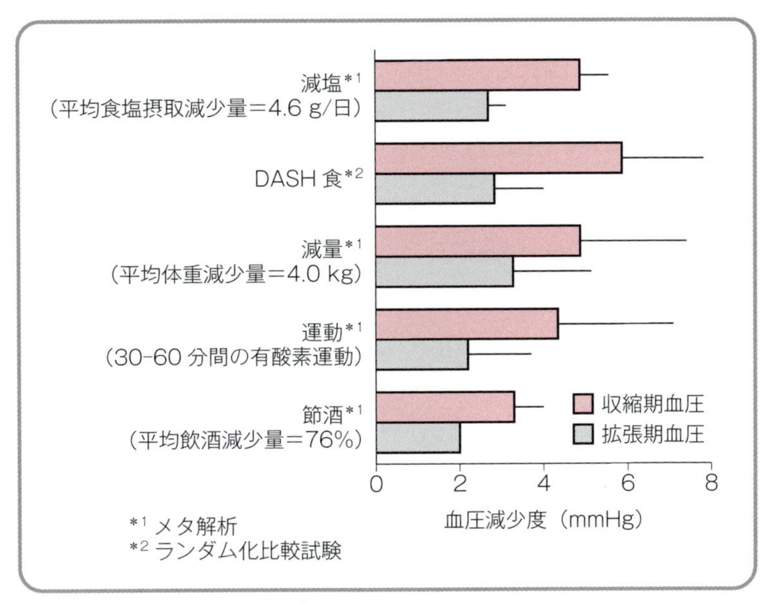

図5　生活習慣修正による降圧の程度

(日本高血圧学会高血圧治療ガイドライン作成委員会(編). 高血圧治療ガイドライン2019, ライフサイエンス出版, 東京, 2019: p64より許諾を得て転載)

3. 結果要因(強化要因)

食事療法などの療養行動によってもたらされる結果は, その行動の継続に影響するとされる. たとえば, 食事療法により症状や数値の改善がみられた場合には, 今後の療養意欲が高まることがある. よい結果となった場合に医師や栄養士が示した好ましい態度が, 患者にとっての報酬となり, 今後の療養行動の強化に有用である.

文献

1) 厚生労働省令和2年度診療報酬改定について <https://www.mhlw.go.jp/stf/seisakunitsuite/bunya/0000188411_00027.html>(最終アクセス:2020年11月18日)
2) 難治性腸疾患腸管障害に関する調査研究班. 潰瘍性大腸炎・クローン病診断基準・治療指針 令和元年度改訂版, 2020
3) 日本消化器病学会(編). 肝硬変診療ガイドライン2020(改訂第3版), 南江堂, 東京, 2020
4) 日本糖尿病学会(編・著). 糖尿病治療ガイド2020-2021, 文光堂, 東京, 2020
5) 日本糖尿病学会(編・著). 糖尿病食事療法のための食品交換表, 第7版, 文光堂, 東京, 2013
6) 日本動脈硬化学会(編). 動脈硬化性疾患予防ガイドライン2017年版, 日本動脈硬化学会, 東京, 2017
7) 日本痛風・尿酸核酸学会ガイドライン改訂委員会(編). 高尿酸血症・痛風の治療ガイドライン, 第3版, 診断と治療社, 東京, 2018
8) 日本肥満学会(編). 肥満症診療ガイドライン2016, ライフサイエンス出版, 東京, 2016
9) 厚生労働省. 平成30年「国民健康・栄養調査」の結果 <https://www.mhlw.go.jp/stf/newpage_08789.html>(最終アクセス:2020年11月18日)
10) 日本高血圧学会高血圧治療ガイドライン作成委員会(編). 高血圧治療ガイドライン2019, ライフサイエンス出版, 東京, 2019
11) 石井　均. 糖尿病医療学入門, 医学書院, 東京, 2011: p26-32

第 IX 章

経腸栄養法

腸を使うことの意義が認識され，経腸栄養は多くの疾患で適応となっている．経腸栄養剤・濃厚流動食も多様化し，様々な組成，濃度，粘度の栄養剤が市販されている．肝不全，糖尿病，腎不全，呼吸不全など，各種病態に適した病態別経腸栄養剤も選択可能となり，免疫調整経腸栄養剤も注目されている．

経腸栄養により十分な栄養効果を得るには，個々の病態に応じた経腸栄養剤の選択，適切な投与ルートと投与方法の設定が重要である．さらに，経腸栄養における合併症と対策についても理解しておく必要がある．

本項では，経腸栄養の意義，適応と禁忌，経腸栄養のアクセスや経腸栄養剤の種類と特徴，合併症とその対策について概説する．

A 経腸栄養の意義

食事の摂取が最良の栄養管理法であることはいうまでもない．食事を摂取することは脳のリハビリテーションにもなり，食べることによってはじめて満足感も得られる．しかし，経口摂取のみで必要な栄養量が摂取できない場合には，経腸栄養や静脈栄養による栄養療法が必要となる．通常，エネルギー必要量の60%以下の摂取量が10日間以上続く場合には，経腸栄養や静脈栄養を考慮すべきである[1]．

静脈栄養法と経腸栄養法の選択においては，「腸が機能している場合は腸を使う」のが原則である（図1）．静脈栄養で長期に絶食となると腸粘膜が萎縮し，bacterial translocationの要因となる．一方，経腸栄養では，腸粘膜のintegrity（恒常性）が保たれることが確認されている．また経腸栄養は腸粘膜免疫系の機能維持にも有用であり，長期の絶食では機械的・機能的なバリアが低下する結果となる．このように，経腸栄養は，静脈栄養に比べて生理的であることが最大の利点であり[2]，経腸栄養が第一選択の栄養法である．したがって，経腸栄養は多くの疾患・病態で適応となっている（表1）．一方，経腸栄養が禁忌となるのは，汎発性腹膜炎，腸閉塞，難治性嘔吐，麻痺性イレウス，難治性下痢，活動性の消化管出血などに限定される[1]．

B 経腸栄養のアクセス

1．アクセスの種類と選択基準

経腸栄養法は，経口摂取と経管栄養法に分けられる．さらに経管栄養法には，経鼻経管栄養法と，胃瘻・空腸瘻による栄養法がある．経鼻経管栄養法は手技も容易であるが，機械的合併症として鼻腔や咽頭，食道にびらんや潰瘍を形成することがある．したがって，4〜6週間以上の長期にわたる経腸栄養を施行する場合にはPEGを選択すべきである．PEGの適応となるのは，頭頸部や食道の腫瘍により狭窄を認める場合，脳血管障害，神経変性疾患などにより意識障害や嚥下障害を呈する場合である．

PEGの適応に関して倫理的な側面から議論されている．PEGを施行しても，ADLやQOLの改善効果が期待できない超高齢者，遷延性意識障害，末期の認知

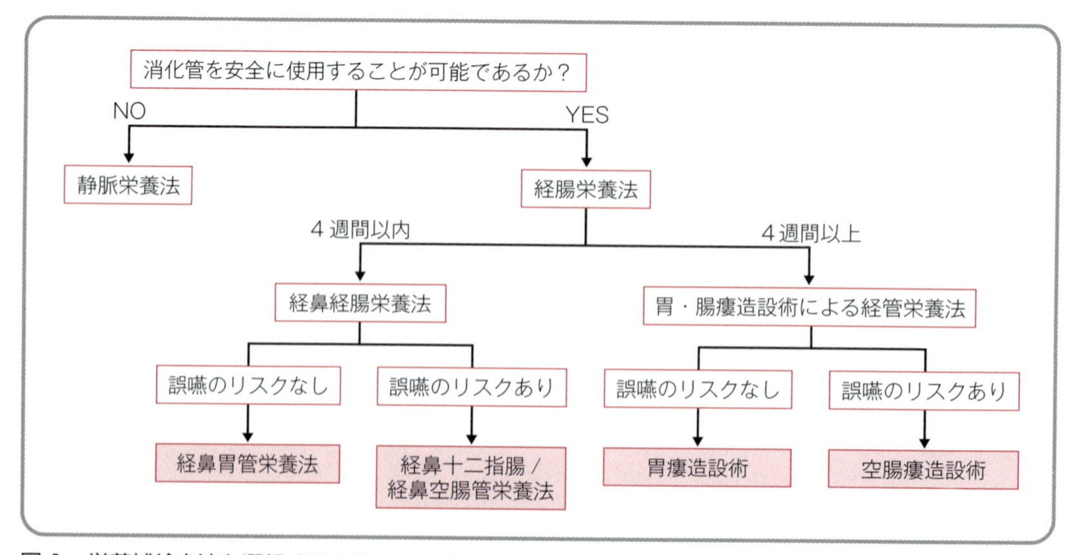

図1　栄養補給方法を選択するためのDecision Tree
（Guideline for use of parenteral and enteral nutrition in adult and pediatric patients. ASPEN Board of Directors and the Clinical Guideline Task Forceより作成）

症に対するPEGは延命治療でしかないとの見解もあるが，栄養療法を継続するのであれば，経腸栄養は第一選択の栄養法である．2005年にはESPENがPEGのガイドラインを発表し[3]，同年に日本消化器内視鏡学会においてもPEGに関するガイドラインが提唱されている[4]．PEGの適応は，医学的適応のみならず，倫理・社会的な観点からも検討すべきである．「静脈経腸栄養ガイドライン第3版」でも，栄養療法の適応と判断されれば積極的にPEGを実施することを推奨している[1]．

表1　経腸栄養が適応となる疾患

1. 経口摂取が不可能または不十分な場合
   - a）上部消化管の通過障害
     - ○口唇裂，食道狭窄，食道癌，胃癌など
   - b）手術後
   - c）意識障害患者
   - d）化学療法，放射線治療中の患者
   - e）神経性食思不振症
2. 消化管の安静が必要な場合
   - a）上部消化管術後
   - b）上部消化管縫合不全
   - c）急性膵炎
3. 炎症性腸疾患
   - ○Crohn病，潰瘍性大腸炎など
4. 吸収不良症候群
   - ○短腸症候群，盲管症候群，慢性膵炎，放射線腸炎など
5. 代謝亢進状態
   - ○重症外傷，重症熱傷など
6. 周術期
7. 肝障害，腎障害
8. 呼吸不全，糖尿病
9. その他の疾患
   - ○蛋白漏出性胃腸症，アレルギー性腸炎
10. 術前，検査前の管理
    - ○colon preparation

一方，出血傾向を認める場合や，大量腹水，腹膜炎，胃と腹壁の間に介在臓器が存在する場合などではPEGは禁忌となる[5]．

経腸栄養では，胃へのアクセスが最も生理的であるが，胃食道逆流から誤嚥のリスクが高い場合には，空腸へのアクセスも考慮すべきである．胃食道逆流への対策として経腸栄養剤投与時の体位，投与速度の工夫は必須である．しかし，胃の運動低下や食道裂孔ヘルニアの症例など，胃へのアクセスでは誤嚥性肺炎のリスクが高い場合には，空腸へのアクセスが有用である．PEGを施行した場合でも，PEG-J（PEG with jejunal extension）チューブを用いて空腸へのアクセスとする選択も可能である（図2）．さらに胃の穿刺が困難な場合には経皮経食道胃管挿入術（percutaneous trans-esophageal gastro-tubing：PTEG）も施行できる．

2. 胃瘻のカテーテルの種類と特徴

胃瘻のカテーテルは，外部カテーテルの形状からボタン型とチューブ型に分類される．一方，胃内部のストッパーの正常からは，バルーン型とバンパー型に分類される．したがって，胃瘻のカテーテルは，2×2の4とおりに分類されることとなる（図3）[5]．

チューブ型は，外部ストッパーの位置を変えることにより長さの調整が可能であるが，ボタン式では，それぞれの体型に合ったシャフト長の胃瘻ボタンを選択して用いる．ボタン型は日常生活やリハビリテーションにも妨げになりにくいが，腹部に近接した部位での操作が困難な場合もある．

バルーン型は，定期的にバルーンの水を入れ替えて，正確にバルーンを膨らませる必要がある．この際，生

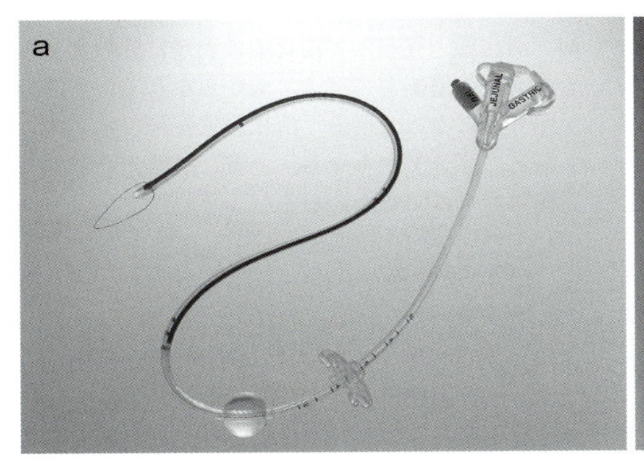

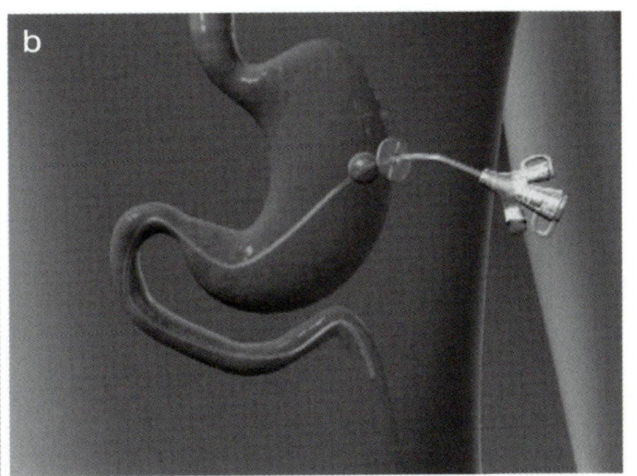

図2　PEG-Jチューブ

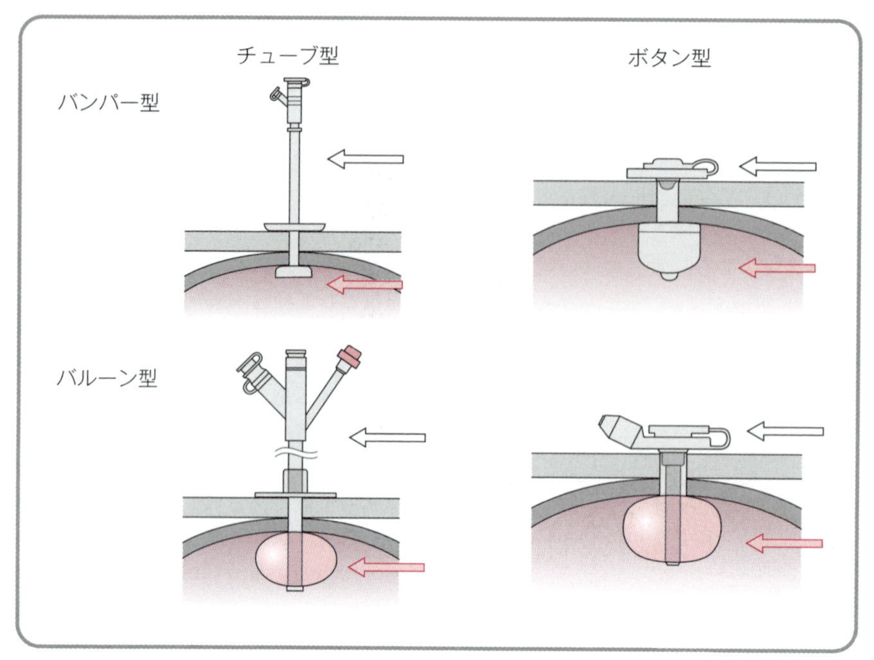

図3　PEGのデバイスの種類

表2　チューブ型とボタン型の特徴

	チューブ型	ボタン型
外観	悪い	よい
リハビリテーション	しにくい	しやすい
事故(自己)抜去	時々あり	少ない
シャフト長	変更可能	固定
接続チューブ	不要	必要

表3　バンパー型とバルーン型の特徴

	バンパー型	バルーン型
抜去のリスク	低い	高い
耐久性	優れる	劣る
交換時期	4~6カ月	1~2カ月
交換手技	技術を要する	容易
交換時の苦痛	強い	ほとんどない

理食塩水や水道水ではなく，注射用蒸留水を用いる．バンパー型ではそのような操作は不要である．また，バルーン型は抜けやすく，事故抜去のリスクもあるが，胃瘻の交換は容易にできる．それに比べ，バンパー式は交換手技が難しい．それぞれの特徴を理解して，患者や介護者の状況に応じた種類を選択することが重要である(表2，表3)[5]．近年，イントロデューサー変法(ダイレクト法・セルジンガー法)といわれる手法にて，ボタン式胃瘻を造設する方法が普及しつつある．胃瘻カテーテルが口腔内を通過しないため，瘻孔感染が少ないといった利点がある．

C 経腸栄養剤の種類と特徴(各栄養剤の詳細は巻末付録を参照)

日本では医薬品扱いのものを経腸栄養剤，食品扱いのものを濃厚流動食と呼ぶが，本項では総称として経腸栄養剤という用語を用いる．経腸栄養剤は人工濃厚流動食と自然食品流動食に分類されるが，通常は人工濃厚流動食が用いられる．人工濃厚流動食は成分栄養剤，消化態栄養剤と半消化態栄養剤に分類される．成分栄養剤の窒素源はアミノ酸からなり，化学的な組成が明らかになっている．消化態栄養剤の窒素源はアミノ酸とペプチドからなる．一方，半消化態栄養剤の窒素源はたんぱく質からなる．

1．成分栄養剤

エレンタール®，エレンタール®P，ヘパンED®の3種類が該当する．エレンタール®が適応となるのは，Crohn病の寛解導入，寛解維持療法，短腸症候群や膵外分泌不全などの吸収不良症候群，重症急性膵炎の早期経腸栄養などである．Crohn病における抗TNF-α製剤の有用性は特筆すべきものであるが，栄養療法は，抗 TNF-α製剤との併用効果がメタ解析でも確認されている．日本では，成分栄養剤は食事抗原となるたんぱく質を含まず，極めて低脂肪であることから，第一選択の栄養療法に位置づけられている[6]．一方，欧米のメタアナリシスでは，成分栄養剤と半消化態栄養剤の効果は同等とされており[7]，成分栄養剤が第一選択の経腸栄養剤とはされていない．欧米の成分栄養剤には小腸の重要な栄養源であるグルタミンが含まれていない製剤が多い．また，エレンタール®に比べて脂質含量の多い成分栄養剤も存在する．Crohn 病における効果の違いについては，成分栄養剤の組成の違いにも留意すべきである．日本の成分栄養剤は脂肪含量が少ないので，脂肪乳剤の併用により必須脂肪酸欠乏を防ぐ必要がある．

エレンタール®P は小児用経腸栄養剤で，アミノ酸組成は母乳の組成に近い．2 歳までが対象である．また，ヘパン ED®は肝不全用の経腸栄養剤である．

2．ペプチドを窒素源とする消化態栄養剤・消化態流動食

医薬品ではツインライン®のみが該当するが，食品扱いの消化態流動食も存在する．ジペプチド・トリペプチドは，アミノ酸に比べて速やかに吸収されることから，消化吸収障害や周術期に有用である．また，小腸粘膜障害時にもペプチドトランスポーターである PepT1 の機能は著しく低下しないことが確認されている．

ツインライン®には十分量の脂肪が含まれており，脂肪乳剤の静脈投与は必要としない．しかし，高度な消化吸収機能障害では脂肪便となり，十分量が吸収できないこともある．したがって，吸収不良症候群では，消化吸収障害の機序，程度によって経腸栄養剤を選択する必要がある[8]．

近年，ペプチーノ®，ペプタメン®AF，ペプタメン®スタンダード，ペプタメン®インテンスなど，ペプチドを窒素源とする消化態流動食が相次いで市販されている．これらは，吸収効率の高さから下痢が少ないという利点もある．しかし，ペプチーノ®はまったくの無脂肪であり，消化吸収障害時に使用できるが，脂肪乳剤の併用が必須である．

3．半消化態栄養剤

半消化態栄養剤はたんぱく質を窒素源とし，脂質も必要量が含まれている．医薬品の半消化態栄養剤は，エンシュアリキッド®，エンシュア®・H，ラコール®，エネーボ®，イノラス®，アミノレバン®EN の 6 種類のみである．現在，市販されているものは圧倒的に食品扱いの製品の種類が多い．医薬品と食品の半消化態栄養剤に組成上の大きな差異はないが，医薬品の経腸栄養剤で食物繊維を含有するのはエネーボ®とイノラス®のみである．

脳血管障害や神経疾患，上部消化管の通過障害など，消化吸収機能に問題がない場合は半消化態栄養剤が第一選択となる．在宅医療など，長期の経腸栄養にも有用である．

D 病態別経腸栄養剤の種類と特徴

肝疾患や腎疾患，糖尿病など，それぞれの病態に適した組成の経腸栄養剤が市販されている（表 4）[1,9]．これらは，たんぱく質，炭水化物，脂質のバランスや質，さらには添加される栄養素にも特徴がある．

1．肝疾患用の経腸栄養剤

医薬品扱いのヘパン ED®，アミノレバン®EN と食品扱いのヘパス®がある（表 5）．いずれも分岐鎖アミノ酸（branched chain amino acids：BCAA）を豊富に含有し，Fischer 比は，ヘパン ED®が 61，アミノレバン®EN が 38，ヘパス®が 12 と高い．高アンモニア血症を是正し，肝性脳症に有用である．また，肝硬変患者で推奨される late evening snack（LES）に用いるのも効果的である．

表４　特殊な病態に用いる経腸栄養剤

医薬品の経腸栄養剤	
肝疾患	ヘパン ED®（EA ファーマ）
	アミノレバン®EN（大塚製薬）
食品の経腸栄養剤	
肝不全	ヘパス®（クリニコ）
腎不全	明治リーナレン®（明治）
	レナウェル®（テルモ）
	レナジー®（クリニコ）
糖尿病	グルセルナ®（アボット）
	タピオン®α（テルモ）
	明治インスロー®（明治）
	アイソカルグルコパル®TF（ネスレヘルスサイエンス）
	ディムス®（クリニコ）
COPD	プルモケア®-Ex（アボット ジャパン）
免疫強化・調整	インパクト®（ネスレヘルスサイエンス）
	明治メイン®（明治）

表５　肝不全用経腸栄養剤

栄養剤名		薬剤		食品
		ヘパンED®	アミノレバン®EN	ヘパス®
kcal/P		310	213	200
g/100kcal	たんぱく	3.7	6.4	3.3
	脂質	0.9	1.7	3.4
	糖質	19.9	14.8	14.1
Fischer比		61	38	12
特徴		Arg，亜鉛強化	たんぱく質高含有	ω3系脂肪酸・亜鉛強化食物繊維・オリゴ糖

表６　腎不全に用いる経腸栄養剤

栄養剤名		リーナレン®		レナウェル®		レナジー®	
		LP	MP	A	3	bit	U
kcal/mL		1.6	1.6	1.6	1.6	1.2	1.5
g/100kcal	たんぱく	1	3.5	0.4	1.5	0.6	3.25
	脂質	2.8	2.8	4.5	4.5	2.8	2.8
	糖質	17.5	14.9	14.7	13.5	18.1	15.2
NPC/N		614	157	1,676	400	1,017	167
Na　mg/100kcal		30	60	30	30	30	115
K　mg/100kcal		30	30	10	10	0～6.7	78
P　mg/100kcal		20	35	10	10	3.3～10	40

2．腎不全に用いる経腸栄養剤

リーナレン®LPとリーナレン®MP，レナウェル®Aとレナウェル®3，レナジー®Uとレナジー®bitの3シリーズがある(表6)．透析施行前の保存期は1日のたんぱく質摂取量を0.6～0.8g/kgに制限するのに対して，透析導入後は1.0～1.2g/kgに設定するのが基本である．したがって，たんぱく質含量の異なった栄養剤を組み合わせて，たんぱく質の投与量を調整できるようになっている．

3．糖尿病に用いる経腸栄養剤

グルセルナ®-REXのように脂質の割合を多くして糖質含量が少なくされている製剤や，緩やかに吸収される糖質を用いたインスロー®などがある．このように，糖尿病に用いる経腸栄養剤の組成や特徴は様々である(表7)．したがって，持続投与か間欠投与かなど，組成の特徴を生かした投与方法を選択することも重要である．

4．慢性呼吸不全に用いる経腸栄養剤

慢性閉塞性肺疾患(chronic obstructive pulmonary disease：COPD)に用いる経腸栄養剤として，脂質含量の多い経腸栄養剤が市販されている．脂質は，糖質との呼吸商の違いから，燃焼した際に発生する二酸化炭素の量が少ない．このような理由から，プルモケア®は脂質のエネルギー比率が55%に設定されている．日本のCOPDガイドラインでは，重症換気不全の場合に高脂質の経腸栄養剤が推奨されている[10]．換気不全がない場合には高脂質の経腸栄養剤を用いる必要はなく，通常の経腸栄養剤でエネルギー必要量を充足するように努めるとよい．

5．免疫賦活経腸栄養剤(immune-enhancing diet：IED)と免疫調整経腸栄養剤(immune-modulating diet：IMD)

IEDはインパクト®と明治メイン®が該当する(表8)．これらの栄養剤には，免疫増強作用のある栄養素としてアルギニン，RNA，ω3系多価不飽和脂肪酸が強化されている．特にインパクト®は術後感染症の発生を抑制し，在院日数を短くする効果がメタアナリシスでも確認されている[11]．しかし，IEDに含まれるアルギニンは，重症敗血症に用いるとNOの過剰産生をきたして病態を悪化させることが確認されている．

表7　糖代謝異常に用いる経腸栄養剤

グルセルナ®-REX	タピオン®α	明治インスロー®	アイソカルグルコパル®TF	ディムス®
エネルギー比 たんぱく質　17% 脂質　50% 炭水化物　33%	エネルギー比 たんぱく質　16% 脂質　41% 炭水化物　44%	エネルギー比 たんぱく質　20% 脂質　29.7% 炭水化物　50.3%	エネルギー比 たんぱく質　14.4% 脂質　40.5% 炭水化物　45.1%	エネルギー比 たんぱく質　16% 脂質　25% 炭水化物　59%
○一価不飽和脂肪酸(MUFA)を特に多く含む ○ショ糖を含まない	○タピオカデキストリンが用いられている ○高 MUFA 構成	○糖資源はパラチノースと分岐デキストリン ○MUFA を多く含有，・ミネラル(クロム)を多く含有	○糖質にパラチノースとタピオカデキストリンを含む ○食物繊維を3種類(グアーガム分解物，アカシアガム，イヌリン)とフルクトオリゴ糖を配合 ○アルギニン含有	○食物繊維を強化し，難消化性デキストリンを配合 ○ビタミン B_1，ビタミンC，ビタミンE を強化 ○EPA，DHA を含有

表8　IED と IMD

商品名		インパクト®	明治メイン®
たんぱく質	(g)	5.6	5.0
脂質	(g)	2.8	2.8
炭水化物	(g)	13.4	14.5
食物繊維	(g)		1.2
ω6/ω3		0.8	2.0
MCT	(%)	21.6	21.0
アルギニン	(g)	1.31	0.13
BC 品	(g)	0.85	0.98

(100kcal あたり)

E 経腸栄養の合併症とその対策

経腸栄養の合併症は，機械的合併症，消化器系合併症，代謝性合併症の3つに分類される[2)]．

1．機械的合併症とその対策

機械的合併症には，チューブの圧迫刺激に伴うものと，チューブ自体のトラブルとがある．

経鼻チューブは，シリコーンやポリウレタンなど生体適合性素材で製造されているが，刺激により食道潰瘍や鼻腔のびらんを呈することがある(図4)．栄養ルートとしては，12Fr 以下の径のチューブを使用し，象の鼻のように下向きに固定する(図5)．また，塩化ビニルのチューブは硬くて潰瘍を形成しやすいため，長期留置は避ける．

チューブの閉塞は，経腸栄養剤のたんぱく質が変性してプラークを形成して起きる場合や，薬剤が閉塞の原因となる場合がある．十分量の白湯でフラッシュすることが重要である．

PEG の管理においても，スキントラブルへの対応は重要である．肉芽や漏れ，瘻孔周囲炎には，早期の適切な対応が重要である．

2．消化器系合併症とその対策

消化器系の合併症には，①悪心・嘔吐，②腹部膨満感，③下痢，④便秘，などがあり，経腸栄養の合併症のなかでも頻度の高いものである．

嘔吐により誤嚥をきたすことは，経腸栄養の管理のなかでも重要な合併症である．誤嚥性肺炎には，胃内容物を大量に吸引して肺炎をきたす場合(Mendelson 症候群)と，咳込んだりむせたりすることのない不顕性誤嚥により肺炎を発症する場合とがある．意識障害や嚥下障害を呈する患者では誤嚥しても咳反射が十分に出せず，少量の唾液や口腔内容物を誤嚥することもある．経腸栄養剤の誤嚥か唾液誤嚥かを評価することも重要である．

胃食道逆流は，投与速度や体位も関係する．経腸栄養剤の投与中は上半身を30°以上に起こすことが基本である．また，投与速度が速過ぎる場合や，胃内の残存が多い場合も逆流をきたしやすい．近年，経腸栄養

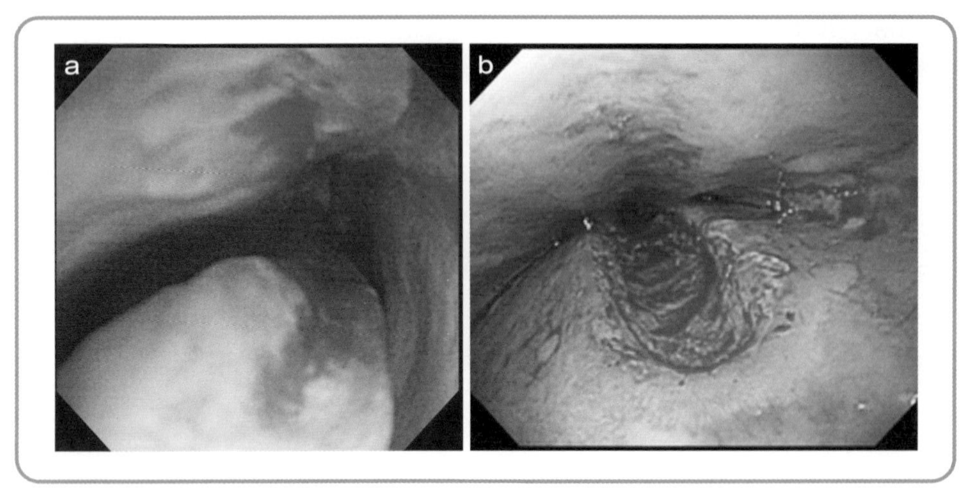

図４　経鼻チューブによる潰瘍
ａ：経鼻チューブによる鼻腔の潰瘍
ｂ：経鼻チューブによる食道潰瘍

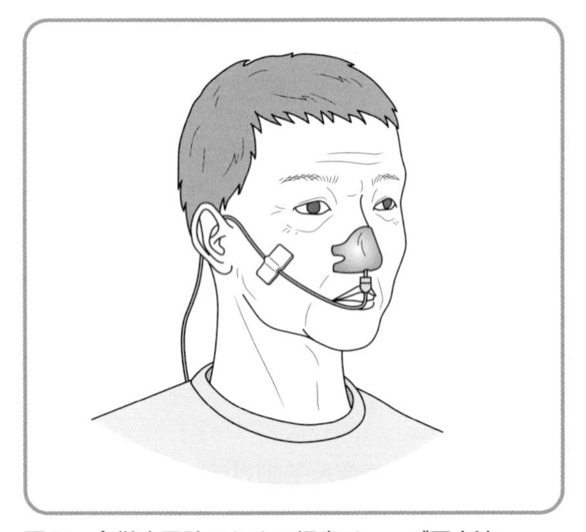

図５　合併症予防のための経鼻チューブ固定法

剤の固形化・半固形化が胃食道逆流に有用との報告もある．液状の栄養剤に比べて粘度の高い製剤は胃食道逆流をきたしにくいと考えられる．しかし，食道裂孔ヘルニアなどで胃食道逆流をきたす場合には半固形状流動食を用いても十分な効果は得られない．確実な対策法は，十二指腸～空腸へのアクセスとすることである．

下痢をきたす要因には，経腸栄養に関する場合と，経腸栄養に関係のない場合とがある．後者は，基礎疾患や長期の絶食により消化吸収機能が低下している場合や，消化器系の感染症をきたしている場合などである．

経腸栄養に関する要因としては，①経腸栄養剤の組成に関するもの，②投与速度に関するもの，③経腸栄養剤の汚染によるもの，などがある．成分栄養剤は1kcal/mLとした場合に浸透圧が高いので，浸透圧性下痢をきたしやすい．最初は0.5kcal/mLの薄い濃度から緩徐に投与することが推奨される．しかし，通常の半消化態栄養剤は高浸透圧ではない．まずは投与速度を考えてみることが基本的な対応である．濃縮タイプの半固形状流動食のなかには高浸透圧の栄養剤もある．この場合も希釈せずに，投与速度で調整する．

経腸栄養剤の汚染にも注意が必要であり，汚染も消化器症状の要因となる．経腸栄養剤をバッグやイルリガートルの容器に移した後は，8時間以内に投与を終えることが原則である．ただし，RTH(ready to hang)製剤の場合は無菌状態が保たれており，24時間以内の投与が可能である．

乳糖不耐症や食事アレルギーが原因で消化器症状をきたす場合もあり，これらの既往のある場合には，経腸栄養剤の組成をよく確認して選択する．

便秘や腹部膨満の要因にも，経腸栄養によるもの以外に，基礎疾患や薬剤によるものもある．食物繊維の不足は便秘の要因となるが，まずは使用されている薬剤について確認する必要がある．高齢者では腸管運動の減弱などが便秘の要因となっていることもあり，薬剤による排便コントロールが必要な場合もある．

3．代謝性合併症とその対策

代謝性合併症には，①脱水，②電解質異常，③高血糖，④微量元素欠乏，⑤ビタミン欠乏，などがある．

経腸栄養剤の水分量は静脈栄養の場合と異なり，

1,000 mL 投与した場合の水分量は 1,000 mL ではない．水分の必要量を算出し，不足分は添加する必要がある．また，市販の経腸栄養剤の場合，ナトリウムやカリウム，さらにはクロールなどの含有量は少なめに調整されている．血中電解質のモニタリングが重要であり，適宜補正する．

液状の経腸栄養剤は，固形のものに比べて胃での貯留が少なく，消化管の通過時間も短い．したがって，高血糖をきたしやすい性状である．高血糖をきたす場合には，投与速度や用いる製剤の見直しが必要である．

医薬品の経腸栄養剤には，微量元素の必要量を充足しない場合があるので注意が必要である．血清レベルのモニタリングも有用であるが，まずは，使用する製剤の微量元素の含有量について確認することが重要である．また，成分栄養剤のように極めて低脂肪の製剤では，必須脂肪酸欠乏や脂溶性ビタミンの欠乏症をきたすことがある．成分栄養剤単独で栄養管理する場合は，脂肪乳剤の併用が必須である．

おわりに

経腸栄養は，静脈栄養に比べて生理的であり，安全に施行できる優れた栄養法である．しかし，十分な栄養効果を得るには，経腸栄養剤の種類と特徴，投与アクセスや投与法を正しく選択する必要がある．また，静脈栄養に比べて重篤な合併症は少ないものの，下痢などの消化器系合併症は少なからずみられる．合併症対策についても十分に理解する必要がある．

文献

1) 日本静脈経腸栄養学会ガイドライン作成実行委員会．栄養療法の種類と選択．静脈経腸栄養ガイドライン，第 3 版，日本静脈経腸栄養学会(編)，照林社，東京，2013: p13-23
2) 佐々木雅也．経腸栄養．新臨床栄養学，第 2 版，馬場忠雄ほか(編)．医学書院，東京，2012: p294-300
3) Loser C, Aschl G, Hebuterne X, et al. ESPEN guidelines on artificial enteral nutrition: percutaneous endoscopic gastrostomy (PEG). Clin Nutr 2005; **24**: 848-861
4) 鈴木　裕，上野文昭，蟹江治郎．経皮内視鏡的胃瘻造設術ガイドライン．消化器内視鏡ガイドライン，第 3 版，日本消化器内視鏡学会(監)，医学書院，東京，2006: p310-323
5) 佐々木雅也．経腸栄養　PEG．認定 NST ガイドブック 2014，第 4 版，日本病態栄養学会(編)，メディカルレビュー社，大阪，2014: p82-87
6) Narula N, Dhillon A, Zhang D,et al: Enteral nutritional therapy for induction of remission in Crohn's disease (Review). Cochrane Database Syst Rev: CD000542, 2018
7) クローン病治療指針．難治性炎症性腸管障害に関する調査研究班(鈴木班)平成 30 年度分担報告書，2018，p28-32
8) 佐々木雅也．各種疾患，病態における静脈・経腸栄養の実際―吸収不良症候群．日本臨床増刊号―静脈・経腸栄養第 3 版，2010: p344-348
9) 佐々木雅也．経腸栄養剤の種類と特徴―病態別経腸栄養剤の種類と特徴．静脈経腸栄養 2012; **27**: 637-642
10) 日本呼吸器学会 COPD ガイドライン第 5 版作成委員会(編)．COPD (慢性閉塞性肺疾患)診断と治療のためのガイドライン 2018，第 5 版，メディカルレビュー社，大阪，2018: p99-101
11) Heyland DK. Should immunonutrition become routine in critically ill patients? JAMA 2001; **286**: 22

第 X 章

静脈栄養法

1　末梢静脈栄養

静脈栄養法には末梢静脈栄養(peripheral parenteral nutrition：PPN)と中心静脈栄養がある．完全静脈栄養(total parenteral nutrition：TPN)という言葉は一般的に中心静脈カテーテルを用いた中心静脈栄養法を指し，末梢静脈のみを用いた完全静脈栄養法にはTPNという用語は用いない．

一般的には四肢の静脈内にカテーテル(末梢静脈カテーテル，peripheral venous catheter：PVC)を留置し，比較的浸透圧が低くpHが低くない輸液製剤を投与する栄養法である．浸透圧は900 mOsm/kg以下(浸透圧比3以下)が一般的で，高いと血管痛や静脈炎を起こす．またpHは6.7以上が理想的で，pHが低い薬剤は血管炎を起こすため不向きである．

A　末梢静脈栄養の適応と禁忌

1．基本的な適応

末梢静脈からの輸液は，脱水症などへの緊急対応と経口および経腸栄養の短期的な不足を補うのが主な目的である．一般的には水分・電解質や循環血漿流量の補充を行い，栄養とは少し離れた概念で通常輸液として治療計画が立てられる．

侵襲を受けていない健常者において体内の水は体重の60%であり，存在する部位は細胞内に40%，細胞外に20%である．細胞外液は血管内の細胞外液と血管外の細胞外液に分けられ，それぞれ，血漿と組織間液のことを指す(図1)．液が血管内外を移動し，様々な生理機能に寄与しているとき，血漿と組織間液は機能的細胞外液と呼ばれる．

細胞外液のosmolalityは，様々なイオン粒子や溶けている分子で決定される．有力なものにはNa^+，K^+，Ca^{2+}，Cl^-，HCO_3^-，蛋白質，ブドウ糖，尿素があり，これらの量がosmolalityを決める力となっている．これらでつくられる細胞内液と細胞外液のosmolalityは281.3 mOsm/Lで同じ値を示すが，血漿は蛋白質などの量の違いから282.6 mOsm/Lと組織間液よりも1.3 mOsm/L高い[1]．細胞外液は，Na^+ 140 mEq/L，Cl^- 102 mEq/Lを中心とするイオン構成であり，細胞内液はK^+ 100〜140 mEq/Lが大部分である．これは，細胞膜のNa^+，K^+ ATPaseによって能動的にNa^+の汲み出しとK^+の運び入れが行われ，様々なイオンチャネルが作用することにより内外の差をつくり出し，膜電位をつくる要素となっている．

健常時には，細胞内液と細胞外液の両者間を水が出入りしてバランスを保ち，血管内と血管外の細胞外液は，病態に応じて移動し，生体の恒常性を保とうとする．随時，調節され，血管内外を自由に出入りしている細胞外液を機能的細胞外液と呼び，これは血管内の血漿を含んでいる．

電解質のintakeとしては，Na^+は0〜1,000 mEq，K^+

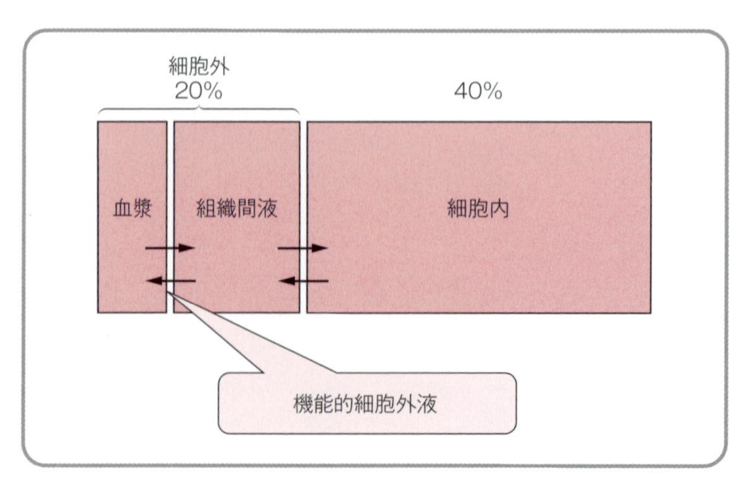

図1　水分の分布

は0～500 mEqと，大きな幅がある．腎臓は1分間に1Lの血流から100 mLの原尿をつくっており，約99%は再吸収される．この再吸収の過程でNa^+，K^+，Ca^{2+}など電解質の再吸収や分泌も行われ，体内の恒常性が保たれるが，水分の過剰や不足によって起こる細胞外液の浸透圧変化は，主に視床下部の浸透圧レセプター細胞が感知している．神経伝達によって抗利尿ホルモンを産生する命令が出され，腎の集合尿細管に作用して尿量の調節が行われる．intakeによって不感蒸泄や便の性状が変わることは少なく，調節のほとんどが腎臓で行われる．このように，排泄される電解質と摂取すべき量は基本的には同量と設定することになり，Na^+を例にとると，1.0～2.0 mEq/kg/日が維持量となる．

体表面や消化管などから水分・電解質が喪失すると循環血液量にも影響が現れるため，維持輸液ではまかなえなくなるため，補充輸液という概念で体外へ損失する量を加えて計画を立てる．

一方で末梢静脈栄養は，消化管機能の障害により経腸栄養が困難な病態において，2週間以内の短期間の栄養療法としても考慮する場合がある[2)]．中心静脈内にカテーテルを留置して行われるTPNに比較して投与可能なエネルギーは少ないものの，低コストであり，気胸や動脈誤穿刺などの中心静脈穿刺に伴う各種トラブルやカテーテル感染症の頻度が低いことから，簡便な栄養投与経路として用いられている．末梢静脈からは，10%ブドウ糖液やアミノ酸製剤，脂肪乳剤を用いて，1日あたり1,000 kcal程度の栄養を投与することが可能である．しかしながら，PPNを短期間でも続けることにより低栄養状態に陥る可能性がある場合は，TPNを躊躇しないことが重要である．近年，末梢静脈式中心静脈カテーテル(peripherally inserted central venous catheter：PICC)の普及に伴い，中心静脈栄養の導入が容易になっている．患者の状態変化を考慮した適切な栄養法の選択を行う必要がある．

2. 消極的な適応

本来は経口，または経腸栄養を行うべき病態であるが，何らかの理由で，これを一時的にやめる場合に期間限定的にPPNを行う．大腸内視鏡検査などの準備を行う患者が便秘症を患っている場合に残渣を減らす目的で，下剤とともに1日以上の経口・経腸投与をやめることがあるが，このような場合にはPPNを行い，脱水症の予防を行う．

一方で，完全静脈栄養の適応であるが，血液凝固線溶系に異常があり，血栓形成や出血のリスクがある場合には，中心静脈カテーテルの留置を制限し，病態が安定するまでの間はPPNを行うことがある．これは十分な栄養量が投与できないことがあるので，再度栄養アセスメントを行い，同時に栄養方法のアセスメントも行って次のアクセスルートを模索する必要がある．

3. 他の方法との併用

栄養投与のルートは経口が最も生理的であるが，咀嚼嚥下機能が正常でなく，流動食や経口補水液での補液にも限界がある場合，経鼻胃管や胃瘻などを用いた経管栄養ルートが使用される．さらに腸管機能が不十分な場合にはPPNとの併用で管理し，回復傾向にあれば，段階的にPPNの量を減らしていくこととなる．このように病状下での栄養投与ルートは，多くの場合において併用が基本であり，腸管機能障害がなく，経管栄養が十分に行える条件が整っていればPPNは不要である．上記いずれの方法でも十分な栄養素の投与が理想であるが，代謝の変動に注意を払い，栄養素を有効に代謝できる病態でなければ炭水化物，たんぱく質，脂質の三大栄養素が過剰な負荷になる可能性もある．PPNを他の方法と併用している間も常にアセスメントを行い，CVCによる完全静脈栄養の要否も検討されなければならない．

4. 禁忌

投与量の制限はあっても，静脈栄養の絶対的禁忌はない．しかし，菌血症の原因になりうる場合にはカテーテルの留置を控える．

B アクセスルート

1. ルートの選択

体表面に近い表在静脈で，かつ径が十分な静脈を選択する．一般的には前腕腕正中皮静脈や副橈側皮静脈，手背の表層静脈やこれらに流れ込む細静脈を用いるが，しばしば留置カテーテルと比較して細い血管が選択されることがある．周波数の高い(7～10 MHz)超音波断層画像装置を用いて，表面からやや深い位置にある細い静脈に穿刺することはできるが，一般的ではない．

2. カテーテルの留置方法

二重針を用いた穿刺法でカテーテルを留置することが多い．金属針を穿刺後そのまま留置する方法もあるが，PPNとして行うことはまれであり短時間の静脈注射に用いられる．末梢の血管といえども感染源になった場合には菌血症に発展することを念頭に置き，穿刺の際には皮膚表面を消毒用エタノールやグルコン酸クロルヘキシジンで滅菌し，留置後は透明なドレッシングで覆う．

3. カテーテルの種類

PPNでは，各社商品名の異なるショートカテーテルが用いられることが多い．多くは内筒が金属針で，外筒がシリコーン，ポリウレタンやポリ塩化ビニール，フッ素樹脂(テフロン)でできたプラスチックカニューレ型の留置カテーテルとなっている．静脈炎の発生頻度が異なるものの，おおむね72時間を超えると可能性が高くなるため，長期留置には向かない．血管炎の予防を目的として血管に対して余裕のある径が選択されるが，一方で，投与する薬剤の投与速度を安定させ，薬液の詰まりを防止するためには極度に細いカテーテルは不向きであるため，一般には24ゲージから16ゲージが選択される．穿刺後に内筒を抜去する際に針刺し事故が起きないような工夫が施されている商品が販売されている．採血や急速静脈注射に用いられる金属針はPPNには用いられないが，数時間の補充PPNでは，金属針と蝶のかたちをした固定用翼部からなる翼状針が用いられることがある．一般には23ゲージから22ゲージが用いられるが，穿刺用金属針がそのまま留置されるため，血管壁の損傷を避けるために穿刺に使用する腕などの安静が求められる．

C 管理

1. カテーテルの交換

カテーテルの交換は72〜96時間で行う[3]．血栓性静脈炎とカテーテルの留置期間を検討した報告はなく，交換期間を長くした際の感染リスクを考慮すると，96時間以上留置することは望ましくない．間欠的使用のためにカテーテルをロックする場合は，必ずプレフィルドシリンジのヘパリン生理食塩液を使用する．

2. ラインとドレッシングの交換

PVCの輸液ラインを交換する頻度は，上記カテーテルの交換時期と一致させる．同時にフィルムタイプのドレッシングは皮膚やカテーテル挿入部の観察ができるので，カテーテル入れ替えのときに同時に行えばよい．

頻回過ぎる交換は感染リスクや静脈炎リスクを上昇させる．

3. インラインフィルター

CVCのときにはカテーテル関連血流感染症(catheter-related bloodstream infection：CRBSI)と異物混入の予防を目的としてインラインフィルターが推奨されているが，一般にPPNでは用いない．

4. 側注

配合変化を起こす薬剤を混注してから投与する場合には，脂肪乳剤によって液体の色や透光性に気づかない場合があるので脂肪乳剤とは混注しない．また，まれに側注によってカテーテル先端で閉塞を起こすこともあるので，留置カテーテルから遠い位置で合流させないほうがリスクを下げることができる．また，末梢静脈栄養でもCRBSIを生じる場合があるため，不要な側注を避け，閉鎖式三方活栓や閉鎖式接続デバイスを使用することが望ましい．

D 輸液製剤の種類と特徴

1. 電解質液

脱水症治療の際に用いられる細胞外液補充液などは，経腸栄養などが不十分な場合に短期間の目的で使用されるが，単独では狭義のPPNの製剤とはいえない．

2. ブドウ糖加電解質液

電解質維持輸液にグルコースが加えられ300kcal/Lから500kcal/Lの投与が可能な高濃度糖加維持液が市販されている．しかし，適正な治療計画としてのPPNのためには，単独投与は理想的ではない．

3. アミノ酸製剤

現在，日本ではPPN目的のアミノ酸加糖電解質液が広く使用されており，グルコース7.5%，TEO基準のアミノ酸3%の製剤が市販されている．製剤はNPC/N(非蛋白熱量/窒素)比や滴定酸度，pHに違いがあり，合併症との関係に配慮が必要である．アミノ酸製剤の組成にはFAO/WHO基準とTEO基準があり，FAO/WHO基準は国連食糧農業機関(FAO)と世界保健機関(WHO)により，健常時の経口栄養における知見に基づいて決められた組成で人乳や全卵などの経口栄養源のアミノ酸組成に準拠している．遊離アミノ酸濃度は10〜12%，必須アミノ酸と非必須アミノ酸の比は1，分岐鎖アミノ酸(BCAA)含有率は20〜25%である．これらの組成は侵襲の加わるような患者の栄養状態を改善する組成としては適切ではなく，いくつかの改良すべき点があることから，1976年に「アミノ酸輸液検討会」が組織され，研究が開始された．基礎的および臨床的検討の結果，1980年に静脈栄養用アミノ酸輸液「TEO基準」が提示された．遊離アミノ酸濃度は10%，BCAA含有量が30〜35%，必須アミノ酸と非必須アミノ酸の比は1.3〜1.7でナトリウムとClはほとんど含まれない組成となっている．pHはFAO/WHO基準では5.5〜6.5であるのに対し，TEO基準では6.1〜7.1である．

4. 脂肪乳剤

ミセル化された脂肪酸とグリセリンで構成され，末梢静脈から豊富な熱量とリン脂質が投与できるため，必須脂肪酸欠乏を防止するための TPN の大切な要素であるばかりでなく，熱量不足を補うのに極めて有用であり，PPN における NPC/N 比の適正化には大切な薬剤である．また，高濃度糖加維持液，アミノ酸加糖電解質液は浸透圧が高く，静脈炎の原因になりやすいため，浸透圧比が約 1 と低い脂肪乳剤を同時に投与することにより，浸透圧を下げることができ静脈炎の予防に役立つ[4]．日本で使用できる脂肪乳剤は大豆を原材料とし，卵黄レシチンを乳化剤として加え，グリセリンで等張化しているため，ω6 系脂肪酸のリノール酸と長鎖脂肪酸（LCT）で構成されている．欧米で使用できる脂肪乳剤には，ω3 系脂肪酸や中鎖脂肪酸（MCT）が配合されているものがある．薬物によっては，脂肪乳剤と混合することで脂肪滴が凝集し大きさが増すことがある．添付文書記載のとおり単独で投与することが基本であるが，静脈栄養で用いられる糖・電解質・アミノ酸・ビタミン・微量元素の組成からなる輸液であれば，側管から脂肪乳剤を同時に投与しても沈殿・混濁を生じることはほとんどないと考えられている．配合変化を避けるため，持続投与中の栄養輸液には他の治療薬を混注しないようにする．また，感染対策として，脂肪乳剤の側管投与後は生理食塩水で勢いよくフラッシングを行う必要がある．脂肪乳剤は，脂肪粒子が血管内で加水分解され，代謝されていく．したがって，十分にリポ蛋白化される時間的猶予をもって投与すべきである．実際の投与方法としては，投与速度が 0.1～0.15 g/kg/時であるのが理想である[5]．

5. ビタミン，微量元素

PPN であっても，患者側の要因として侵襲の多いときや糖の利用が多くなるとき，ブドウ糖投与量が多いときにはビタミン B_1 を十分量投与し，乳酸アシドーシスや多発性神経炎などを防止するべきである．さらに，病態によっては総合ビタミン薬の投与が推奨される．9 種類の水溶性ビタミンを配合したアミノ酸加糖電解質液製剤が使用できる．ビタミン A，K，B_1，B_2，C などは遮光しないと失活する危険があるため，使用上の注意が必要であるが，PPN が主な投与方法となっている症例がよい適応となる．微量元素の補充については，PPN では静脈栄養以外の投与ルートの状況に注意する必要があるが，必須ではない．

6. 各病態に応じた末梢静脈栄養

ブドウ糖の静脈注射をすることになるため，血糖値のチェックは頻繁に行う必要がある．特に糖尿病患者では，経腸栄養よりも病状に変化が現れることが多いのでインスリン投与量を検討するためにも必要である．アミノ酸加糖電解質液製剤やビタミン B_1 含有アミノ酸加糖電解質液製剤を使用するときには，アミノ酸の過剰投与をモニターするために血液尿素窒素（BUN）のチェックを行う必要がある．腎機能の低下した高齢者や腎機能障害患者では腎前性高窒素血症をきたす危険性があるので注意が必要である[6]．

静脈栄養のプランニングで，特に脂肪乳剤が重要な役割を果たすのは，代謝における呼吸商を低く抑えたいときである．換気不全では，CO_2 の産生を抑えるために熱量源を脂質中心とする．このときには，脂質の投与速度が速過ぎないか否かを確認するため，血中の中性脂肪を調べる必要がある．

健康で，かつ侵襲が加わっていないときには，生体機能を維持するための水，電解質と三大栄養素などの主な栄養素を投与すれば十分であり，健常な生体が本来持っている恒常性を利用して，相当量の幅も許容され，投与時間の長短も許容される．しかし，侵襲が加わると生体内の分布が変化し，体外への排出も変化するため，循環血液量の維持をはじめとする医療行為としての水電解質投与を行い，生命を維持することになる．この状態を経て，栄養素を代謝できる状態に変わったとき，いわゆる栄養療法が始まることになる．その際，肝・腎機能など生体の能力に異常があれば，臓器障害に見合った組成のプランを立てる必要が生まれる．

E 投与方法，栄養計画

1. 投与速度，温度

PPN では水分量に対する熱量の含有量が少ない製剤を用いることが多いため，算出された栄養素を目標量とした場合に水分量の過剰投与につながる可能性があり，注意を要する[7]．全体の投与量を決定する方法としては，維持輸液量に補充を行う成分を加える方法で算出する．PVC から投与できる量には上限があるので，これを念頭に置いて投与速度と 1 日の投与量を決定する（表 1）．

温度は室温で問題ないが，部屋の環境に注意し，夏季の窓際などでは温度の上昇に注意する．

2. 経腸栄養，経口摂取との併用

常に栄養状態のアセスメントと栄養方法のアセスメントを行い，経腸栄養や経口摂取への移行を考慮していなければならない．

表1　PPNにおける最大投与速度

水	500mL/時
グルコース	5mg/kg/分
脂質	0.15g/kg/時
Na	100mEq/時
K	20mEq/時
Ca	1mEq/分
Mg	1mEq/分
HCO_3^-	10mEq/分

F 合併症とその対応

1. 血管炎

カテーテルによる機械的静脈炎と，投与される薬剤のpHや浸透圧などによる化学的静脈炎があり，刺入部局所の発赤，硬結，疼痛，熱感などが症状としてみられる．血管の径よりも細いカテーテルを選択し，pHと高過ぎない浸透圧を目指す必要があるが，それ以外に，選択される血管にも原因がある．下肢の静脈にカテーテルを留置した場合，上肢よりも静脈炎の発生率が高いという報告がある[8]．体位の影響や運動による影響も考慮し，穿刺部位を適切に選択しなければならない[9]．

2. カテーテル関連血流感染症（CRBSI）

PPNにおけるCRBSIの予防のためには，看護師教育が大切である．全身の血流感染症に発展し，時に重症化するため，予防や発生時の速やかな対応が必要である．高カロリー輸液製剤の多くはバッグ製剤であるにもかかわらずクリーンベンチを用いて中央で調整し，病棟では混注しない．しかし，PPNに関しては多くの病院が病棟で調整しているため，配合変化に関して薬剤師の積極的な関与が必要である．敗血症などに至らなかったとしても挿入部位から血管内へ細菌が侵入することにより起こる細菌性静脈炎があり，軽症を含めると頻度は高い．接続部は，血流感染防止のために使用時前後の消毒としてアルコール綿で清拭するが，清拭回数に関する精度の高い臨床研究はない．接続部の注入口は，常時リネンにさらされており，薬剤のつけ外しの際に細菌の混入・増殖の機会となる特性を十分理解したうえで使用する必要がある．

3. 針刺し事故

末梢静脈カテーテル穿刺の際の針刺し事故は，比較的頻度の高い合併症であった．これは医療従事者の問題であるが，最近では針刺し事故防止機能つきの穿刺カテーテルが主流となっている．

4. 血管外への薬液の漏れ

末梢静脈へのカテーテル留置を行う看護師は，保健師助産師看護師法の「診療の補助」として静脈注射を施行する．日本看護協会の「静脈注射の実施に関する指針」では，看護師が静脈注射を実施する場合の体制整備が必要とされている．末梢静脈カテーテルの異常を早期に発見するために，カテーテル挿入部の観察の徹底と挿入時や交換時の記載を行う．看護師は静脈注射による皮膚の損傷の対応と血管外漏出時のケアに注意しなければならないため，定期的な訓練を必要とする．血管外漏出による皮膚障害を生ずる機序としては，大量の輸液が漏れた場合は圧排による組織障害や虚血，浸透圧比の高い輸液では細胞内外の浸透圧の不均衡による細胞障害や，血管内や細胞内から引き出された水分による圧排などが考えられる．

万が一血管外漏出が起こった場合は直ちに輸液を中止し，カテーテルを抜く前に吸引して可能な限り薬液を回収する．また，カテーテルを抜去後，針穴から圧排排出を行う[10]．疼痛が強い場合は，キシロカインなどの局所麻酔の投与なども検討し，必要に応じて皮膚科医の指示を仰ぐ．

5. 精神的ストレス

患者は管理上の機器としてラインを身体に装着していることが多い．心電図モニターのコードや膀胱留置カテーテルとならんでPPN用の静脈ラインも精神的ストレスとなるため，連日の再評価によって間欠投与の可能性を探り，経腸栄養への移行を進める必要がある．

G 患者や家族への説明

薬剤投与の静脈ルートとならんでPPNがどのような目的で使用されているのか，栄養計画一部としていつまでの計画で行われるのか，カテーテルはどのように管理され，交換頻度はどれくらいを予定しているのかなど，患者本人と家族などの関係者には具体的な説明を行い，回復への意欲を後押しするように努めなければならない．

文献

1) Guyton AC. The body fluid compartments: extracellular and intracellular fluids; interstitial fluid and edema. Textbook of Medical Physiology, 8th Ed, WB Saunders, Philadelphia, 1991: p277

2) ASPEN Board of Directors and the Clinical Guide-

lines Task Force. Guidelines for the use of parenteral and enteral nutrition in adult and pediatric patients. JPEN J Parenter Enteral Nutr 2002; **26**: 1SA-138SA
3) 日本静脈経腸栄養学会(編). 静脈経腸栄養ガイドライン, 第3版, 照林社, 東京, 2013: p88-89
4) 日本静脈経腸栄養学会(編). 静脈経腸栄養ガイドライン, 第3版, 照林社, 東京, 2013: p35
5) Iriyama K, Tonouchi H, Azuma T, et al. Capacity of high-density lipoprotein for donating apolipoproteins to fat particles in hypertriglyceridemia induced by fat infusion. Nutrition 1991; **7**: 355-357
6) Levey AS, Adler S, Caggiula AW, et al. Effects of dietary protein restriction on the progression of advanced renal disease in the modification of diet in renal disease study. Am J Kidney Dis 1996; **27**: 652-663
7) 岡村健二. 末梢静脈栄養法(PPN)の formula. 臨床外科 2003; **58**: 629-633
8) Bansmer G, Keith D, Tesluk H. Complications following use of indwelling catheters of inferior vena cava. JAMA 1958; **167**: 1606-1611
9) 日本静脈経腸栄養学会(編). 静脈経腸栄養ガイドライン, 第3版, 照林社, 東京, 2013: p87
10) 河野克彬. 輸液の手技—採血・穿刺・手法. 経静脈治療オーダーマニュアル, 第15版, 小川 龍ほか(編), メディカルレビュー社, 大阪, 2014: p617-676

2 中心静脈栄養

中心静脈栄養法(total parenteral nutrition：TPN)とは，先端を中心静脈内に位置させたカテーテル(中心静脈カテーテル central venous catheter：CVC)を用いて栄養輸液を投与する栄養療法を意味する．有効な栄養管理法であるが，CVC留置に伴う合併症，高血糖をはじめとする代謝性合併症，カテーテル関連血流感染症(catheter-related bloodstream infection：CRBSI)など，様々な合併症が発生する可能性があるので，きめ細かな管理が必要である．しかし，合併症としてのCRBSIがクローズアップされ過ぎて，適応であるはずの症例に対してもTPNが実施されなくなっている現状も考えなくてはならない．

A TPNの適応

TPNの適応の原則は，経腸栄養では適切な栄養管理ができない場合，である．静脈栄養は投与経路により中心静脈栄養法(TPN)と末梢静脈栄養法(peripheral parenteral nutrition：PPN)に分けられる．一般的に静脈栄養の実施期間が2週間以内の場合はPPN，それ以上の場合はTPNが適応となる，と考えられているが，実際には，病態，エネルギーおよびたんぱく質投与量，末梢静脈の状態なども考慮して選択する．

TPNの絶対的適応は，

①腸管の完全閉塞を伴う場合：腸閉塞では腸管の使用は不可能で，消化液の喪失により水分・電解質，酸塩基平衡の異常をきたすため．

②吸収障害を伴う場合：小腸広範囲切除，広範な小腸疾患(Crohn病，慢性特発性仮性腸閉塞症など)では栄養素の吸収面積が減少し，下痢や低栄養状態をきたすため．

③腸管の安静を必要とする場合：消化管縫合不全や消化管瘻では，縫合不全部の安静や消化液分泌抑制のため，長期間の絶食が必要であるとともに創傷治癒促進を目的とした十分な栄養投与が必要であるため．

④代謝異常を伴う場合や水・電解質などの厳重な管理を必要とする場合：急性腎障害や急性肝不全では栄養管理目的に加え，適切なアミノ酸を投与して蛋白代謝を正常化させるため．

などである．

これらの適応に加え，TPNと食事および経腸栄養を併用する積極的な栄養管理法として補完的中心静脈栄養(supplemental parenteral nutrition：SPN)が実施されるようになってきている．SPNとは，経口栄養や経腸栄養を併用し，TPNによる投与エネルギー量が総投与エネルギー量の60%未満となっている場合を指す．「経口栄養，経腸栄養，静脈栄養，それぞれを独立させて考える傾向にある栄養管理の内容を，これらをうまく使い分けるだけでなく，経腸栄養で不十分な場合は静脈栄養を併用する，食事を摂取していても静脈栄養を併用する，などの柔軟な考え方で栄養管理を実施するべきである」「食事・経腸栄養，静脈栄養を駆使して総合的に必要な栄養量を投与するべきである」という考え方を意味している．

B 中心静脈栄養アクセスの管理

静脈栄養アクセスの管理方法については，特に感染対策はCDCガイドライン[1]に従って実施される傾向がある．しかし，CDCガイドラインでは日本の現状にそぐわない部分もたくさんあるだけでなく，栄養管理のために使用する静脈栄養アクセスであるという配慮が不十分である．

1．CVCの種類と選択基準

CVCには様々な種類がある．短期用としてのポリウレタン製シングルルーメン(SLC)，ダブルルーメン(DLC)，トリプルルーメン(TLC)カテーテル，長期用としてのBROVIAC® catheter，CVポートなどである．使用目的や使用期間に応じて選択する．

CVCの選択は，CRBSI予防上も最も基本的な問題である．SLCで十分に管理できるのに，必要になる可能性があるとしてDLCやTLCを使用する傾向がある．使用上の便利さのみを考えて，カテーテル内腔の数が増えるほど感染率が高くなることを理解していない．感染予防上，間違った考え方である．必要最小限の内腔数のカテーテルを選択するべきである．また，TPNの実施期間も考慮し，長期留置が予想されるならば，長期留置用に開発されているBROVIAC® catheterやCVポートを使用するべきである．

2. CVC 挿入経路の選択

CVCは安全に挿入しなければならない．CVC挿入方法は静脈穿刺法と静脈切開法(カットダウン)に大別される．静脈穿刺法が第一選択とされているが，血液凝固能に異常がある場合や穿刺時の体位が保持できない場合，手術既往などのために静脈穿刺に伴う合併症の危険性が高いと判断する場合などには静脈切開法が安全である．特に出血傾向がある場合には，鎖骨下穿刺や内頸静脈穿刺時の随伴動脈穿刺に伴う合併症としての血腫形成や血胸などを予防するためにも，静脈切開法を選択するべきである．

静脈穿刺経路は，鎖骨下穿刺，内頸静脈穿刺，大腿静脈穿刺，上腕PICCなどの経路があるが，感染予防の面からは鎖骨下穿刺が第一選択とされている．しかし，鎖骨下穿刺は，内頸静脈穿刺や大腿静脈穿刺に比べると危険な手技であるといえよう．確かに，大血管や肺が近くにある縦隔に，ランドマーク法として目印をつけて穿刺することになっているが，盲目的に太い針で穿刺する方法であるため，重大な合併症が発生する危険と隣り合わせの状態で実施していることになる．この問題に対する対策として，エコーガイド下穿刺の有用性が広く認知されるようになっている[2]．穿刺時の安全性の面から内頸静脈穿刺法を第一選択としている施設もある．

また，近年，CVC挿入時の合併症発生のリスクを考慮して，大腿静脈穿刺を優先的に選択する施設もあるが，感染予防の面からは正しい選択ではない．挿入時，大腿動脈を誤穿刺しても，ほとんどの場合圧迫することで対応できるので，鎖骨下穿刺よりも安全だという考え方があるが，感染率が高いことは証明されている[3]．しかし，緊急時の対応としての大腿静脈穿刺を否定するものではない．緊急時の大腿静脈穿刺後，状態をできるだけ早く安定させ，無菌的方法で入れ換えるという考え方をすればよい．しかし，感染率が高いことは，常に認識しておく必要がある．

現在，CVC挿入時の安全性の面から末梢挿入式中心静脈カテーテル(peripherally inserted central catheter：PICC)が急速に普及してきている[4]．感染率は鎖骨下穿刺と同等か，管理方法によっては低くできる．制度上，資格を有する看護師(診療看護師，特定行為研修を終えた看護師)がPICCを挿入してもよい[5]ので，急速に普及しつつある．肘の静脈を穿刺して挿入する肘PICCではなく，エコーガイド下に上腕から挿入する手技が標準的手技となっている[6]．

3. CVC 挿入時の感染予防対策

標準的操作として，手洗い，帽子，マスク，滅菌ガウンを着用し，全身を覆うことができる広い滅菌覆布を用いる高度バリアプレコーションでCVCを挿入する．「CVCの無菌的管理は挿入時の無菌的操作に始まる」という意識付けを行うためにも，高度バリアプレコーションは標準的に実施すべきである．

CVC挿入時の皮膚消毒は，クロルヘキシジンアルコールまたはポビドンヨードを使用する．十分な広い範囲を消毒し，消毒後，一定の時間を待ってから処置を始めることが重要である．

CVC挿入時の抗菌薬使用については，短期的CVCでは予防的投与は不要である．CVポート留置時には，明確な検討結果はないが，小手術と考えて抗菌薬を予防的に投与する．

これらの無菌的挿入操作が実施できない緊急時にCVCを挿入することもあるが，できるだけ早く，通常は48時間以内に，無菌的操作で入れ換える．緊急時に無菌的操作が実施できずにCVCを挿入することはやむを得ないが，状態が安定すれば無菌的操作で入れ換えると考えて管理する．

4. CVC 挿入時の合併症とその予防

CVC挿入時の代表的な合併症は，鎖骨下穿刺では胸膜と肺実質を損傷して発生する気胸で，胸腔ドレナージを必要とする場合が多い．胸膜と動脈を同時に損傷して発生する血胸も重要で，血液凝固能に異常がある場合には生命にかかわる重篤な状態となる．内頸静脈穿刺は鎖骨下穿刺に比して合併症発生頻度が低いとされているが，随伴動脈穿刺は比較的頻度が高い．

CVCを挿入した後は，CVCが静脈内に確実に留置されていることを確認するため，血液がスムーズに吸引できることを必ず確認する．輸液ラインを接続した後に輸液バッグを心臓より低い位置に置き，自然に血液が逆流することを確かめる方法もある．バイタルサインをチェックすると同時に，咳嗽・胸痛・呼吸困難はないか，呼吸音に左右差はないかも確認する．さらにCVC挿入時の合併症の有無と先端位置，カテーテルの走行を確認するために必ず胸部X線撮影を行う．数時間が経過してから合併症が発見されることもある[7]ので，経過を追って観察することも重要である．

5. 維持期の CVC 挿入部の管理

CVC挿入部は，週1～2回の頻度で定期的に消毒し，ドレッシング交換を行う．ドレッシングはフィルム型またはパッド型を用いる．皮膚消毒薬は，0.5%以上の濃度のクロルヘキシジンアルコールまたは10%ポビドンヨードを用いる．

ポビドンヨードは乾燥するときに殺菌効果が出ると考えられているが，これは間違った考え方である．ポビドンヨードを薄く塗布し，扇ぐ，ドライヤーで乾かす，などの方法は無駄で，逆効果である．ポビドンヨードの殺菌効果は，乾燥するときに発揮されるのではなく，接触時間が重要である．効果が発揮されるまでにある程度の時間(1～2分)が必要で，乾燥するくらいまで待たないと殺菌効果が発揮されないことを意味している．

6. 輸液・薬剤の管理

TPN輸液は無菌的に調製しなければならない．薬剤の混注は可能な限り行わない，混注する薬剤は可能な限り少なくする，これが大原則で，混注はクリーンベンチ内で行うべきである．原則として微量元素製剤と高カロリー輸液用総合ビタミン剤以外は混注するべきではない．ダブルバッグ製剤，トリプルバッグ製剤，クアドルプルバッグ製剤などのTPN用キット製剤を用いれば混注時の輸液汚染を防ぐことができる．ただし，これらのTPN用キット製剤を用いる場合，輸液投与量によってはビタミンや微量元素などの成分が不足する恐れがあることを理解しておくことが重要である．特に脂肪乳剤，糖・電解質液，アミノ酸液が一つのバッグに入っている3-in-1方式のTPNキット製剤(ミキシッド®)を用いる場合には，可能な限り混注操作を避ける(フィルターを介して微量元素製剤，総合ビタミン剤，ナトリウムおよびカリウム製剤だけが混注可能となっている)，投与ラインを無菌的に管理する，側注を行わない，などの特別な無菌操作が必要である．

7. 輸液ラインの管理

CRBSI予防対策としては，輸液ラインの管理に特に重点を置いた管理を行う．接続部の数をできるだけ少なくするために一体型輸液ラインを用い，三方活栓は使用しない，インラインフィルターを組み込む，などの管理方法が有効である．TPN用輸液ラインは，週1回，定期的に交換する．輸液ライン接続部の消毒には消毒用アルコールを使用する．

ニードルレスシステムは，これを採用すれば感染率が下がると単純に考えられる傾向があるが，使用方法によっては感染率が高くなる可能性があるので注意が必要である．日本では，ニードルレスシステムは閉鎖式接続システムと誤解されている傾向がある．ニードルレスシステムは，もともと針刺し事故を予防する目的で開発されたもので，感染予防は二義的なものである．したがって，メス側を厳重に消毒する，オス側に触れない，などの厳重な無菌的操作を実施しなければならない．また，CDCガイドラインでは，このカテーテル側のプラグを週1～2回交換することが推奨されているが，これは，考え方としては間違いである．ルアーロック方式コネクタになっている輸液ラインとカテーテルの交換操作を行っていることと同様であるため，感染予防対策として考えれば，ニードルレスシステムを用いる意味がない．また，様々なニードルレスシステムが開発されて使われているが，それぞれの構造の特徴や使用方法を理解して使用する必要がある．ニードルレスシステムを使用すればCRBSI発生率が低下する，そんな単純なものではない[8]．

インラインフィルターに関しては，CDCガイドラインで使う必要はないと記載されてから議論となったが，日本における輸液調製の現状を考慮し，TPNラインにはインラインフィルターを組み込むべきである．インラインフィルター自体，構造上，対称膜で構成されたものと非対称膜で構成されたものがある．仮性菌糸を伸ばして増殖する*Candida albicans*はTPN輸液中で増殖可能な代表的微生物であるが，非対称膜を貫通してしまうことが証明されている[9]．TPNラインには対称膜で構成されたインライフィルターを用いるべきである．

脂肪乳剤を中心静脈ラインから側注する場合，脂肪乳剤投与に使用した輸液ラインは24時間以内に交換する．TPN用の主ラインを交換する必要はない．CDCガイドラインでは，輸血に使用した輸液ラインは24時間以内に交換するように記載されているが，原則としてTPN用輸液ラインは輸血や採血に使用するべきではない．

CVCをロックする場合はヘパリンロックを行うべきで，プレフィルドシリンジのヘパリン加生理食塩液を用いる．100単位/mLのヘパリン加生理食塩液を用いたカテーテルロックのほうが生食ロックよりも血栓形成が少ないことは証明されている[10]．

C TPN関連製剤の種類と特徴

TPN製剤はほとんどがキット化されていて，アミノ酸，糖，電解質のみならずTPN用総合ビタミン剤配合，TPN用微量元素製剤配合のものが広く使用されている．これらの組成およびその理由，意義をきちんと理解して使用すれば，極めて有用である．しかし，これらの製剤は2,000 mL(エルネオパ®NF)／1,600 mL(ワンパル®)を投与してはじめて一日必要量のビタミンと微量元素が投与される組成になっているので，輸液量が減るとビタミンと微量元素の投与量が少なくなり，欠乏症に陥るリスクが出現することを理解して使用しなければならない．また，電解質についても同じような問題が発生する．要するに，TPNキット製剤の内容を理解したうえで使用することが重要である．もちろん，これらのTPNキット製剤は，操作が簡便である，作業時間が短縮される，連結管や混注操作が不要なので針刺し問題が起こらない，輸液の汚染が起こりにくい，などの利点があることは間違いない．しかし，逆に，処方が単一化されることは大きな問題である．また，キット化されたため，輸液の組成，投与量に関する関心が大きく低下してしまうことも，医療者にとっては根本的な問題である．TPN キット製剤を「1バッグか2バッグ投与しておけばTPN は容易に実施できる」程度の考え方になっていく傾向がある．様々な利点があることは間違いないが，使用にあたっては，とにかく，これらの利点・欠点を理解しておくことが極めて重要である．

脂肪乳剤は，原則として「脂肪乳剤は投与しなければならない」．TPN 実施時に脂肪乳剤を投与することは，基本であるとの理解が必要である．必須脂肪酸欠乏症予防としてだけでなく，肝機能障害や脂肪肝発生の抑制のためにも使用する必要がある．投与速度は「0.15g/kg/時を超えない投与速度」とする[11,12]．

ビタミンについては，ビタミン B_1 の投与量は厚生労働省の緊急安全情報で推奨されている「3mg 以上」を必ず投与する必要がある．TPN キット製剤が普及するにつれて「ビタミン B_1 投与量は 3mg 以下でも大丈夫」という，根拠のない，安易な考え方になる傾向がある．微量元素についても同様で，現状では，日本で発売されている微量元素製剤は1種類で，これは，一日必要量として設定された組成になっていることを理解して投与するべきである[13]．悪しき傾向として，微量元素製剤を投与せずに長期間TPN を実施して微量元素欠乏症が発生した症例が学会誌などに掲載されているが[14]，これは，ある意味重大な問題である．きちんと製剤があり，それを投与すれば欠乏症は発生しないことがわかりきっているのに，それを投与せずに欠乏症が発生した原因をよく考えなければならない．このあたりの細かい知識がない状態でTPN を実施することは危険である．

静脈栄養剤の種類については，キット化された製剤が広く普及しているので，細かい組成がほとんど理解されずに使用されているのが現状である．TPN キット製品のアミノ酸組成の違い，電解質組成，NPE/N (non-protein energy/nitrogen) 比など，おそらく理解して使用している方は少ないであろう．

D TPN 投与方法の実際

1. CVC 挿入から TPN の full dose(最終的な目標投与量)までの移行手順

CVC が挿入されてから先端位置を確認するまでは10%糖電解質液を投与する．full dose に移行した場合の輸液量をあらかじめ計算しておき，これと同じ投与速度で投与する．CVC の先端位置が適正であることが確認されたら，TPN 輸液の1号液に移行する．血糖値が 200mg/dL 以下であることを必ず確認する．TPN 輸液の1号液に移行後も血糖値を測定してから TPN 輸液の2号液(3号液が full dose のこともある)に移行する．

2. グルコース投与速度

基本的にグルコースは 5mg/kg/分を超えない速度で投与する[15]．この速度であれば，安定している症例では高血糖になりにくい．TPN 輸液の投与量および投与速度の設定はバッグ単位で行われることが多いが，必ず，何 mg/kg/分の速度でグルコースが投与されることになるのかを計算しておく．

3. アミノ酸投与量

栄養状態や侵襲度に応じて決定する．1g/kg/日を基本とし，侵襲の程度に応じて増減させる．単純に，「アミノ酸投与量(g/日)＝体重×ストレス係数」と計算する方法には根拠がなく，NPE/N 比を考えた場合には逆に判断を誤ることがある．また，アミノ酸投与量は，糖および脂肪投与量を考慮して決定するべきである．基本的には NPE/N 比で 150 前後となるように計算して決定する．現在の TPN 輸液のキット製品は NPE/N 比が 150～160 前後となるように設計されている．

4. 脂肪乳剤

脂肪乳剤は，必須脂肪酸欠乏症予防，脂肪を投与しないことによる脂肪肝の発生，エネルギー源としての有効性を考慮して必ず投与すべきである．末梢静脈ラインを別に作製して投与する方法が脂肪乳剤そのものの投与方法としては安定して投与できるが，TPN ラインへ側注する方法でも脂肪の粒子径には変化が起こらないことは証明されている[16]．感染対策を厳重に講じながら TPN ラインへ側注の形で投与する方法は安全に実施できる．

5. 微量元素および TPN 用総合ビタミン剤

微量元素および TPN 用総合ビタミン剤は必ず1日分と設定されている量を投与する．混注する場合にはプレフィルドシリンジの製剤を使用する．また，光で活性が低下するビタミンもあるので，必ず遮光カバーをして投与する．

E 病態を考慮した TPN 処方についての基本的考え方

病態を考慮した栄養管理といっても基本に則った管

理を行えば，まずは問題なく管理できるはずである．しかし，それぞれの病態に応じた考え方がある．

1．肝不全に対するTPN処方

肝不全に対しては，肝不全用アミノ酸製剤（アミノレバン®，モリヘパミン®）が基本的に選択されるが，肝不全症例の予後を改善する効果に関するエビデンスはない．肝不全用アミノ酸製剤は肝不全に特徴的なアミノ酸パターン（BCAAの低下，芳香族アミノ酸：AAAの上昇）を是正する目的でBCAAを増量してAAAおよびメチオニンを減量した組成となっているが，肝性脳症の改善に有効である，としかいえない．

肝不全に対する栄養管理のポイントは，重症度によるが，①耐糖能が低下しているので，血糖値を頻回に測定し，インスリンの投与は積極的に行う，②アミノ酸製剤は，肝性脳症を合併する肝不全では，肝不全用アミノ酸製剤を使用する，③肝不全の進行とともに亜鉛が欠乏するので微量元素製剤を投与する．ただし，鉄過剰には注意する．銅とマンガンも胆汁を介して排泄されるので，胆汁排泄障害時には投与量を制限する必要がある，④ビタミンは特に制限することはなく，TPN用総合ビタミン製剤を1日1A投与する．高度の肝機能障害症例では止血機能に問題がある．FDA2000処方ではビタミンKの含有量が少ない（150μg/2,000mL）ので，注意する，⑤脂肪乳剤は，特に積極的に投与する必要はなく，必須脂肪酸欠乏症を予防する程度でよい，などである．

重要なことは，肝不全症例では血漿アミノグラムを測定してアミノ酸製剤を選択することである．肝不全用アミノ酸製剤は，アミノ酸インバランスの状態をつくることになるので，血漿アミノ酸パターンが健常者に近い場合には標準的アミノ酸製剤を使用したほうが栄養治療としては有効である場合もある．

2．腎障害に対するTPN処方

投与可能水分量の設定，電解質調整が重要である．①水分制限が必要な場合が多いので，基本的に高張グルコース液を用いる．ハイカリック®RFは50%グルコース電解質液で，カリウムとリンを含んでいない．②アミノ酸は腎不全用のキドミン®，ネオアミユー®を選択するが，NPE/N比（300～500が推奨されている）とアミノ酸投与量を考える（NPE/N比を重視するあまり，アミノ酸投与量が不足することが多い）．③脂肪乳剤は必須脂肪酸欠乏症を予防する程度の量としている（脂肪乳剤にもリンが含まれているので注意する）．④微量元素製剤，ビタミン製剤は1日量と設定されている量を投与する．

重要なことは，血液透析症例と非透析症例ではTPN処方が異なることである．血液透析中の症例に対しては，通常のTPN処方のほうが有利な場合もある．

3．心不全に対する静脈栄養法

心不全に対するTPN処方で最も重要なことは，心臓に対する負荷を軽減することである．しかし，必要なエネルギー量を投与するためには，水分量が増加するため，逆に心不全を悪化させることになることが問題である．また，急速に大量のエネルギーを投与すると肝機能障害をきたしやすく，右心不全から消化管浮腫を生じ，経口から摂取した栄養素の吸収不全も生じる．さらに左心不全では呼吸不全に至り，頻脈や心筋肥大によって酸素消費量が増加し，より多くの栄養素が必要になり，水分量も増える悪循環に陥る．したがって，TPNキット製剤のエネルギー密度（mLあたりのエネルギー量：kcal/mL）を理解しておくことが重要である．

心不全に対するTPN処方は，①水分制限が必要な場合が多いのでグルコース濃度の高い製剤を基本として処方する，②末梢循環不全のために糖の利用効率が低下して高血糖になることが多いのでインスリンは積極的に用いる，③心不全を悪化させないためには電解質の調整が重要で，ナトリウム投与量を制限し，カリウムの十分な補給を考えた組成とする，④体内窒素の尿中・便中喪失量が多いので，状況に応じてアミノ酸投与量を増量する，⑤脂肪乳剤に関しては，脂肪の過剰投与により心筋収縮力が低下したり，遊離脂肪酸自体に心筋梗塞時には心筋収縮力を低下させる可能性があるので過剰投与を避けるべきであるといわれている．しかし，脂肪乳剤はエネルギー密度が高いので，水分制限症例では有利であるため，投与速度に注意しながら積極的に使用する，⑥アミノ酸組成としては，特に推奨されているものはないが，筋蛋白が消耗していることが多いので分岐鎖アミノ酸含有率が高い製剤の方が有利である，といったポイントがある．

4．呼吸不全に対するTPN処方

呼吸不全においては，心不全を合併していなければ消化管が安全に使用できるので，経腸栄養法が第一選択となり，静脈栄養法の適応となる場合は少ない．

TPNを実施する場合には，①呼吸筋のエネルギー，代謝亢進によるエネルギー需要の増大を考慮して安静エネルギー消費量（resting energy expenditure：REE）の120～150%のエネルギーを投与する，②エネルギー基質としてはグルコースを主体とするが，グルコースの過剰投与は高炭酸ガス血症に至る可能性があるので，NPEの20～30%は脂肪乳剤で補う，③呼吸筋のエネルギー代謝にはBCAAが大量に利用されているので，アミノ酸投与量を通常より増やしてNPE/N比を100前後にする，④ビタミンおよび微量元素は，それぞれ1日必要量と設定されている量を投与する，などを考慮する．

F 代謝上の合併症とその予防

1．リフィーディング症候群

高度の栄養障害に陥った症例に積極的に栄養療法を開始した場合に注意すべき合併症である．電解質異常（リン，カリウム，マグネシウム），うっ血性心不全，不整脈，高血糖に起因する脱水，昏睡などの様々な症状を呈する．迅速に対応しなければ生命にかかわる重篤な状態に陥る．①投与エネルギー量を徐々に増量していく，②多量のグルコースを急速に投与しない，③血清リン，カリウム，マグネシウムおよびグルコース濃度を厳重にモニターする，④ビタミンB_1が不足している場合が多いので治療開始時には必ずビタミンB_1を補充する，などの対策が必要である．とにかく，高度の栄養障害に陥っている症例に対して栄養療法を開始する場合，リフィーディング症候群が発生する危険性を認識しておくことが重要である．

2．糖代謝

TPN輸液の開始液から糖濃度の高い輸液へと移行する場合，必ず血糖値を測定する．維持期にも定期的に週2回は血糖値を測定する．200mg/dL以上の高血糖に対しては，投与グルコース量をチェックし，必要であればインスリンを用いて血糖コントロールを行う．インスリンの投与は，グルコース10gに対して1単位の割合で開始し，尿糖・血糖の4〜6時間ごとのチェックで増減する．現在，TPNキット製品が広く普及し，投与量の設定はバッグ単位となっている場合が多い．その際，高血糖になれば安易にインスリンが使用される傾向があるが，高血糖の原因としてグルコースの投与速度が速過ぎる場合がある．グルコースの投与速度を計算し，5mg/kg/分以上であれば，投与速度を調整することによってインスリンを使用することなく血糖管理が可能となるはずである．

糖尿病の病歴のある症例，ステロイドの投与を受けている症例，および敗血症や多臓器不全の症例では，高血糖の発現頻度が高い．また，糖尿病の既往がなくても，高齢者では手術などの侵襲時に高血糖になったり，感染症などを合併したりすると急速に耐糖能が低下して著明な高血糖を示すことがある．血糖が500mg/dL以上の状態が続くと，意識障害，痙攣，昏睡から死に至ることがある．高浸透圧高血糖症候群（hyperosmolar hyperglycemic syndrome：HHS）は，TPN実施中の糖代謝に関する最も重篤な合併症である．定期的に血糖測定を行い，HHSに陥らないようにしなければならない[17]．

TPN輸液が突然中断された場合の低血糖にも注意する．インスリンが過剰に分泌されて血糖が維持されている状態で突然TPN輸液が中断されると，低血糖状態に陥る．入浴やTPNの終了時には，輸液速度を半分にして30分〜1時間が経過してから輸液を中断・終了する，などの対策を講じる．

3．たんぱく質代謝

腎前性高窒素血症としてBUNが上昇することがある．生体が代謝可能なたんぱく質量より多くの窒素源が投与されたために発生する．投与しているTPN輸液のNPE/N比をチェックすることが重要である．逆に，アミノ酸投与量が少ないために栄養状態の改善が得られないことがあることも考慮しておかなければならない．また，病態として肝不全，腎障害，重症感染症などの場合にはアミノ酸代謝に異常をきたすことがあるので，アミノグラムで血漿アミノ酸パターンを解析すべき場合もある．

4．脂質代謝

投与量によっては高トリグリセリド血症が発生することがある．膵炎の発症や肺機能障害につながることもあるが，脂肪乳剤の投与速度が重要で，0.1g/kg/時以下の速度で投与すれば，これらの様々な問題の発生率は低い．逆に，脂肪乳剤を投与しないことによって発生する必須脂肪酸欠乏症のほうが問題である．脂肪乳剤を投与せずに長期間のTPNを行っていると，ω6系のリノール酸，ω3系のα-リノレン酸などの必須脂肪酸欠乏症を呈する．また，脂肪乳剤を投与しないことによって，脂肪肝が発生するので注意が必要である．

5．電解質代謝に関連した合併症

すべての電解質異常が生じる可能性があるが，主なものは，低リン血症，低カリウム血症，低マグネシウム血症，低ナトリウム血症である．リン，カリウム，マグネシウムは細胞内電解質の構成成分として重要で，栄養療法を開始すると細胞内へ急速に移動するため，補給が十分に行われないと血清レベルの著しい低下をきたす．特に，高度の栄養障害に陥っている症例に対して栄養療法を開始する場合に注意しなければならない．また，製剤に含有されている電解質量もチェックしておく必要がある．たとえば，ハイカリック®液1号，2号，3号にはナトリウムとクロールは含まれていないし，ハイカリック®RFにはカリウムとリンが含まれていない．

6．ビタミンに関連した合併症

ビタミンB_1欠乏症による乳酸アシドーシス，Wernicke脳症が発生して問題となったが，現在はTPN用総合ビタミン剤を適正に投与しておけば欠乏症はほとんど発生しない．また，ビタミン含有TPNキット製剤が広く使用されている．しかし，ビタミンB_1は光により活性が低下するため遮光カバーを使用する，ビタミン含有TPN製剤を1バッグしか投与しない場合にはビタミンB_1投与量は厚生労働省が推奨する「3mg以上」の半分の1.5mgしか投与しないことになるので（フルカリック®，ネオパレン®では1.5mgであるが，エルネオパ®NF，ワンパル®では3mgである），欠乏症に陥る可能性は残されているなどの注意が必要である．また，ワルファリン投与症例に対して現在のTPN用総合ビタミン剤を投与すると，ビタミンKが2mg配合されているので，ワルファリンの作用を阻害することになることも知っておかなければならない．現在，ビタミンKが配合されていないTPN用総合ビタミン剤は市販されていない．FDA2000処方のエルネオパ®NF，ワンパル®に含まれているビタミンKは150μg/2,000mL（エルネオパ®NF），1,600mL（ワンパル®）なので，ワルファリンの作用を阻害しないとされているが，逆に，不足する場合もあるので注意が必要である．

7．微量元素に関連した合併症

亜鉛，銅，マンガン，コバルト，セレン，モリブデンなどの欠乏症が報告されている．日本の微量元素製剤の組成は1種類で，鉄，亜鉛，銅，マンガン，ヨードが含まれており，これを毎日投与すれば欠乏症が発生することはない．この量は治療量ではなく，毎日投与することにより健常域内に保つことができる量として設定されている．問題は，微量元素製剤を投与しないことによって発生する欠乏症で，当然のことであるが，TPN症例に対しては微量元素製剤を投与しなければならない．ただし，鉄が過剰になる可能性は否定できないので，血清鉄濃度のみならずフェリチン濃度を測定して適切なモニタリングを行う．エルネオパ®NF，ワンパル®では鉄の含有量は減量されている（エルネオパ®NFでは1.1mg/2,000mL，ワンパル®では1mg/1,600mL）．

G カテーテルに関連した合併症とその予防

TPN維持期間中の最も重要な合併症はCRBSIであるが，カテーテル留置に関連した血栓形成や大血管の閉塞，静脈壁穿孔，不整脈，extravasation of fluids，静脈炎など，様々な合併症が発生する可能性がある．定期的なX線撮影によるカテーテル先端位置をチェックする，臨床所見を観察する，など合併症について熟知したうえでモニタリングして，これらの合併症の予防および早期発見と対応に努めなければならない．

1．CRBSIの診断，定義，対処方法

CRBSIは，基本的には，「CVC留置期間中に発熱，白血球数増多，CRP上昇などの感染徴候があって，CVC抜去により解熱，その他の臨床所見の改善をみたもの」と定義されている[18]．典型的なCRBSIは，CVCを抜去することにより解熱し，臨床所見が改善する．しかし，二次性感染症の原因となってしまっている場合もあり，この場合にはCABSI（catheter-associated bloodstream infection）と定義し[19]，抗菌薬治療を行うことになるが，CVC留置に関連している，していないにかかわらず，全身的な抗菌薬治療が必要である．

治療の基本はCVCの抜去である．いたずらに抗菌薬を投与しながら経過を観察することは，逆に，感染を重篤化させる可能性が高くなる．CRBSIを疑って，ほかに感染源が考えられない場合にはCVCを抜去する．CRBSIを疑っている場合にはCVC抜去時にCVC先端の培養を行う．真菌によるCRBSIの場合には，真菌性眼内炎，深在性真菌症に進展している可能性があるので，眼科的治療，抗真菌薬などによる積極的な治療を実施する必要がある．

2．CRBSI予防対策

CVC挿入時から，輸液，輸液ライン，カテーテル挿入部，微生物が侵入する可能性があるすべての部位に対して無菌的操作を実施しなければならない．表1に，具体的なCRBSI予防対策を示す．

3．カテーテル留置に関連した血栓形成

CVCそのものが異物であるため，静脈内に留置すればカテーテル周囲血栓および壁在血栓が形成される．通常は臨床的な問題は起こらずに経過するが，感染などを契機として大血管が閉塞することがある．最も重大な合併症は上大静脈症候群で，発生すれば，閉塞部より末梢の腫脹，緊迫感，鈍痛，チアノーゼ，側副血行路としての静脈の怒張などの症状を呈する．

4．血栓性静脈炎

PICCの合併症として重要視されている．静脈に沿った発赤・疼痛が出現し，炎症が高度な場合には発熱もきたす．肘PICCの場合には発生頻度が高い[20]が，上腕PICCではほとんど発生しないとする報告が多い[21]．欧米では深部静脈血栓症発生頻度が高いことが報告されている[22]が，日本ではこの問題に関する報告

表 1　ガイドラインで推奨されている具体的な CRBSI 予防対策

○必要最小限の内腔数のカテーテルを選択する
○病態および使用目的，使用予定期間を考慮してカテーテルを選択する
○感染防止のためには，鎖骨下静脈穿刺を第一選択とする
○感染防止のためには，大腿静脈からの挿入は避ける
○穿刺時の安全性の面からは，PICC の使用が推奨される
○必要がなくなれば，CVC は抜去する
○定期的に CVC を入れ換える必要はない
○無菌的挿入操作が実施できない状況で挿入された CVC は，できるだけ早く無菌的挿入方法で入れ換える
○CVC 挿入部の皮膚消毒には，クロルヘキシジンアルコールまたはポビドンヨードを用いる
○CVC 挿入時には高度バリアプレコーションを行う
○CVC 挿入部皮膚の処置で用いる消毒薬としては，クロルヘキシジンアルコールまたはポビドンヨードを用いる
○滅菌されたパッド型ドレッシングまたはフィルム型ドレッシングを使用する
○ドレッシング交換は週 1〜2 回，曜日を決めて定期的に行う
○CVC 挿入部の発赤，圧痛，汚染，ドレッシングの剝がれなどを毎日観察する
○一体型輸液ラインを用いる
○三方活栓は，手術室や ICU 以外では輸液ラインに組み込まない
○三方活栓から側注する場合の活栓口の消毒には，消毒用アルコールを使用する
○ニードルレスシステムの血流感染防止効果は明らかでないことを理解して使用する
○ニードルレスシステムを使用する場合は，器具表面を厳重に消毒する
○インラインフィルターを使用する
○対称膜で構成されたインラインフィルターを使用する
○輸液ラインとカテーテルの接続部の消毒には，消毒用エタノールを用いる
○輸液バッグに輸液ラインを接続する場合は，輸液バッグのゴム栓を消毒用エタノールで消毒する
○輸液ラインは，曜日を決めて週 1〜2 回定期的に交換する
○脂肪乳剤の投与に使用する輸液ラインは，24 時間以内に交換する
○つくり置きしたヘパリン化生理食塩液による CVC ロックは行わない
○CVC をロックする場合は，プレフィルドシリンジのヘパリン加生理食塩液を用いる

はほとんどない．しかし，発生するリスクがあるので，常に注意しておかなければならない．

5. 静脈壁の穿孔

カテーテルの先端が持続的に静脈壁を圧迫することによって穿孔することがある．血管外に直接輸液を注入することになる．心房壁に穿孔を生じた場合には心タンポナーデになるし，胸腔内輸液や縦隔内輸液という合併症を生じる．特に，PICC で硬いカテーテルを用いた場合，腕の外転によって先端位置が動いて穿孔することがあるので注意が必要である．

H CV ポート

CV ポート(totally implantable central venous access port)は，輸液や薬剤を投与しない期間にはカテーテルの体外露出部分がないために管理から開放されるという意味で広く使用されるようになっている．しかし，留置に伴う様々な合併症があり，留置時はもちろん抜去時にも手術操作が必要であるため，厳重な適応の判定，厳重な感染対策をはじめとする合併症予防対策を講じながら使用しなければならない．

1. CV ポートの適応

もともとは長期間の静脈栄養が必要な症例に限られていた．特に，年単位での静脈栄養が必要な短腸症候群や Crohn 病などの良性疾患で，夜間のみで一日に必要な栄養輸液を投与する周期的輸液法(cyclic TPN)を実施している症例が最もよい適応であった．しかし，FOLFOX 療法をはじめとする化学療法を実施するために使用することが多くなり，その適応は大きく拡大している．CV ポートの最大の利点は，間欠的あるいは周期的な使用に際して，使用しない期間には体外部分がないカテーテルであるため，完全にカテーテル管理から開放されることである．したがって，持続的ではない，静脈栄養，化学療法，種々の薬剤投与がよい適応となる．しかしながら，このような適応拡大によって，ポート自体の適切な使用方法が理解されないまま，安易に使用されるようになり，様々な合併症が発生していることが危惧される．輸液ラインをはじめとする無菌的管理を徹底したうえで CV ポートを使用しなければならない．

2. CVポートの構造

CVポートとは，皮下に埋め込む「ポート」と，これに接続して静脈内に留置するカテーテルから構成されている．ポート自体の大きさには様々なものがある．高さは8〜13mm程度，底部の直径は2〜3cm程度，圧縮シリコーン製のセプタムの直径は10〜13mm程度のものがよく使われる．ポートの断面は，ほぼ台形となっている．セプタムの耐用穿刺回数は，22ゲージのヒューバー(Huber)針で万遍なく穿刺した場合に2,000回とされている．

3. CVポート専用穿刺針

CVポートは，セプタムを針で刺してポートの内室に接続しているカテーテル内に輸液を注入して使用する．セプタムは圧縮シリコーンゴムで構成されているため，針で穿刺するたびにシリコーンが削り取られることになる．通常の針では，シリコーンゴムが削られるコアリング(coring)現象が起こるが，これを最小限に抑えようとする発想で作製されたヒューバー針を使わなくてはならない．近年，針刺し防止のための工夫が施されたヒューバー針が広く用いられるようになっている．

4. CVポート使用方法

CVポート使用期間中，最も注意すべき合併症はCRBSIである．ポートは感染しないという考えの下に無菌的管理を徹底しなければ，容易に感染する．静脈栄養を行う場合は，特に無菌的管理を徹底させなければならない．

①輸液は，薬剤部において無菌調製する．混注して投与する薬剤は可能な限り少なくする．病棟において種々の薬剤を混合することは汚染の機会を増やす．

②輸液ラインは一体型を用いる．HPNを実施する場合にはインラインフィルター，フローチェッカー，側注用Y字管が一体化した輸液ラインを用いる．携帯用輸液ポンプ専用の輸液ラインとして，在宅静脈栄養用に開発されたものである．

③できるだけ接続部の数を少なくする．三方活栓は組み込んではいけない．できるだけ側注の機会も減らす．安易なニードルレスシステムの使用も，逆に側注の機会を増やすことになって感染の危険が高くなる場合がある．インラインフィルターも使用する．

④ヒューバー針と輸液ラインの接続時の汚染にも注意する．無菌的管理の面から，輸液を満たしながら接続するのではなく，輸液を満たす前に接続する．

⑤ヒューバー針を刺入する場合の皮膚消毒は，クロルヘキシジンアルコールまたはポビドンヨードを用いる．アルコールで皮脂を除いた後，ポビドンヨードを用いて皮膚を消毒し，2分以上待ってからヒューバー針を刺入するよう指導している．

⑥セプタムに刺入したヒューバー針は，絆創膏で固定してドレッシングで被覆する．さらに，輸液ライン自体も固定して事故抜去が起こらないよう工夫する．

⑦輸液方法は，24時間持続投与と，一定時間(多くは夜間睡眠中)に必要輸液量を投与する周期的投与に分けられる．24時間持続投与のほうが管理としては簡便であるが，QOLを考慮した場合には，一定期間，患者を輸液ラインからも開放する周期的投与のほうが有利である．CVポートの利点は周期的投与において生かされる．長期間，持続的投与を行う場合は，在宅においても，BROVIAC® catheterのほうが有利なこともある．

⑧カテーテルロックは，プレフィルドシリンジのヘパリン加生理食塩液(100単位/mL)を用いる．ヘパリン加生理食塩液を側注用Y字管から注入し，陽圧をかけた状態でヒューバー針を抜去する．

⑨ヒューバー針抜去後は，圧迫して止血した後，ドレッシングを貼付する．数時間以内に入浴する場合にはフィルム型ドレッシングを貼付する．

文献

1) O'Grady NP, Alexander M, Burns LA, et al. Guidelines for the prevention of intravascular catheter-related infections. Clin Infect Dis 2011; **52**: 162-193

2) Fragou M1, Gravvanis A, Dimitriou V, et al. Real-time ultrasound-guided subclavian vein cannulation versus the landmark method in critical care patients: a prospective randomized study. Crit Care Med 2011; **39**: 1607-1612

3) Lorente L, Henry C, Martin MM, et al. Central venous catheter-related infection in a prospective and observational study of 2, 595 catheters. Crit Care 2005; **9**: R631-R635

4) 井上善文：末梢挿入中心静脈カテーテル—PICCの使用時実態に関する全国アンケート調査結果—. Med Nutr PEN Lead 2017; **1**: 133-145

5) 村田美幸，佐藤慶吾，田中俊行，ほか：診療看護師によるPICC挿入と管理の成績—当院におけるPICC281例の検討—. Med Nutr PEN Lead 2017; **1**: 54-62

6) 井上善文，阪尾　淳，柴北宗顕，ほか：上腕PICC568本の管理成績—延べ留置日数21, 062日間．消化器の臨床 2015; **18**: 107-118

7) Slezak FA, Williams GB. Delayed pneumothorax: a

complication of subclavian vein catheterization. JPEN 1984; **8**: 571-574
8) Salgado CD, Chinnes L, Paczesny TH, et al. Increased rate of catheter-related bloodstream infection associated with the use of a needleless mechanical valve device at a long-term acute care hospital. Infect Control Hosp Epidemiol 2007; **28**: 684-688
9) 井上善文．0.2μm 輸液フィルターの膜構造と Candida albicans 除去能に関する検討．外科と代謝・栄養 2008; **42**: 11-18
10) 井上善文，阪尾　淳，柴北宗顕，ほか．ヘパリンロックの静脈カテーテル内血栓形成防止効果に関する臨床的検討：生食ロックとの比較．外科と代謝・栄養 2008; **42**: 67-73
11) Iriyama K, Tonouchi H, Azuma T, et al. Capacity of high-density lipoprotein for donating apolipoproteins to fat particles in hypertriglyceridemia induced by fat infusion. Nutrition 1991; **7**: 355-357
12) 入山圭二：私の栄養管理歴—脂肪乳剤代謝と取り組んで．Med Nutr PEN Lead 2019; **3**: 6-12
13) 岡田　正，和田　攻，高木洋治，ほか．高カロリー輸液用微量元素製剤（TE-5）の多施設における臨床応用 Source：薬理と治療 1989; **17**: 3675-3690
14) 的場　俊，小谷和彦．高カロリー輸液管理中に銅欠乏症をきたした2例．レジデントノート 2003; **5**: 96-98
15) Rosmarin DK, Wardlaw GM, Mirtallo J. Hyperglycemia associated with high, continuous infusion rates of total parenteral nutrition dextrose. Nutr Clin Pract 1996; **11**: 151-156
16) 井上善文，桂　利幸，國場幸史，ほか．脂肪乳剤を中心静脈栄養投与ラインに側管投与する方法の安全性—脂肪粒子径からの検討．静脈経腸栄養 2014; **29**: 863-870
17) Sypniewski E Jr, Mirtallo JM, Schneider PJ. Hyperosmolar, hyperglycemic, nonketotic coma in a patient receiving home total parenteral nutrient therapy. Clin Pharm 1987; **6**: 69-73
18) Ryan JA, Abel RM, Abbott WM, et al. Catheter complications in total parenteral nutrition: a prospective study of 200 consecutive patients. 1974; **290**: 757-761
19) 井上善文．カテーテル関連血流感染（CRBSI）．周術期感染管理テキスト，日本外科感染症学会（編），診断と治療社，東京，2012：p190-194
20) 井上善文，小西綾子，庄野史子，ほか．Groshong peripherally inserted central venous catheter（PICC）管理の実際と問題点．JJPEN 1999; **21**: 137-145
21) 井上善文．PICC．臨床栄養（別冊 ワンステップアップ静脈栄養）2010：33-39
22) Chopra V, Anand S, Hickner A, et al. Risk of venous thromboembolism associated with peripherally inserted central catheters: a systematic review and meta-analysis. Lancet 2013; **382**: 311-325

第XI章

病態栄養に関する薬物

A 食欲亢進薬

食欲とは，食物を摂取したいという生理的な欲求であるが，これが低下あるいは喪失した状態が食欲不振である．食欲は，血糖や各種ホルモンを介して，中枢性にあるいは末梢性に制御されている．さらに食欲は，嗅覚，視覚，味覚，さらに過去の記憶など高次脳機能からも大きく影響を受けており，極めて複雑である（第Ⅱ章の図4参照）[1,2]．

食欲低下をきたす疾患は，消化器疾患と消化器疾患以外に分けて考えるとわかりやすい．消化器疾患には，腫瘍，潰瘍，炎症，肝障害，胆道疾患，膵疾患のように器質的なものと，機能性のもの（functional dyspepsia：FDなど）がある．消化器以外の疾患は多くの臓器にまたがるが，器質的な疾患には，各臓器の悪性腫瘍，心不全，腎障害，電解質異常，代謝異常，内分泌異常などがある．機能性のものは，薬物の副作用，神経性やせ症，うつ状態，その他生活環境や社会環境に起因するもの，加齢に関連したもの，などがあげられる．

食欲低下の治療は，原因治療が基本である．しかしながら，原因治療が困難な場合は，食欲亢進薬が使用される．抗ヒスタミン薬であるシプロヘプタジン（ペリアクチン®）は古くから使用されており，小児では著効することがある．ドパミンD_2受容体拮抗薬であるメトクロプラミド（プリンペラン®），ドンペリドン（ナウゼリン®），コリンエステラーゼ阻害作用を併せ持つイトプリド（ガナトン®）は食欲亢進作用とともに消化管運動促進作用を持つ．漢方薬では，六君子湯，補中益気湯，十全大補湯などがあるが，特に六君子湯は胃から分泌され摂食促進ペプチドであるグレリンの分泌を促進させる作用が報告されている．化学療法に伴う悪心・嘔吐を伴う食欲不振やがん悪液質における食欲不振には，グルココルチコイド薬が使用されるが，その作用は短期的である．酢酸メゲストロールなどのプロゲスチン（ヒスロン®やプロベラ®）もがん悪液質における食欲不振，悪心・嘔吐，QOL維持に効果があり，WHOガイドライン，ESPENガイドラインで推奨されている．

B 制吐薬

悪心は，嘔吐しそうな切迫感がある不快な感じであり，最終的には嘔吐しないことも多く，また悪心を伴わない突然の嘔吐もある．嘔吐は，噴門の弛緩，および腹壁と胸壁の筋群と横隔膜の急激な収縮によって，胃内容あるいは腸管内容が強制的に口から排泄されることをいう．

悪心・嘔吐の原因として，最も頻度が高いのは消化器疾患であり，機序としては消化管の潰瘍や炎症などの粘膜障害，通過障害，運動不全，うっ血などがある．その他，呼吸器疾患，循環器疾患，内分泌代謝疾患，感染症，悪性腫瘍，薬物，精神神経障害などでも悪心・嘔吐をきたす．

悪心・嘔吐の治療は，原因治療が基本である．しかしながら，原因治療が困難な場合は，制吐薬が使用される．グルココルチコイドは化学療法に伴う悪心・嘔吐や頭蓋内圧亢進による悪心・嘔吐に有用である．フェノチアジン系薬剤やブチロフェノン系薬剤は嘔吐中枢に働いて制吐作用を示す．抗ヒスタミン薬は嘔吐中枢とともに前庭器官に働いて制吐作用を示す．5-HT_3受容体拮抗薬やNK_1受容体拮抗薬は化学療法に伴う悪心・嘔吐に予防的および対症的に使用される．ドパミンD_2受容体拮抗薬のメトクロプラミド，ドンペリドンは消化管運動促進作用を併せ持ち，各種原因による悪心・嘔吐に汎用されている．末梢性制吐薬としては，オキセサゼインや抗コリン薬が使用される（表1）[3]．

C 消化管運動促進薬，便秘改善薬

便秘は，糞便が大腸内に長時間とどまることにより，便中の水分が吸収されて固くなり，排便に困難を伴う状態をいう．排便回数は個人差があるが，便秘を訴える例の排便回数は週に2回以下であることが多い．便秘例では，腸閉塞を併発していないかどうかもチェックする必要がある．

便秘の原因として最も多いのは，機能性便秘のうちの特発性便秘であるが，大腸癌などの器質的疾患を見逃してはいけない．また，便秘をきたす基礎疾患として，糖尿病，甲状腺機能低下症などの内分泌・代謝疾患，Parkinson病などの神経・筋疾患がある．また，抗コリン薬，向精神薬，麻薬などの薬物でも便秘をきたす（表2）．

器質的疾患や消化器以外の疾患による便秘の治療は原因治療が基本である．機能性便秘の治療は，規則的な生活，水分や食物繊維の多い食事内容とすることが基本であるが，それでも改善しないときには，塩類下剤（酸化マグネシウム）や膨張性下剤（マグコロール®），糖類下剤（ラクツロース），上皮機能変容薬（ルビプロストン，リナクロチド），胆汁酸トランスポーター阻害薬（エロビキシバット）などのほか，刺激性下剤（大黄やセンナ，アロエ）が使用されるが，刺激性下剤は習慣性に注意が必要である．その他，麻痺性イレウスを伴っている場合は消化管運動促進作用のプロスタグランジン$F_{2\alpha}$製剤，消化器悪性腫瘍による麻痺性イレウスにはオクトレオチドが使用される[1,4]．

表１　制吐薬の使用法

分類	薬剤名	用法・用量
グルココルチコイド	デカドロン®	１日４～20mg を１～２回で分服，１日3.3～16.5mg を１～２回に点滴静注
フェノチアジン系	ノバミン®	１回５～10mg を１日３～４回で内服，注射もあり
	コントミン®	１日25～75mg を１～３回で分服，注射もあり
ブチロフェノン系	セレネース®	１回0.5～2mg を４～６時間毎で内服，注射もあり
抗ヒスタミン薬	トラベルミン®	１回１錠を１日３～４回で内服
5-HT_3 受容体拮抗薬	アロキシ®	１日0.75mg を１回静注または点滴静注
	カイトリル®	１回2mg を１日１回で内服，注射もあり
	ナゼア®	１日0.1mg を１日１回で内服
NK_1 受容体拮抗薬	イメンド®	１日目125mg，２日目以後は80mg を１日１回内服
	プロイメンド®	１日目に150mg を点滴静注
ドパミン D_2 受容体拮抗薬	プリンペラン®	１回５～20mg を１日２～３回で内服，注射もあり
	ナウゼリン®	１回10mg を１日３回で内服，１回60mg の坐剤あり
末梢性	ストロカイン®	１日15～40mg を３～４回に分服
	ブスコパン®	１回10mg を１日３～５回で内服，注射もあり

表２　便秘の分類

1. 機能性便秘
   - a）特発性便秘
     - ①単純性便秘：腸管の蠕動低下による．高齢者の便秘はこの型が多い
     - ②痙攣性部便秘：腸管の痙縮，蠕動亢進のため糞便の輸送が障害される，過敏性腸症候群の便秘型
     - ③直腸性便秘：直腸の排便反射の減弱のため
   - b）薬物性：抗コリン薬，向精神薬，麻薬など
   - c）内分泌・代謝性：糖尿病，甲状腺機能低下症など
   - d）神経・筋性：Parkinson 病，Hirschsprung 病など
2. 器質性便秘
   - a）腸管の物理的狭窄
     - ①大腸・肛門の腫瘍，炎症，術後の狭窄など
     - ②骨盤内臓器など隣接臓器の腫瘤による圧排など
   - b）癌の神経浸潤や癌性腹膜炎

D 止痢薬

下痢は，水分を多く含む形のない糞便を排泄する状態をいう．水分量によって，軟便，泥状便，水様便などと表現される．下痢のときは一般的には排便回数が増加する．下痢の経過から，急激に発症し持続期間が1～2 週間以内の急性下痢と，2～3 週間にわたって持続する慢性下痢とに分類される．

下痢はいろいろな原因によって発症するが，①塩類下剤や栄養剤などによる消化管内の高浸透圧による下痢，②炎症性腸疾患や感染性腸炎，肝胆膵疾患による水・電解質転送障害による下痢，③腸管運動障害による下痢，の３つの機序が考えられる（図１）．下痢時には，体内の水・電解質バランスの異常を伴っている場合が多いので，注意が必要である．

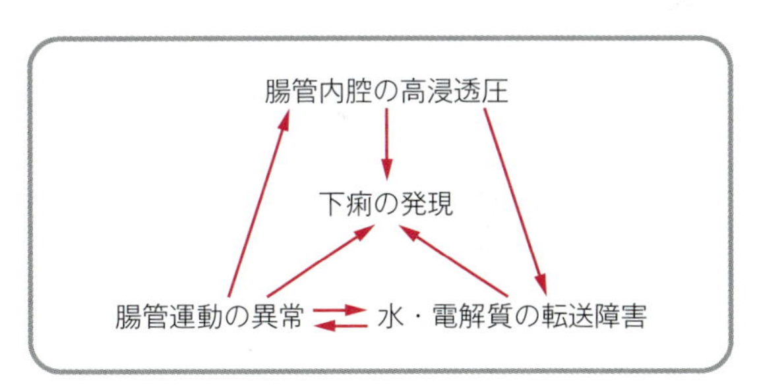

図１　下痢の発現機序

下痢の治療は，原因治療が基本である．対症的に，プロバイオティクス（ビオフェルモン®，ラックＢ®，ミヤ BM®），止痢薬（ケイ酸アルミニウム，タンニン酸アルブミン，ロートエキス），腸管運動抑制薬（ブスコパン®，ロペミン®）が用いられる[1,4]．

E プロバイオティクス，プレバイオティクス

ヒトの腸管内には，100 種類以上の細菌が 100 兆個以上生息し，腸内細菌叢を形成している．この腸内細菌叢は，老化や生活習慣病，食事，薬物，ストレスな

ど多くの要因で変動し，この変動がさらに老化や疾病に影響を与えていることが明らかにされてきた．すなわち，腸内細菌叢を至適状態に保つことが，アンチエイジングや生活習慣病，がんの予防につながる．腸内細菌叢を至適状態に調節しようとするために考えられたのが，プロバイオティクスやプレバイオティクスである[5]．

プロバイオティクスは，「腸内細菌叢のバランスを改善することにより，宿主（ヒトなど）に有益な作用をもたらす，生きた微生物」のことである．*Lactobacillus* や *Bifidobacterium* などの乳酸菌，納豆菌，酪酸菌などを含有する製剤が使用される．生きたまま腸に到達したプロバイオティクスの生菌や，死菌の菌体成分，発酵生成物などが，腸内の有害菌を抑制したり，腸管に直接作用したり，さらに産生された短鎖脂肪酸が吸収されることなどにより，免疫能の改善，がんの予防，糖質・脂質代謝の改善などに効果があると報告されている．

一方，プレバイオティクスは，「腸内において有用な菌を増やし，腸内細菌叢の健常化を促進し，宿主（ヒトなど）に有益な作用をもたらす難消化性食品成分」である．いわゆるオリゴ糖類や抵抗性デンプン，食物繊維類などが相当する．難消化性のオリゴ糖（ラクツロース，ガラクトオリゴ糖，フルクトオリゴ糖，大豆オリゴ糖，ラクトスクロース，イソマルトオリゴ糖など）は，摂取されるとそのまま大腸まで到達し，*Bifidobacterium* により利用されるため，*Bifidobacterium* の増加が起こり，腸内細菌叢のバランスが改善する．その結果，大腸内の有機酸量が増加し，アンモニアやイソ吉草酸，イソ酪酸，インドール，硫化物などの有害物質が減少し，腸内環境が改善する．食物繊維は，腸内細菌をとどめて増殖を手助けする．プロバイオティクスとプレバイオティクスを組み合わせたものをシンバイオティクスという．

経腸栄養法におけるプロバイオティクスやプレバイオティクス処方の意義については，経腸栄養剤によって起こる便秘や下痢などの改善がねらいとなる．

文献

1) 渡辺純夫，澤田賢一（編）．症状から診る内科疾患，メジカルビュー社，東京，2005
2) 日本消化器病学会（編）．肥満と消化器疾患，第2版，金原出版，東京，2015
3) 日本癌治療学会．制吐薬適正使用ガイドライン 2015年10月（第2版）一部改訂版 ver.2.2（2018年10月）<http://www.jsco-cpg.jp/item/29/index.html>（最終アクセス：2020年11月19日）
4) 日本病態栄養学会（編）．認定NSTガイドブック2017，改訂第5版，南江堂，東京，2017
5) 日本病態栄養学会（編）．病態栄養専門医テキスト，改訂第2版，南江堂，東京，2015

付　録

静脈栄養剤一覧

A. 末梢静脈栄養剤

①電解質輸液剤 1（等張液）

分類		生理食塩水	リンゲル液		酢酸リンゲル					
製剤名，商品名		生理食塩水	リンゲル液「フソー」	リンゲル液「オーツカ」	ソリューゲンF	ソリューゲンG	リナセートD	フィジオ140	ヴィーンF	ヴィーンD
メーカー		大塚製薬	扶桑薬品	大塚製薬	共和クリティケア・ニプロ・光製薬	共和クリティケア＝ニプロ	エイワイファーマ＝陽進堂	大塚製薬	扶桑薬品	扶桑薬品
容量（mL）		5～1000	500	500	500	200（300、500）	200（500）	250（500）	500	200（500）
電解質（mEq/L）	Na^+	154	147.2	147	130	130	130	140	130	130
	K^+	–	4	4	4	4	4	4	4	4
	Cl^-	154	155.7	155.5	109	109	109	115	109	109
	Ca^{2+}	–	4.5	4.5	3	3	3	3	3	3
	Mg^{2+}	–	–	–	–	–	–	2	–	–
	乳酸	–	–	–	酢酸：28	酢酸：28	酢酸：28	乳酸：3 酢酸：25 クエン酸：6	酢酸：28	酢酸：28
糖質（%）		–	–	–	–	G：5	G：5	G：1	–	G：5
PH		–	5.0～7.5		6.5～7.5	4.0～6.5	4.0～6.5	5.9～6.2	6.5～7.5	4.0～6.5
浸透圧比（約）		–	0.9～1.1	1	0.8～1	1.8～2.1	2	1	1	2
総エネルギー（kcal/容器）		–	–	–	–	40	200	40	–	40

M：マルトース，S：ソルビトール，G：ブドウ糖

分類		酢酸リンゲル				乳酸リンゲル				
製剤名，商品名		ソルアセトD	ソルアセトF	アクメインD	ペロール	ハルトマン液「コバヤシ」	ハルトマンD液「小林」	ラクテック	ラクテックD	ラクテックG
メーカー		テルモ	テルモ	光製薬	マイハラ	共和クリティケア	共和クリティケア	大塚製薬	大塚製薬	大塚製薬
容量（mL）		250（500）	500（1000）	200（500）	300（500）	500	500	250（500、1000）	500	250（500、1000）
電解質（mEq/L）	Na^+	131	131	130	130	130	131	130	130	130
	K^+	4	4	4	4	4	4	4	4	4
	Cl^-	109	109	109	109	109	110	109	109	109
	Ca^{2+}	3	3	3	3	3	3	3	3	3
	Mg^{2+}	–	–	–	–	–	–	–	–	–
	乳酸	酢酸：28	酢酸：28	酢酸：28	酢酸：28	酢酸：28	酢酸：28	酢酸：28	酢酸：28	酢酸：28
糖質（%）		G：5	–	G：5	G：5	–	G：5	–	G：5	S：5
PH		4.0～6.5	6.5～7.5	4.0～6.0	4.0～6.5	6.0～7.5	4.1～4.9	6.0～7.5	3.5～6.5	6.0～8.5
浸透圧比（約）		2	0.9	2	1.8～2.1	0.7～1.1	1.8～2.2	0.9	2	2
総エネルギー（kcal/容器）		50	–	40	60	–	100	–	100	200

M：マルトース，S：ソルビトール，G：ブドウ糖

分類		乳酸リンゲル								
製剤名，商品名		ポタコールR	ソルラクト	ソルラクトD	ソルラクトS	ソルラクトTMR	ハルトマン液「HD」	ハルトマン液pH8HD	ラクトリンゲルフソー	ラクトリンゲルM「フソー」
メーカー		大塚製薬	テルモ	テルモ	テルモ	テルモ	ニプロ	ニプロ	扶桑薬品	扶桑薬品
容量（mL）		250 (500)	250 500 1000	250 (500)	250 (500)	250 (500)	500	500 (1000)	200 (500 1000)	200 (500)
電解質（mEq/L）	Na^+	130	131	131	131	131	131	131	130.4	130.4
	K^+	4	4	4	4	4	4	4	4	4
	Cl^-	109	110	110	110	110	110	110	109.4	109.4
	Ca^{2+}	3	3	3	3	3	3	3	2.7	2.7
	Mg^{2+}	－	－	－	－	0	－	－	－	－
	乳酸	酢酸：28	酢酸：28	酢酸：28	酢酸：28	酢酸：28	酢酸：28	酢酸：28	酢酸：27.7	酢酸：27.7
糖質（%）		M：5	－	G：5	S：5	M：5	－	－	－	M：5
PH		3.5～6.5	6.0～7.5	4.5～7.0	6.0～7.5	3.5～6.5	6.0～7.5	7.8～8.2	6.0～7.5	4.5～6.0
浸透圧比（約）		1.5	0.9	2	2	1.0	1.0	1.0	0.8～1.0	1.4～1.5
総エネルギー（kcal/容器）		50	－	50	50	50	－	－	－	40

M：マルトース，S：ソルビトール，G：ブドウ糖

分類		乳酸リンゲル				重炭酸リンゲル	
製剤名，商品名		ラクトリンゲルS「フソー」	ニソリM	ニソリS	ニソリ輸液	ビカーボン	ビカネイト
メーカー		扶桑薬品	マイラン製薬・ファイザー	マイラン製薬・ファイザー	マイラン製薬・ファイザー	エイワイファーマ＝陽進堂	大塚製薬工場
容量（mL）		200 (500)	250 (500)	500	500	500	500 (1000)
電解質（mEq/L）	Na^+	130.4	130	130	130	135	130
	K^+	4	4	4	4	4	4
	Cl^-	109.4	109	109	109	113	109
	Ca^{2+}	2.7	3	3	3	3	2
	Mg^{2+}	－	－	－	－	1	2
	乳酸	酢酸：27.7	酢酸：28	酢酸：28	酢酸：25	HCO_3^-：25	HCO_3^-：28
糖質（%）		S：5	M：5	S：5	－	－	－
PH		5.5～6.5	3.5～6.5	5.0～7.5	6.5～7.5	6.8～7.8	6.8～7.8
浸透圧比（約）		1.8～2.0	1.4～1.5	1.5～2.4	0.5～1.4	0.9～1.0	0.9
総エネルギー（kcal/容器）		40	50	100	－	－	－

M：マルトース，S：ソルビトール，G：ブドウ糖

②電解質輸液剤 2（低張液）

分類		1 号液（輸液開始液）					2 号液（細胞内補充液）		
製剤名，商品名		ソリタ T1 号	KN 補液 1 号	デノサリン 1	ソルデム 1	リプラス 1 号	ソリタ T2 号	KN 2 号	ソルデム 2
メーカー		エイワイファーマ＝陽進堂	大塚製薬	テルモ	テルモ	扶桑薬品	エイワイファーマ＝陽進堂	大塚製薬	テルモ
容量（mL）		200（500）	200（500）	200（500）	200（500）	200（500）	200（500）	500	200（500）
電解質（mEq/L）	Na^+	90	77	77	90	90.8	84	60	77.5
	K^+	−	−	−	−	−	20	25	30
	Cl^-	70	77	77	70	70.8	66	49	59
	Ca^{2+}	−	−	−	−	−	−	−	−
	Mg^{2+}	−	−	−	−	−	−	2	−
	P	−	−	−	−	−	10	6.5	−
	乳酸	20	−	−	20	20	20	25	48.5
	$H_2PO_4^-$	−	−	−	−	−	−	−	−
糖質（%）		G：2.6	G：2.5	G：2.5	G：2.6	G：2.6	G：3.2	G：2.35	G：1.45
PH		3.5～6.5	4.0～7.5	3.5～6.0	4.5～7.0	4.5～5.5	3.5～6.5	4.5～7.0	4.5～7.0
浸透圧比（約）		1	1	1	1	1.0～1.2	1	1	1
総エネルギー（kcal/容器）		21	20	20	20.8	20.8	26	47	11.6

M：マルトース，S：ソルビトール，G：ブドウ糖，F：フルクトース，X：キシリトール

分類		3 号液（維持液）								
製剤名，商品名		アセトキープ 3G	エスロン B	クリニザルツ	グルアセト 35	ハルトマン G3 号	ソリタ T3 号	ソリタ T3 号 G	EL3 号	10% EL3 号
メーカー		共和クリティケア＝ニプロ	共和クリティケア＝ニプロ	共和クリティケア	共和クリティケア＝ニプロ	共和クリティケア	エイワイファーマ＝陽進堂	エイワイファーマ＝陽進堂	エイワイファーマ＝陽進堂	エイワイファーマ＝陽進堂
容量（mL）		200（500）	200（500）	500	250（500）	200（500）	200（500）	200（500）	500	500
電解質（mEq/L）	Na^+	45	45	45	35	35	35	35	40	40
	K^+	17	17	25	20	20	20	20	35	35
	Cl^-	37	37	45	28	35	35	35	40	40
	Ca^{2+}	−	−	−	5	−	−	−	−	−
	Mg^{2+}	5	5	5	3	−	−	−	−	−
	P	−	−	−	10	−	−	−	8	8
	乳酸	酢酸：20	酢酸：20	酢酸：20	酢酸：20	20	20	20	20	20
	$H_2PO_4^-$	10	10	10	−	−	−	−	−	−
糖質（%）		G：5	M：5	X：5	G：10	G：4.3	G：4.3	G：7.5	G：5	G：10
PH		4.3～6.3	4.3～6.3	5.0～6.5	4.7～5.3	4.0～6.0	3.5～6.5	3.5～6.5	4.0～6.0	4.0～6.0
浸透圧比（約）		1.3～1.7	0.9～1	1.5～1.8	2.4～2.8	1～1.6	2	2	2	3
総エネルギー（kcal/容器）		40	40	100	100	34.4	34	60	100	200

M：マルトース，S：ソルビトール，G：ブドウ糖，F：フルクトース，X：キシリトール

分類		3号液(維持液)								
製剤名，商品名		ソリタックスH	KN補液3号	KN補液MG3号	フィジオゾール3号	フィジオ35	トリフリード	フルクトラクト	アクチット	ヴィーン3G
メーカー		エイワイファーマ=陽進堂	大塚製薬	大塚製薬	大塚製薬	大塚製薬	大塚製薬	大塚製薬	扶桑薬品	扶桑薬品
容量(mL)		500	200(500)	500	500	200(500)	500(1000)	200(500)	200(500)	200(500)
電解質(mEq/L)	Na^+	50	50	50	35	35	35	50	45	45
	K^+	30	20	20	20	20	20	20	17	17
	Cl^-	48	50	50	38	28	35	50	37	37
	Ca_2^+	5	−	−	−	5	5	−	−	−
	Mg_2^+	3	−	−	3	3	5	−	5	5
	P	10	−	−	−	10	10	−	−	−
	乳酸	20	20	20	20	酢酸：20 グルコン酸：5	酢酸：6 クエン酸：14	20	酢酸：20	酢酸：20
	$H_2PO_4^-$	−	−	−	−	−	−	−	10	10
糖質(%)		G：12.5	G：2.7	G：10	G：10	G：10	G，F，X：10.5	F：2.7	M：5	G：5
PH		5.7〜6.5	4.0〜7.5	3.5〜7.0	4.0〜5.2	4.7〜5.3	4.5〜5.5	4.0〜7.5	4.3〜6.3	4.3〜6.3
浸透圧比(約)		3	1	3	2〜3	2〜3	2.6	1	1	1.5
総エネルギー(kcal/容器)		250	21.6	200	200	100	210	21.6	40	40

M：マルトース，S：ソルビトール，G：ブドウ糖，F：フルクトース，X：キシリトール

分類		3号液(維持液)								
製剤名，商品名		ソルデム3	ソルデム3A	ソルデム3AG	ソルデム3PG	ソルマルト	ヒシナルク3号	ユエキンキープ3号	維持液3号「HK」	アクマルト
メーカー		テルモ	テルモ	テルモ	テルモ	テルモ	ニプロ	光製薬	光製薬	光製薬
容量(mL)		200(500)	200(500)(1000)	200(500)	200(500)	200(500)	200(500)	200(500)	200(500)	200(500)
電解質(mEq/L)	Na^+	50	35	35	40	45	35	35	45	45
	K^+	20	20	20	35	17	20	20	17	17
	Cl^-	50	35	35	40	37	35	35	37	37
	Ca^{2+}	−	−	−	−	−	−	−	−	−
	Mg^{2+}	−	−	−	−	5	−	−	5	5
	P	−	−	−	8	−	−	−	−	−
	乳酸	20	20	20	20	酢酸：20	20	20	酢酸：20	酢酸：20
	$H_2PO_4^-$	−	−	−	−	10	−	−	−	10
糖質(%)		G：2.7	G：4.3	G：7.5	G：10	M：5	G：4.3	G：4.3	G：5	M：5
PH		4.5〜7.0	5.0〜6.5	5.0〜6.5	4.0〜6.0	4.3〜6.3	3.5〜6.5	5.0〜7.0	4.3〜6.3	4.0〜6.0
浸透圧比(約)		0.9	1	2	3	1	1	1	1.4〜1.6	1
総エネルギー(kcal/容器)		54	172	150	200	100	34.4	34.4	40	40

M：マルトース，S：ソルビトール，G：ブドウ糖，F：フルクトース，X：キシリトール

分類		3号液(維持液)				4号液(術後回復液)			その他
製剤名，商品名		リプラス3号	アルトフェッド	アステマリン3号MG	ペンライブ	ソリタT4	KN補液4号	ソルデム6	フィジオ70
メーカー		扶桑薬品	扶桑薬品	マイラン製薬＝ファイザー	マイラン製薬＝ファイザー	エイワイファーマ＝陽進堂	大塚製薬	テルモ	大塚製薬
容量(mL)		200 (500)	200 (500)	500	200 (300) (500)	200 (500)	500	200 (500)	500
電解質(mEq/L)	Na^+	40	45	35	45	30	30	30	70
	K^+	20	17	20	17	−	−	−	4
	Cl^-	40	37	38	37	20	20	20	52
	Ca^{2+}	−	−	−	−	−	−	−	3
	Mg^{2+}	−	−	3	5	−	−	−	−
	P	−	5	−	−	−	−	−	−
	乳酸	20	酢酸：20	20	酢酸：20	10	10	10	酢酸：25
	$H_2PO_4^-$	−	10	−	10	−	−	−	−
糖質(%)		G：5	M：5	G：10	M：5	G：4.3	G：4	G：4	G：2.5
PH		4.5〜5.5	4.5〜6.0	4.0〜5.2	4.3〜6.3	3.5〜6.5	4.5〜7.5	4.5〜7.0	4.7〜5.3
浸透圧比(約)		1.4〜1.5	0.9〜1.0	2.0〜2.9	0.9〜1.0	1	1	0.9	1
総エネルギー(kcal/容器)		100	100	200	40	34	80	32	50

M：マルトース，S：ソルビトール，G：ブドウ糖，F：フルクトース，X：キシリトール

③補正用電解質輸液剤

分類		Na補液剤								
溶質		塩化ナトリウム								
商品名		塩化ナトリウム注モルシリンジ	補正用塩化ナトリウム液	塩化ナトリウム注10%モルシリンジ	大塚食塩10%	10%食塩注「小林」	塩化ナトリウム注10%「HK」	10%「日新」	10%「フソー」	塩化Na補正液2.5mEq/mL
メーカー		テルモ	大塚製薬	テルモ	大塚製薬	共和クリティケア	光	日新	扶桑	大塚製薬
容量(mL)		20		20						20
溶質濃度	nmol/L	1		1.71						2.5
	%	5.85		10						10
陰イオン	種類	Na^+		Na^+						Na^+
	濃度(mEq/L)	1,000		1,710						1,710
陽イオン	種類	Cl^-		Cl^-						Cl^-
	濃度(mEq/L)	1,000		1,710						1,710

分類		K補液剤									
溶質		塩化カリウム					L-アスパラギン酸カリウム				
商品名		KCL注20mEqキット	KCL注10mEqキット	KCL補正液1mEq/mL	KCL補正液キット20mEq	K.C.L.点滴液15%	アスパラギン酸カリウム注10mEqキット	アスパラカリウム注10mEq	L-アスパラギン酸K点滴静注液10mEq「タイヨー」	L-アスパラギン酸カリウム点滴静注液10mEq「日新」	L-アスパラギン酸カリウム点滴静注液10mEq「トーワ」
メーカー		テルモ	テルモ	大塚製薬	大塚製薬	丸石製薬	テルモ	ニプロESファーマ	武田テバファーマ	日新	東和薬品
容量(mL)		20	10	20	20	20	20				
溶質濃度	nmol/L	1			0.4	1	1				
	%	15		7.5	7.5	7.5					
陰イオン	種類	K^+					K^+				
	濃度(mEq/L)	1,000			400	1,000	1,000				
陽イオン	種類	Cl^-					L-Aspartate$^-$				
	濃度(mEq/L)	1,000			400	1,000	1,000				

分類		Ca 補液剤				Mg 補液剤	P 補液剤	酸化剤
溶質		塩化カルシウム			グルコン酸カルシウム	硫酸マグネシウム	リン酸ナトリウム	塩化アンモニウム
商品名		塩化 Ca 補正液 1mEq/mL	塩化カルシウム注 2%「NP」	大塚塩カル注 2%	カルチコール注射液 8.5%	硫酸 Mg 補正液 1mEq/mL	リン酸 Na 補正液	塩化アンモニウム補正液 5mEq/mL
メーカー		大塚製薬	ニプロ	大塚製薬	日医工	大塚製薬	大塚製薬	大塚製薬
容量(mL)		20	20	20	5 (10)	20	20	20
溶質濃度	nmol/L	0.5		0.18	0.195	0.5	0.5	5
	%	5.55		2	30	12.3 ($MgSO_4 \cdot 7H_2O$)	8.7	
陰イオン	種類	Ca^{2+}		Ca^{2+}	59	Mg^{2+}	K^+	NH_4
	濃度 (mEq/L)	1		0.36	–	1	1	5000
陽イオン	種類	Cl^-		Cl^-	$Gluconate^-$	SO_4^{2-}	HPO_4^-	
	濃度 (mEq/L)	1		10	–	1	1	5000

分類		アルカリ化剤						
溶質		乳酸ナトリウム	炭酸水素ナトリウム					
商品名		乳酸 Na 補正液	メイロン静注 7%	炭酸水素 Na 静注 7% PL「フソー」	炭酸水素ナトリウム静注 7%「NP」	タンソニン注	ブレビネート	メイロン 8.4
メーカー		大塚製薬	大塚製薬	扶桑薬品	ニプロ	陽進堂	共和薬品	大塚製薬
容量(mL)		20	20 (250)	20	20	20	20	20 (250)
溶質濃度	nmol/L	1	0.833					
	%	11.2	7					
陰イオン	種類	Na^+	Na^+					
	濃度 (mEq/L)	1	0.833					
陽イオン	種類	Lactate	HCO_3^-					
	濃度 (mEq/L)	1	0.833					

B. 中心静脈栄養剤

①高カロリー輸液基本液とキット製品

商品名		糖・電解質輸液製剤													
		リハビックス-K		ネオパレン		ハイカリック							カロナリー		
		1号	2号	1号	2号	1号	2号	3号	NC-L	NC-N	NC-H	RF	L	M	H
メーカー		エイワイファーマ＝陽進堂		大塚製薬工場		テルモ							扶桑薬品		
容量(mL)		500		1000 (1500)		700						250 (500) (1000)	700	700	700
熱量(kcal)		340	420	560	700	480	700	1000	480	700	1000	500	480	700	1000
糖質	総量(g)	85	105	120	175	120	175	250	120	175	250	250	120	175	250
	ブドウ糖(g)	85	105	120	175	120	175	250	120	175	250	250	120	175	250
電解質(mEq)	Na^+	5	–	50	50	–			50			12.5	50	50	50
	K^+	10	15	22	27	30			30			–	30	30	30
	Mg^{2+}	1	2.5	4	5	10			10			1.5	10	10	10
	Ca^{2+}	4	7.5	4	5	8.5			8.5			1.5	8.5	8.5	8.5
	Cl^-	–		50	50	–			49			7.5	49	49	49
	SO_2^-	–		4	5	10			–			–	–	–	–
	Cit3$^-$	–		4	12	–			–			–	–	–	–
	LAC$^-$	9	2.5	–	–	–			30			7.5	30	30	30
	Ace$^-$	1	2.5	47	–	25	25	22	11.9			–	11.9	11.9	11.9
	Gluc$^-$	–		–	–	8.5			8.5			1.5	8.5	8.5	8.5
	P(mmol)	5	10	5	6	150		250	250			–	250	250	250
	Zn(μmol)	10		20	20	10		20	20			5	20	20	20
浸透圧比(約)		約4	約5	約4	約5	4	6	8	4	6	8	11	4.5~5.5	6.0~7.0	9.0~10.0
pH		4.8~5.8	4.8~5.8	5.6	5.4	3.5~4.5			4~5			4~5	4.0~5.0	4.0~5.0	4.0~5.0

②末梢静脈栄養輸液

商品名			ツインパル	パレセーフ	プラスアミノ	ビーフリード
メーカー			エイワイファーマ＝陽進堂	エイワイファーマ＝陽進堂	大塚製薬	大塚製薬
容量(mL)			500 (1000)	500	200 (500)	500 (1000)
電解質(mEq/容器)	Na^+		17.5	17.1	7	17.5
	K^+		10	10	−	10
	Mg^{2+}		2.5	2.5	−	2.5
	Ca^{2+}		2.5	2.5	−	2.5
	Cl^-		17.5	17.6	7	17.5
	SO_2^-		2.5	2.5	−	2.5
	$Cit3^-$		−	−	−	3
	LAC^-		10	10	−	10
	Ace^-		−	9.5	−	8
	$Gluc^-$		2.5	2.5	−	−
	P(mmol)		5	5	−	5
	Zn(μmol)		2.5	2.4	−	2.5
糖質(%)			G : 7.5	G : 7.5	G : 7.5	G : 7.5
ビタミン B_1(mg/容器)			−	1	−	0.96
アミノ酸(g/容器)	必須アミノ酸	イソロイシン	1.2	1.2	0.36	1.2
		ロイシン	2.1	2.1	0.82	2.1
		リジン	1.2	1.2	0.99	1.573
		メチオニン	0.585	0.585	0.48	0.585
		フェニルアラニン	1.05	1.05	0.58	1.05
		トレオニン	0.855	0.855	0.36	0.855
		トリプトファン	0.3	0.3	0.12	0.3
		バリン	1.2	1.2	0.4	1.2
	非必須アミノ酸	アラニン	1.2	1.2	−	1.2
		アルギニン	1.575	1.575	0.44	1.575
		アスパラギン酸	0.15	0.15	−	0.15
		システイン	0.15	0.15	−	0.15
		ヒスチジン	0.75	0.75	0.2	0.75
		グルタミン酸	0.15	0.15	−	0.15
		プロリン	0.75	0.75	−	0.75
		セリン	0.45	0.45	−	0.45
		チロジン	0.075	0.075	−	0.075
		グリシン	0.885	0.885	0.68	0.885
総遊離アミノ酸量(g/容器)			15	15	5.48	15
総窒素量(g/容器)			2.36	2.35	0.84	2.35
E/N 比			1.44	1.44	3.11	1.44
分岐鎖アミノ酸(%)			30	30	29	30
浸透圧比(約)			3	3	3	3
pH			6.9	6.7	4.0〜5.2	6.7
総エネルギー(kcal/容器)			210	210	204	210

③アミノ酸製剤

商品名			高濃度アミノ酸液						肝不全用アミノ酸液				腎不全用アミノ酸液		小児用アミノ酸液
			モリプロンF	アミニック	モリアミンS	アミパレン	アミゼットB	プロテアミン12	モリヘパミン	アミノレバン	テルフィス	ヒカリレバン	ネオアミユー	キドミン	プレアミン-P
メーカー			エイワイファーマ=陽進堂	エイワイファーマ=陽進堂	エイワイファーマ=陽進堂	大塚製薬	テルモ	テルモ	エイワイファーマ=EAファーマ	大塚製薬	テルモ	光製薬	エイワイファーマ=陽進堂	大塚製薬	扶桑薬品
容量(mL)			200	200	200	200(300)(400)	200	200	200(300)(500)	200(500)	200(500)	200(500)	200	200(300)	200
電解質(mEq/L)		Na⁺	<0.3	<0.58	3.6	0.4	–	30	3	3	3	3	2	0.4	3
		Cl⁻	–	–	36.4	–	–	30	–	19	19	19	–	–	–
		酢酸	–	–	–	–	–	–	–	–	–	–	–	–	80
		乳酸	–	–	–	–	–	–	–	–	–	–	–	–	–
糖質(%)			–	–	–	–	–	–	3	–	–	–	–	–	–
ビタミン B_1(mg/L)			–	–	–	–	–	–	–	–	–	–	–	–	–
アミノ酸	必須アミノ酸	イソロイシン	1.12	1.82	1.1	1.6	1.7	1.194	1.84	1.8	1.8	1.8	1.5	1.8	1.6
		ロイシン	2.5	2.58	2.46	2.8	2.7	2.276	1.89	2.2	2.2	2.2	2.0	2.8	3.2
		リジン	1.76	1.419	3.568	2.1	1.6	0.86	0.79	1.22	1.22	1.22	1.4	1.01	1.354
		メチオニン	0.7	0.88	1.42	0.78	0.78	0.866	0.088	0.2	0.2	0.2	1.0	0.6	0.3
		フェニルアラニン	1.87	1.4	1.74	1.4	1.54	1.948	0.06	0.2	0.2	0.2	1.0	1.0	0.5
		トレオニン	1.3	1.5	1.08	1.14	0.96	1.008	0.428	–	0.9	–	0.5	0.7	0.48
		トリプトファン	0.26	0.26	0.36	0.4	0.32	0.374	0.14	0.14	0.14	0.14	0.5	0.5	0.24
		バリン	0.9	2.8	1.22	1.6	1.8	1.38	1.78	1.68	1.68	1.68	1.5	2.0	1.2
	非必須アミノ酸	アラニン	1.24	1.42	–	1.6	1.72	1.642	1.68	1.5	1.5	1.5	0.6	0.5	1.04
		アルギニン	1.58	1.8	1.328	2.1	2.22	–	3.074	1.21	1.21	1.21	0.6	0.9	2.0
		アスパラギン酸	0.76	0.2	–	0.2	0.1	0.404	0.04	–	–	–	0.05	0.2	0.16
		シスチン	–	–	–	–	–	0.046	0.05	0.06	0.06	0.06	0.05	0.2	0.3
		グルタミン酸	1.3	0.1	–	0.2	0.1	0.204	–	–	–	–	0.05	0.2	0.16
		ヒスチジン	1.2	1	0.592	1	0.94	–	0.62	0.47	0.47	0.47	0.5	0.7	0.5
		プロリン	0.66	1	–	1	1.28	2.126	1.06	1.6	1.6	1.6	0.4	0.6	1.2
		セリン	0.44	0.34	–	0.6	0.84	0.934	0.52	1.0	1.0	1.0	0.2	0.6	0.8
		チロジン	0.07	0.08	–	0.1	0.1	0.114	0.08	–	–	–	0.1	0.1	0.12
		グリシン	2.14	1.4	2	1.18	1.1	3.136	1.08	1.8	1.8	1.8	0.3	–	0.4
アミノ酸計(g/dL)			20.72	20.65	16.24	10	–	–	15.17	–	–	–	–	7.42	7.797
総遊離アミノ酸量(g/dL)			20	20.07	16.86	20	20	22.724	7.47	15.98	15.98	15.98	5.9	14.41	7.6
総窒素量(g/dL)			3.04	3.04	2.62	3.13	3.12	3.63	1.318	2.44	2.44	2.44	0.81	2.0	1.175
E/N 比			1.09	1.71	3.3	1.44	1.33	0.88	0.83	1.09	1.09	1.09	3.21	2.6	1.26
分岐鎖アミノ酸(%)			22.6	35.9	28.3	30	31	21.3	2.755	35.5	35.5	35.5	42.4	45.8	39
浸透圧比(約)			3	3	3	3	3	5	3	3	3	3	2	2	2.3~2.8
pH			5.5~6.5	6.8~7.8	5.5~7.0	6.5~7.5	6.1~7.1	5.7~6.7	6.6~7.6	5.5~6.5	5.9~6.9	5.5~6.5	6.6~7.6	6.5~7.5	6.5~7.5

④脂肪乳剤

商品名		イントラリポス	
		10%	20%
メーカー		大塚製薬	
容量(mL)		250	50(100，250)
電解質(mL)	精製大豆油	25	10
	卵黄リン脂質	−	−
	精製卵黄レシチン	3	0.6
	濃グリセリン	5.5	1.1
アミノ酸	パルミチン酸	12.1	12.1
	ステアリン酸	4.3	4.3
	オレイン酸	23.7	23.7
	リノール酸	53	53
	リノレン酸	6.9	6.9
エネルギー(kcal)		275	100
浸透圧比(約)		1	1
pH		6.5～8.5	6.5～8.5

⑤総合ビタミン剤

商品名		オーツカMV		ネオラミン・マルチV	マルタミン	ビタジェクト	ダイメジン・マルチ注
		1号	2号				
メーカー		大塚製薬	大塚製薬	日本化薬	エイワイファーマ＝陽進堂	テルモ	日医工ファーマ
容量(mL)						A，B液　各5	
水溶性ビタミン	B_1(mg)	3.1(チアミン)	−	3(チアミン)	5(チアミン)	3(チアミン)	3(チアミン)
	B_2(mg)	3.6(リボフラビン)	−	4(リボフラビン)	5(リボフラビン)	4(リボフラビン)	4(リボフラビン)
	B_6(mg)	4(ピリドキシン)	−	4(ピリドキシン)	5(ピリドキシン)	4(ピリドキシン)	4(ピリドキシン)
	B_{12}(mg)	5	−	10	10	10	5
	C(mg)	100	−	100	100	100	100
	ニコチン酸アミド(mg)	40	−	40	40	40	40
	葉酸(mg)	0.4	−	0.4	0.4	0.4	0.4
	ビオチン(mg)	0.06	−	0.1	0.1	0.1	0.1
	パントテン酸(mg)	15	−	15	15(パンテノール)	15	15
脂溶性ビタミン	A(IU)	−	3,300	3,300	4,000	3,300	3,300
	D(IU)	−	200(D_3)	10 μg(D_3)	400(D_3)	10 μg(D_3)	10 μg(D_3)
	E(mg)	−	10	15	15	15	15
	K(mg)	−	2(K_1)	2(K_1)	2(K_2)	2(K_1)	2(K_1)

⑥微量元素剤

商品名		エレジェクト注シリンジ	エレメンミック注，キット	ミネラリン注	シザナリンN注	ミネラミック注	ミネリック−5注 シリンジ	メドレニック注，シリンジ	ボルビックス注	ボルビサール注
メーカー		大塚製薬	エイワイファーマ＝陽進堂	日本化薬	日新製薬	東和薬品	ニプロ	武田テバファーマ	富士薬品	富士薬品
容量(mL)		2								2
元素(μmol)	Fe	35								35
	Mn	1								−
	Zn	60								60
	Cu	5								5
	I	1								1

2 経腸栄養剤一覧

A. 医薬品扱いの経腸栄養剤

（100mL 中）

分類		成分栄養剤(ED)			消化態流動食	半消化態流動食			
商品名		エレンタール配合内用剤	ヘパンED配合内用剤	エレンタールP乳幼児用配合内用剤	ツインラインNF配合経腸用栄養液	ラコールNF配合経腸用液	エンシュアリキッド250mL/500mL	エンシュア・H(バニラ味・コーヒー味・バナナ味・黒糖味)	アミノレバンEN
メーカー		EAファーマ	EAファーマ	EAファーマ	イーエヌ大塚	イーエヌ大塚	アボットジャパン	アボットジャパン	大塚製薬
包装(mL，g)		80g	80g	40(80)g	A液：200mL B液：200mL				50g
包装形態									
100kcalあたりの容量(mL)									
水分(mL)					85	85			
濃度(kcal/mL)		26.7(g)	25.8(g)	25.6	100	100	100	66.7	23.8
たんぱく質(g)		4.4	3.6	3.1	4.05	85	85.2	51.7	13
脂質(g)		0.17	0.9	0.9	2.78	4.4	3.5	3.5	3.57
炭水化物(糖質＋食物繊維)(g)		21.1	19.9	19.9	14.68	2.22	3.50	3.50	31.1
ビタミン	A(μg)	216	232	346	204	15.50	13.63	13.63	466IU
	D(μg)	0.43	1.24	2.82	13.5	62.1	75.1	75.1	
	E(mg)	1	4.86	1.61	0.67	0.3	0.5	0.5	
	C(mg)	2.6	7.55	9.18	22.5	0.7	3	3	
	B_1(mg)	0.05	0.23	0.08	0.26	28.1	15.2	15.2	
	B_2(mg)	0.06	0.23	0.10	0.29	0.48	0.15	0.15	
	B_6(mg)	0.07	0.18	0.12	0.3	0.31	0.17	0.17	
	B_{12}(μg)	0.24	0.7	0.39	0.32	0.46	0.2	0.2	
葉酸(μg)		14.7	42.5	23.6	25	0.3	0.6	0.6	
ナイアシン(mg)		2.22	3.29	3.7	2.5	37.5	20	20	1.512
パントテン酸(mg)		1.2	1.52	1.8	0.94(ニコチン酸アミド)	2.5(ニコチン酸アミド)	2(ニコチン酸アミド)	3(ニコチン酸アミド)	1.092
浸透圧(mOsm/L)		–	–	–		0.958	0.5	0.5	–
		–	–	–	470～510	330～360	約330	約540	–
粘度(20℃) CP									
		6.7	7		6.3～6.7	3	44	44	
ω6/ω3比									
MCT		128	148		140	119	157	157	
NPC/N比									

分類		半消化態流動食						
商品名		アイソカル 1.0 ジュニア	リソース・ペムパル	ペプチーノ	エンテミール R	アクトスルー	エフツーショット/エフツーショット EJ	エフツーライト EJ 300kcal
メーカー		ネスレ日本	ネスレ日本	テルモ	テルモ	クリニコ	テルモ	テルモ
包装(mL)		200	125	200	100(g)	167 (222) (g)	200 (300 400)	400 (533)
包装形態		テトラパック	紙パック	紙パック	アルミ包装	アルミ包装	アルミ包装	アルミ包装
100kcal あたりの容量(mL)		100	62.5	100	25	56(g)	100(g)	133(g)
水分(mL)		83	75	85	–	31	77	330
濃度(kcal/mL)		1	1.6	1	1	1.8		0.75
たんぱく質(g)		2.8	6.4	3.6	3.75	5	4	4
脂質(g)		3.3	6.4	0	1.5	2.8	2.2	2.17
炭水化物(糖質+食物繊維)(g)		16.1	20	21.4	18	15.6	16.9	17.1
ビタミン	A(μg)	63	102	85	85	95	85	85
	D(μg)	1.0	0.96	0.55	0.55	0.7	0.55	0.55
	E(mg)	0.9	2.4	0.7	0.7	1.4	0.9	0.9
	C(mg)	14	30	50	50	50	15	15
	B_1(mg)	0.15	0.31	0.5	0.5	0.3	0.25	0.25
	B_2(mg)	0.17	0.34	0.25	0.25	0.35	0.2	0.17
	B_6(mg)	0.24	0.42	0.25	0.25	0.3	0.3	0.3
	B_{12}(μg)	0.25	0.4	0.6	0.6	0.7	0.9	0.9
葉酸(μg)		19	42	50	50	40	30	30
ナイアシン(mg)		2.4	3.8	2.5	2.5	3.5	2.1	2.1
パントテン酸(mg)		0.9	2.0	1.2	1.2	1	0.9	0.9
浸透圧(mOsm/L)		335	–	470/500	400	–	470	345
粘度(20℃) CP		–	–	6		10000, 5000	2000	2000
ω6/ω3 比			–	–	–	3.3		
MCT								
NPC/N 比		200		152		100	134	134

分類	半消化態流動食						
商品名	PG ソフト A	PG ソフト/PG ソフト EJ	メディエフ プッシュケア	カームソリッド 400kcal	カームソリッド 300kcal	笑顔クラブ すいすい	MA-ラクフィア 0.8
メーカー	テルモ	テルモ	ネスレ日本	ニュートリー/ニプロ	ニュートリー/ニプロ	フードケア	クリニコ
包装(mL)	400 (533) (g)	200 (267) (g)	120 (160) (g)	400	400	125	500
包装形態	アルミ包装	アルミ包装	アルミ包装	アルミ包装	アルミ包装	紙パック	アセプバッグ
100kcal あたりの容量(mL)	133(g)	66.7	40g	100	133	78.1	125
水分(mL)	110	66.7(g)	17	83	116	62.5	351
濃度(kcal/mL)	0.75	1.5	2.5	1	0.75	1.3	0.8
たんぱく質(g)	4	43.7	4.7	3.8	3.8	5	4
脂質(g)	2.2	2.2	2.8	2.2	2.2	0	3
炭水化物(糖質＋食物繊維)(g)	17.1	16.1	14	16.9	16.9	20	14.7
ビタミン A(μg)	85	85	89	8.8	8.8	−	75
ビタミン D(μg)	0.55	0.55	0.6	0.63	0.63	−	0.5
ビタミン E(mg)	0.9	0.9	0.8	1.13	1.13	−	1.0
ビタミン C(mg)	15	0.15	30	12.5	12.5	16	10
ビタミン B_1(mg)	0.25	0.25	0.24	0.33	0.33	0.38	0.13
ビタミン B_2(mg)	0.2	0.2	0.2	0.18	0.18	0.41	0.14
ビタミン B_6(mg)	0.3	0.3	0.2	0.18	0.18	0.44	0.2
ビタミン B_{12}(μg)	0.9	0.9	0.27	0.3	0.3	−	0.3
葉酸(μg)	30	30	27	30	30	31	30
ナイアシン(mg)	2.1	2.1	1.7	1.75	1.75	4.1	1.9
パントテン酸(mg)	0.9	0.9	0.7	0.75	0.75	−	1
浸透圧(mOsm/L)	360	460	−	685(mOsm/kg)	496(mOsm/kg)	470	260
粘度(20℃) CP				20000		8	12
	20000	20000			20000		
ω6/ω3 比	2.4			4	4	−	2.7
MCT							
NPC/N 比	134	134	110	142	142	89	131

分類		半消化態流動食					
商品名		アイソカル 2KNeo	メディエフバッグ 300mL/400mL	A1.5	アイソカル サポート	エンジョイ climeal	明治メイバランス Mini
メーカー		ネスレ日本	ネスレ日本	クリニコ	ネスレ日本	クリニコ	明治
包装(mL)		200	300 (400)	200 (1000)	200	125	125
包装形態		テトラパック	ソフトバッグ	紙パック	テトラパック	紙パック	紙パック
100kcal あたりの容量(mL)		50	100	67	66.7	62.5	62.5
水分(mL)		35	84	52	51	47	47
濃度(kcal/mL)		2	1	1.5	1.5	1.6	1.6
たんぱく質(g)		3.0	4.5	4	3.8	3.75	3.75
脂質(g)			2.8	3	4.6	3.35	2.8
炭水化物(糖質+食物繊維)(g)		13.0	14.3	15	10.2	14.7	15.9
ビタミン	A(μg)	80	67	75	80	80	60
	D(μg)	0.6	0.5	0.5	0.7	0.6	0.5
	E(mg)	0.9	0.6	1	0.9	1.4	3
	C(mg)	18	15	10	20	17.5	16
	B_1(mg)	0.2	0.18	0.13	0.23	0.18	0.3
	B_2(mg)	0.23	0.15	0.14	0.23	0.25	0.2
	B_6(mg)	0.25	0.15	0.2	0.25	0.33	0.3
	B_{12}(μg)	0.24	0.2	0.3	0.3	0.6	0.6
葉酸(μg)		25	20	40	25	65	30
ナイアシン(mg)		3.0	1.3	1.9	3	3.25	2.45
パントテン酸(mg)		1.3	0.5	1	1.3	0.8	0.6
浸透圧(mOsm/L)		460	350	350	410	430	
粘度(20℃) CP		22	11	30	30	20	20
ω6/ω3 比				2.7			
MCT							
NPC/N 比		180	110	131	140	142	145

B. 食品扱いの経腸栄養剤

分類		自然食品流動食		半消化態流動食/液体タイプ 0.7kcal/mL	半消化態流動食/液体タイプ 1.0kcal/mL			
商品名		流動食品 A	流動食品 C	サンエット-SA アクアバッグ	アイソカル RTU	CZ-Hi	CZ-Hi0.6 アセプバッグ	CZ-Hi0.8 アセプバッグ
メーカー		ホリカフーズ	ホリカフーズ	ニュートリー	ネスレ日本	クリニコ	クリニコ	クリニコ
包装(mL)		200	200 (300)	378/504	200 (500)	200 (1000)	200 (300) (400)	
包装形態		スタンディングパウチ	スタンディングパウチ	ソフトバッグ	テトラパック	紙パック	アセプティックパウチ	アセプティックパウチ
100kcal あたりの容量(mL)		96.2	95	143	100	100	164	125
水分(mL)		80.8	79.8	126	87	84	150	109
濃度(kcal/mL)		1.04	1.05	0.7	1	1	1.67	1.25
たんぱく質(g)		4.9	3.7	5.5	3.3	5	5	5
脂質(g)		2.6	2.1	2.2	4.2	2.2	2.2	2.2
炭水化物(糖質＋食物繊維)(g)		14.1	16.5	16.0	12.0	17.1	16.7	16.7
ビタミン	A(μg)	115	91	75	80	75	75	75
	D(μg)	0	1	0.3	0.6	0.5	0.5	0.5
	E(mg)	0.3	1.2	2	0.9	1.2	1.2	1.2
	C(mg)	2.9	21.9	25	18	10	10	10
	B_1(mg)	0.17	0.2	0.15	0.2	0.16	0.16	0.16
	B_2(mg)	0.17	0.16	0.15	0.23	0.18	0.18	0.2
	B_6(mg)	0.05	0.16	0.2	0.25	0.3	0.3	0.3
	B_{12}(μg)	0.3	0.37	0.3	0.24	0.3	0.3	0.3
葉酸(μg)		10.6	24	25	25	30	30	30
ナイアシン(mg)			3.6	3	3	3.2	2.0	2.0
パントテン酸(mg)		0.42	0.82	0.63	1.3	1	1	1
浸透圧(mOsm/L)				220	280	300	160	220
粘度(20℃) CP					8	17	6	9
ω6/ω3 比				2.8		3.3	3.3	3.3
MCT								
NPC/N 比				89	160	100	100	100

分類		半消化態流動食/液体タイプ 1.0kcal/mL						
商品名		E-3	E-7Ⅱ0.6	E-7Ⅱ0.8	MA-8 プラス	PRONA	明治メイバランス 1.0	明治メイバランス HP1.0
メーカー		クリニコ	クリニコ	クリニコ	クリニコ	クリニコ	明治	明治
包装(mL)								
包装形態		紙パック	アセプティックパウチ	アセプティックパウチ	紙パック/紙パック，アセプティックパウチ	紙パック/アセプティックパウチ	紙パック	紙パック
100kcal あたりの容量(mL)		100	167	125	100	100	100	100
水分(mL)		84	151	109	85	84	84.3	84.1
濃度(kcal/mL)		1	1.67	1.25	1	1		1
たんぱく質(g)		5	5	5	4	5.5	4	5
脂質(g)		2.2	2	2	3	2.2	2.8	2.5
炭水化物(糖質＋食物繊維)(g)		15.5	1.63	16.3	14.7	15.8	15.7	15.5
ビタミン	A(μg)	75	90	90	75	107	60	60
	D(μg)	0.5	0.6	0.6	0.5	0.7	0.5	0.5
	E(mg)	1.2	1	1	1	1	3	3
	C(mg)	10	10	10	10	50	16	16
	B_1(mg)	0.16	0.13	0.13	0.13	0.2	0.15	0.15
	B_2(mg)	0.18	0.18	0.18	0.14	0.27	0.2	0.2
	B_6(mg)	0.3	0.2	0.2	0.2	0.3	0.3	0.3
	B_{12}(μg)	0.3	0.3	0.3	0.3	0.45	0.6	0.6
葉酸(μg)		30	30	30	40	45	50	50
ナイアシン(mg)		2.0	2.2	2.2	1.9	3.3	2.4	2.8
パントテン酸(mg)		1	0.7	0.7	1.0	1.1	0.6	0.6
浸透圧(mOsm/L)		250	200	260	260	340	380	420
粘度(20℃) CP		11	1.05	1.07	1.07	1.08	10	10
ω6/ω3 比		3.3	2.37	2.37	2.6	2.6		
MCT								
NPC/N 比		100	100	100	131	89	134	102

分類		半消化態流動食/液体タイプ 1.0kcal/mL						
商品名		サンエット-N3	サンエット-SA	リカバリーSOY	リカバリーAmino	リキッドダイエット K-2S プラス	リキッドダイエット K-5S	メディエフ
メーカー		ニュートリー	ニュートリー	ニュートリー	ニュートリー	ニュートリー	ニュートリー	ネスレ
包装(mL)								200 (300) (400)
包装形態		紙パック/バッグZ	紙パック/バッグZ	紙パック/ジッパー付きソフトバッグ	紙パック	ソフトバッグ	ソフトバッグ/アセプティック紙容器	紙パック/ソフトバッグ
100kcal あたりの容量(mL)		100	100	100	100	100	100	100
水分(mL)		85	83.5	84	84	85.1	84.7	84
濃度(kcal/mL)		1	1	1	1	1		1
たんぱく質(g)		4	5.5	4.5	5	3.5	4.5	4.5
脂質(g)		2.6	2.2	2.5	2.7	3.3	3.3	2.8
炭水化物(糖質＋食物繊維)(g)		15.8	16	15.7	15.4	14.1	13.8	14.3
ビタミン	A(μg)	90	75	90	110	85	85	67
	D(μg)	0.7	0.3	0.8	0.8	0.6	0.6	0.5
	E(mg)	2	2	3	2	1.2	0.9	0.6
	C(mg)	20	25	10	25	20	20	15
	B_1(mg)	0.19	0.15	0.2	0.2	0.13	0.13	0.18
	B_2(mg)	0.22	0.15	0.2	0.23	0.15	0.15	0.15
	B_6(mg)	0.26	0.2	0.3	0.4	0.25	0.25	0.15
	B_{12}(μg)	0.4	0.3	0.4	0.65	0.4	0.4	0.2
葉酸(μg)		50	25	50	50	25	25	20
ナイアシン(mg)		3	3	3	3	2.8	2.8	1.3
パントテン酸(mg)		0.86	0.65	0.9	1	1	1	0.5
浸透圧(mOsm/L)		310/276	309/292	350	485	340	350	400/350
粘度(20℃) CP		12	10	9.2	8.5	5	10	6/11
ω6/ω3 比		2.8	2.8	3.4	3.1	3.1	2.8	
MCT								
NPC/N 比		131	89	114	100	157	116	110

分類	半消化態流動食/液体タイプ 1.0kcal/mL			半消化態流動食/液体タイプ 1.5kcal/mL			
商品名	ハイネ	F2α/F2α バッグ	NT-5	リカバリーニュートリート (300kcal/400kcal)	テルミールソフト	明治メイバランス 1.5	明治メイバランス HP1.5
メーカー	大塚製薬工場	テルモ	ホリカフーズ	ニュートリー	テルモ	明治	明治
包装(mL)	300 (400)	200	200 (300)	200 (267) (g)		200 (1000)	200 (1000)
包装形態	ジッパー付きバッグ	無菌紙容器/紙パック	スタンディングパウチ		スパウト付容器	紙パック	紙パック
100kcal あたりの容量(mL)	100	100	100	66.7(g)	60.7	66.7	66.7
水分(mL)	84.7	84	83.6	42	42.7	50.9	50.7
濃度(kcal/mL)	1	1	1	1.5	1.5	1.5	1.5
たんぱく質(g)	5	5	5.1	5	3	4	5
脂質(g)	2.3	2.2	2.7	2.7	3	2.8	2.5
炭水化物(糖質+食物繊維)(g)	15.7	15.5	15.6	15.7	15.3	15.7	15.5
ビタミン A(μg)	82	85	100	78	70.1	60	60
ビタミン D(μg)	2	0.6	1.0	0.6	0.5	0.5	0.5
ビタミン E(mg)	3.7	3	1.2	1.2	0.7	3	3
ビタミン C(mg)	80	30	9		15	16	16
ビタミン B_1(mg)	0.3	0.2	0.16	0.22	0.2	0.15	0.15
ビタミン B_2(mg)	0.4	0.2	0.22	0.23	0.2	0.2	0.2
ビタミン B_6(mg)	0.5	0.5	0.18	0.23	0.2	0.3	0.3
ビタミン B_{12}(μg)	0.5	1.5	0.4	0.4	0.7	0.6	0.6
葉酸(μg)	45	50	33	28	25	50	50
ナイアシン(mg)	3.7	2.3	1.7	1.85	1.8	2.4	2.8
パントテン酸(mg)	2	0.9	0.7	0.67	0.1	0.6	0.6
浸透圧(mOsm/L)	370	370				590	620
粘度(20℃) CP	–	10		5000		6.7	25
ω6/ω3 比	3	7.6		4.3		3.2	3.2
MCT							
NPC/N 比	110	102		100		102	102

分類		半消化態流動食/液体タイプ 1.5kcal/mL		半消化態流動食/液体タイプ 1.6kcal/mL				
商品名		CZ-Hi1.5	リカバリー 1.5	リカバリー Mini	JuciO ミニ	ジャネフファインケア	笑顔倶楽部	テルミールミニ
メーカー		クリニコ	ニュートリー	ニュートリー	ニュートリー	キューピー	フードケア	テルモ
包装(mL)		200 (1000)	200 (1000)	125	125	125	125	
包装形態		紙パック/アセプティックパウチ	紙パック	テトラパック	テトラパック			無菌紙容器
100kcal あたりの容量(mL)		67	67	62.5	62.5	62.5	62.5	62.5
水分(mL)		50	50	46.5	46.7	47.4	47.6	58.8
濃度(kcal/mL)		1.5	1.5	1.6	1.6	1.6	1.6	1.6
たんぱく質(g)		5	4	4	4	3.8	4.0	4.6
脂質(g)		2.2	3.22	3.8	1.34	3.8	3.5	4.7
炭水化物(糖質+食物繊維)(g)		16.7	14.7	12.3	188	12.8	13.2	16.3
ビタミン	A(μg)	75	70	54	118	175	40/87.5	88.7
	D(μg)	0.5	0.5	0.44	0.9	1.5	0.2/0.4	0.6
	E(mg)	1.2	1.7	1.8	1.5	2.5	0.9/1.45	0.9
	C(mg)	10	24	23	25	15	7/16.5	31.3
	B_1(mg)	0.16	0.18	0.1	0.2	0.35	0.13/0.19	0.2
	B_2(mg)	0.18	0.2	0.14	0.23	0.3	0.17/0.2	0.2
	B_6(mg)	0.3	0.3	0.2	0.23	0.25	0.18/0.27	0.3
	B_{12}(μg)	0.3	0.5	0.4	0.4	0.5	0.45/0.4	0.9
葉酸(μg)		30	40	40	40	50	37.5/31.5	31.2
ナイアシン(mg)		3.1	3.1		2.3	4	2.75/3.5	2.2
パントテン酸(mg)		1	0.8	0.5	1	1.2	0.7/0.85	0.9
浸透圧(mOsm/L)		450	555	550	731			
					–			
粘度(20℃) CP			24		9.0			
ω6/ω3 比		3.3	3.2	4.5				
MCT								
NPC/N 比		100	131	131	131			

分類		半消化態流動食/液体タイプ 1.6kcal/mL				半消化態流動食/液体タイプ 1.8kcal/mL	半消化態流動食/液体タイプ 2.0kcal/mL	
商品名		テルミールミニ α	アイソカル・プラス	アイソカル・プラス EX	アイソカル サポート	テルミール ソフト M	メディミル ロイシンプラス	テルミール 2.0α
メーカー		テルモ	ネスレ日本	ネスレ日本	ネスレ日本	テルモ	味の素	テルモ
包装(mL)			200	200	200		100	200
包装形態		無菌紙容器	紙パック	紙パック	紙パック	スパウト付容器	パック	無菌紙容器
100kcal あたりの容量(mL)		62.5	66.7	66.7	66.7	57	50	50
水分(mL)		58.8	51	51	51	40	70	35
濃度(kcal/mL)		1.6	1.5	1.5	1.5	1.8	2	2
たんぱく質(g)		4.6	3.8	5	3.8	3	8	3.6
脂質(g)		4.7	4.6	4.6	4.6	3	10.3	3.8
炭水化物(糖質＋食物繊維)(g)		16.7	11.2	9.9	11.7	15.3	20.4	13
ビタミン	A(μg)	106	80	80	80	71	130	70.7
	D(μg)	0.7	0.7	0.6	0.7	0.5	20	0.5
	E(mg)	3.8	0.9	0.9	0.9	0.8	1.3	0.7
	C(mg)	15	20	20	20	15	40	15
	B_1(mg)	0.6	0.2	0.2	0.2	0.2	0.45	0.2
	B_2(mg)	0.3	0.23	0.23	0.23	0.2	0.5	0.2
	B_6(mg)	0.6	0.25	0.25	0.25	0.3	0.6	0.3
	B_{12}(μg)	1.9	0.24	0.3	0.3	0.8	1.2	0.7
葉酸(μg)		62.5	25	25	25	25	48	25
ナイアシン(mg)		2.8	3	3	3	1.8	5.0	1.7
パントテン酸(mg)		1.1	1.3	1.3	1.3	1.7	2.5	0.7
浸透圧(mOsm/L)			450	390	410		−	
粘度(20℃) CP			18	22	30		−	
ω6/ω3 比							−	
MCT								
NPC/N 比			140	89	140			

分類		半消化態流動食/液体タイプ 2.0kcal/mL			半消化態流動食/液体タイプ 0.8kcal/g	糖質調整流動食		
商品名		アイソカル・2KNeo/アイソカル Bag/2K	明治メイバランス 2.0 200mL/1000mL	MA-R2.0	ハイネゼリーアクア	明治インスロー	明治インスロー Z パック	グルセルナ REX
メーカー		ネスレ日本	明治	クリニコ	大塚製薬工場	明治	明治	アボットジャパン
包装(mL)		200	200 (1000)	200 (1000)	250(g)	200	300 (400)	200 (400)
包装形態		紙パック	紙パック	紙パック	アルミパウチ	紙パック	ソフトパック	ソフトパック
100kcal あたりの容量(mL)		50	50	50	125	100	100	100
水分(mL)		35	34.6	35	101	84.2	84.2	85
濃度(kcal/mL)		2	2	2	0.8	1	1	1
たんぱく質(g)		3.0	3.4	3.7	5	5	5	4.2
脂質(g)		4.3	3.3	2.8	2.3	3.3	3.3	5.6
炭水化物(糖質＋食物繊維)(g)		12	15.2	15.8	15.7	12.4	12.4	9.7
ビタミン	A(μg)	80	60	75	82	75	75	104
	D(μg)	0.6	0.5	0.5	2	0.75	0.75	0.9
	E(mg)	0.9	3	1.2	3.5	8	8	2.7
	C(mg)	18	16	15	80	40	40	11
	B_1(mg)	0.2	0.15	0.15	0.32	0.6	0.6	0.12
	B_2(mg)	0.23	0.2	0.18	0.35	0.5	0.5	0.18
	B_6(mg)	0.25	0.3	0.3	0.45	0.3	0.3	0.21
	B_{12}(μg)	0.24	0.6	0.3	0.45	0.9	0.9	0.3
葉酸(μg)		25	50	30	45	50	50	20
ナイアシン(mg)		3.0	2.3	2.8	3.5	2.8	2.8	1.7
パントテン酸(mg)		1.3	0.6	1	2	1	1	0.7
浸透圧(mOsm/L)		460	600	620	−	500	500	
粘度(20℃) CP		22	50	1.15	4500	10	10	
ω6/ω3 比			3.2	3.4	3	2.4	2.4	
MCT								
NPC/N 比		180	163	146	100	103	103	

分類		糖質調整流動食			たんぱく質・糖質調整流動食			
商品名		ディムス（プレーン，抹茶）	タピオンα	リソース・グルコパル（コーンスープ）	明治リーナレンLP	明治リーナレンMP	明治リーナレンD	レナジーbit
メーカー		クリニコ	テルモ	ネスレ日本	明治	明治	明治	クリニコ
包装（mL）		200	200	125	125	125	125	125
包装形態		紙パック	紙パック	パック	紙パック	紙パック	紙パック	紙パック
100kcalあたりの容量（mL）		100	100	78.1	62.5	62.5	62.5	66.7
水分（mL）		84	84.5	62	47.4	46.8	46.9	67.3
濃度（kcal/mL）		1	1	1.5	1.6	1.6	1.6	1.2
たんぱく質（g）		4	4	5	1	3.5	3.5	0.6
脂質（g）		2.8	4.5	3.3	2.8	2.8	2.8	2.8
炭水化物（糖質＋食物繊維）（g）		16.7	12.8	12.1	18.5	16	16.4	20.8
ビタミン	A（μg）	75	91	86	60	60	60	60
	D（μg）	1.0	0.5	1.3	0.13	0.13	0.13	0.2
	E（mg）	10	3	10.8	1	1	1	3.3
	C（mg）	100	30	43	9	9	9	10
	B_1（mg）	0.6	0.21	0.65	0.12	0.12	0.12	0.3
	B_2（mg）	0.18	0.24	0.65	0.13	0.13	0.13	0.3
	B_6（mg）	0.62	0.5	0.65	1	1	1	0.3
	B_{12}（μg）	0.7	1.5	1.08	0.24	0.24	0.24	0.5
葉酸（μg）		70	50	54	63	63	63	53.3
ナイアシン（mg）		5.2	2.3	3.6	1.8	2.3	2.4	3.2
パントテン酸（mg）		1.3	0.9	1.7	0.5	0.5	0.5	1.3
浸透圧（mOsm/L）		280	250	580	720	730	830	390
粘度（20℃）CP		1.08	10	13	15	25	25	1.1
ω6/ω3比		2.8	4.2	2.1	2.6	2.6	2.3	2.5
MCT								
NPC/N比		131	134	87	614	157	157	1017

分類	たんぱく質・糖質調整流動食			immunonutrition		その他	
商品名	レナジーU	レナウェルA	レナウェル3	明治メイン	インパクト	明治YH	プルモケア-Ex
メーカー	クリニコ	テルモ	テルモ	明治	ネスレ日本	明治	アボットジャパン
包装(mL)	200	125	125	200	125	200 (300) (400)	250
包装形態	紙パック	紙パック	紙パック	紙パック	スタンディングパウチ	紙パック ソフトバッグ	缶
100kcalあたりの容量(mL)	67	63	63	100	約100	100	67
水分(mL)	51	59.2	59.2	84.4	85	84.0	52.5
濃度(kcal/mL)	1.5	1.6	1.6	1	約0.9	1	1.5
たんぱく質(g)	3.3	0.5	1.9	5	5.6	4	4.2
脂質(g)	2.8	5.6	5.6	2.8	2.8	2.8	6.1
炭水化物(糖質＋食物繊維)(g)	16.9	20.3	18.9	13.8	13.3	14.3	7
ビタミン A(μg)	42	18.9	18.9	150	44	114	105.6
ビタミン D(μg)	0.4	0.1	0.1	0.8	0.2	0.75	0.7
ビタミン E(mg)	1.3	3.8	3.8	5	0.5	4.5	3.7
ビタミン C(mg)	6.7	18.9	18.9	50	10	50	21.3
ビタミン B_1(mg)	0.13	0.3	0.3	0.25	0.07	0.23	0.3
ビタミン B_2(mg)	0.15	0.4	0.4	0.3	0.07	0.3	0.3
ビタミン B_6(mg)	0.83	0.6	0.6	0.3	0.1	0.45	0.3
ビタミン B_{12}(μg)	0.2	1.6	1.6	0.6	0.16	0.9	0.6
葉酸(μg)	63	63	63	50	13	40	43.5
ナイアシン(mg)	0.4	5	5	4	1.9	3.4	3.2
パントテン酸(mg)	0.5	2.3	2.3	1.2	0.3	0.9	1.4
浸透圧(mOsm/L)	470			600	約390	600	
粘度(20℃) CP	1.12	−	−			50	
ω6/ω3比	2.5		−	2	0.8	2.2	
MCT							
NPC/N比	167		−	102	74	134	

分類		その他			
商品名		プロシュア	ヘパスⅡ(オレンジティー風味・コーヒー風味)	ペプタメンAF	ペプタメンスタンダード
メーカー		アボットジャパン	クリニコ	ネスレ日本	ネスレ日本
包装(mL)		220	125	200	200
包装形態		ボトル	紙パック	テトラパック	テトラパック
100kcal あたりの容量(mL)		80	62.5	66.7	66.7
水分(mL)		63.5	46.5	52	51
濃度(kcal/mL)		1.3	1.6	1.5	1.5
たんぱく質(g)		5.2	3.3	6.3	3.5
脂質(g)		2	3.4	4.4	4
炭水化物(糖質+食物繊維)(g)		16	16.6	8.8	12.5
ビタミン	A(μg)	106	6.3	100	100
	D(μg)	1.3	0.5	0.9	0.9
	E(mg)	15.7	37.5	1	1
	C(mg)	33.9	50	27	27
	B_1(mg)	0.2	0.1	0.25	0.25
	B_2(mg)	0.2	0.2	0.33	0.33
	B_6(mg)	0.3	0.3	0.43	0.43
	B_{12}(μg)	0.3	0.5	0.8	0.8
葉酸(μg)		132.9	25	31	31
ナイアシン(mg)		0.9	2.2	5.3	5.3
パントテン酸(mg)		0.9	0.5	2	2
浸透圧(mOsm/L)		−	650	440	520
粘度(20℃) CP			22	−	−
ω6/ω3 比		−	2.4	−	
MCT					
NPC/N 比		−	167	74	150

索　引

欧　文

さ

し

ね

の

は

ひ

ふ

へ

病態栄養専門医テキスト（改訂第3版）—認定専門医をめざすために

2009年1月5日　第1版第1刷発行
2015年8月30日　第2版第1刷発行
2021年5月15日　改訂第3版発行

編集者　日本病態栄養学会
発行者　小立健太
発行所　株式会社 南 江 堂
〒113-8410 東京都文京区本郷三丁目42番6号
☎（出版）03-3811-7236 （営業）03-3811-7239
ホームページ https://www.nankodo.co.jp/
印刷・製本 横山印刷
装丁 葛巻知世（アメイジングクラウド）

Textbook of Metabolism and Clinical Nutrition, 3rd Edition
© Japan Society of Metabolism and Clinical Nutrition, 2021

定価はカバーに表示してあります．
落丁・乱丁の場合はお取り替えいたします．
ご意見・お問い合わせはホームページまでお寄せください．

Printed and Bound in Japan
ISBN978-4-524-22805-8

本書の無断複写を禁じます．

JCOPY〈出版者著作権管理機構 委託出版物〉
本書の無断複写は，著作権法上での例外を除き，禁じられています．複写される場合は，そのつど事前に，出版者著作権管理機構（電話 03-5244-5088，FAX 03-5244-5089，e-mail: info@jcopy.or.jp）の許諾を得てください．

本書をスキャン，デジタルデータ化するなどの複製を無許諾で行う行為は，著作権法上での限られた例外（「私的使用のための複製」など）を除き禁じられています．大学，病院，企業などにおいて，内部的に業務上使用する目的で上記の行為を行うことは私的使用には該当せず違法です．また私的使用のためであっても，代行業者等の第三者に依頼して上記の行為を行うことは違法です．